Les Cartographes

Livre I

La Sentence de verre

Éditeur : François Doucet
Traduction : Sophie Dabat
Correction d'épreuves : Nancy Coulombe, Émilie Leroux
Conception : Eileen Savage
Montage de la couverture : Sylvie Valois
Illustration de la couverture : © Stephanie Hans
Cartes : © Dave A. Stevenson
Mise en pages : Nathan, Sylvie Valois
ISBN papier 978-2-89767-587-5
ISBN PDF numérique 978-2-89767-588-2
ISBN ePub 978-2-89767-589-9
Première impression : 2016
Dépôt légal : 2016
Bibliothèque et Archives nationales du Québec
Bibliothèque et Archives Canada

Éditions AdA Inc.
1385, boul. Lionel-Boulet
Varennes (Québec) J3X 1P7, Canada
Téléphone : 450 929-0296
Télécopieur : 450 929-0220
www.ada-inc.com
info@ada-inc.com

Diffusion
Canada : Éditions AdA Inc.
France : D.G. Diffusion
Z.I. des Bogues
31750 Escalquens — France
Téléphone : 05.61.00.09.99
Suisse : Transat — 23.42.77.40
Belgique : D.G. Diffusion — 05.61.00.09.99

Financé par le gouvernement du Canada | Canada

Crédit d'impôt livres
Gestion SODEC

Imprimé au Canada

Participation de la SODEC.
Nous reconnaissons l'aide financière du gouvernement du Canada par l'entremise du Fonds du livre du Canada (FLC) pour nos activités d'édition.
Gouvernement du Québec — Programme de crédit d'impôt pour l'édition de livres — Gestion SODEC.

S.E. GROVE

Les Cartographes

Livre I

La Sentence de verre

Traduit de l'américain par Sophie Dabat

À mes parents et à mon frère

« On ne saurait être intellectuel sans avoir l'esprit héroïque. L'action est le préambule de la pensée, la transition par laquelle elle passe de l'inconscient au conscient. Je ne sais que dans la mesure où j'ai vécu. Instantanément nous savons, par les mots qu'il prononce, qui a vécu et qui n'a pas vécu.

Le monde – cette ombre de l'âme, cet autre moi – s'étend, vaste, aux alentours. Ses attractions sont les clés qui ouvrent mes pensées et me révèlent à moi-même. Je me lance avidement dans ce tumulte. »

Ralph Waldo Emerson, *L'Intellectuel américain,* 1837
(traduction Sylvie Chaput, avec la collaboration de Danielle Chaput)

Inexploré
Inexploré
Neiges préhistoriques
États
papaux
Nouvel
Occident
Les Terres
rases
Terre des
Pharaons
Caraïbes unies
Patagonie
tardive
CARTE du NOUVEAU MONDE
Inexploré

Empire clos
Inexploré
Russies
Routes du Milieu
Royaume central
Inde
40e Âge
N
Inexploré
Australie
et des CONTRÉES INEXPLORÉES
PAR Shadrack Elli
MAÎTRE CARTOGRAPHE

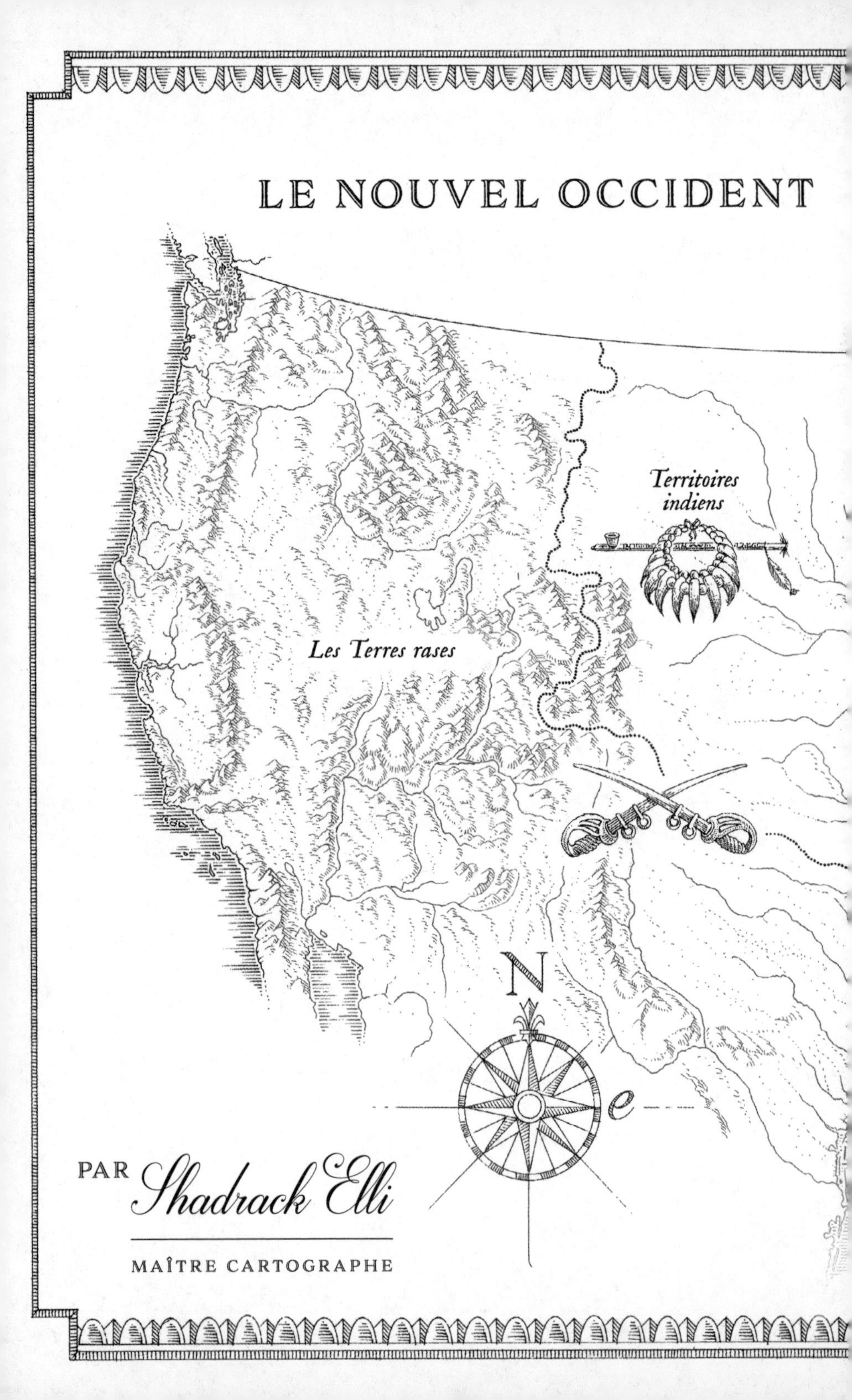
LE NOUVEL OCCIDENT
Territoires indiens
Les Terres rases
N
e
PAR Shadrack Elli
MAÎTRE CARTOGRAPHE

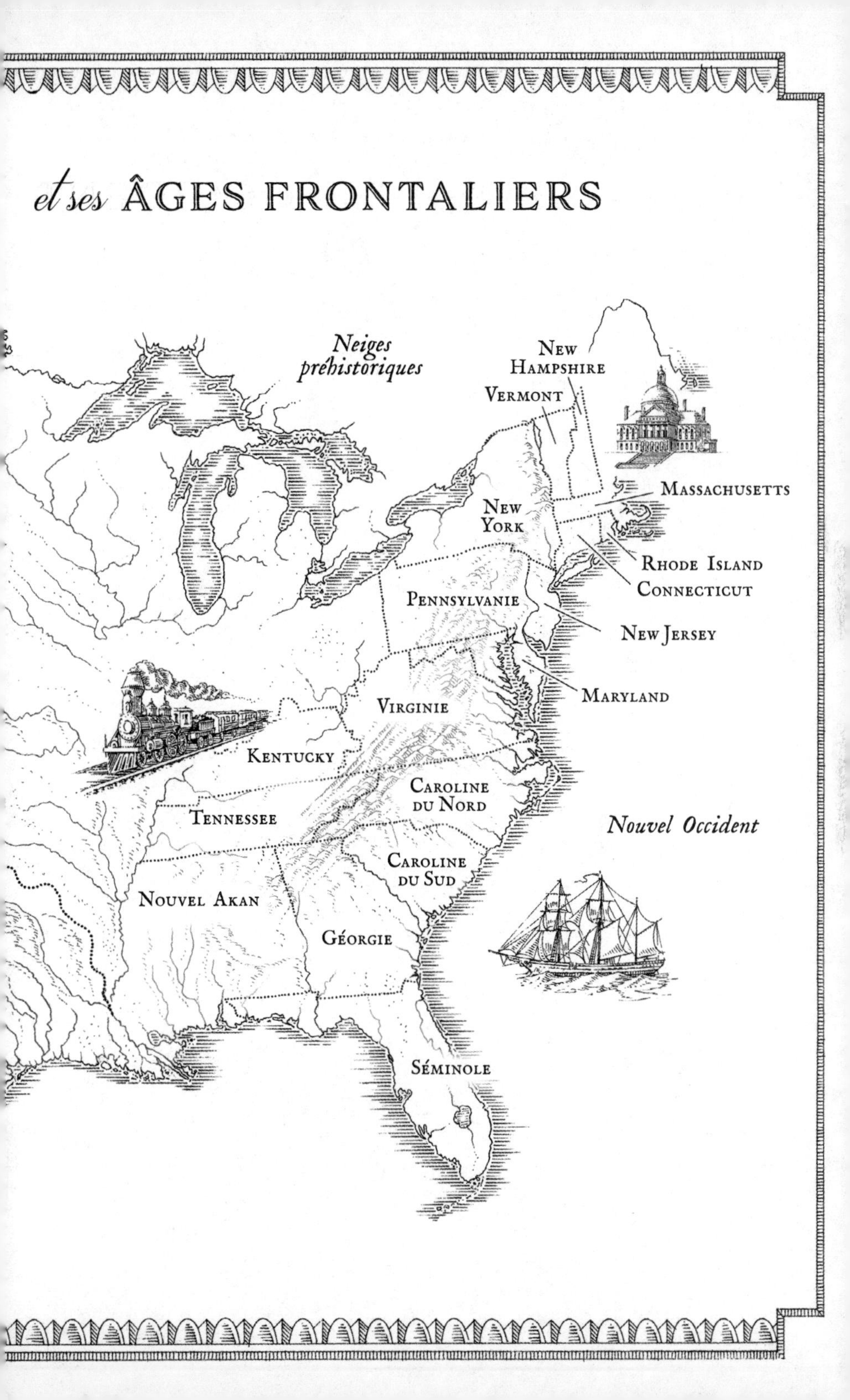
et ses ÂGES FRONTALIERS
Neiges préhistoriques
New Hampshire
Vermont
Massachusetts
New York
Rhode Island
Connecticut
Pennsylvanie
New Jersey
Maryland
Virginie
Kentucky
Caroline du Nord
Tennessee
Nouvel Occident
Caroline du Sud
Nouvel Akan
Géorgie
Séminole

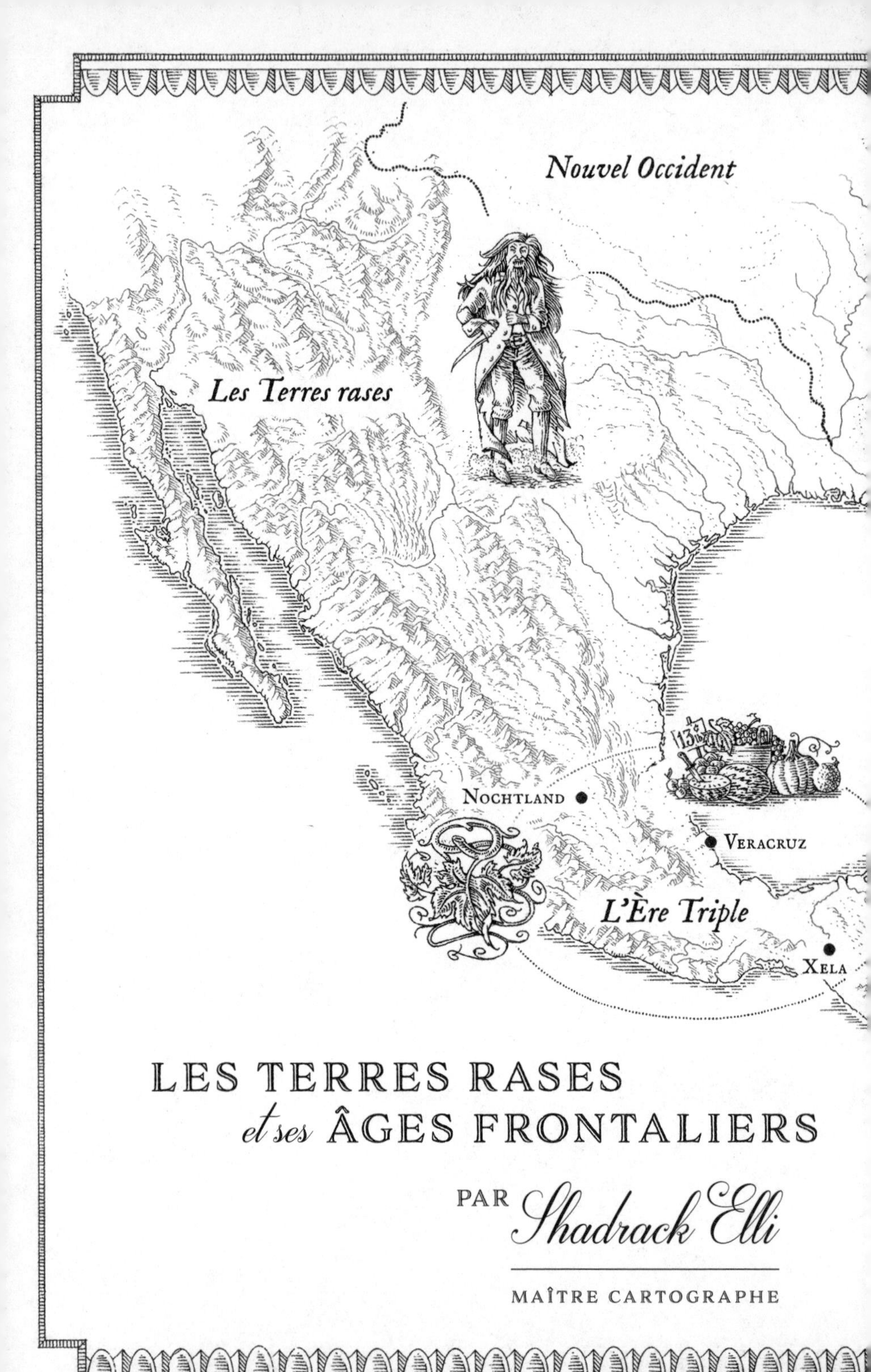
Nouvel Occident
Les Terres rases
Nochtland
Veracruz
L'Ère Triple
Xela
LES TERRES RASES
et ses ÂGES FRONTALIERS
PAR Shadrack Elli
MAÎTRE CARTOGRAPHE

N
e
Caraïbes unies
Patagonie tardive

Prologue

LE CATACLYSME *s'est produit il y a de nombreuses années, quand j'étais enfant. À l'époque, Boston était encore entourée de vastes plaines et, pendant les grandes vacances, je passais toutes mes journées à courir la campagne avec mes amis, pour ne revenir qu'au crépuscule. Nous combattions la chaleur en nous baignant dans un torrent profond au courant vif nommé Boon's Stream.*

Lors d'une après-midi d'été particulièrement caniculaire, le 16 juillet 1799 précisément, je suis arrivée près du cours d'eau en dernier. Tous mes camarades étaient déjà là. Je n'avais pas atteint les rives que je les entendais déjà crier et, quand ils me virent postée sur notre rocher favori, ils me hurlèrent de me dépêcher.

« Saute, Lizzie ! Saute ! » m'encourageaient-ils.

Je me suis déshabillée, j'ai pris mon élan et j'ai plongé. Comment aurais-je pu deviner que je plongeais dans un monde différent ?

Je me suis retrouvée suspendue au-dessus de l'eau. Entre ciel et terre, les bras serrés autour de mes jambes repliées, à regarder le torrent dessous et la berge à côté, incapable du moindre geste. C'était comme tenter de sortir d'un rêve. Vous voulez vous réveiller, vous aimeriez bouger, mais c'est impossible ; vos paupières restent fermées, vos membres demeurent immobiles. Seul votre esprit continue à hurler : « Lève-toi ! Lève-toi ! » C'était exactement comme ça, sauf que ce n'était pas le rêve, mais le monde autour de moi, qui refusait de me lâcher.

Tout était devenu silencieux. Je ne pouvais même pas entendre mon cœur battre. Pourtant, j'avais conscience du temps qui passait. Bien trop rapidement, d'ailleurs. Mes amis aussi étaient figés ; autour d'eux, l'eau tourbillonnait à une vitesse folle, effrayante. Puis, sur les berges, quelque chose a changé.

L'herbe s'est mise à pousser sous mes yeux. De façon régulière, jusqu'à parvenir à une hauteur qu'elle n'aurait dû atteindre qu'au beau milieu de l'été. Puis elle s'est flétrie et a bruni. Les feuilles des arbres ont jauni, avant de devenir orange, puis rouges ; quelques secondes plus tard, elles se desséchaient et s'éparpillaient sur le sol. La lumière dans laquelle nous baignions avait pris une teinte gris terne, comme prisonnière entre le jour et la nuit. Alors que les feuilles se mettaient à tomber, le jour s'est encore assombri. À perte de vue, les champs ont pris une couleur brun argenté et, l'instant suivant, se sont transformés en une immense étendue immaculée. Le ruisseau a ralenti jusqu'à se figer. Le niveau de la neige montait et descendait en vagues, comme il l'aurait fait durant un long hiver. Puis le manteau blanc a disparu, laissant derrière lui une chape de boue. La glace qui emprisonnait le torrent s'est craquelée en une multitude de fragments par lesquels l'eau s'insinuait pour couler de plus belle. Autour des berges, la terre a repris vie ; de nouvelles pousses ont émergé de l'humus et les arbres ont semblé se couvrir d'une dentelle verte. Un moment plus tard, les feuilles arboraient leur teinte estivale plus riche et l'herbe s'est remise à pousser. Tout s'est dissipé en un instant, mais m'a donné l'impression d'avoir vécu une pleine année en dehors du monde, pendant ce temps le monde avait continué sans moi.

Soudain, je suis tombée dans le Boon's Stream et j'ai entendu, de nouveau, les sons. Le torrent gargouillait et clapotait, tandis que mes amis et moi nous regardions les uns les autres, stupéfaits. Nous avions tous vu la même chose et n'avions pas la moindre idée de ce qui s'était passé.

Durant les jours, les semaines et les mois qui suivirent, les habitants de Boston commencèrent à prendre conscience des incroyables conséquences de ce moment, bien que personne n'ait été, à l'époque, en mesure de le comprendre. Les navires en provenance d'Angleterre et de France cessèrent d'arriver. Quand les premiers marins qui avaient quitté la ville après le Changement revinrent, abasourdis et terrifiés, ils livrèrent des récits déconcertants d'anciens ports et d'épidémies. Des marchands, en voyage au nord, décrivirent un endroit stérile couvert de neige, où tous les signes de présence humaine avaient disparu et des bêtes fabuleuses, que l'on n'avait jamais croisées que dans les légendes, étaient apparues. Des explorateurs qui s'étaient aventurés au sud firent des rapports si divers – de cités aux tours de verre, de raids de cavaliers et de créatures inconnues – qu'on n'entendit jamais deux fois le même.

Il devint évident qu'en une terrible seconde, les parties du monde s'étaient éloignées les unes des autres. Elles s'étaient détachées du temps, éparpillées dans toutes les directions, chacune d'elles projetée à une époque différente. Quand le cataclysme s'était achevé, elles étaient restées là où elles avaient atterri, sans avoir bougé d'un point de vue géographique, mais inéluctablement séparées par des siècles. On ignorait tout de l'origine du drame comme de celle du monde, de même qu'on ne savait quelle époque avait causé la catastrophe. Notre monde venait d'être brisé et un autre avait pris sa place.

Ce cataclysme, nous l'avons appelé le Grand Bouleversement.

Elizabeth Elli,
à l'attention de son petit-fils Shadrack, 1860.

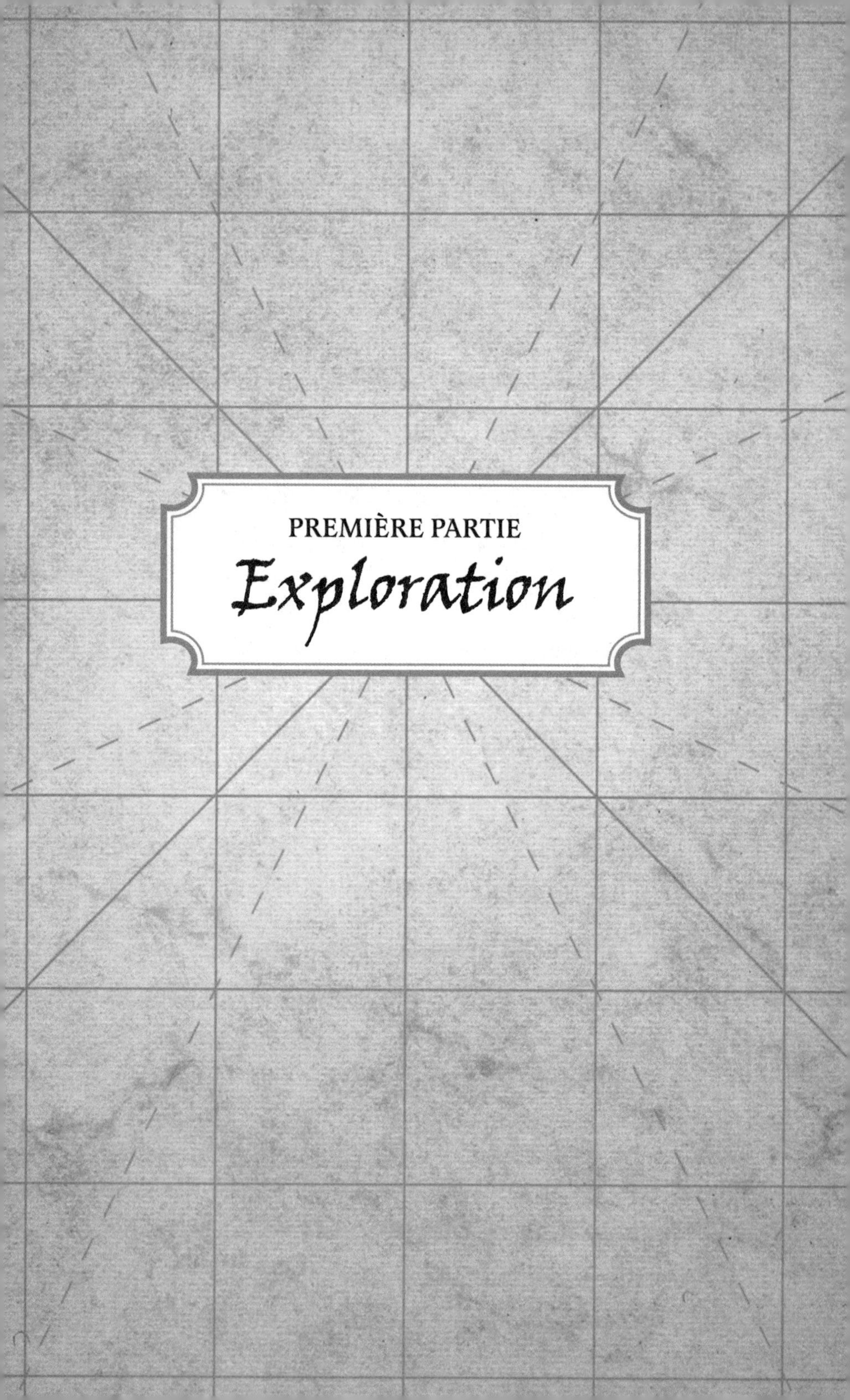

PREMIÈRE PARTIE

Exploration

1
Un Âge se ferme

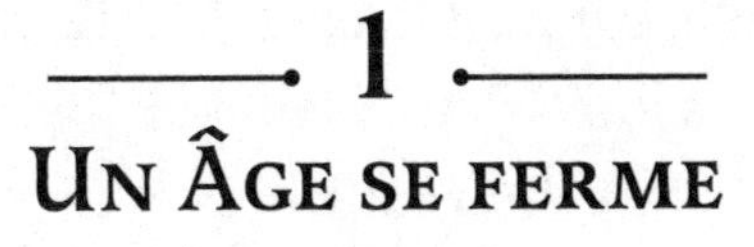

Le Nouvel Occident entama son existence avec l'élection de représentants pleins d'espoir et d'optimisme. Mais celle-ci fut rapidement entachée de corruption et de violence, et il devint évident que le système avait échoué. En 1823, un riche représentant de Boston suggéra une solution radicale. Il proposa qu'un parlement unique gouverne le Nouvel Occident et que toute personne désireuse d'émettre une opinion devant lui paie son entrée. Son idée fut saluée – par ceux qui avaient les moyens de se le permettre – comme étant l'initiative la plus démocratique depuis la révolution. Cette décision est à l'origine de la pratique contemporaine de vendre le temps d'audience à la seconde au Parlement.

Extrait de Histoire du Nouvel Occident,
par Shadrack Elli.

LE JOUR OÙ LE NOUVEL OCCIDENT ferma ses frontières fut le plus chaud de l'année, et celui où le cours de la vie de Sophia Tims changea à jamais lorsqu'elle perdit toute notion du temps.

Depuis son réveil, elle avait gardé les yeux rivés sur sa montre. À présent, dans la Chambre des représentants de Boston, la grande horloge dorée, affichant les vingt heures standard du Nouvel Occident, surplombait le pupitre de l'orateur. Au moment où elle sonna 8 heures, la salle était pleine à craquer. Les membres du Parlement étaient assis en U autour de l'estrade, quatre-vingt-huit hommes et deux femmes assez riches pour s'octroyer cette position. Devant eux se trouvaient les visiteurs qui avaient acheté du temps de parole et, derrière ces privilégiés, les spectateurs qui pouvaient s'offrir des places du même rang. Assise sur l'un des sièges les moins chers du balcon supérieur, Sophia était entourée d'individus entassés sur des bancs. Le soleil filtrait à travers les grandes fenêtres de la salle, se réfléchissant sur les dorures des balustrades incurvées.

– Quelle chaleur, hein ? soupira la femme à côté d'elle en s'éventant avec son chapeau mauve, dont la bride vola.

Des gouttes de sueur mouillaient sa lèvre supérieure, et sa robe de popeline était froissée et maculée d'auréoles de sueur.

– Je parie qu'il fait au moins cinq degrés de moins au niveau du sol.

Sophia lui adressa un sourire nerveux et balança ses bottes au-dessus des lattes du plancher.

– Mon oncle est en bas. Il doit parler, aujourd'hui.

– Vraiment ? Lequel est-ce ?

La femme posa une main potelée sur la rambarde et scruta la salle.

Sophia désigna un homme brun, assis bien droit et les bras croisés. Il portait un costume de lin et tenait, en équilibre sur son genou, un petit livre relié de cuir. Ses yeux foncés examinaient avec calme la pièce bondée. À côté de lui se trouvait son ami, le riche explorateur Miles Countryman, le teint cramoisi et sa crinière de cheveux blancs aplatie par la transpiration. Il s'essuya le visage d'un geste brusque.

– Il est au premier rang des orateurs.

– C'est lequel ? répéta sa voisine en plissant les yeux. Ah, regarde ! Le célèbre Shadrack Elli est là, je le reconnais !

Sophia esquissa un sourire fier.

– C'est lui, mon oncle. C'est Shadrack.

La femme la fixa avec surprise, oubliant pour une seconde de s'éventer.

– Voyez-vous ça ! fit-elle, visiblement impressionnée. La nièce du grand cartographe ! Comment t'appelles-tu, ma chérie ?

– Sophia.

– Alors, dis-moi, Sophia, comment se fait-il que ton oncle si célèbre ne puisse t'offrir de meilleur siège ? A-t-il dépensé tout son argent pour son allocution ?

– Oh non, Shadrack n'a pas les moyens de s'adresser au Parlement, expliqua de façon très factuelle Sophia. C'est Miles Countryman qui a payé pour lui. Pour pile quatre minutes et treize secondes.

À peine avait-elle refermé la bouche que la séance commença. Les deux gardiens du temps, de chaque côté de l'estrade, leurs chronomètres dans leurs mains gantées de blanc, appelèrent le premier orateur, un certain Mr Rupert Middles. Un homme corpulent doté d'une moustache particulièrement alambiquée se fraya un chemin vers eux. Il redressa sa cravate jaune, lissa sa moustache de ses doigts boudinés et se racla la gorge. Le fonctionnaire de gauche régla l'horloge sur vingt-sept minutes. Sophia écarquilla les yeux de surprise.

– Si longtemps, tu imagines ? chuchota la femme rondouillarde. Ça a dû lui coûter une fortune !

Sophia hocha la tête. Son estomac se noua tandis que Rupert Middles ouvrait la bouche, à l'instant où ses vingt-sept minutes commençaient.

– Je suis honoré de me présenter aujourd'hui devant le Parlement, lança-t-il d'une voix sonore, en ce quatorzième jour du mois de juin de l'an mille huit cent quatre-vingt-onze, pour proposer un projet en vue de l'amélioration de notre bien-aimé Nouvel Occident. (Il prit une grande inspiration avant de poursuivre.) Les pirates des Caraïbes unies, les hordes de pillards des Terres rases, l'invasion graduelle de nos territoires depuis le nord, l'ouest et le sud… Combien de temps encore le Nouvel Occident continuera-t-il à ignorer les réalités de notre nouveau monde, tandis que les étrangers rongent avec avidité nos frontières ? (Quelques huées et acclamations se firent entendre dans la foule, mais Middles ne s'interrompit pas pour autant.) Ne serait-ce qu'au cours de l'année passée, quatorze villes du Nouvel Akan ont été envahies par des vandales des Terres rases, qui n'ont payé pour aucun des privilèges qui accompagnent le fait de vivre en Nouvel Occident, mais en ont néanmoins profité au maximum. Durant la même période, des pirates ont capturé trente-six navires marchands dont les cargaisons provenaient des Caraïbes unies. Je n'ai pas besoin de vous rappeler qu'il y a tout juste huit jours, le *Bourrasque du Nord*, un fier vaisseau bostonien transportant une véritable fortune en or et en biens de valeur, a été arraisonné par le tristement célèbre Barbe-Bleue, un méprisable pirate, qui mouille l'ancre à moins d'un mille d'ici, dans notre propre port !

Des grondements d'encouragements furieux émanèrent de la foule. Middles, le visage rougi par l'émotion, prit une brève inspiration et continua.

– Je suis un homme tolérant, comme mes compatriotes bostoniens. (Il y eut quelques légères acclamations.) Et je suis un homme travailleur, comme les Bostoniens. (Les cris d'approbation s'amplifièrent.) Et je déteste voir ma bienveillance et mon labeur ridiculisés par l'avidité et la ruse d'étrangers !

La foule éclata en applaudissements et en vivats.

– Je suis ici pour vous proposer un projet détaillé, que j'appellerai la « Loi patriote » ; je suis certain que vous le validerez, car il protège les intérêts de tous ceux qui, comme moi, croient en la préservation de notre liberté et de notre industrie. (Il s'appuya à l'estrade.) Il faut que ce projet soit mis en place immédiatement et les frontières fermées. (Il s'interrompit, coupé par une salve d'acclamations perçantes.) Les habitants du Nouvel Occident pourront voyager librement – si, et seulement si, ils possèdent les documents adéquats. Les étrangers séjournant chez nous auront plusieurs semaines pour retourner dans leur Âge d'origine. Quant aux réfractaires, ils seront expulsés de force le 4 juillet prochain, anniversaire de la fondation de notre grande nation.

L'enthousiasme monta encore d'un cran dans la salle et une partie de l'audience se leva pour applaudir.

Sophia sentit son estomac sombrer alors que Rupert Middles détaillait les peines applicables aux étrangers qui resteraient dans le Nouvel Occident et aux citoyens qui tenteraient de quitter le pays sans permission. Il parlait si vite qu'elle pouvait voir un fil de bave écumante s'amasser aux commissures de ses lèvres et son front briller de sueur. Gesticulant avec véhémence, sans prendre le temps de s'essuyer le visage, il continua à énumérer les éléments de son « projet » en postillonnant, tandis que la foule autour de lui l'acclamait.

Naturellement, Sophia avait déjà entendu tout cela auparavant. Le fait de vivre avec le plus célèbre cartographe de Boston lui avait permis de rencontrer tous les grands explorateurs venus lui rendre visite dans son étude et d'être au fait des arguments déplorables défendus par ceux qui cherchaient à mettre un terme à l'Âge d'Exploration. Mais cela ne rendait pas le vitriol des propos de Rupert Middles moins répugnant ni son projet moins terrible. Tandis que Sophia écoutait les dernières minutes de son discours, elle songea avec une angoisse croissante à ce que signifierait la fermeture des frontières : le Nouvel Occident couperait les ponts avec les autres Âges, des amis, proches et voisins seraient contraints de partir, et elle, Sophia, ressentirait cette perte de façon bien plus forte.

Ils n'auront pas les bons documents. Ils ne pourront pas rentrer, et je les perdrai pour toujours, se dit-elle, le cœur battant à tout rompre.

Sa voisine s'éventait et secouait la tête avec réprobation. Le temps de parole de Middles s'acheva enfin et, lorsque le gardien frappa l'énorme cloche, il s'assit en vacillant sur son siège, couvert de sueur et haletant, sous une ovation qui emplit Sophia de terreur. Comment Shadrack pourrait-il, après ça, faire pencher en sa faveur la balance de l'auditoire en seulement quatre minutes ?

– Maudite langue de vipère, cracha sa voisine avec mépris.

– Mr Augustus Wharton, appela d'une voix forte le premier surveillant, pendant que son collègue réglait l'horloge sur quinze minutes. Les cris et les applaudissements décrurent, et un grand homme aux cheveux blancs et au nez crochu s'avança vers l'estrade d'un pas assuré. Celui-là n'avait pas de notes. Il agrippa la balustrade avec de longs doigts pâles.

– Vous pouvez commencer, déclara le gardien.

– Je me présente devant cette assemblée, annonça Mr Wharton d'un timbre étonnamment morne, pour commenter la proposition émise par Mr Rupert Middles et persuader les quatre-vingt-dix membres de ce Parlement que nous devrions non seulement l'appliquer... mais ne pas nous en contenter ! hurla-t-il, haussant la voix en un crescendo magistral.

L'audience du parterre applaudit avec frénésie. Désemparée, Sophia vit son oncle se renfrogner encore plus.

– Oui, nous devons fermer nos frontières, et oui, nous devons déporter de façon systématique les étrangers qui pillent notre glorieuse nation sans lui donner quoi que ce soit en retour. Mais nous devons également empêcher les citoyens du Nouvel Occident de le quitter, minant ainsi nos propres fondations. Je vous pose la question : pourquoi aspirer à voyager vers d'autres Âges, alors que nous savons qu'ils nous sont inférieurs ? Est-ce qu'un vrai patriote ne devrait pas rester dans son foyer ? Je ne doute pas que nos valeureux explorateurs, dont nous sommes si fiers, partent pour des terres lointaines avec les meilleures intentions du monde, en quête de connaissances ésotériques malheureusement trop érudites pour que la plupart d'entre nous puissent les comprendre...

Il lança ces derniers mots avec condescendance tout en inclinant la tête en direction de Shadrack et Miles.

À la plus grande horreur de Sophia, celui-ci bondit sur ses pieds. La foule le hua, et Shadrack se leva en toute hâte pour poser une main sur son bras et le ramener à la raison. Miles se rassit, furibond, tandis que Wharton reprenait, sans tenir compte de l'interruption.

– Mais je suis persuadé que ces héros peuvent faire preuve, à l'occasion, de naïveté, continua-t-il, encouragé par d'énergiques acquiescements. Ou plutôt, nous devrions dire d'idéalisme, parce qu'ils ne s'aperçoivent même pas que ce savoir qu'ils estiment tant peut être déformé et servir à des forces étrangères désireuses de détruire notre pays ! (Sa phrase fut accueillie par des rugissements approbateurs.) Ai-je besoin de mentionner le grand explorateur Winston Hedges, dont les connaissances sur la côte du Golfe ont été impitoyablement exploitées par les pirates lors du siège de La Nouvelle-Orléans ? (Des huées bruyantes indiquèrent que ce souvenir était en effet encore frais.) Et nul n'ignore que les chefs-d'œuvre créés par le cartographe qui nous honore de sa présence aujourd'hui représentent une mine d'informations pour n'importe quel flibustier, pillard ou potentat enclin à l'invasion.

L'audience, surprise par cette attaque directe, applaudit avec plus de modération. Shadrack resta silencieux, le regard noir, mais le visage sévère et composé. Sophia déglutit avec difficulté.

– Je suis désolée pour toi, ma chérie, murmura la femme. Cette remarque était aussi gratuite que méchante.

– Pour résumer, reprit Wharton, j'aimerais que l'on rajoute un décret en faveur d'une fermeture complète de nos frontières envers les étrangers comme envers nos citoyens. Middles est à l'origine de la Loi patriote, pour nous préserver des étrangers. Je dis que c'est une bonne chose, mais que ce n'est pas suffisant. De ce fait, je vous propose aujourd'hui, en complément, une mesure pour nous protéger de nous-mêmes, l'amendement

Sécurité : restez en sécurité, restez dans votre foyer ! (Les acclamations qui accueillirent sa diatribe furent peu nombreuses, mais enthousiastes.) Il faudrait que les relations avec l'étranger soient restreintes et que le commerce avec certains Âges soit facilité, respectivement, tel que suit…

Sophia entendit à peine la fin de son allocution. Elle avait les yeux rivés sur Shadrack, regrettant de tout cœur de ne pas être assise à côté de lui, et réfléchissant à ce qui se passerait si le projet de Wharton était validé et que l'Âge d'Exploration arrivait à son terme.

Shadrack l'avait déjà prévenue que cela risquait de se produire. Il en avait encore reparlé la veille au soir, alors qu'il répétait son discours une dernière fois, debout devant la table de la cuisine, tandis que Sophia préparait des sandwichs. À ce moment-là, l'hypothèse que quiconque puisse soutenir une vision du monde aussi étroite lui avait semblé aberrante. Et pourtant, d'après la réaction des gens autour d'elle, c'était plus que possible.

– Personne ne veut que les frontières restent ouvertes ? dit-elle à voix haute.

– Bien sûr que si, ma chérie, répondit placidement sa voisine de banc. C'est ce que souhaitent la plupart des gens présents. Mais nous n'avons pas les moyens de plaider au Parlement, nous, pas vrai ? N'as-tu pas remarqué que l'intégralité de ceux qui acclament Wharton et ses sympathisants sont tous en bas, occupant les sièges les plus chers ?

Sophia hocha la tête avec tristesse.

Finalement, la cloche sonna et Wharton quitta triomphalement le pupitre.

Le gardien du temps appela l'orateur suivant.

– Mr Shadrack Elli.

Quelques applaudissements polis accueillirent Shadrack quand il monta sur l'estrade. L'horloge fut réglée sur quatre minutes et treize secondes. Le cartographe leva les yeux en direction du balcon pour croiser ceux de sa nièce. Il lui adressa un sourire et tapota la poche de sa veste. Sophia lui rendit son sourire.

– Qu'est-ce que ça veut dire ? demanda sa compagne d'une voix excitée. C'est un signe de reconnaissance ?

– Un porte-bonheur que je lui ai donné.

C'était un dessin, un des nombreux que Shadrack et Sophia se laissaient l'un pour l'autre en des endroits incongrus : une correspondance ininterrompue en images. Celui-ci montrait Cora Cadran, l'héroïne qu'ils avaient inventée ensemble, fièrement campée devant un Parlement impressionné. Ce personnage avait une horloge à la place du buste, une tête couverte de bouclettes et des membres sinueux. Heureusement, Shadrack était plus présentable. Avec ses cheveux noirs coiffés en arrière et son menton épais levé, il semblait prêt et confiant.

– Vous pouvez commencer, annonça le gardien du temps.

– Je me tiens aujourd'hui devant vous non pas en tant que cartographe ou explorateur, entama calmement Shadrack, mais en tant qu'habitant de notre nouveau monde. (Il fit une pause, attendant durant deux précieuses secondes que son audience lui accorde toute son attention.) Je vais vous parler d'un grand poète, reprit-il d'une voix douce, que nous avons la chance de connaître grâce à ses écrits. Un poète anglais du seizième siècle pré-Bouleversement et dont tous les élèves de notre époque apprennent les vers ; ses mots ont illuminé des milliers d'esprits. Mais parce qu'il est né au seizième siècle et que, pour ce que nous en savons, l'Angleterre est actuellement plongée en pleine Renaissance, il n'est pas encore venu au monde. Et pour tout vous dire, si le destin en décide ainsi, cela pourrait même ne jamais arriver. Alors, ses livres seront d'autant plus précieux, et c'est à nous – à nous – qu'incombera la tâche de transmettre son œuvre et de s'assurer qu'elle ne disparaisse pas.

« Ce grand poète, déclama-t-il en scrutant son audience, devenue silencieuse, a écrit :

> *Nul homme n'est une île, complète en elle-même ; chaque homme est un morceau du continent, une part de l'ensemble ; si un bout de terre est emporté par la mer, l'Europe en est amoindrie [...]. La mort de chaque homme me diminue, car je suis impliqué dans l'humanité.*

« Je n'ai pas besoin de vous convaincre de ces mots. Nous avons appris leur véracité. Nous avons vu, après le Grand Bouleversement, le terrible appauvrissement de notre monde, alors que ses débris s'éloignaient, emportés par les mers du temps ; l'Empire espagnol fragmenté, les territoires du Nord perdus dans la préhistoire, l'Europe tout entière plongée dans un siècle reculé, et tant d'autres parties égarées nul ne sait où ni quand. C'était il y a moins de cent ans ; nous nous en souvenons encore.

« La mère de mon père, Elizabeth Elli – Lizzie, pour ses proches – a traversé le Grand Bouleversement et nous a transmis son témoignage de ce drame. Et pourtant, c'est elle qui a encouragé ma vocation de cartographe en me racontant l'histoire de ce jour funeste et en me disant, chaque fois, de ne pas penser à ce que nous avions perdu, mais à ce que nous pourrions gagner. Il nous a fallu des années, des décennies, pour comprendre que ce monde brisé pouvait être réparé. Que nous pouvions atteindre les Âges distants et surmonter les barrières vertigineuses du temps, et en devenir plus riches. Nous avons perfectionné nos techniques en empruntant les connaissances des autres Âges. Nous avons découvert de nouveaux moyens d'appréhender le temps. Nous avons profité – et grandement – de notre commerce et de nos échanges avec les Âges proches. Et nous avons donné.

« Mon bon ami Arthur Whims, des Presses de l'Atlas, dit-il en présentant à bout de bras un petit ouvrage relié de cuir, a réédité les écrits de John Donne, afin qu'ils soient transmis à d'autres personnes, à d'autres époques. Et cet enseignement qui transcende les Âges est loin d'être achevé – une immense partie du Nouveau Monde nous est toujours inconnue. Imaginez quels trésors, qu'ils soient financiers (il regarda avec intensité les membres du Parlement), scientifiques ou littéraires, gisent hors de notre nation. Souhaitez-vous vraiment les laisser se perdre dans les mers du temps ? Voulez-vous que notre propre sagesse disparaisse, emprisonnée à l'intérieur de nos frontières ? Je ne le crois pas, mes amis, mes compatriotes bostoniens. Nous sommes bel et bien tolérants, et travailleurs, comme le dit à juste titre Mr Middles, mais nous sommes aussi partie d'un tout. Nous ne sommes pas une île. Nous ne devons pas nous comporter comme telle.

L'horloge acheva sa course pile à l'instant où Shadrack descendait de l'estrade et que le gardien du temps, ému par sa plaidoirie enflammée, faisait sonner sa cloche avec un soupçon de retard dans le silence pesant de la Chambre des représentants. Sophia bondit sur ses pieds et applaudit avec enthousiasme. Le bruit sembla réveiller l'audience autour d'elle, qui éclata en une ovation magistrale, tandis que son oncle retournait à son siège. Miles lui asséna des claques retentissantes dans le dos. Les autres orateurs restèrent assis, le visage de marbre, mais les acclamations émanant du balcon indiquaient clairement que Shadrack avait été entendu.

– C'était un bon discours, n'est-ce pas ? demanda Sophia.

– Merveilleux, ma chérie, répondit la femme en applaudissant. Et c'est un si bel homme, ajouta-t-elle, l'air rêveur. C'est tout simplement prodigieux. Espérons juste que ce sera suffisant. Quatre minutes, c'est peu, et le temps pèse plus lourd que l'or.

– Je sais, dit Sophia.

Durant l'allocution de Shadrack, elle avait oublié la chaleur. Elle baissa les yeux sur son oncle. Pendant ce temps, les membres du Parlement se retiraient pour délibérer. Elle vérifia sa montre, la remit dans sa poche et se prépara à attendre.

9 h 27 : le Parlement délibère

LE HALL ÉTAIT saturé de relents de laine mouillée et de cacahuètes, que les spectateurs achetaient aux vendeurs massés à la porte. Plusieurs personnes étaient sorties respirer un peu d'air frais, mais toutes étaient rapidement revenues. Personne ne tenait à manquer le retour des membres du Parlement et leur décision. Il y avait trois possibilités : ne pas adopter la moindre mesure, recommander la révision de l'un des projets, ou en voter un.

Sophia regarda l'horloge au-dessus de l'estrade ; la journée était déjà à moitié écoulée, il était 10 heures. Alors qu'elle vérifiait si Shadrack était de retour, elle vit les représentants revenir dans la salle.

– Les voilà, annonça-t-elle à sa voisine de banc.

Plusieurs minutes de précipitation bruyante passèrent alors que les gens tentaient de regagner leurs sièges, puis le silence s'abattit sur l'audience.

Le porte-parole s'avança vers l'estrade, une feuille de papier à la main. L'estomac de Sophia se noua. S'ils avaient opté pour un statu quo – comme Shadrack l'avait préconisé –, ils n'auraient pas eu besoin d'une note pour le dire.

L'homme se racla la gorge, puis se mit à parler avec une lenteur certainement destinée à bien faire remarquer à tout le monde que lui n'avait pas à payer pour s'exprimer.

– Les membres du Parlement ont voté les mesures présentées ce matin. À cinquante et une voix contre trente-neuf, nous avons approuvé une mise en place immédiate (il eut une quinte de toux) de la Loi patriote proposée par Mr Rupert Middles…

La suite de sa phrase fut étouffée par les clameurs de l'assistance. Sophia se rassit, abasourdie, essayant d'assimiler ses mots. Elle remonta la bride de sa besace sur son épaule, puis se mit debout et scruta la salle par-dessus la rambarde du balcon dans l'espoir de trouver Shadrack, mais il avait été englouti par la foule. Derrière elle, les gens exprimaient leur mécontentement par le biais de missiles – un croûton de pain, une chaussure usée, une pomme bien entamée et une pluie de coques de cacahuètes – qui s'abattirent sur les membres du Parlement. Sophia se retrouva pressée contre la balustrade tandis que la populace enragée poussait de l'avant et, durant un instant de panique, elle s'accrocha au rebord de bois, de peur d'être précipitée dans le vide.

– À vos places ! À vos places ! glapit d'une voix perçante un gardien du temps.

Sophia aperçut plusieurs membres du Parlement le dépasser en courant.

– Vous ne vous en tirerez pas si facilement, bande de lâches ! hurla un homme derrière elle. Suivez-les !

À son grand soulagement, la foule rebroussa brusquement chemin et commença à escalader les bancs en direction des sorties. Sophia regarda autour d'elle, à la recherche de sa voisine, mais elle avait disparu.

Elle resta ainsi un moment dans la foule de plus en plus clairsemée, le cœur battant toujours à tout rompre, se demandant ce qu'elle devait faire. Shadrack avait promis de la rejoindre sur le balcon, mais à présent, cela lui serait certainement impossible.

Je lui ai juré d'attendre, se dit Sophia avec fermeté.

Elle tenta de calmer les tremblements de ses mains et d'ignorer les hurlements qui montaient au-dessous d'elle et semblaient gagner en volume de seconde en seconde. Une minute passa, puis une autre ; Sophia gardait un œil sur sa montre afin de ne pas perdre la notion du temps. Soudain, elle entendit un murmure éloigné, qui se précisa alors que d'autres personnes le reprenaient en chœur :

– Enfumez-les ! Enfumez-les ! *Enfumez-les !*

Sophia fonça vers l'escalier.

Au niveau du sol, un groupe d'hommes martelait les portes des salles de délibération en se servant de l'estrade retournée comme d'un bélier.

– Enfumez-les ! hurla une femme qui empilait des chaises avec frénésie comme pour préparer un grand feu.

Sophia se rua vers l'entrée, où l'assistance tout entière semblait amassée et bloquait le passage.

– Enfumez-les ! Enfumez-les ! Enfumez-les !

Elle serra son cartable contre sa poitrine et se faufila vers la sortie en jouant des coudes.

– Bougre de réactionnaire ! beugla soudain une dame devant elle, brandissant les poings sous le nez d'un vieillard en costume gris.

Sophia s'aperçut avec stupéfaction qu'il s'agissait d'Augustus Wharton. Alors qu'il faisait un moulinet avec sa canne au pommeau d'argent, deux hommes arborant les tatouages caractéristiques des Caraïbes unies se jetèrent sur lui, l'un lui arrachant des mains son arme improvisée tandis que l'autre lui tirait les poignets en arrière. La femme, ses yeux bleus brûlants de haine, ses cheveux blonds plaqués sur le visage, lui cracha dessus. Soudain, elle s'effondra dans la masse de ses jupons ; derrière elle se dressait un policier à la matraque encore levée. Le fonctionnaire tendit avec autorité les bras vers Wharton et ses deux agresseurs disparurent.

Un cri retentit, suivi de hurlements. Sophia sentit une odeur impossible à confondre : le feu. La foule se fendit en deux et elle vit quelqu'un jeter une torche enflammée en direction des portes ouvertes. De nouvelles clameurs éclatèrent quand le flambeau atterrit sur le sol. Sophia se fraya un chemin dans la cohue, essayant en vain d'apercevoir Shadrack alors qu'elle descendait l'escalier marche après marche. Les relents de fumée se faisaient de plus en plus âcres.

Alors qu'elle approchait du palier, elle entendit une voix stridente brailler « Maudit pirate ! », et un homme barbu, auquel il manquait bon nombre de dents, s'effondra sur elle, la plaquant au sol. Il se releva aussitôt, l'air furieux, et se jeta contre son assaillant. Sophia se mit à quatre pattes en tremblant, puis se redressa. Voyant une voie se dégager le long de la rue, elle dévala à toute vitesse les dernières marches, les genoux vacillants. Elle se dirigea vers l'arrêt de tramway situé juste à l'angle de la Chambre des représentants. Un tramway était justement en train de s'y garer. Sans vérifier sa destination, elle grimpa à bord.

2
LE TRAMWAY DU PORT

14 juin 1891, 10 heures

Au nord s'étend un abysse préhistorique ; à l'ouest et au sud gît un chaos d'Âges mêlés. De façon encore plus regrettable, le gouffre temporel entre les défunts États-Unis d'Amérique et l'Europe a été constaté dès les premières années après le Grand Bouleversement. Les États papaux et l'Empire clos ont sombré dans l'ombre. De ce fait, c'est au littoral oriental, à l'ouest de l'Atlantique, qu'est revenue la tâche de maintenir la glorieuse tradition occidentale. Les États-Unis sont alors devenus le Nouvel Occident.

Extrait de Histoire du Nouvel Occident, *par Shadrack Elli.*

LE TRAMWAY S'ÉLOIGNA de la Chambre des représentants en contournant le centre de Boston. Sophia inspira à pleins poumons et coinça ses mains tremblantes entre ses genoux, mais ses paumes à vif la brûlaient de plus en plus. Elle entendait encore les clameurs de la foule, et les passagers de son wagon commentaient avec agitation la décision stupéfiante du Parlement.

– Cette résolution ne durera pas, dit en secouant la tête un homme corpulent au gilet orné d'une montre à gousset rutilante.

(Il donna un coup de talon de sa botte de cuir pour souligner son indignation.) Il y a trop d'étrangers à Boston ; ce serait totalement ingérable. La ville ne s'en remettrait pas.

– Mais seuls certains d'entre eux sont en règle, objecta une jeune femme à côté de lui. Ce n'est pas le cas de tous.

Ses mains se crispèrent avec nervosité dans les plis de sa jupe fleurie.

– Est-ce vrai que les déportations commenceront le 4 juillet ? demanda une dame âgée d'une voix chevrotante.

Sophia détourna le regard pour s'absorber dans la contemplation des rues qui défilaient. À chaque carrefour se trouvaient les horloges graduées en vingt heures spécifiques au Nouvel Occident. Les grands mécanismes étaient accrochés aux réverbères, couronnaient chaque façade et scrutaient la cité du haut d'innombrables monuments. De lourds clochers dominaient la ligne d'horizon et, dans le centre-ville, leur carillon pouvait être assourdissant.

Chaque citoyen portait constamment sur lui une montre reproduisant le rythme des horloges et indiquant sa date de naissance, témoignant à tout jamais du déroulement de sa vie. Sophia aimait le contact de ce disque de métal lisse ; son tic-tac fiable la réconfortait, tout comme le son rassurant des horloges publiques l'apaisait. À présent, il lui semblait que ces appareils, qui avaient toujours été comme une ancre pour elle, égrenaient les secondes avant une fin funeste : le 4 juillet, dans à peine trois semaines. Ce jour-là, les frontières seraient fermées et, dépourvues des papiers nécessaires pour revenir, les deux personnes qu'elle désirait le plus revoir seraient à jamais hors de sa portée.

Sophia pouvait à peine se rappeler ses parents, Bronson Tims et Wilhelmina Elli. Ils avaient disparu l'année de ses trois ans, durant une expédition. Elle gardait d'eux un seul et unique précieux souvenir, qu'elle s'était si souvent remémoré qu'il n'était plus qu'une image usée, floue et sans vie : ils se promenaient tous les trois, elle au milieu, et ils la tenaient par les mains. Leurs visages souriants la regardaient d'en haut avec une immense tendresse.

« Vole, Sophia ! Vole ! » lui criaient-ils en chœur, avant de la soulever du sol. Elle sentait son propre rire s'élever et se joindre aux leurs. C'était tout.

Wilhelmina – Minna, pour ses proches – et Bronson avaient été des explorateurs hors pair. Avant la naissance de leur fille, ils avaient voyagé au sud, dans les Terres rases, et au nord, dans les Neiges préhistoriques, et même aussi loin dans l'est que dans l'Empire clos ; après quoi il avait été question que Sophia les accompagne, quand elle serait assez grande. Mais un message urgent d'un confrère, perdu au cœur des États papaux, les avait forcés à partir plus tôt que prévu et ils avaient dû faire le choix douloureux de ne pas emmener leur fille avec eux.

C'est Shadrack qui avait persuadé sa sœur Minna et son mari de lui laisser Sophia. L'appel à l'aide qu'ils avaient reçu évoquait des dangers auxquels même lui ne pouvait les préparer. Et si Shadrack Elli, docteur en histoire et maître cartographe, ne pouvait leur garantir un itinéraire sans embûche, cela aurait été à coup sûr trop périlleux pour une enfant d'à peine trois ans. Qui mieux que lui pouvait les avertir ? En dehors de son cher oncle Shadrack, qui s'occuperait correctement de Sophia ? Bronson et Minna avaient fini par prendre la route, le cœur serré, mais déterminés, pour ce qu'ils pensaient n'être qu'un court voyage.

Mais ils n'en étaient pas revenus. Et au fil des ans, l'espoir de leur retour, sains et saufs, diminuait peu à peu. Shadrack le savait ; Sophia le sentait. Mais elle se refusait à y croire vraiment. Et aujourd'hui, l'angoisse que faisait naître en elle la fermeture des frontières n'avait, en fait, que peu de rapport avec les grands idéaux scientifiques décrits par Shadrack. Sophia pensait avant tout à ses parents. À l'époque où ils avaient quitté Boston, la législation était bien plus tolérante : voyager sans papiers était monnaie courante, voire prudent, puisque cela limitait les risques d'être détroussé ou agressé durant un périple dangereux. Les papiers d'identité de Bronson et Minna étaient restés soigneusement rangés dans un petit meuble de leur chambre. Si le Nouvel Occident se repliait sur lui-même, comment pourraient-ils revenir ? Perdue dans ses sombres spéculations, Sophia ferma les paupières et appuya sa tête contre le dossier de son siège.

Soudain, elle sursauta et ouvrit les yeux. Une vague de froid l'avait assaillie et la lumière avait baissé.

Il fait déjà nuit ? paniqua-t-elle.

Elle attrapa sa montre, regarda autour d'elle et constata que le tramway s'était arrêté dans un tunnel. Loin derrière lui, elle distinguait la tache claire de l'entrée. Ce qui signifiait qu'il faisait encore jour. Mais quand elle plissa les yeux pour lire l'heure, elle s'aperçut qu'il était plus de 14 heures. Sophia réprima un cri.

– J'ai perdu quatre heures ? s'exclama-t-elle. C'est pas possible !

Elle se précipita vers l'avant du tram. Le chauffeur se trouvait sur les rails, à quelques mètres devant la voiture. Un bruit métallique retentit, puis l'homme revint vers elle d'un pas lourd.

– T'es toujours là, toi ? lui lança-t-il d'un ton enjoué. Cette ligne doit sacrément te plaire, pour vouloir la parcourir vingt-trois fois de suite ! Ou c'est ça, ou tu aimes ma conduite !

Il était corpulent et, malgré la fraîcheur de l'air dans le tunnel, des gouttes de transpiration coulaient le long de son front et sur son menton. Il lui adressa un sourire, s'essuya le visage avec un mouchoir rouge et se rassit.

– J'ai totalement perdu la notion du temps, commenta Sophia avec frayeur.

– Ah, c'est pas grave, répondit-il en soupirant. Un jour comme aujourd'hui, plus vite ça passe, mieux c'est.

Il relâcha le frein et le véhicule redémarra lentement.

– Vous retournez en ville ?

Il secoua la tête.

– Je rentre au dépôt. Il faut que tu descendes sur le quai pour prendre un autre tram.

Sophia ne s'était pas retrouvée dans cette partie de Boston depuis des années.

– C'est le même arrêt ?

– Non, mais je te le montrerai, la rassura-t-il.

Il accéléra, puis bifurqua brusquement sur la gauche. Lorsqu'ils émergèrent du tunnel, la lumière éblouit Sophia. La voiture s'immobilisa.

– Terminus ! annonça le conducteur. On ne prend pas de passagers !

La foule d'usagers qui attendait le tramway jeta des coups d'œil impatients en direction du tunnel pour voir si le suivant arrivait.

– C'est juste derrière eux, expliqua l'homme à Sophia en désignant une direction au-delà des gens. Il y a un autre arrêt indiquant « Arrivée », tu ne peux pas le manquer.

14 h 03 : sur le quai

LA NOUVELLE DE LA FERMETURE des frontières avait déjà atteint le port de Boston. Des gens couraient dans toutes les directions à travers une confusion de carrioles, d'étalages improvisés et d'empilements de marchandises, criant des ordres, déchargeant des cargaisons en catastrophe et faisant des arrangements précipités pour des voyages imprévus. Deux hommes se disputaient autour d'une caisse éventrée pleine de homards dont les pinces s'agitaient faiblement par les interstices des planches fendillées. Des mouettes piaillaient un peu partout, planant au-dessus de la cohue avant de plonger soudain pour s'emparer de miettes de poisson ou de pain. Les relents du port – eau salée, goudron et l'odeur légère, mais tenace, de quelque chose de pourri – se diffusaient à chaque bouffée d'air chaud.

Sophia tenta de se dégager de la foule et se retrouva plusieurs fois repoussée sur le côté. Alors qu'elle bataillait en quête de l'arrêt du tram, elle succomba à cette impression familière de défaite qui accompagnait chacune de ses absences. Mrs Clay, sa gouvernante et l'intendante de leur maison, devait être morte d'inquiétude. Tout comme Shadrack, qui devait encore la chercher au Parlement en craignant le pire. Sophia se força à avancer en trébuchant, des larmes de frustration dans les yeux.

C'était un sentiment qu'elle n'éprouvait que trop souvent. À sa plus grande honte, elle ne possédait pas d'horloge interne. Une minute pouvait lui paraître aussi longue qu'une heure ou qu'un jour. En l'espace d'un instant, elle pouvait vivre un mois entier, tandis que ce même laps de temps pouvait lui faire l'effet d'une seconde. Quand elle était petite, ce problème lui causait mille et une difficultés au quotidien. Si quelqu'un lui posait une question, et qu'elle réfléchissait un peu, elle s'apercevait brusquement que tout le monde se moquait d'elle depuis déjà cinq bonnes minutes. Une fois, elle avait passé plus de six heures sur les marches de la bibliothèque municipale dans l'attente d'un ami qui n'était jamais venu. Et il lui semblait que c'était tout le temps le moment d'aller au lit.

Elle avait appris à compenser cette lacune, et aujourd'hui, à l'âge de treize ans, elle perdait rarement le fil des conversations. Elle observait les gens autour d'elle pour savoir s'il était l'heure de manger, de repartir de l'école ou de se coucher. Elle avait pris l'habitude de garder en permanence un œil rivé sur sa montre. Dans le carnet qui ne quittait jamais son cartable, elle notait scrupuleusement les événements de la journée, autant de cartes du passé et du futur qui l'aidaient à se repérer dans le vaste abîme des heures que rien ne différenciait.

Mais ne pas avoir le sens du temps qui s'écoule la gênait de bien d'autres manières. Certes, Sophia possédait de nombreuses aptitudes dont elle était très fière : elle savait s'orienter dans Boston et même dans des lieux bien plus éloignés, maintenant qu'elle était assez grande pour voyager avec Shadrack ; son travail acharné faisait d'elle une bonne élève à l'école, très appréciée de ses professeurs, à l'inverse de certains de ses camarades de classe ; elle était capable d'organiser et d'analyser le monde, et tous les amis de Shadrack la considéraient comme très mûre pour son âge. Mais, à ses yeux, ces inestimables qualités ne compensaient pas la lacune qui lui faisait l'effet d'être aussi superficielle et frivole que quelqu'un dépourvu de ses talents.

Et le fait qu'elle soit issue d'une famille réputée pour sa perception du temps et de l'orientation ne rendait ce handicap que plus douloureux. D'après ce qu'on lui avait dit, ses parents possédaient une boussole et une horloge intérieures dignes des plus grands explorateurs. Shadrack pouvait donner l'heure à la seconde près sans avoir besoin d'une montre, et malgré tous ses encouragements, il n'était pas parvenu à persuader Sophia d'oublier cette part d'elle-même qui lui faisait défaut. Leur création conjointe, Cora Cadran, aimait tourner en dérision ce problème que Sophia ne prenait pas du tout à la légère.

Elle n'en avait jamais parlé à son oncle, mais elle pensait avoir compris comment elle en était venue à perdre la notion du temps. Elle se souvenait avoir passé des heures, quand elle était toute petite, à guetter ses parents derrière une fenêtre poussiéreuse. Son horloge intérieure avait égrené indéfiniment les secondes de leur absence, avec patience, puis inquiétude, et enfin désespoir. Puis, lorsqu'il était devenu évident que l'attente était futile, les aiguilles s'étaient tout simplement cassées, la laissant sans parents et sans le moindre sens chronologique.

Bien que Shadrack aimât sa nièce de tout son cœur, il ne pouvait lui consacrer chaque minute de son temps. Il avait certes engagé de nombreux étudiants dans le double but de l'assister dans ses travaux et de s'occuper de Sophia, mais ces derniers partageaient souvent les mêmes centres d'intérêt que lui. Tandis que son oncle et ses collaborateurs s'absorbaient dans l'étude de leurs cartes, la petite Sophia de trois ans se sentait très seule et, les mains et le nez pressés contre une vitre, elle ne faisait que guetter ses parents. Dans sa mémoire – ou dans son imagination –, ces moments comprenaient une succession interminable de longues heures. Le soleil se levait et se couchait, les passants défilaient en flot continu dans la rue, mais elle demeurait fidèle au poste. Parfois, la Sophia de ses souvenirs se troublait et, au lieu d'une toute petite fille, elle voyait une fillette plus grande, qui avait attendu plusieurs années. D'ailleurs, son oncle la trouvait encore de temps en temps à la fenêtre, plongée dans ses pensées, son menton pointu posé au creux de sa main et ses yeux bruns fixant un point lointain.

À présent, elle se tenait sur le quai surpeuplé, s'essuyant les paupières avec colère et tentant désespérément de se reprendre. Puis, au milieu des hurlements et du remue-ménage, elle remarqua une dizaine de personnes qui faisaient la queue. Elle se força à ne pas ruminer davantage les quatre heures qu'elle avait perdues.

Ce doit être la file d'attente pour le tram, se dit-elle en se rapprochant.

Au même moment, la clameur d'un homme qui parlait à travers un mégaphone éclipsa le vacarme ambiant. Sophia tapota l'épaule de la dame devant elle.

– Excusez-moi, est-ce bien l'arrêt du tramway menant dans le centre ?

Sa voisine secoua la tête. Son chapeau oscilla au rythme de son excitation. Elle tenait un tract qu'elle déposa dans la main de Sophia.

– Pas du tout. Ils ont amené des créatures d'autres Âges, lui glissa-t-elle, le souffle court. Je veux les voir tant que c'est encore possible !

Ses doigts gantés de dentelle désignèrent une pancarte quelques mètres plus loin.

À côté de la pancarte se tenait l'homme qui criait dans le mégaphone. Il était petit, et arborait une barbiche pointue et un grand chapeau qui lui rétrécissait encore la tête. Il brandissait une canne à pommeau d'argent.

– Des sauvages, des monstres, des créatures qui défieront votre imagination ! (Ses joues étaient rouges de chaleur et de fatigue. Il parlait avec l'accent des Terres rases occidentales, ce qui déformait toutes ses voyelles.) Découverts par l'intrépide Simon Ehrlach et présentés ici pour la distraction et l'instruction des habitants du Nouvel Occident !

Il désigna un lourd rideau de velours qui masquait la porte de l'entrepôt. Une femme encore plus petite que lui était assise à sa gauche et comptait prestement sa monnaie, donnant et tamponnant des tickets, le front plissé de concentration, avant de faire entrer chaque visiteur à l'intérieur.

– Une multitude de créatures exposées sous vos yeux, dans une démonstration unique de toute la fascinante diversité des Âges ! reprit le nabot à grand renfort de postillons. Vous contemplerez les mœurs étranges et les coutumes ensorcelantes de toutes les époques, à tel point que vous croirez avoir voyagé dans le temps ! (De la pointe de sa canne, il tapota un grand enclos muni de barreaux sur sa droite.) Regardez le sauvage des Terres rases, dans son flamboyant costume de guerre. Et ce n'est qu'un début ! À l'intérieur, vous verrez des créatures encore plus féroces ! Des centaures, des tritons et des enfants à queue. Venez les admirer tant que c'est possible !

Sophia fixait la cage avec fascination. Son occupant était un garçon à peine plus vieux qu'elle, intégralement vêtu de plumes. Dès le premier regard, on savait qu'il appartenait à un Âge différent. Ses cheveux étaient torsadés à la verticale autour de plumes chatoyantes qui semblaient émerger de son crâne et ses membres étaient couverts d'un duvet multicolore. Une jupe de longues plumes pendait à sa taille, et un carquois vide était accroché à son épaule. Mais si son costume avait autrefois été impressionnant, il était aujourd'hui en piteux état. Sophia le compara à un magnifique oiseau, piégé en plein ciel et condamné à rester au sol.

Mais ce n'était pas sa beauté qui avait capté son attention. C'était son expression. Bien qu'emprisonné et exhibé comme un divertissement pour des étrangers, il scrutait la foule comme si ses spectateurs constituaient l'attraction, et non l'inverse. Un léger sourire étirait les commissures de ses lèvres. Son regard hautain transformait sa cage en un piédestal ; il était serein, impassible, magnifique. Sophia ne put en détacher les yeux. Elle avait encore perdu la notion du temps, mais cette fois de façon totalement nouvelle.

– Je vous assure, mesdames et messieurs, continua le bonimenteur, que vous verrez même ces féroces créatures se battre au sein du Cirque des Âges d'Ehrlach. Et après la décision prise aujourd'hui par le Parlement, les jours où vous pourrez contempler ce genre de merveilles sont comptés ! Sautez sur l'occasion tant qu'il en est encore temps !

Sur ces mots, il fit passer sa canne à travers les barreaux de la cage et en donna un coup désinvolte à son prisonnier.

Celui-ci l'attrapa au vol sans la moindre difficulté, comme s'il avait saisi une plume égarée. Puis il la rejeta vers son propriétaire, sans plus d'intérêt, avant de reprendre son examen de la foule. Alors que l'homme continuait à vanter les merveilles de son cirque, Sophia s'aperçut que le garçon la fixait droit dans les yeux et avait agrippé les barreaux de sa cage. Elle eut l'impression qu'il lisait dans ses pensées et s'apprêtait à lui adresser la parole. Elle se sentit rougir, mais ne put détourner le regard. Elle ne pouvait pas bouger et n'éprouvait pas la moindre envie de le faire.

– Hé, petite ! (Quelqu'un l'appelait. La jeune femme devant elle dans la file la secoua par l'épaule.) Tu n'attendais pas le tramway à destination du centre-ville, ma jolie ? Il arrive, tu ferais mieux de te dépêcher, si tu veux l'avoir !

Sophia s'arracha à sa fascination. Effectivement, un tramway arrivait. Si elle courait, elle pouvait l'attraper. Elle jeta un dernier coup d'œil au garçon, qui la scrutait toujours d'un air pensif, puis se sauva à toute vitesse.

3
SHADRACK ELLI, CARTOGRAPHE

14 juin 1891

> *Et qui (au fil du temps) sait où déposer*
> *les trésors de notre langue ? À quels étranges rivages doit être*
> *confié ce butin de nos plus grandes gloires ?*
> *Quelles Nations ignorantes enrichir de nos gains ?*
> *Quels mondes, au sein de cet Occident encore à naître,*
> *pourraient se parfaire de ces accents qui sont nôtres ?*
>
> *Samuel Daniel,* Musophilus, *1599.*

SOPHIA VIVAIT AVEC SHADRACK au 34 East Ending Street, dans le South End, le quartier sud de Boston, dans une grande maison de brique que ses arrière-grands-parents avaient fait construire. Comme ses voisines, elle arborait des volets blancs, une masse de lierre et une chouette perchée discrètement au-dessus de l'entrée. Mais, contrairement aux autres immeubles qui bordaient cette rue calme, elle affichait également sur sa porte rouge une petite plaque ovale, de couleur vert sapin, qui annonçait :

En fait, cette plaque ne servait pas à grand-chose, parce que tous les visiteurs potentiels de Shadrack connaissaient déjà son adresse ; de plus, ces gens-là savaient aussi que le simple titre de « cartographe » ne lui rendait pas justice, puisqu'il était également historien, géographe et explorateur. En plus d'être professeur à l'université, il était consultant privé pour d'autres explorateurs ainsi que pour de hauts fonctionnaires. Quiconque avait besoin d'informations précises sur l'histoire et la géographie du Nouveau Monde ne pouvait que faire appel à Shadrack.

Et cela parce qu'il était le meilleur, en cette époque où la majeure partie des terres émergées restait mystérieuse et où personne ne connaissait plus de quelques Âges. En dépit de sa relative jeunesse, nul ne pouvait rivaliser avec lui en érudition et en compétence. Il pouvait expliquer le passé de chaque continent, lire les cartes de chaque civilisation et, ce qui était encore plus important, créer lui-même de véritables chefs-d'œuvre. Le bruit courait que le maître qui l'avait formé avait fondu en larmes, émerveillé, quand Shadrack lui avait présenté sa première carte complète du Nouveau Monde. Comme tout cartographe, il possédait précision et talent, mais c'était son immense culture qui faisait de lui la référence en ce domaine.

Ayant grandi dans un tel environnement, Sophia avait parfois du mal à trouver son œuvre exceptionnelle ; vécue au quotidien, la cartographie devenait une profession certes noble et érudite, mais plutôt envahissante. Leur maison d'East Ending Street était tapissée de cartes de la cave au grenier. Des représentations de mondes contemporains, anciens, voire imaginaires, couvraient chaque centimètre de mur ; des livres, des stylos, des compas, des règles et d'autres cartes, posées à plat ou enroulées comme des parchemins, s'éparpillaient sur la moindre surface plate. Le salon et la bibliothèque débordaient, et même la cuisine avait commencé à être envahie par la masse de dessins qui submergeait plans de travail et placards. Sophia représentait l'unique élément organisé des lieux ; à son passage, les ouvrages étaient redressés, les plans roulés, les crayons rangés. Elle faisait tout son possible pour endiguer cette marée cartographique. Les deux seuls endroits relativement ordonnés de la maison étaient sa chambre, qui comportait quelques ouvrages rigoureusement choisis, et l'appartement de leur gouvernante, Mrs Clay.

Mrs Sissal Clay était arrivée l'année des huit ans de Sophia et, après une longue discussion avec Shadrack, avait tout simplement emménagé au troisième étage de la maison, alors inhabité. Shadrack méprisait la coutume d'entretenir des domestiques, convaincu que ce système défavorisait les jeunes de cette classe sociale, qui quittaient trop tôt l'école pour prendre la suite de leurs parents. Même quand la garde de sa nièce de trois ans lui était revenue, il avait refusé d'engager une nourrice pour se reposer sur l'aide rémunérée de ses stagiaires de troisième année – lesquels n'abandonneraient pas leurs études pour autant.

Certes, aimer un enfant suffit presque toujours à le combler, mais cela ne lui procure pas pour autant ce dont il a besoin, d'un point de vue pratique, comme des vêtements propres, par exemple. Shadrack n'avait pas conscience qu'un bambin puisse être dépassé par certains aspects de la vie adulte, tels que des conférences universitaires de deux heures sur la glaciation de la mer Morte.

De façon générale et bien que pleins de bonne volonté, les assistants de Shadrack n'avaient jamais été à la hauteur. Ils ne maîtrisaient pas plus que lui les besoins d'une enfant et avaient finalement représenté des présences fugaces dans le quotidien de Sophia : ils étaient brillants, inventifs, mémorables, et, la plupart du temps, des nounous déplorables.

L'un d'eux lui avait construit un magnifique bateau en papier laqué qu'elle avait fait naviguer sur la rivière Charles, suscitant la jalousie de tous les gamins du quartier. Un autre avait tenté de lui enseigner le latin et avait en grande partie réussi, avec pour résultat qu'à l'âge de sept ans, elle était capable de parler assez couramment dans cette langue de fermiers, de moutons et d'aqueducs. De façon générale, ils étaient tous adorables, mais peu d'entre eux appréhendaient l'utilité de garder des heures fixes de repas et de coucher, par exemple. Sophia avait donc très vite pris l'habitude de plus les considérer comme des compagnons agréables que comme des tuteurs, et elle avait fait ce que toute personne sensée aurait fait : apprendre à prendre soin d'elle-même.

Puis Mrs Clay était arrivée. Pour des raisons qu'il n'avait pas expliquées, Shadrack avait enfreint sa propre règle, et Mrs Clay était devenue la gouvernante du 34 East Ending Street. Si ç'avait été quelqu'un d'autre, la vie de Sophia aurait pu en être dramatiquement bouleversée. Mrs Clay était veuve et avait été la gestionnaire de l'Académie de cartographie de Nochtland, la capitale des Terres rases, où Shadrack avait étudié pendant deux ans. Sous sa tutelle, la maison aurait pu s'épanouir, ce qui aurait permis au chaos enthousiaste et à l'affection débordante de Shadrack d'être complétés d'un peu d'organisation et de logique. Mais Sophia, malgré son jeune âge, avait très vite compris que leur intendante avait plus besoin qu'on prenne soin d'elle que l'inverse.

Mrs Clay était une femme taciturne et peu loquace, dotée d'un visage large et d'un regard triste. Elle traversait les pièces du 34 East Ending comme les rues de Boston : avec calme, presque avec crainte, prête à se cacher dans le premier trou de souris venu. Elle débordait de gentillesse mélancolique à laquelle se mêlait une bonne part de gêne incompréhensible ; Sophia l'appréciait tout en sentant qu'elle ne la connaissait pas vraiment. Au fil du temps, elle accepta tout simplement sa présence silencieuse et finit par se reposer de plus en plus sur elle-même, devenant la personne indépendante et terre à terre qu'elle était aujourd'hui.

15 h 19

QUAND SOPHIA ARRIVA enfin chez elle, ce fut pour découvrir une Mrs Clay aux yeux rouges et un Shadrack à l'air tourmenté assis à la table de la cuisine. À l'instant où elle pénétra dans la pièce, ils bondirent sur leurs pieds. Shadrack se rua sur elle pour la serrer dans ses bras.

– Sophia ! Enfin, tu es là !

Se retrouver à la maison, écrasée contre le menton rugueux de Shadrack et baignée dans son odeur familière de savon au pin fut d'un tel réconfort pour la jeune fille qu'elle l'étreignit de toutes ses forces un moment avant d'ouvrir la bouche.

– Je suis désolée, chuchota-t-elle en s'écartant. J'ai perdu la notion du temps.

Mrs Clay posa une main sur l'épaule de Sophia, murmurant des remerciements éperdus aux trois Parques. Shadrack secoua la tête, ses traits marqués d'inquiétude traversés d'un sourire affectueux. Il ramena les cheveux de sa nièce derrière ses oreilles et prit son visage entre ses mains.

– J'étais sur le point de retourner une troisième fois à la Chambre des représentants, au cas où tu y serais revenue, dit-il. Je croyais que tu devais m'attendre sur le balcon.

– C'est ce que j'ai fait, mais je ne savais pas si je devais y rester longtemps, et quand ils ont commencé à parler d'incendie…

– Je comprends, commenta Shadrack d'une voix sombre.

– Quand j'ai enfin réussi à sortir de la salle, je me suis trompée de tramway. Et ensuite j'ai perdu le fil des heures. Je me suis retrouvée au terminus… conclut-elle avec embarras.

– Tout va bien, dit Shadrack en prenant sa main pour la tirer vers la table de la cuisine. J'étais mort de peur, mais il ne t'est rien arrivé. Je sais que ce n'est pas ta faute.

Il s'assit avec un grand soupir.

– Et de ton côté, que s'est-il passé ? demanda Sophia.

– Miles et moi sommes parvenus avec peine au balcon, puis il a commencé à se battre avec je ne sais quel forcené à nœud papillon. Quand je suis enfin parvenu à les séparer, les lieux étaient déserts. (Shadrack secoua la tête.) Quelle journée ! Bien sûr, Mrs Clay a appris la nouvelle. Je crois qu'à l'heure actuelle, tout Boston est au courant.

– Mais l'important, c'est que tu sois rentrée saine et sauve à la maison, Sophia, intervint la gouvernante.

Elle parlait avec l'accent saccadé des Terres rases du Sud et ses habits affichaient, comme d'habitude, l'empreinte excentrique de son pays natal. Elle accrochait chaque jour une fleur des champs, un trèfle ou une feuille d'automne à sa boutonnière ; aujourd'hui, sa chevelure était ornée d'une violette flétrie. Son visage était tellement gonflé et marbré de larmes que Sophia comprit que son état n'avait aucun rapport avec son absence : Mrs Clay ne possédait ni montre ni papiers.

– Merci. Je suis désolée de vous avoir causé autant de souci, dit-elle en s'asseyant à côté d'eux à table. Miles est-il parti en voyage comme prévu ?

– Oui, répondit Shadrack en se passant une main fatiguée dans les cheveux. Son navire a levé l'ancre à 12 heures. Il ne s'attendait pas à ce que la journée finisse ainsi et ça ne l'a rendu que plus impatient de prendre la mer.

– Il va revenir, n'est-ce pas ?

– Espérons-le, Sophia. Pour le moment, il s'agit de fermer les frontières et de déporter les gens des autres Âges, sauf s'ils sont en règle. Cette prétendue « Loi patriote » permet encore aux citoyens libres du Nouvel Occident de voyager, ajouta-t-il avec concision.

– Donc, nous pourrions toujours entrer dans le pays et en sortir ? (Sophia jeta un coup d'œil contrit à Mrs Clay.) Je veux dire… quiconque ayant des papiers peut le quitter et y revenir à volonté ?

Shadrack hocha la tête.

– Oui, pour le moment. Ce que tu n'as peut-être pas entendu à cause du tapage, c'est qu'ils prévoient de reconsidérer l'Amendement de protection de Wharton fin août, reprit-il. Si ça se trouve, ils le mettront directement en vigueur.

– Et ils fermeront les frontières pour tout le monde ? Plus *personne* ne pourra voyager à travers les Âges ?

– Ce serait une imbécillité pure et simple, bien sûr, mais l'imbécillité n'a jamais arrêté le Parlement jusqu'à présent.

– Ce que je ne comprends pas, moi, c'est pourquoi tout ceci se produit pile maintenant, protesta Mrs Clay, la voix dangereusement chevrotante.

– La peur, tout simplement, commenta Shadrack.

– Mais j'ai toujours eu l'impression – même si j'ai bien conscience de ne pas vivre ici depuis si longtemps – que les habitants du Nouvel Occident, du moins ceux de Boston, étaient plutôt… intrigués, dit-elle d'un ton prudent, par les autres Âges. Qu'ils considéraient les étrangers avec curiosité, pas avec hostilité.

– Je sais, confirma Sophia. C'est complètement aberrant ; les gens adorent voir les autres Âges. Aujourd'hui, sur le quai, il y avait un cirque avec des créatures exotiques. Le propriétaire gardait un garçon couvert de plumes dans une cage, comme un prisonnier, mais il était parfaitement calme et indifférent, alors que tout le monde le regardait.

Elle s'aperçut que, malgré son flot précipité de paroles, elle ne parvenait pas à expliquer à quel point cet inconnu lui avait paru remarquable, ni pourquoi il lui avait fait une telle impression.

– Oui. (Shadrack la considéra pensivement et fit courir sa main dans ses cheveux avec perplexité.) Je crois que la majorité des habitants de notre pays sont en effet intrigués, voire fascinés, par le monde extérieur. Certains s'intéressent à l'exploration, d'autres rêvent de se lier d'amitié avec des étrangers, d'autres encore aiment les observer dans des cages. (Son sourire ne contenait aucune joie.) Mais une partie de la population a tout simplement peur. Et pas seulement des gens d'ailleurs ou de leurs différences. Ils sont juste inquiets pour leur sécurité, même si c'est complètement irrationnel.

– Vous voulez dire qu'ils redoutent les pirates et les pillages ? déclara Mrs Clay.

– Tout à fait. Personne ne les remet en question, les conflits entre les Âges existent bel et bien, confirma Shadrack. Les pirates des Caraïbes unies perturbent le commerce et nous coûtent cher, et il est vrai que les pillards des Terres rases harcèlent en permanence les populations frontalières du Nouvel Occident – c'est encore plus le cas dans les Territoires indiens. Mais, continua-t-il tristement, c'est réciproque : des vaisseaux arborant nos couleurs partent de Séminole chaque jour et, une fois en pleine mer, baissent notre drapeau pour lever le pavillon noir. Il y a autant de raids en provenance de chez nous dans les Terres rases que l'inverse. (Il fit une pause.) Le garçon que tu as vu sur le quai était à coup sûr un vrai prisonnier, Sophia.

– Tu veux dire qu'il a été kidnappé là-bas ?

– C'est très possible. Si on posait la question au propriétaire du cirque, il répondrait sûrement l'avoir surpris chez nous, en train d'enfreindre la loi, et l'avoir capturé. Mais la vérité, c'est qu'il a certainement été fait prisonnier lors d'un raid et racheté à des pillards pour être exhibé dans un cirque.

Sa voix était amère.

– C'est ignoble, dit Sophia.

Sophia repensa au calme du garçon et à sa manière de s'accrocher aux barreaux de sa cage, comme s'il avait voulu lui parler.

– C'est vrai, approuva Shadrack.

La famille Elli – celle de Shadrack et Minna – était originaire de Boston. Mais les Tims venaient de plusieurs endroits différents et les arrière-grands-parents de Sophia avaient été esclaves ; après la rébellion, ils avaient participé à la fondation du Nouvel Akan en 1810. Leur fils, le grand-père de Sophia, s'était installé à Boston pour aller à l'université.

– L'arrière-grand-père de Sophia n'avait que dix-sept ans quand l'esclavage a été aboli, expliqua Shadrack à Mrs Clay. (Puis il se tourna vers sa nièce.) Ce spectacle a dû te perturber.

– C'est justement ce qui m'échappe, commenta l'intendante. Les gens du Nouvel Occident ne peuvent avoir oublié qu'ils descendent tous d'un étranger, non ? On est tous originaires d'ailleurs…

– C'est le cas, répondit Shadrack. Mais parfois, la peur domine la raison, ce qui mène à des événements comme ceux d'aujourd'hui. La décision du Parlement est irrationnelle. Déporter certains de nos meilleurs artisans, marchands et commerçants n'a aucun sens, sans parler des familles et des clans qui vont être séparés. Nous allons tous en souffrir et le regretter.

Tous trois restèrent assis en silence pendant un moment, absorbés dans leurs réflexions et soucis. Sophia avait la tête posée sur l'épaule de Shadrack. Un instant plus tard il releva les yeux ; une idée sembla l'avoir effleuré.

– Mrs Clay, veuillez m'excuser. Vous êtes venue me parler de vos problèmes il y a une heure, et j'étais trop inquiet pour vous prêter attention. Nous devrions chercher à vous procurer des papiers, puisque nous n'aurons pas le temps d'en obtenir par les voies officielles. (Shadrack secoua la tête.) Se faire naturaliser peut prendre des mois, parfois des années. Nous allons devoir trouver un autre moyen.

Elle lui lança un regard reconnaissant.

– Je vous remercie, Mr Elli. Vous êtes vraiment bon. Mais il est tard, et ni vous ni Sophia n'avez dîné. Nous pouvons en parler demain, je ne veux pas vous importuner.

Elle se releva d'un geste mal assuré et tapota son chignon pour remettre quelques mèches folles en place.

– Allons, allons, dit Shadrack en repoussant doucement Sophia. Vous avez raison, nous n'avons pas mangé. Pas plus que vous, d'ailleurs. (Il consulta sa montre.) Je vais contacter Carlton. Cette nuit, si possible.

Carlton Hopish, confrère et ami de Shadrack depuis leurs études, travaillait au ministère des Relations avec les Âges étrangers et avait perdu le compte des faveurs qu'il devait à Shadrack. Grâce à ses discussions avec le meilleur cartographe du Nouvel Occident, Carlton était devenu le membre le plus érudit du gouvernement ; Shadrack, en retour, profitait de bon nombre d'informations confidentielles.

– Pour commencer, je vais lui envoyer un message dès ce soir et lui demander s'il serait possible de vous trouver des papiers rapidement. Autant tenter d'abord par la voie légale. Voulez-vous dîner avec nous ? Personne ne devrait rester seul après avoir entendu d'aussi mauvaises nouvelles. S'il vous plaît, insista-t-il en voyant Mrs Clay hésiter.

– Volontiers, c'est très gentil de votre part.

– Sophia, peux-tu patienter encore un peu avant de manger ? J'aimerais m'occuper de Carlton et discuter de plusieurs choses avec Mrs Clay, demanda Shadrack en lui jetant un regard désolé.

– Oui, bien sûr. De toute façon, je dois écrire à Dorothy.

– Bonne idée.

Tandis que Shadrack et Mrs Clay se retiraient dans son bureau, Sophia monta à l'étage.

16 h 27 : maison d'East Ending, à l'étage

SOPHIA GRIMPA L'ESCALIER en soupirant. Elle dépassa la suite qui avait appartenu à ses parents ; personne ne l'avait visitée depuis une éternité, et elle frappa légèrement à la porte, comme elle le faisait chaque fois qu'elle passait devant. Autrefois, elle s'y réfugiait presque tous les jours, se blottissant dans leurs affaires comme s'il s'était agi de leurs bras. Le portrait que Shadrack avait fait d'eux reposait toujours sur la table de chevet. Quand elle était petite, Sophia croyait qu'il avait des pouvoirs magiques. C'était pourtant une peinture très ordinaire, voire médiocre, Shadrack n'étant pas un grand portraitiste. Mais durant les premières années de leur disparition, Sophia le prenait souvent dans ses mains et avait l'impression d'entendre le rire de ses parents et de sentir leur présence, comme s'ils étaient soudain apparus dans la pièce. Au fil du temps, elle avait de moins en moins visité la chambre, qui en était venue à plus lui évoquer leur absence que leur présence.

La maison contenait bien assez de souvenirs d'eux : Sophia portait en permanence les boucles d'oreilles en argent qu'ils lui avaient offertes pour son premier anniversaire ; elle conservait les rubans colorés que sa mère utilisait comme marque-pages ; la pipe de son père reposait à côté de celle de Shadrack, dans son bureau du rez-de-chaussée. Ces babioles constituaient autant d'ancres minuscules autour d'elle et lui rappelaient en silence que Minna et Bronson avaient bel et bien, un jour, existé.

En revanche, il n'y en avait pas dans la chambre de Sophia, emplie, elle, d'une multitude d'objets qui définissaient sa vie :

un magnolia miniature en pot ; une aquarelle de Salem, qu'un ami artiste de Shadrack lui avait donnée, une armoire pleine de vêtements scrupuleusement rangés, un bureau aux documents très ordonnés, et une bibliothèque bien remplie – ses manuels scolaires sur l'étagère d'en bas, ses ouvrages personnels sur celle d'en haut. Les romans populaires de Briony Maverill, la poésie de Prudence Lovelace et les œuvres d'Emily Dickinson et de Ralph Waldo Emerson côtoyaient des livres illustrés qu'elle chérissait toujours et relisait à l'occasion.

Sophia défit son cartable pour en sortir son carnet et ses crayons. Ce faisant, elle trouva un bout de papier égaré, plié en deux, et elle sourit, sachant déjà qu'il s'agirait d'un dessin que Shadrack avait réussi à glisser furtivement dans sa besace ce matin. Elle le déplia et émit un petit rire en voyant un croquis de Cora Cadran dormant à poings fermés durant un discours barbant au Parlement, ses minuscules pieds reposant dans le giron d'une tierce personne. Malheureusement, se dit Sophia en rangeant la feuille dans une boîte métallique, la journée avait été tout sauf ennuyeuse.

Avant de s'installer à son bureau, elle ouvrit la fenêtre pour faire entrer un peu de fraîcheur et s'appuya à l'allège pour contempler la ville. Du haut de son deuxième étage, elle dominait la plupart des toits. Elle pouvait même apercevoir East Ending Street, qu'un garçon était en train de remonter lentement sur une bicyclette Goodyear. Le soleil semblait prendre enfin le dessus sur les nuages et, même si l'air était toujours vif, la brise s'était elle aussi levée.

Après avoir délacé ses bottes et les avoir alignées au pied de son lit, elle s'assit devant son plan de travail. Elle commença par écrire une lettre à son amie Dorothy, qui avait déménagé au loin à la fin de l'année scolaire. Le père de sa camarade occupait un poste important dans l'industrie du commerce et il avait accepté un emploi à New York, ce qui avait malencontreusement privé Sophia de sa meilleure – et seule – amie. La bonne humeur facile de Dorothy compensait le sérieux de Sophia et, avec son départ, les vacances d'été avaient été bien trop longues et solitaires. Dorothy avait également confié à Sophia qu'elle-même se sentait bien isolée dans cette ville de New York si brutale, bruyante et agitée.

Mais à présent, toutes deux avaient bien d'autres motifs d'angoisse. Le père de Dorothy était originaire des Caraïbes unies, et il ne pourrait sans doute pas rester en Nouvel Occident. Sophia fit part à son amie de son inquiétude à leur sujet et de l'ardeur avec laquelle Shadrack s'était battu pour contrer cette mesure qui menaçait d'exil toute la famille de Dorothy.

Avec un soupir, Sophia referma sa lettre, la glissa dans une enveloppe et sortit son carnet de notes. C'était son rituel de fin de journée ; il lui permettait d'enregistrer ces heures qui, sinon, s'enfuiraient bien trop facilement de son cerveau. Mémorisées sous forme d'images et de mots, elles devenaient réelles, concrètes, visibles.

Des années plus tôt, elle avait fait un voyage avec Shadrack dans le Vermont au cours duquel les jours avaient semblé s'évaporer sous ses yeux sans durer plus d'une minute.

De retour à la maison, Shadrack lui avait offert un carnet à dessin avec des pages de calendrier, afin de l'aider à garder une trace du temps.

« Les souvenirs sont une chose pernicieuse, Sophia, lui avait-il dit. Ils ne se contentent pas de rappeler le passé, ils le créent. Si tu te remémores notre voyage comme de quelques minutes, il ne représentera que quelques minutes. Mais si tu en fais quelque chose d'autre, il deviendra ce quelque chose. »

Le concept avait paru bizarre à Sophia, mais plus elle avait utilisé le carnet, plus elle avait compris que Shadrack avait raison. Comme Sophia pensait essentiellement sous forme d'images, elle avait placé des dessins dans les carrés du calendrier pour créer des mémentos précis de ses explorations au fil de l'année, qu'elles impliquent de quitter Boston ou de rester tranquillement assise dans sa chambre. Et, chose incroyable, le temps était devenu organisé, fiable, constant.

Aujourd'hui, elle n'avait plus besoin de cases préformatées; elle avait sa propre méthode pour dompter ces heures, minutes et secondes fugitives. Elle avait même imaginé une manière de plier le papier de sorte que son carnet se déployait comme un accordéon et représentait une chronologie selon une ligne claire et crantée comme une règle graduée. Dans la marge, elle notait scrupuleusement la date et les événements du jour. Elle remplissait le centre de la page avec les images, pensées et citations du jour, issues de gens comme de livres. Souvent, elle faisait des bonds dans le passé ou le futur de son carnet pour modifier la façon dont les choses s'étaient produites ou spéculer sur le cours qu'elles prendraient.

Que ce soit grâce à l'influence de Shadrack ou par son propre instinct, elle avait compris que ses croquis et mémentos étaient en fait des cartes: des repères pour se guider à travers le temps informe qui sinon s'étirerait sans limites. Les lignes droites formaient les frontières de ses observations, et les pointillés celles de ses souvenirs et souhaits. Ses réflexions leur étaient reliées avec des hachures et reprenaient le fil de ses voyages mentaux, afin que Sophia sache toujours non seulement ce qui s'était passé et quand, mais ce qu'elle avait pensé à ce moment-là.

À l'aide d'un crayon doux qu'elle estompait du bout des doigts, elle se mit à dessiner le 14 juin. Elle se retrouva à gribouiller la moustache, aussi absurde que détestable, de Rupert Middles, et traça rapidement une ligne fermée autour de lui, l'emprisonnant de son dégoût. *Pas ça*, se dit-elle, en essayant de chasser de son esprit cette horrible matinée. Elle recommença. Très vite, elle s'aperçut qu'elle esquissait le garçon du cirque. Elle avait du mal à reproduire l'expression qu'il arborait et qui l'avait tellement impressionnée : son regard concentré, fixe et sombre, son sourire insouciant.

– Presque comme s'il se moquait de nous, murmura-t-elle.

Elle baissa les yeux sur sa feuille.

Il ne ressemblait pas à ça, songea-t-elle.

Elle tourna la page pour recommencer, puis se mit à parcourir lentement les précédentes jusqu'à retrouver un croquis qu'elle avait fait lors du dernier jour de classe.

Une femme d'âge moyen avec des rides rieuses et des cheveux courts et ondulés regardait Sophia avec affection ; un homme grand, un peu voûté et au sourire malicieux, se tenait derrière elle, l'air protecteur. Sophia avait tenté de représenter ses parents à de nombreuses reprises. Elle cherchait à les imaginer tels qu'ils seraient aujourd'hui, plus vieux et un peu plus lourds ; au fil du temps, ses esquisses avaient gagné en réalisme et en détail.

Mais je ne les dessinerai jamais vraiment tels qu'ils sont si je ne les revois pas, pensa-t-elle.

Elle ferma son carnet et le rangea dans son tiroir, avec un soupir de frustration.

Sophia s'aperçut à ce moment-là que sa chambre était devenue sombre. Elle regarda sa montre : il était presque 18 heures.

Shadrack discute avec Mrs Clay depuis vraiment longtemps, se dit-elle.

Alors qu'elle descendait les marches, le timbre calme et rassurant de son oncle monta de son bureau. Mais quand la jeune fille parvint à la porte, restée ouverte, elle pila brusquement. Dans l'encadrement, Mrs Clay ne retenait plus ses larmes.

– Je ne peux pas y retourner, Mr Elli, sanglota-t-elle, d'une voix empreinte de terreur.

– Je sais, Mrs Clay, je sais. Je le mentionne uniquement pour que vous ayez conscience que cela risque d'être extrêmement difficile. J'espère bien que Carlton vous procurera des papiers, mais les montres fournies par le gouvernement sont très dures à obtenir, c'est tout…

– J'entends encore le lachrima. Ses pleurs résonnent toujours dans mes oreilles. Je préfère rester ici illégalement plutôt que retourner là-bas. Je ne le supporterais pas !

Gênée, Sophia s'avança vers eux.

– Désolée de vous interrompre…

– Et moi, je suis désolé que nous t'ayons fait attendre, Sophia. Nous te rejoignons dans la cuisine dans quelques minutes, lui dit Shadrack, avec un regard aussi triste que déterminé.

Mrs Clay se tamponna le nez de son mouchoir et ne leva pas les yeux vers elle.

Sophia parcourut le couloir avec une seule question en tête, celle qu'elle n'avait pas osé poser : *c'est quoi, un lachrima ?*

4

Derrière la porte de la bibliothèque

15 juin 1891, 7 h 38

Nous vivons le grand Âge d'Exploration du Nouvel Occident. Les aventuriers pousseront aussi loin que leurs navires, montures et pieds les amèneront. Mais cela ne se fait pas sans risque. De nombreux voyageurs ne reviennent jamais, et énormément de choses nous demeurent inconnues. Même les lieux qui peuvent être découverts s'avèrent difficiles à atteindre, hormis pour les plus téméraires ou aguerris. Les voies de communication sont rudimentaires, interrompues ou inexistantes. Les voies commerciales sont un peu plus entretenues, mais finissent inexorablement par disparaître. Être relié au monde est une tâche épuisante et de longue haleine.

Extrait de Histoire du Nouvel Occident,
par Shadrack Elli.

SOPHIA AVAIT TOUJOURS tout raconté à Shadrack ; d'habitude, il savait tout le temps ce qu'elle pensait sans avoir à le lui demander. Et Shadrack disait tout à Sophia. À un moment donné, il avait compris que cette enfant étonnamment adulte avait la maturité et les capacités de quelqu'un de bien plus âgé. Certains de ses élèves en fin d'études organisaient leur quotidien sans la logique dont elle faisait preuve. De ce fait, il partageait même avec sa nièce les complexités de son métier, l'instruisant plus en cartographie que n'importe quelle Bostonienne de treize ans. Ils n'avaient pas de secret l'un pour l'autre. Du moins, c'est ce que Sophia croyait.

Le matin suivant, elle trouva Shadrack assis devant son plan de travail, écrivant avec frénésie. Le bureau d'acajou et le réservoir d'encre vibraient sous l'effet de son empressement. Quand elle entra, il s'interrompit et lui adressa un sourire fatigué.

– Mrs Clay est-elle toujours ici ? demanda Sophia.

– Elle est montée dans sa chambre aux alentours d'une heure.

– Vous n'avez pas beaucoup dormi.

– Non, répondit abruptement Shadrack. Apparemment, tout ce qui pouvait mal se passer s'est mal passé. Tu peux lire ça toi-même, de toute façon, tu verras tôt ou tard les nouvelles.

Il tendit à Sophia un journal qui avait été posé, en partie désassemblé, sur son bureau.

L'article principal portait, bien entendu, sur la fermeture des frontières et l'adoption de la Loi patriote de Rupert Middles. Mais la suite des gros titres coupa le souffle à Sophia.

UN INCENDIE AU PARLEMENT
FAIT TROIS MORTS

UN MEMBRE DU PARLEMENT ASSASSINÉ
EN QUITTANT LA CHAMBRE DES REPRÉSENTANTS

LE MINISTRE DES RELATIONS AVEC LES ÂGES
ÉTRANGERS VICTIME D'UN « ACCIDENT »

Sophia réprima un cri.
– Carlton ! s'exclama-t-elle.

LE MINISTRE des Relations avec les Âges étrangers, le Dr Carlton Hopish, a été retrouvé ce matin dans sa maison de Beacon Hill, souffrant de ce qui pourrait être une grave attaque de son système nerveux.

Il a été découvert par sa femme de ménage, Samantha Peddlefor, qui a décrit l'état de son employeur, quand elle l'a trouvé, comme « horrible ».

Le Dr Hopish semble avoir perdu la majeure partie de ses capacités intellectuelles. Les médecins de l'Hôpital central de Boston disent qu'il est trop tôt pour savoir si le Dr Hopish recouvrera l'usage de la parole, encore moins s'il sera en mesure de reprendre ses fonctions.

Compte tenu du rôle crucial du Dr Hopish dans l'exécution de la Loi patriote, tout récemment promulguée, on ne peut que faire le lien avec la décision du Parlement. En effet, certains de ses confrères au ministère, ainsi que plusieurs membres respectés de la Chambre des représentants, semblent présumer que sa blessure n'était pas un accident. « Je n'ai aucun doute sur le fait, a déclaré le député Gordon Broadgirdle, que Hopish est la victime de la violence sans limites d'étrangers partisans de l'élimination haineuse des dirigeants de notre nation. »

– C'est terrible ! s'écria Sophia.

– Oui, en effet, répliqua Shadrack en se passant la main dans les cheveux. Comme si cette tragédie n'était pas suffisamment dramatique, elle ne fait que conforter les partisans de la Loi patriote, qui s'empressent déjà de reporter les torts de ces trois accidents sur les étrangers. (Il secoua la tête.) Ces vingt dernières heures ont été un vrai désastre.

Ils restèrent silencieux pendant un moment.

– Tout va bien se passer, n'est-ce pas ? demanda Sophia avec calme.

Shadrack soupira et lui tendit une main, qu'elle saisit. Malgré l'air épuisé de son oncle, son expression se voulait rassurante.

– Pour nous, oui, tout ira bien, confirma-t-il. Mais il y aura des changements.

– De quel genre ?

– Je ne te mentirai pas, Sophia. Nous traversons une période difficile qui perdurera au-delà du tumulte actuel. Je suis bien plus inquiet à propos de la fin août. Comme je te l'expliquais hier, je ne serais pas surpris que ce ridicule Amendement de protection soit mis en vigueur et que les frontières soient totalement fermées, même pour nous.

– S'ils… (Elle ravala la boule d'angoisse qui obstruait sa gorge.) S'ils faisaient ça, alors on ne pourrait plus partir.

– Non, confirma Shadrack.

– Et… et les habitants du Nouvel Occident qui sont actuellement dans un autre Âge ?

– Je vois où tu veux en venir, dit-il au bout d'un moment.

– Leurs papiers sont ici. S'ils essaient de rentrer à la maison, ils ne pourront pas. Et après août, nous ne pourrons plus quitter le pays, même pas pour aller les chercher ?

Elle baissa les yeux pour éviter ceux de Shadrack.

Il se leva et passa un bras autour de ses épaules.

– Tu n'as jamais cessé d'y croire, Sophia.

– C'est ridicule, je sais, marmonna-t-elle.

Shadrack resserra son étreinte.

– Pas le moins du monde, dit-il avec conviction. Garder espoir, vouloir l'impossible… ce sont des preuves de courage. Tu démontres une grande ténacité.

– J'imagine.

– Tout ce dont tu as besoin, Sophia, reprit-il, c'est d'avoir quelque chose à *faire*. Tu possèdes une patience et une persévérance exceptionnelles, et pour le moment, tu n'as pas eu l'occasion de t'en servir.

– Je ne vois pas en quoi ça nous aiderait.

– Je comprends, mais moi, j'ai ma petite idée, déclara-t-il en la relâchant et en reculant. J'avais prévu d'attendre encore quelques années, mais nous n'avons plus le temps. L'heure est venue. (Il plongea son regard dans le sien.) Sophia, tu dois me promettre quelque chose.

– D'accord, acquiesça-t-elle aussitôt, avec une certaine surprise.

– Au sein de cet Âge, seule une poignée de personnes sont au courant de ce que je vais te révéler. (Sophia le considéra avec impatience.) Je ne te demanderai pas de ne jamais en parler, parce que je te fais confiance pour ne le faire que si c'est vraiment nécessaire. Mais, continua-t-il en baissant les yeux, tu dois me promettre autre chose. Tu dois me jurer que tu ne…

tu ne décideras pas… Non, que tu n'envisageras même pas… se corrigea-t-il, de partir à leur recherche sans moi. (Leurs yeux se croisèrent. Les siens étaient ardents.) Peux-tu me le promettre ?

Sophia réfléchit en silence quelques secondes, déroutée, inquiète, mais également emplie de confiance.

– Promis, juré, chuchota-t-elle.

– Bien. (Il lui sourit avec une certaine mélancolie.) J'espère que cette longue attente t'aura enseigné la prudence.

Il s'avança vers l'une de ses étagères et en retira un ouvrage épais relié de cuir. Il enfonça la main dans la cavité et sembla tourner quelque chose au fond. La bibliothèque entière, qui allait du sol au plafond, pivota sur elle-même, lentement, vers l'extérieur. Un large passage s'ouvrit, révélant une volée de marches qui descendaient.

Sophia en resta bouche bée un instant, trop stupéfaite pour parler. Shadrack plongea le bras dans le tunnel pour allumer la lumière. L'expression de sa nièce le fit sourire.

– Alors, tu n'as pas envie de voir la salle des cartes ?

– Cet… cet endroit était là tout le temps ?

– Depuis toujours. C'est là que j'effectue l'essentiel de mes recherches.

– Quand tu fermais la porte, je pensais que c'était pour travailler dans ton bureau.

– Ça arrive, mais la plupart du temps, je suis en bas. Suis-moi.

Il la guida jusqu'en bas de l'escalier, qui tourna deux fois sur lui-même avant de déboucher dans un sous-sol que Sophia n'avait jamais imaginé se trouver sous ses pieds.

La pièce faisait au moins la même superficie que le rez-de-chaussée tout entier de la maison. Des ampoules électriques parsemaient les murs et les plans de travail. De bien des façons, l'endroit ressemblait à la bibliothèque, plus grande et mieux rangée. Ici aussi, des rayonnages de livres recouvraient les cloisons, et deux tables en bois massif affichaient les traces d'un usage prolongé. Des relents de vieux papier, de fumée et d'encaustique émanaient de la pièce. Un tapis si épais qu'il étouffait les pas de Sophia dissimulait le parquet et, dans un coin de la salle, un canapé et deux fauteuils formaient un petit coin lecture confortable. Mais par d'autres côtés, le contraste était saisissant. Une grande vitrine digne d'un musée étincelait contre le mur du fond, débordant d'objets étranges. À côté se trouvait un ensemble de quatre énormes meubles de chêne massif, chacun comportant des dizaines de tiroirs étroits. Puis la différence la plus frappante : l'endroit était bien rangé et sans la moindre trace de poussière. Rien ne traînait.

Stupéfaite, Sophia examina la salle. Elle avait toujours du mal à croire que cette pièce existait.

– Ça fait combien de temps que c'est là ? finit-elle par demander d'une voix impressionnée. Et pourquoi tout est si *propre* ?

Shadrack éclata de rire.

– Permets-moi de te raconter un épisode de notre histoire de famille que tu ne peux pas connaître. Comme tu le sais déjà, mon père, ton grand-père, a été nommé conservateur du musée de l'université, car c'était un explorateur d'exception.

Sophia hocha la tête ; jusque-là, elle était au courant.

– C'est pourquoi papa a passé énormément de temps non seulement à s'occuper du musée, mais aussi à parcourir les Âges en quête d'objets qui se trouvent encore aujourd'hui exposés au public. (Là encore, cela n'avait rien de nouveau pour Sophia.) Mais il en a également profité pour en rapporter à titre personnel, car c'était un collectionneur passionné. Et durant ses voyages, il a rencontré des gens qui lui ont fait des cadeaux. Ces derniers sont restés ici, de même que ceux qu'il avait achetés en son nom. Puis il a créé ce sous-sol pour y installer son propre musée.

– Mais pourquoi en secret ? insista-t-elle.

– Cela n'a pas toujours été le cas. Au début, il voulait seulement aménager un endroit frais et à l'abri du soleil pour protéger ses trésors. Mais plus la réputation de sa collection personnelle s'est répandue, plus les acquéreurs potentiels ont commencé à affluer, venant de toutes les régions du Nouvel Occident. Inutile de te dire qu'il n'était pas intéressé. Mais comme ils insistaient de plus en plus et que cela attirait bien trop l'attention sur lui, il a tout simplement décidé de faire disparaître sa collection. Il a annoncé en avoir fait don au musée, puis a construit la bibliothèque pour dissimuler l'entrée du sous-sol. Cela a nécessité beaucoup de travail, mais au bout d'un moment, les gens ont cessé de le harceler.

– Et tout le monde en a oublié l'existence, juste comme ça ?

– Presque. Quand j'ai commencé à étudier la cartographie, reprit Shadrack, mon père m'a suggéré de conserver mes instruments et documents cartographiques les plus précieux ici, à condition de respecter un ensemble de règles, telle que celle de laisser tout bien en ordre. (Il grimaça.) J'ai accepté et, au fil du temps, je me suis aperçu que je possédais de plus en plus d'objets devant être protégés. Finalement, après son décès, j'ai transformé ce lieu en salle de cartographie, ce qu'il est toujours à l'heure actuelle. Et bien sûr, vu la nature du travail que j'y effectue, la discrétion est restée de mise. Mon sujet principal de recherche est si délicat qu'il doit être totalement dissimulé, même à ceux qui vivent sous mon propre toit, ajouta-t-il d'un ton navré.

– Qui d'autre est au courant ?

À sa grande surprise, Sophia vit une expression presque douloureuse traverser les traits de Shadrack, tandis que ses yeux sombres semblaient se voiler. Puis il se reprit presque immédiatement.

– Presque personne. Mes étudiants et collègues de l'université n'en ont pas la moindre idée. Pas plus que Mrs Clay. Miles est au courant. Et Bronson et Minna l'étaient, bien sûr. Nous avons passé beaucoup d'heures dans cette pièce, à préparer leurs expéditions.

Ainsi, ses parents s'étaient autrefois assis ici même avec Shadrack ! Elle les imagina penchés au-dessus de la table, absorbés dans des cartes d'Âges exotiques, discutant avec animation de routes, de ravitaillement et d'étranges coutumes inconnues.

– Nous semions un véritable chaos avant chaque voyage, se remémora Shadrack avec un sourire. Tout commençait… (Il la mena devant une grande carte usée, suspendue au-dessus des fauteuils.)… toujours ici. (C'était un planisphère parsemé de punaises colorées.) Après leur dernier départ, quand tu étais toute petite, j'ai suivi leur itinéraire. Voici le parcours qu'ils avaient prévu.

Il désigna une série de points bleus qui traversaient l'Atlantique et les États papaux pour s'enfoncer dans les Routes du

Milieu. Sophia s'était fait raconter très souvent l'itinéraire de leur ultime voyage, mais celui-ci prenait une autre dimension devant une carte.

– Le message de notre ami Casavetti semblait suggérer qu'il avait été capturé après sa découverte d'un Âge inexploré, à cet endroit, dans les États papaux. (Il indiqua une punaise bleue.) Nul ne sait comment, il était tombé sur quelque chose de nouveau… et de visiblement dangereux. Il connaissait pourtant la région comme sa poche. Tes parents avaient donc prévu de le rejoindre, de le secourir et de revenir. Je doute qu'ils soient jamais arrivés à destination. Les punaises vertes montrent les endroits où l'on m'a rapporté leur présence. (Ces points étaient dispersés dans le monde entier, dans les Neiges préhistoriques, les Terres rases, les Russies, et même l'Australie.)

« Pendant des années, des confrères explorateurs m'ont rapporté des nouvelles. Très peu prétendaient les avoir vus en personne, mais ils avaient entendu une rumeur par-ci, un soupçon par-là. J'ai recueilli chaque bribe d'information et tenté de retracer leur parcours, d'en tirer une logique. Mais comme tu peux le constater, cela n'a aucun sens. (Il fit un geste en direction de la carte.) Puis un jour, plus rien.

Ils restèrent silencieux un moment, fixant la multitude de points colorés.

– Comprends-tu, à présent, Sophia ? Moi non plus, je n'ai pas perdu espoir. Je n'ai jamais envisagé de partir à leur recherche sans toi, et t'emmener avec moi à l'époque était hors de question. Quand tu étais petite, j'ai appris tout ce que je pouvais sur les endroits où ils avaient été vus. Et j'ai attendu. Attendu que tu atteignes un âge où je pourrais te dire tout ce que je sais.

Que tu sois assez grande pour qu'on puisse partir à leur recherche. Ensemble.

Sophia appréhenda l'immensité de destinations marquées de points verts, stupéfaite.

– Pour de bon ? s'exclama-t-elle.

– J'aurais attendu quelques années de plus, si j'avais pu, reprit Shadrack. Mais ce n'est plus possible. Toi et moi devons commencer à nous organiser tout de suite, afin de pouvoir quitter le pays très vite au cas où les frontières seraient totalement fermées. Il ne nous reste que quelques semaines. Nous ne pouvons emporter toutes ces cartes avec nous, donc nous allons devoir les ranger ici.

Il se tapota la tempe de l'index.

Sophia parcourut la pièce du regard avant de fixer le visage déterminé et plein d'espoir de son oncle. Elle lui adressa un sourire extatique.

– Je commence par laquelle ?

Shadrack lui rendit son sourire, une lueur de fierté dans les yeux.

– Je savais que tu étais prête, Sophia. (Il posa doucement une grande main sur sa tête.) D'abord, tu devras faire appel à ton extraordinaire patience, parce que les premières étapes pour devenir cartographe et exploratrice sont fastidieuses.

– Je peux le faire, dit-elle avec hâte. Je peux être patiente.

Shadrack éclata de rire.

– Alors, nous entamerons la première leçon. Mais tout d'abord, je vais te décrire brièvement cette pièce. (Il se dirigea d'un pas décidé vers les gros meubles.) C'est ici que je dessine les cartes. (Sophia remarqua au passage que l'un des plans de travail, en cuir usé, était incisé de petites coupures.) Ces rayonnages contiennent tous des livres trop précieux ou trop dangereux pour être conservés à l'étage. (Il en désigna quelques-uns, de tailles et de formes inhabituelles, avant de s'arrêter sur l'un des énormes bureaux massifs.) Je t'en parlerai plus tard. D'abord… Voilà. Ici, dans la vitrine, dorment des trésors issus des autres Âges. Ce sont tes parents qui m'en ont rapporté la majeure partie. (Shadrack pointa un doigt sur un long cylindre métallique incrusté de minuscules gemmes.) Un Révélateur de cartes de Patagonie tardive, commenta-t-il avec fierté.

À côté se trouvait quelque chose qui ressemblait à un banal coquillage, mais qui, Sophia ne savait pourquoi, lui évoquait la chaleur du soleil et le murmure de voix sous-marines.

– Une Conque de Recherche des mers du Sud. Et ceci… (Il montra un objet plat et cireux couvert d'images colorées.)… est une carte forestière des États papaux.

Tandis que Sophia examinait la chose, elle l'imagina sur un pupitre, dans une salle éclairée à la lueur diffuse de chandelles et pleine de fumée d'encens. Il y avait tant de mystères ici !

– En fait, tous ces objets sont des *cartes* ?

– Exactement, répondit son oncle, le regard brillant. Pour nous, le terme évoque essentiellement des dessins sur du papier ; des lignes, des mots, des symboles… (Sophia hocha la tête.) Mais en vrai, il en existe sous une multitude de formes et de tailles ; et ailleurs, elles n'ont rien à voir avec les nôtres. Ma théorie, reprit-il, c'est que tes parents se sont égarés, car ils ne pouvaient déchiffrer les cartes de l'Âge dans lequel ils se trouvaient. Ils pouvaient en reconnaître quelques-unes, mais ils se reposaient sur celles de papier pour retrouver leur chemin n'importe où. Tout comme moi, d'ailleurs. (Il lui adressa un clin d'œil.) Si mon hypothèse est correcte, il y a des endroits où tu ne peux tout simplement pas t'orienter sans cartes locales, ce qui nécessite différentes connaissances. Ainsi que du talent ; cela demande un ajustement mental pour lire et écrire des cartes autrement que sur des feuilles de papier.

Sophia le considéra avec émerveillement.

– Tu veux dire que toi, tu sais en faire ? Tu en fabriques ?

– C'est même la raison d'être de cette pièce, répondit-il. On peut en créer sur presque n'importe quoi : pierre, bois, terre, sable, métal, tissu, cuir, verre… voire sur un bout de savon ou une miche de pain. Chaque cartographe a ses spécialités, qui dépendent de son origine géographique, temporelle et culturelle. Et certaines personnes, comme moi, tentent d'élargir leur savoir aux méthodes étrangères.

– Mais pas mes parents, fit Sophia d'une toute petite voix.

– Ils possédaient bien quelques rudiments, mais pas en nombre suffisant, je le crains. Ils ont pu se retrouver très loin d'un Âge où l'on se sert de cartes de papier, avec uniquement une carte de sable devant eux. Comment pouvaient-ils s'en sortir ? (Il secoua la tête.) Cela n'arrivera pas à nouveau. Lorsque nous partirons à leur recherche, toi et moi maîtriserons toutes les sortes de cartes.

– Lesquelles connais-tu ? demanda-t-elle aussitôt.

Shadrack la conduisit devant les grands meubles massifs.

– En dehors du papier, dont tous les spécialistes du Nouvel Occident dépendent, j'ai appris à en fabriquer avec les principaux matériaux : le métal, le verre, le tissu et l'argile.

Tout en parlant, il ouvrit un des tiroirs du bureau le plus

proche et en tira une fine plaque métallique luisante, pas plus épaisse qu'une feuille, qu'il souleva par les bords. Un tampon, dans un coin, indiquait « Boston, février 1831 » et, juste à côté, se trouvait un minuscule insigne représentant une chaîne de montagnes et une règle. Le reste de la surface était totalement vierge.

– Faisons-lui prendre un peu l'air, déclara Shadrack en plaçant l'objet sur le plan de travail de cuir.

Il ouvrit un tiroir du deuxième bureau et en sortit une feuille de verre de la même taille. Elle aussi était entièrement vierge, hormis les deux annotations identiques dans la marge.

– Mais il n'y a rien dessus, protesta Sophia.

– Un peu de patience ! répondit son oncle en récupérant une fine tablette d'argile et un rectangle de tissu, portant toujours les inscriptions similaires, dans les troisième et quatrième meubles.

Il les posa côte à côte sur la table et les scruta avec satisfaction.

– Nous y voilà, quatre cartes du même espace-temps.

– « Espace-temps » ? répéta Sophia en fronçant les sourcils.

– La jonction d'un endroit et d'un moment particuliers.

– Ce sont des cartes ? Mais il n'y a rien dessus… Ce sont juste des rectangles vierges.

Shadrack se rapprocha de l'une des bibliothèques et fit courir une main sur la tranche des ouvrages. Quand il repéra enfin celui qu'il cherchait, il le tira du rayonnage pour le feuilleter.

– Et voilà ! s'exclama-t-il en posant le livre ouvert sur la table. C'est ça, que tu imaginais, n'est-ce pas, Sophia ?

La jeune fille constata que sur la page qu'il lui montrait, il y avait une carte intitulée « Ville de Boston ». Elle reconnut la forme familière de la cité, avec ses banlieues, ses canaux, ses routes principales et ses lignes de tramway.

– Oui, acquiesça-t-elle, ça, c'est une carte.

– Et maintenant, que me répondrais-tu si je te disais que chacun de ces « rectangles vierges », comme tu les appelles, contient plus d'informations, cent fois plus d'informations, que cette feuille de papier ? Ils ne cartographient pas seulement l'endroit, ils cartographient le *temps* de Boston en février 1831.

Sophia fronça encore plus les sourcils.

– Un peu comme moi je note les choses dans le temps, dans mon carnet ?

– Oui, c'est très proche de ton ingénieuse façon de représenter tes journées grâce à des schémas et à des mots. Mais sur ces cartes, tu ne retrouveras rien de cela ; tu y découvriras le vécu de ce qu'il se passait à cet endroit et à ce moment-là. (Il tira un fauteuil.) Installe-toi et essaie.

Impatiente, Sophia s'assit et scruta les quatre rectangles devant elle.

– Alors, d'après toi, quelle est la première étape ?

Elle leva les yeux vers lui, stupéfaite.

– Tu ne vas pas me le dire ?

Il esquissa un sourire.

– Cela entraverait le projet tout entier. Comme je te l'ai expliqué, il ne s'agit pas de compétences mais de capacités à penser différemment. Si je te décris ce qu'il faut faire, tu te contenteras de mémoriser la méthode. Tandis que si tu dois le découvrir par toi-même, tu en comprendras le fonctionnement et tu sauras en reproduire le principe. Quand nous serons dans un autre Âge, confrontés à une carte inconnue, nous aurons besoin de toute notre inventivité. Faire du par cœur ne sert à rien.

– Mais je n'ai aucune idée de comment ça marche !

– Peut-être pas pour le moment, mais tu as de l'imagination et tu finiras par y arriver, l'encouragea Shadrack. Je vais te donner un point de départ. Et c'est le thème central de notre première leçon : le papier. (Il s'assit dans un fauteuil à côté d'elle.) Les cartes de papier sont réputées à travers tous les Âges pour une bonne raison : elles sont fiables, ne changent pas, et n'importe qui peut les déchiffrer. Cela a ses avantages. Mais certaines autres, bien que plus difficiles à décrypter et plus fragiles, sont souvent plus pratiques pour garder des secrets, ce qui va de pair. Une carte de papier est statique, tandis que les autres… eh bien… dorment, en quelque sorte. Pour les lire, il faut les réveiller.

Sophia secoua la tête, totalement perdue.

– Fais-moi confiance, cela te sera utile, conclut Shadrack en se redressant. (Il se dirigea vers l'escalier.) À présent, je dois terminer les lettres pour Mrs Clay avant la levée du courrier du matin et prendre des nouvelles de Carlton. Je reviendrai tout à l'heure constater tes progrès.

Après son départ, Sophia inspira à fond avant d'examiner les objets étalés devant elle. Elle ignora le livre et se concentra sur les quatre rectangles vides, qui comportaient tous les mots, « Boston, février 1831 », dans le coin inférieur droit. Que voulait dire Shadrack par « réveiller » ces cartes ? Montrer à la fois le temps et l'endroit ? Comment cela pouvait-il être possible ? Elle saisit avec hésitation la plaque métallique, qui lui parut fraîche et étonnamment légère au toucher. Son visage se réfléchit dans la feuille de cuivre, mais elle eut beau la fixer avec intensité, rien n'apparut dessus.

Elle la reposa et s'empara de la tablette d'argile. Elle la

retourna ; l'envers était tout aussi vierge que l'endroit. La carte de verre était plus opaque qu'elle ne l'avait cru au début et, quand Sophia se mira sur sa surface opalescente, son reflet flou lui sembla énorme.

Enfin, elle saisit le morceau de tissu par les coins et le leva devant son visage.

– Que contiens-tu, petit mouchoir ? murmura-t-elle.

Rien ne se passa. Un soupir de frustration lui échappa. Le linge palpita brièvement, et quand il retomba, quelque chose de remarquable se produisit.

La surface se mit à changer. Lentement, des lignes se dessinèrent dessus. Sophia écarquilla les yeux. Partant des angles, des volutes recouvrirent progressivement le tissu tandis qu'une carte apparaissait en son centre.

5
Lire des cartes, un apprentissage difficile

15 juin 1891, 9 h 22

Après le Grand Bouleversement, il a fallu plusieurs décennies pour que la cartographie s'impose comme principale source d'érudition du Nouvel Occident. Mais, tout en prenant la prédominance sur l'histoire, elle est devenue essentielle dans les tentatives d'exploration du pays ainsi que la plus importante forme de travail scientifique. Ce qui est toujours demeuré une spécialité aussi marginale que précise, toutefois, dans un champ beaucoup plus large, fut l'étude de la façon dont les autres Âges pratiquaient la cartographie.

Extrait de Histoire de la cartographie,
par Shadrack Elli.

SOPHIA LAISSA TOMBER le morceau de tissu et courut au pied de l'escalier.

– Shadrack, viens voir ! hurla-t-elle. Il s'est passé quelque chose !

– J'arrive, répondit-il d'en haut. Voyons ce que tu as trouvé.

Elle retourna à son plan de travail en toute hâte pour s'assurer que l'image était toujours là. C'était bien le cas. Les fines lignes colorées sur la carte semblaient avoir été tracées à l'encre. À droite, la légende comportait deux montres bleu pâle : la première numérotée de un à vingt-huit, l'autre avec les vingt-quatre heures standards. Un réseau compliqué de marron et de vert emplissait le centre du tissu, reproduisant la forme familière de la ville de Boston. Les frontières, en doré, répétaient un motif incompréhensible de volutes et de symboles mystérieux.

– Comment l'as-tu réveillée ? demanda Shadrack en s'asseyant à côté d'elle.

Il avait apporté un verre d'eau, qu'il posa un peu plus loin.

– Je n'en suis pas sûre. Je crois que j'ai soupiré.

Il sourit et se frotta le menton.

– D'accord, c'est plutôt encourageant. On découvre souvent les choses par accident. La carte en tissu est sensible à l'air. Une brise, un coup de vent, un souffle… tout fonctionne aussi bien. Parce que ce sont des cartes météorologiques. Tu peux dessiner tout ce que tu veux dessus, mais ce qu'elles indiqueront le plus clairement, ce sont les schémas climatiques. Celle-ci montre le temps qu'il faisait à Boston en février 1831.

– Mais on dirait juste une carte normale. Ces lignes représentent la météo ?

– Tu ne peux pas la lire parce que tu n'as pas encore spécifié de jour et d'heure, pour le moment.

Il désigna les cadrans de la légende. Les montres ne comportaient pas d'aiguilles.

– Ce sont les heures et les jours ? demanda Sophia.

– C'est ça. Choisis ceux que tu veux.

– Comment ?

– Eh bien, la méthode la plus simple est de te servir de tes mains.

Mais tu peux utiliser toutes sortes d'objets ; des perles, des épingles, ce genre de choses. Moi, j'aime ça.

Il se dirigea vers le bureau le plus proche et en tira un coffret recouvert de cuir. À l'intérieur se trouvaient des galets ordinaires, parfaitement lisses et plus petits qu'un ongle.

– Oh, je comprends ! lança Sophia avec excitation.

Elle plaça un caillou sur le 8 du cadran-jour et un autre sur le 9 du cadran-heure. Rien ne se produisit.

– 9 heures du matin, le 8 février 1831, murmura Shadrack en prenant une gorgée d'eau.

Sophia plissa les paupières en examinant le tissu.

– Je ne vois toujours rien.

Shadrack lui lança un coup d'œil appuyé.

– Avant que tu ne regardes le temps qu'il faisait le 8 février, laisse-moi t'expliquer la principale différence entre ces cartes et celles auxquelles tu es habituée. Ce sont des cartes mémorielles. Elles ne correspondent pas simplement à l'impression qu'un individu s'est faite de cet endroit et de ce moment. Elles contiennent les souvenirs collectés de véritables personnes. Celle-ci, par exemple, te montrera ce que des centaines de Bostoniens se rappellent de la météo de ce jour-là.

– Comment ça marche ? souffla Sophia.

– C'est ce que tu apprendras lorsque tu commenceras à faire tes propres cartes. Je peux d'ores et déjà te dire que cela demande énormément de recherches. Pour le moment, le plus important, c'est de garder en tête que quand tu liras cette carte, ce sera comme avoir des souvenirs. Tu revivras ceux des gens qui vivaient là à cette époque.

Sophia écarquilla les yeux.

– Je peux essayer ?

Shadrack se pencha au-dessus du linge en veillant à ne pas l'effleurer.

– Montre-moi le Boston Common. Tu le reconnais ?

– Facile, se moqua Sophia.

Elle tendit le doigt et le plaça sur le jardin public qui s'étendait sur la droite de la carte. À l'instant où son index toucha le tissu, un souvenir vif naquit en elle, aussi précis que s'il lui avait appartenu. Elle vit le parc dans les premières lueurs du jour, sous un ciel empli de nuages. Le paysage autour d'elle était flou et sombre, mais elle percevait la morsure glacée du vent et l'humidité ambiante. Sophia frissonna tellement c'était clair. Elle réprima un cri et écarta son doigt. La sensation se dissipa.

– Incroyable, dit-elle. C'est tellement réel ! C'est comme si je l'avais vécu.

Shadrack se rassit, une expression de satisfaction sur le visage.

– Oui, c'est l'effet que ça doit produire ; le but même de ces cartes.

– Mais à qui appartiennent ces souvenirs ? C'est toi qui les as mis à l'intérieur ?

– Eh bien, oui et non. La carte ne peut contenir que ce que son fabricant trouve. Ce n'est pas un œil omniscient. Les mémoires viennent de personnes vivantes, ou du moins qui l'étaient à l'époque où j'ai créé cette carte, et de souvenirs écrits.

– Je n'arrive pas à comprendre comment tu as fait pour les mettre… là-dedans.

Shadrack s'interrompit pour réfléchir.

– Tu vois le portrait de tes parents, dans leur chambre ? Celui de leur mariage ?

Sophia leva les yeux vers lui.

– Je ne savais pas que tu l'avais fait ce jour-là.

– Et pourtant si. Tu as peut-être remarqué que ce croquis n'est pas comme les autres. Qu'il est plus… vivant, en quelque sorte.

– Je m'en étais aperçue, reconnut-elle, mais je pensais que c'était le fruit de mon imagination. Quand j'étais plus petite, je me souvenais très nettement d'eux, chaque fois que je le regardais.

– Chaque fois que tu le *touchais*, la corrigea Shadrack. J'ai utilisé certaines techniques de cartographie. Ce n'est pas la même chose, bien sûr. Un portrait statique est bien moins puissant qu'une carte, mais le principe reste le même.

Sophia secoua la tête, émerveillée.

– Mais je ne comprends toujours pas comment un bout de papier peut contenir un fragment de mémoire. Comment as-tu *fait* ça ?

– Imagine que quand j'ai fabriqué cette carte, j'ai fait le tour de tous les gens autour de moi qui se rappelaient ce moment et je leur ai demandé de mettre dans une boîte la vision qu'ils en avaient. Puis je suis rentré à la maison, je me suis plongé dans ces centaines de souvenirs, et je me suis servi de ma connaissance des vents, de la température, de l'humidité et de l'ensoleillement pour les placer au bon endroit et au bon moment.

– Tu as vraiment utilisé une boîte ?

– Non, la « boîte », c'est le linge lui-même. La carte a été faite au toucher, exactement comme tu la découvres à présent au toucher. Tous ces souvenirs ont été entreposés dedans par les gens qui sont entrés en contact avec ce tissu ; mon rôle à moi a été de leur donner un ordre et une signification. Le cartographe transforme la matière première en un document compréhensible. (Il sourit.) Cela aura plus de sens pour toi quand nous commencerons vraiment à le faire. Pour l'instant, concentre-toi sur la lecture.

– Je peux regarder un autre moment ?

Sophia déplaça les galets sur le 12 du cadran-jour et le 20 du cadran-heure. Puis elle posa avec prudence son index sur le Boston Common et se souvint immédiatement de quelque chose qu'elle n'avait jamais vécu : elle se trouvait dans le parc, en pleine nuit, tandis que des flocons de neige tourbillonnaient autour d'elle. Le ciel était argenté de nuages et l'air était glacial. Le jardin était enseveli sous une couverture immaculée qui se déplaçait en vagues douces, comme si une haleine invisible la modelait.

– C'est… c'est merveilleux, s'extasia Sophia en relevant la main. Je n'arrive pas à y croire.

Shadrack ne parvint pas à dissimuler sa fierté.

– Sans fausse modestie, j'ai fait du bon travail, avec celle-ci, dit-il avec un soupçon d'orgueil. J'ai eu du mal à trouver les informations sur les derniers jours du mois. Peu de gens se souvenaient du temps qu'il faisait. (Il fixa les autres cartes sur la table.) Et celles-là ? Tu as essayé ?

– Pas pour le moment.

– Alors, jetons-y un coup d'œil, d'accord ?

Shadrack récupéra les galets, souleva le tissu et le retourna doucement. Quand il le replaça sur son bon côté, le linge était à nouveau vierge, hormis les inscriptions dans le coin.

– Que penses-tu de la tablette d'argile ?

Sophia la prit avec circonspection. Elle tenta de souffler dessus, mais rien ne se produisit.

– Je ne sais pas comment faire, déplora-t-elle en fronçant les sourcils.

– Ton soupir a éveillé le tissu, dit Shadrack. C'était la clé de la carte, ça a créé un mouvement, une impulsion, un catalyseur qui l'a débloquée. D'après toi, qu'est-ce qui ferait cela avec de l'argile, qui n'est que de la terre ?

Sophia resta à se creuser la cervelle devant la table sans répondre. Soudain, elle fut prise d'une certitude.

– Je sais !

Shadrack haussa les sourcils.

– À quoi penses-tu ?

– Donne-moi ton verre d'eau.

Il fit glisser son verre sur le plan de travail et elle plongea un doigt dans le liquide frais. Puis elle le plaça au-dessus de la carte et laissa une unique goutte tomber dessus. Aussitôt, la surface de l'argile se transforma, et un tracé coloré aux motifs complexes apparut.

– J'en étais sûre !

– Bien joué, la terre répond à l'eau. Essaie donc une date et un moment.

Sur le bord gauche de la tablette se trouvaient à nouveau deux horloges. Sophia posa un galet sur le 15 du cadran-jour et un autre sur le 10 du cadran-heure : le milieu de journée du 15 février. Puis elle examina la carte. À sa surface se tissait un réseau de lignes sinueuses, très denses au centre et de plus en plus estompées autour.

– Les cartes d'argile sont topographiques, dit Shadrack. Elles montrent le terrain : les collines, les champs, les forêts, les rivières, et ainsi de suite. Je crois que celle-ci risque d'être un peu perturbante à regarder, en pleine ville. Essaie une zone dans la campagne, par ici.

Shadrack désigna la partie ouest de Boston, où se trouvait une grande étendue quasiment dépourvue du moindre trait.

Sophia retint son souffle, d'anticipation, et toucha la tablette. Elle fut submergée par une image de collines vallonnées. Au loin, elle distinguait un petit étang et, encore au-delà, un verger aux arbres dénudés. Elle leva le doigt pour se retirer de la vision.

– Que se passe-t-il si je bouge ?

– Vas-y, essaie.

Elle fit prudemment glisser son index vers le haut de la carte ; c'était comme se déplacer dans une cascade de souvenirs. Elle revit des forêts de pins et un épais tapis d'aiguilles au sol ; elle se remémora une longue avenue bordée d'érables aux branches nues et les rives d'un torrent entièrement gelé, des feuilles mortes agglomérées sur ses berges.

– C'est magnifique, souffla-t-elle. Tant d'endroits… tant de détails.

– Les cartes d'argile demandent en général beaucoup moins de travail, dit Shadrack. Et ici, le terrain n'a pas beaucoup changé en l'espace d'un mois, donc j'ai pu passer plus de temps à rendre le paysage plus précis.

– Je veux voir les autres !

Sophia ôta les galets et retourna doucement la tablette à l'envers pour l'éteindre. Elle saisit ensuite la plaque métallique.

– Je crois que je vais avoir besoin d'allumettes. C'est ça, n'est-ce pas ?

Elle jeta un regard inquisiteur à Shadrack.

Sans ouvrir la bouche, celui-ci plongea la main dans une de ses poches et en sortit une petite boîte.

Sophia gratta une allumette et la plaça au-dessus de la feuille. La frêle lueur orange, reflétée par le métal, traversa la surface luisante. Alors qu'elle laissait tomber l'allumette dans le verre d'eau, une tache claire et argentée apparut au centre de la plaque. Elle semblait gravée plutôt que peinte et les lignes brillaient comme du mercure. Sophia prit à peine le temps d'admirer le motif avant de déposer avec excitation les galets sur les cadrans.

– Pour celle-ci, je te recommanderai d'utiliser quelque chose de plus précis.

Shadrack se leva et se dirigea vers le bureau où il avait récupéré ses cailloux. Quand il revint, il tenait une longue plume.

– Cela devrait être assez fin. Les cartes les plus détaillées peuvent parfois être difficiles à lire avec le bout du doigt. Essaie de n'effleurer qu'une petite surface avec la pointe.

Sophia hésita un instant.

– Je peux retourner dans le parc ?

– Bien sûr, vas-y.

Elle plaça l'extrémité effilée dans un coin de l'immense jardin et se rappela aussitôt s'être trouvée à l'intersection de Charles Street et Beacon Street, entre le Boston Common et son alter ego, le Boston Public Garden. Le paysage autour d'elle était flou, mais les maisons de brique bordant Beacon Street s'en détachaient avec netteté. Elle avait un souvenir très précis de la rue et de la Park Street Church, l'église congrégationaliste, ainsi que, au sommet de la colline, de la Chambre des représentants. Elle fit glisser sa plume vers l'ouest, le long de Beacon Street. Les allées défilaient sous ses yeux et les bâtiments apparaissaient comme s'ils avaient surgi du brouillard. Elle dépassa les manoirs du centre-ville, les grands édifices religieux et les maisons de brique mitoyennes de taille plus modeste, jusqu'à parvenir aux petites fermes dans la périphérie de Boston. Elle eut soudain un souvenir vif de se tenir devant une taverne rouge à la porte basse au battant de bois. Sophia releva la tête.

– C'est magnifique, tout simplement magnifique. Je n'arrive pas à croire que c'est toi qui as fait ça !

– Peux-tu trouver East Ending Street ?

Sophia prit le temps de repérer South End et laissa sa plume planer au-dessus un instant.

– La voilà ! s'exclama-t-elle d'un coup. C'est East Ending Street !

Elle retoucha la carte. Dans le souvenir qui submergea son cerveau, certains immeubles manquaient à l'appel, tandis que d'autres étaient méconnaissables, leurs joints encore frais et leurs couleurs étrangement éclatantes. Puis quelque chose lui traversa l'esprit et elle s'aperçut qu'elle regardait une maison familière. La sienne. Elle était presque identique, massive et compassée, avec ses fenêtres aux volets blancs, sa chouette menaçante et sa porte rouge vif. Seuls l'insigne ovale de Shadrack et le lierre montant à l'assaut des murs de brique ne s'y trouvaient pas.

– C'est chez nous ! s'écria-t-elle.

Shadrack rit doucement.

Sophia s'attarda dans ce souvenir un moment de plus, puis parcourut la plaque pour localiser son école, puis son endroit préféré près de la rivière. Après plusieurs minutes d'exploration enthousiaste, elle reposa la plume.

– Donc, si la carte de tissu figure le temps, dit-elle lentement, que la tablette d'argile représente le terrain, et celle de métal les bâtiments…

– Les constructions, précisa Shadrack. Ce qui inclut les routes, les chemins de fer, les ponts, etc. Tout ce qui est de la main de l'homme.

– Tout ce qui est de la main de l'homme, répéta Sophia. Il n'y a rien d'autre. Et que montre la carte de verre ?

Shadrack haussa les sourcils.

– À toi de me le dire. Que manque-t-il à ces souvenirs ?

Sophia regarda fixement la plaque translucide. Elle la saisit et l'examina de près, sans pouvoir distinguer autre chose que son reflet brouillé. Soudain, quelque chose lui traversa l'esprit, mais la notion était si stupéfiante qu'elle eut du mal à y croire.

– Pas les… pas les gens, quand même.

– Essaie, tu verras.

– Mais je ne sais absolument pas comment l'éveiller.

– Tu as raison, c'est la plus compliquée. Et c'est également un peu difficile à deviner, surtout dans cette pièce en particulier. (Il se mit debout.) Ailleurs, tu aurais eu une fenêtre, du soleil, et tu aurais gardé la glace couverte. Approche-la d'une lampe.

– Oh… de la lumière ! s'exclama Sophia.

La plaque à la main, elle rejoignit lentement son oncle à côté des deux fauteuils. Elle maintint la feuille sous l'abat-jour éclairé et, immédiatement, des lignes blanches et sinueuses finement gravées s'étendirent sur la surface comme de fragiles langues de givre sur une vitre en hiver.

Shadrack récupéra la carte et la leva devant ses yeux.

– Le verre retrace l'action et l'histoire des hommes. La première fois que tu en lis une, cela peut être perturbant. Se rappeler des gens que tu ne connais pas, les entendre dire des choses que tu n'as jamais entendues peut sembler bizarre. Tu dois garder bien en tête la différence entre tes souvenirs et ceux du verre, mais cela viendra avec le temps. Celle-ci ne contient rien de dangereux, tu peux découvrir son contenu sans crainte.

Il replaça avec prudence la plaque sur la table principale, face vers le haut, puis disposa les galets sur le 10 de chacun des cadrans de la légende, en haut à gauche.

– Essaie avec la plume, l'encouragea-t-il.

Sophia fronça les sourcils. Elle éprouvait une étrange réticence à plonger dans les mémoires qu'elle savait stockées devant elle.

– Vas-y, dit Shadrack. Pourquoi pas ici, près du marché ?

Elle fit passer la plume au-dessus des anciennes halles de la ville, le Quincy Market, et la posa dessus. Une vive vague de souvenirs l'envahit brusquement. Plusieurs personnes parlaient tout autour d'elle, riaient, criaient ou cancanaient à voix basse. Une femme comptait sa monnaie avec soin. Un garçon la dépassa, porteur d'une cagette de fleurs, et une bouffée soudaine lui parvint de leur parfum riche et capiteux. Elle se rappelait avoir vu des nuages de buée s'échapper des bouches des gens dans l'air froid et le visage ensommeillé d'un agriculteur venu de loin pour amener sa charrette pleine de pommes de terre en ville. Tout lui paraissait incroyablement réaliste, comme si elle l'avait vécu elle-même. L'espace autour d'eux demeurait cependant flou. Tous les bâtiments, les rues et même le sol sous ses pieds semblaient avoir été effacés. En dehors des humains, sa mémoire était imprécise.

Sophia leva la plume et cligna des yeux à plusieurs reprises.

– C'est curieux. Je me souviens des gens, mais de rien d'autre. C'est comme si je pouvais être n'importe où.

– Je sais ; il est étrange de se voir sans environnement extérieur, n'est-ce pas ? (Shadrack repoussa avec soin la plaque de verre.) Je vais te montrer ce qui améliore ça ; c'est tout l'intérêt de ces cartes.

Il reprit le linge, souffla doucement dessus et le remit à l'endroit sur la table. Du bout du doigt, il versa de l'eau sur la tablette d'argile et la plaça sur le tissu en superposant parfaitement leurs angles. Puis il ajouta la plaque de cuivre, toujours éveillée, et, enfin, la feuille de verre, dont les galets étaient encore sur le 10 des deux cadrans, au sommet de la pile.

– Vas-y, essaie, dit-il.

Sophia prit la plume et, avec hésitation, regarda à travers la glace, devinant déjà les traces argentées de la carte métallique dessous. Puis elle inspira à fond et effleura l'intersection entre Beacon Street et Charles Street.

Tout l'ensemble, le contexte tout entier de ce mois de février 1831, lui revint avec clarté. Dans le Boston Common, les gens descendaient les allées à toute vitesse, piétinant pour lutter contre le froid. Les arbres aux branches nues s'inclinaient doucement dans la brise glaciale, ondulant dans le ciel gris. Quelques personnes patinaient sur l'étang gelé. Dans les rues, les passants se hâtaient, cabas emplis de courses à la main, ou la dépassaient sans un bruit à bicyclette. Et derrière les fenêtres de toutes les maisons, leurs occupants vaquaient à leurs activités quotidiennes, mangeaient, discutaient, travaillaient et dormaient.

C'était comme plonger dans un univers parallèle qui lui aurait appartenu. Elle avait beau avoir conscience que ces souvenirs n'étaient pas les siens, ils lui faisaient le même effet. Comment aurait-il pu en être autrement alors qu'ils étaient si vivants et précis ? Sophia leva la plume avec un soupir.

– Mes souvenirs ne sont jamais aussi nets, dit-elle. Ils sont toujours incomplets, alors que ceux-ci sont parfaits.

– Nous sommes tous comme ça, confirma Shadrack, c'est pourquoi la superposition des cartes est un plus. On ne se rappelle jamais l'intégralité de notre environnement, encore moins tout à la fois. En fait, je suis chaque fois surpris du peu de détails que les gens parviennent à se remémorer. Mais si tu additionnes chaque bribe d'information que chaque personne possède, tout se complète.

Sophia finit enfin par énoncer ce qui lui avait trotté dans la tête depuis qu'elle avait découvert la finalité de la carte de verre.

– Tu crois que… est-ce possible de… Mes parents auraient-ils pu conserver des souvenirs comme ça, qui seraient cachés dans une carte, quelque part ?

Shadrack s'ébouriffa les cheveux.

– Peut-être, admit-il lentement. À l'époque où ils ont quitté Boston, ils ne savaient pas faire de cartes mémorielles, mais ils ont pu apprendre.

– Ou quelqu'un d'autre aurait pu en créer une qui les montre.

– C'est une très bonne idée, Sophia. Même un aperçu serait inestimable. Tu verras ce que je veux dire si tu jettes un coup d'œil à East Ending Street, maintenant que les quatre cartes sont superposées.

Sophia reposa la pointe de la plume sur le verre. Elle revécut un horizon couvert et un vent froid et humide. La rue était déserte. Bien que ce fût le milieu de journée, des bougies brillaient faiblement derrière les vitres des maisons, rendues nécessaires par le ciel sombre. La porte rouge vif qu'elle connaissait parfaitement était fermée. Elle distingua un garçon, assis de l'autre côté d'une fenêtre de l'étage. Il était en pleine lecture, le menton appuyé dans la paume d'une main. Soudain, l'image se fit plus précise, comme si un voile avait été ôté de devant son regard, et l'inconnu leva la tête pour fixer Sophia droit dans les yeux. Et il sourit. La jeune fille réprima un cri et cessa de toucher le verre.

– Il m'a remarquée ! (Elle pivota vers Shadrack.) Le garçon à la fenêtre. C'était qui ?

– Tu l'as vu ! (Shadrack prit la plume et la plaça sur East Ending Street avant de sourire devant la vision qui lui était apparue.) Tu ne vois pas qui c'est ? Réfléchis…

– Grand-papa ?

– Oui. C'est mon père ; ton grand-père.

– Mais pourquoi m'a-t-il souri ?

– Parce que c'est un souvenir de ton arrière-grand-mère, grand-maman Lizzie. C'est elle qui se trouvait là et qui a vu ton grand-père lui sourire à travers la vitre. (Shadrack reposa la plume d'un air mélancolique.) Ça fait chaud au cœur, n'est-ce pas ?

Sophia ressentit une vague d'admiration à l'idée d'avoir contemplé le monde à travers les yeux de son aïeule, qu'elle n'avait jamais rencontrée. Mais une partie d'elle-même éprouvait une sorte de gêne, comme si elle avait empiété sur les pensées intimes d'une tierce personne.

– C'est un souvenir merveilleux, finit-elle par déclarer. Mais ce n'est pas le mien. Est-ce vraiment normal de le… le prendre ainsi ?

Le visage de Shadrack exprima une profonde réflexion.

– C'est une question pertinente, Sophia. C'est en lien direct avec ce que je te disais tout à l'heure, par rapport au fait d'avoir conscience de la limite entre ta mémoire et celle d'autrui. Cela te rassurera peut-être de découvrir que personne ne perd ses souvenirs lors de la création d'une carte. Ce n'est qu'un partage, mais qui soulève un autre problème : la mémoire de chaque individu est imparfaite. J'ai tenté d'apprendre le plus de choses possible à propos de ce mois de février à Boston. J'ai collecté autant de bribes d'informations que j'ai pu trouver et les ai combinées avec ce que je savais de l'époque et du moment : le style de vêtements que les gens portaient, les immeubles, les navires, tout ça. Mais il faut se rappeler que les cartes mémorielles – en fait, toutes les cartes – sont inexactes. Ce ne sont que des approximations, un peu comme des livres d'histoire : l'auteur tentera de rester fidèle aux événements, mais bien souvent, il se reposera sur des fragments, qu'il interprétera et assemblera à sa guise. Les meilleures cartes montrent la main de celui qui les a faites, plutôt qu'elles ne la cachent, pour bien rendre visible sa part d'extrapolation, voire suggérer différentes pistes.

– Ça signifie que l'on peut créer des cartes qui déforment la réalité ? Totalement inventées ?

– Tout à fait, ce serait possible, confirma Shadrack d'un ton lourd de sens. Et c'est un crime grave. Mais tous les cartographes honnêtes font le serment de ne retranscrire que la vérité. Pour être sûre de ne pas te tromper, tu peux chercher ce symbole, quand tu étudies une carte mémorielle. Regarde, dit-il en montrant la petite silhouette – la chaîne de montagnes surmontant une règle – qui figurait à côté de la date sur chaque carte. Voici la Règle de l'Insigne. Elle est requise sur les travaux dont la véracité ne peut être attestée que par leur fabricant. Mais même quelqu'un de sérieux peut faire preuve d'imprécision. Par exemple, confessa-t-il, celle-ci contient quelques rues dont personne ne se souvenait, à 2 ou 3 heures du matin, pour certains jours. Qui pourrait dire s'il ne s'est pas produit quelque chose que je n'ai pas réussi à noter, un événement que tout le monde ignore ? Auquel cas mon travail représenterait une distorsion du réel.

– Mais c'est quand même incroyable. Je n'ai jamais vu quelque chose d'aussi beau.

Shadrack secoua la tête.

– Et pourtant, je ne suis qu'un débutant. Je pourrais te montrer d'autres cartes qui feraient passer celles-ci pour des gribouillages. Tu en verras bien assez tôt. Certaines sont si grandes qu'elles remplissent une pièce entière. Je te jure, les cartes créées par de véritables maîtres sont époustouflantes.

Sophia se trémoussa d'excitation sur son siège.

– Je veux les découvrir, toutes !

Shadrack éclata de rire.

– Un jour, tu les verras. Mais tu as d'abord beaucoup à apprendre, et nous devons progresser vite. Viens, laisse-moi te montrer comment jouer avec le temps.

6

SUR LA TRACE DES PLUMES

Du 15 au 21 juin 1891

La juridiction libérale du Nouvel Occident a longtemps permis aux étrangers de profiter des bénéfices de la résidence sans leur imposer de demande formelle de citoyenneté. Seuls les immigrés désireux de voter, de se porter candidats ou de former une corporation devaient en faire la requête. À partir du 4 juillet, ces lois vont changer. Une naturalisation complète sera nécessaire ; si vous n'êtes pas natifs du pays et que vous souhaitez y travailler ou y vivre, vous devrez postuler par le biais du formulaire ci-joint pour obtenir des documents et une montre appropriés à votre situation. Toute personne dépourvue de ces éléments sera expulsée dès le 4 juillet.

Extrait de la Demande de citoyenneté conformément à la Loi patriote.

DURANT TOUTE LA JOURNÉE, Sophia étudia les cartes de Boston en février 1831 et Shadrack lui montra les subtilités de chacune d'elles. Elle apprit à utiliser différentes plumes afin de voir plus ou moins de détails ; comment se rapprocher d'une minute, voire d'une seconde, particulière ; et elle s'habitua petit à petit au flot d'images qui ne lui appartenaient pas.

La carte de verre la mettait toujours mal à l'aise ; se rappeler des gens qu'elle n'avait jamais rencontrés la désorientait, comme si elle s'était réveillée dans la peau de quelqu'un d'autre. Mais elle commençait à trouver des moyens de distinguer ses souvenirs propres de ceux qu'elle découvrait : ces derniers étaient bien plus clairs et vivants que les siens. Et elle s'aperçut qu'un autre phénomène lui fut si naturel qu'elle n'eut rien à apprendre : le fait que les jours, les heures et les minutes se déploient à différents rythmes ; la sensation que le temps pouvait être aussi court que long, en fonction de sa rapidité de lecture. C'était ce que Sophia préférait dans les cartes mémorielles. Même si elles lui présentaient des endroits inconnus, leur façon de jouer avec le temps lui donnait totalement une impression de familiarité.

Les jours suivants, Shadrack entama la tâche ambitieuse d'enseigner à Sophia la cartographie des autres Âges. Elle apprit que ces objets, très fragiles, nécessitaient d'être nettoyés et stockés avec un maximum de précautions pour ne pas s'abîmer. D'après Shadrack, la fabrication de cartes était une science, et un art pratiqué sur tous les continents et dans le monde entier. Les cartes mémorielles, si vivantes, avaient probablement été conçues dans les Terres rases ou sur les Routes du Milieu. Personne n'en avait la certitude, mais il pensait que leur invention ne pouvait avoir été possible que dans l'une de ces régions où les divers Âges étaient si nombreux et mêlés que passé, présent et futur se côtoyaient et fusionnaient.

Shadrack avait appris à en créer à l'Académie de Nochtland, où la guilde des cartographes était puissante. Leur production et leur mise en circulation étaient strictement réglementées grâce à l'insigne qui garantissait leur véracité, la minuscule chaîne de montagnes surmontant une règle.

Sa collection de cartes mémorielles ouvrit encore plus les yeux de Sophia aux merveilles de la cartographie, au-delà de celle du Nouvel Occident. Elle survola des parties du monde qu'elle n'avait jamais imaginé voir un jour. Toutes variaient en échelle, certaines ne couvrant qu'une surface réduite alors que d'autres contenaient une ville entière ; quelques-unes se limitaient au vécu d'une minute ou d'une heure, et leurs voisines à celui d'une année complète. Une carte capturait vingt-quatre heures dans l'Alhambra, à Grenade ; la suivante montrait le passage d'un an dans le Capitole des Russies. Et une dernière conservait le souvenir des quatre mois cruciaux de rébellion qui avaient mené à la création du Nouvel Akan. Durant son étude, Sophia se fit la réflexion que, finalement, en cartographie, tout pouvait être possible, à condition d'avoir de la place et du talent. Le troisième jour, elle se tourna vers Shadrack.

– Shadrack, tu crois qu'il serait possible de faire une carte mémorielle du monde entier ?

Le visage de son oncle afficha une expression étrange.

– Tu imagines la difficulté que cela représenterait ? finit-il par répondre après un instant. Cela dit, il y a bien des rumeurs au sujet d'une *carta mayor*, une carte secrète qui retracerait les souvenirs de toute la Terre, du commencement des temps jusqu'à aujourd'hui.

– Ce serait incroyable !

Durant une seconde, les traits de Shadrack se durcirent.

– Des explorateurs ont consacré leur vie entière à chercher cette *carta mayor*. Certains ont même disparu.

– Donc, elle existe ?

– Justement, je suis persuadé que non, s'empressa-t-il de répliquer. J'ai toujours été convaincu que c'était un mythe nihilismien destiné à servir leurs buts, sans le moindre fondement.

– En quoi ce serait nihilismien ?

Même s'il y avait beaucoup de fidèles du nihilismianisme à Boston, Sophia ne savait pas grand-chose à leur sujet, hormis ce qu'elle avait appris à l'école.

Le nihilismianisme était l'une des innombrables sectes qui avaient émergé dans le sillage du Grand Bouleversement. Les anciennes doctrines de l'Ouest avaient encore leurs adeptes, mais de plus en plus de gens vénéraient les Parques, dont les temples présentaient sur leur fronton les trois déesses tenant un globe accroché à leur fil. D'autres pratiquaient le numisme occidental, également appelé onisme, qui considérait que toutes les choses matérielles comme immatérielles pouvaient être achetées, vendues, échangées ou marchandées avec les puissances supérieures. Sophia avait eu l'occasion de jeter un coup d'œil sur un relevé de comptes oniste, le jour où Dorothy, toujours plus intrépide qu'elle, avait feuilleté le *Livre des actes et dettes* de l'un de leurs professeurs, qu'il gardait toujours posé sur son bureau. Il était rempli de calculs très précis qui avaient horrifié Sophia. L'un d'eux, en particulier, lui revenait systématiquement en tête quand son esprit vagabondait : « Vingt et une minutes de rêverie à propos du voyage à la mer de l'année dernière avec A., à compenser par vingt et une minutes de tâches ménagères. » Ce mode de vie était apparemment très productif, mais Sophia le trouvait terrifiant.

Et il y avait les nihilismiens, qui croyaient que le Grand Bouleversement avait fait dérailler le vrai monde et l'avait remplacé par un faux. Sophia trouvait plutôt perturbant de se dire que pour certains, un univers disparu était plus tangible que celui dans lequel ils vivaient.

– Les nihilismiens sont persuadés que la *carta mayor* montrerait le cours réel du monde, pas celui-ci, reprit Shadrack. Mais je n'arrive pas à voir comment cela pourrait être possible.

Sophia plissa les yeux et réfléchit à cette idée.

– C'est un mythe auquel il est dangereux d'accorder foi, ajouta son oncle en guise de conclusion.

De temps en temps, durant ses études, Sophia se rendait devant le grand panneau mural où des punaises bleues et vertes marquaient le voyage que ses parents n'avaient jamais accompli et les endroits où on les avait aperçus. Shadrack lui avait raconté tout ce qu'il savait. Un explorateur du Vermont croyait avoir échangé de la nourriture avec eux, quelque part au fin fond des Neiges préhistoriques. Un autre, de Philadelphie, avait discuté avec un marchand ambulant, dans les États papaux, qui prétendait avoir vendu du sel à un couple de jeunes aventuriers vêtus à l'occidentale. Un cartographe de l'université avait parlé à un marin, qui avait peut-être navigué à bord du même navire qu'eux dans les Caraïbes unies. Toutes ces rencontres étaient brèves, vagues et peu probantes, mais Shadrack les avait toutes répertoriées.

Sophia ressentait une terrible impatience par rapport au but ultime de ses études. Elle avait envie de partir tout de suite et de retracer le chemin des punaises vertes, où qu'il mène. Elle devait se forcer à garder en mémoire qu'acquérir la somme de connaissances nécessaires à son voyage représentait un défi bien plus considérable et vital que tout ce qu'elle pourrait avoir à affronter plus tard. Chaque minute passée à étudier était essentielle.

– Pas à pas, l'encourageait Shadrack, en désignant la carte murale. Nous avons juste assez de temps, Sophia, même si, pour tout te dire, je préférerais que nous avancions plus lentement.

Tandis que Sophia apprenait les bases du métier, Shadrack faisait des allers-retours entre la salle secrète et son bureau du rez-de-chaussée. Il avait réussi à obtenir des faux papiers et une montre pour Mrs Clay, mais cette tâche n'avait été qu'une parmi des dizaines. Des amis désespérés venus de tout le Nouvel Occident affluaient en quête de plans et de guides à destination des autres Âges. Les explorateurs quittaient le pays en masse, paniqués par la décision du Parlement. Shadrack avait à peine le temps de répondre aux questions de Sophia.

Pour sa part, elle était tellement absorbée par ses études qu'elle voyait à peine les jours défiler, encore moins les heures et les minutes. Sa fascination pour la cartographie était aussi sincère que passionnée et les distractions n'étaient pas nombreuses. Oui, c'était l'été, période durant laquelle la plupart des écoliers passaient leurs journées à nager, flâner et se promener avec leurs copains. Mais comme Dorothy avait déménagé à New York, plus personne ne frappait à sa porte pour lui proposer de prendre l'air.

À la fin de la semaine, après une longue réunion avec un explorateur se préparant à partir pour les Russies, Shadrack descendit dans la salle des cartes ; à peine entré, il scruta sa nièce avec inquiétude. Sophia était penchée sur la table, les cheveux en bataille, le visage blême et des cernes autour des yeux. Avec ses légers vêtements d'été inhabituellement chiffonnés, elle ressemblait plus à une employée de bureau surmenée qu'à une adolescente.

Sophia n'avait absolument pas conscience que Shadrack l'observait ; elle était aux prises avec une énigme sur laquelle elle était tombée en comparant deux cartes. D'après la forme et la configuration des îles décrites, elle était certaine qu'il s'agissait chaque fois du même endroit. Mais l'une d'elles était nommée *Caraïbes unies* et l'autre *Terra incognita*, et toutes deux semblaient issues de deux Âges distincts.

La première se déroulait en milieu de journée et contenait un son de cloche dans la cour d'un couvent ; dans le souvenir, deux nonnes dépassèrent Sophia, absorbées dans leur conversation. Une odeur de mer flottait dans l'air. La seconde montrait un paysage caillouteux et froid, sans la moindre trace de vie. Le seul indice pouvant justifier leur différence tenait à la date de la seconde, qui avait été conçue dix ans après celle des Caraïbes unies.

Comment est-ce possible ? s'étonna Sophia. *Comment cet endroit a-t-il pu à tel point changer en si peu de temps ?*

Elle était encore en train d'examiner le souvenir de la Terra incognita, en quête de signes expliquant ce qui avait pu se passer pour l'altérer autant, quand la voix de Shadrack la ramena à la réalité.

– Sophia !

– Oui ?

Surprise, elle leva les yeux.

– À force de vivre dans ce sous-sol, tu es devenue blafarde. Je sais que nous avons beaucoup à faire, mais tu ne dois pas t'enterrer pour autant. Tes muscles vont se transformer en gelée.

– Je m'en fiche, répondit Sophia avec désinvolture. Shadrack, s'est-il produit quelque chose, récemment, à la frontière orientale des Caraïbes unies ? Quelque chose m'échappe, ici : ces deux cartes montrent le même endroit, mais l'une d'elles décrit un couvent, et l'autre, dix ans après, ne montre… absolument rien.

– J'avais remarqué. J'en ai conclu que l'intitulé de l'une d'elles est faux, trancha Shadrack. Nous pourrons regarder ça plus tard ; pour le moment, tu dois sortir un peu de ce sous-sol. Ça t'éclaircira les idées.

– Je ne crois pas que ce soit une erreur de titre. C'est le même lieu, mais il est différent. Et puis je me suis dit… Tu as toujours la lettre que Casavetti t'a envoyée ? Je pense que…

– Sophia ! (Shadrack la rejoignit et tira son siège en arrière.) Ton enthousiasme te fait honneur, mais cela ne servira à rien si tu ne peux pas porter un sac bien rempli ou marcher dix pas sans t'effondrer. Je te propose un marché : six jours de cartographie en intérieur, puis une journée d'exploration en extérieur.

– De toute façon, il fait trop chaud pour sortir, marmonna Sophia.

– Comment pourrais-tu en avoir la moindre idée ? Tu n'as pas quitté cette pièce depuis des jours ! Laisse-moi te dire quelque chose : moi-même, j'ai à peine mis le nez dehors, avec tous ces va-et-vient dans la maison. Et quand nous serons sur le départ, nous risquons d'être totalement pris au dépourvu. Donc si tu veux bien, j'aimerais te préparer une liste pour que tu puisses commencer à rassembler ce dont nous aurons besoin.

La perspective d'acheter du matériel rendit soudain leur voyage beaucoup plus concret ; le pouls de Sophia s'accéléra.

– Bonne idée !

– Ravi que tu approuves, s'amusa Shadrack. Très bien, je crois que tu as plus de chances de trouver notre bonheur chez Harding, à côté du quai. Tu n'en étais pas très loin, l'autre jour.

– Je sais où c'est.

– Pour ma part, j'ai un vieux sac qui fera l'affaire, mais il t'en faudra également un. Ne le choisis pas trop gros, et laisse-les prendre tes mesures avant de l'acheter. Nous aurons aussi besoin d'un tube rigide pour les cartes en papier ; les miens tombent tous en miettes, depuis le temps qu'ils ne m'ont plus servi. Prends-en deux. Et regarde si tu ne peux pas trouver une boîte étanche pour ta montre. (Il s'arrêta pour réfléchir un peu.) Je crois que ce sera suffisant pour commencer. Tu feras mettre tes achats à mon nom, j'ai un compte chez eux. Ça te semble bon ?

– Un sac, des tubes rigides, une boîte à montre, énuméra Sophia. C'est noté.

Elle remonta dans le bureau de Shadrack, remarquant au passage à quel point la maison s'était transformée en capharnaüm pendant sa réclusion volontaire dans la salle des cartes. Mrs Clay avait beau se démener, elle ne pouvait rivaliser en rangement avec les conséquences des explosions d'énergie de Shadrack. Sophia regagna sa chambre et s'assit pour changer de chaussures. Ce faisant, son regard tomba sur son carnet de croquis, et une pensée subite la fit se lever lentement et tourner les pages jusqu'à revenir au 14 juin, la journée qu'elle avait passée au Parlement. Elle se retrouva à contempler le dessin qu'elle avait fait du garçon du cirque, celui qui était dans une cage.

Qui sait ce qu'il adviendra de lui ? songea-t-elle.

Elle fixa les barreaux qu'elle avait esquissés.

Peut-être est-il toujours là. Si ça se trouve, je pourrais le revoir…

Cette perspective fit battre son cœur à tout rompre durant quelques secondes, mais une pensée plus sombre tempéra son excitation.

Je me demande si parfois il a le droit de sortir de sa prison. Je n'arrive pas à imaginer qu'il puisse être forcé d'y manger, d'y dormir, de vivre en permanence dans une cage.

Une idée subite la saisit.

Il n'a pas sa place là-dedans, se dit-elle avec nervosité. *Il ne devrait pas y passer une minute de plus.*

Fébrile, elle acheva de lacer ses bottes et se rua au rez-de-chaussée. Quand elle vit que c'était presque l'heure du déjeuner, elle emballa rapidement une tranche de pain beurré dans une serviette et la fourra dans la poche frontale de sa robe.

– À tout à l'heure, Shad ! lança-t-elle avant de franchir la porte.

21 juin, 11 h 57 : en route pour le magasin de fournitures

LA CHALEUR S'ÉTAIT quelque peu atténuée, mais frôlait quand même les trente degrés. Durant n'importe quel autre été, de telles températures auraient poussé tous les habitants de la ville à s'exiler à Cape Cod, mais avec la date butoir fixée par le Parlement, Boston bruissait d'une activité maladive. Les journaux publiaient de plus en plus d'accusations envers les étrangers, autant d'articles virulents dont la fréquence soulevait un flot constant de protestations.

Tandis que Sophia regardait par la fenêtre du tramway à destination du centre-ville, elle remarqua des groupes de gens qui se dirigeaient vers la Chambre des représentants. Lorsqu'elle dépassa le bâtiment, elle écarquilla les yeux : il était ceinturé de policiers, et des centaines de manifestants hurlaient en brandissant des pancartes. Shadrack lui avait également dit que les forces de l'ordre patrouillaient vingt-quatre heures sur vingt-quatre pour vérifier les papiers d'identité des passants et que quiconque n'en possédait pas se retrouvait aussitôt conduit au point de sortie le plus proche du Nouvel Occident.

Le tramway fit une courte halte au bout du Boston Common, à proximité de la Chambre des représentants, avant de bifurquer en direction du tunnel menant au quai. La nervosité de Sophia décupla à l'idée de revoir le garçon aux plumes.

Peut-être que je devrais d'abord m'occuper du matériel, pensa-t-elle. *Mais mieux vaut que j'aie les mains libres si je dois tenter d'ouvrir sa cage. Je vais au cirque.*

Le tramway émergea du tunnel et le conducteur annonça l'arrêt du quai. Sophia descendit, trépignant presque d'excitation, et chercha du regard l'entrepôt qui hébergeait le cirque.

Le chaos du port fit pâlir la manifestation à la Chambre des représentants. Une foule bariolée d'aventuriers déterminés, d'étrangers exilés et de marchands angoissés coulait en flux serré dans la rue pavée en direction des navires sur le départ. Des policiers parcouraient les rangs, matraque à la main, pour vérifier les papiers et obliger les gens à faire la queue. Une multitude de navires s'accumulaient dans les eaux de l'autre côté du quai, attendant leurs passagers, avides de tirer profit de cet exode subit. Sophia se détourna, consternée, en entendant un capitaine négocier avec un explorateur le prix exorbitant d'un billet pour se rendre dans l'Empire clos.

Lorsqu'elle aperçut enfin un entrepôt à la peinture délavée, Sophia fendit la foule. Effectivement, l'enseigne indiquant le Cirque des Âges d'Ehrlach était là. Mais quelque chose avait changé : il n'y avait pas de file d'attente et l'entrée était fermée. Aucune trace du petit homme, de la vendeuse de tickets ni du garçon en cage.

Pendant un instant, l'hésitation la figea sur place, et elle ne put que regarder les gens passer devant elle. Puis elle s'approcha de la porte et essaya de la pousser. Un objet semblait la bloquer de l'intérieur. Elle força un peu plus et le battant céda.

– Oh non ! s'exclama-t-elle.

L'immense entrepôt était complètement vide. Un tas de foin, les débris d'un meuble et un peu de paille éparpillée gisaient en vrac sur le plancher sale. Sophia contempla les lieux un peu plus longtemps en se remémorant le garçon aux plumes : son air de grâce insouciante, la facilité avec laquelle il avait dévié la canne du maître du cirque. À présent, il n'était plus là. Elle l'imagina en route vers un endroit inconnu, emprisonné à jamais dans cette horrible cage, jusqu'à ce que son expression fière s'efface et que ses yeux perdent leur éclat.

Sophia quitta l'entrepôt vide et referma la porte derrière elle.

– Excusez-moi, dit-elle à un vieillard chargé d'une malle apparemment très lourde. Le cirque est déjà parti ?

– Parfaitement, mademoiselle, répondit-il en profitant de son intervention pour faire une pause. Ils ont plié bagage ce matin même.

– Je pensais qu'ils resteraient jusqu'au 4 juillet.

– Ils auraient pu, bien sûr, mais Ehrlach voulait passer les dernières semaines à New York. Il semblait croire qu'il ferait un meilleur chiffre d'affaires là-bas, sans les manifestations au Parlement pour distraire les gens.

– Je comprends. Merci beaucoup, dit Sophia. Je suppose que j'ai joué de malchance…

– Oui, c'est le mot juste, la malchance. Pour nous tous… répliqua le vieil homme avant de hisser de nouveau sa malle sur ses épaules. Je suis navré, mademoiselle.

Sophia fixa l'enseigne encore un moment, essayant, sans y réussir, de secouer la déception qui l'alourdissait. *J'aurais dû y penser plus tôt,* se dit-elle. *Je n'avais pas conscience du temps qui passait.*

La frustration habituelle à ce propos la submergea, mais elle fut bien forcée d'admettre que, dans le cas présent, son horloge interne endommagée n'était pas la seule à blâmer. Son indifférence était on ne peut plus banale. Ordinaire. Durant une semaine entière, elle avait oublié le garçon, et à présent, il était trop tard pour l'aider.

Lorsqu'elle consulta soudain sa montre, elle s'aperçut qu'elle avait perdu plus d'une heure et se remémora la mission que Shadrack lui avait confiée. Elle fit demi-tour et repartit en quête du magasin Harding avec une détermination nouvelle. La boutique était juste à côté, sa porte à double battant grande ouverte pour laisser entrer le flot continu de clients voulant acquérir en urgence l'équipement nécessaire à de longs voyages par-delà les mers. Comme elle avait déjà perdu beaucoup de temps, Sophia parcourut les allées en toute hâte, inspectant des fourre-tout étanches, des raquettes pour marcher dans la neige, des chapeaux pliables, des draps de soie pouvant être rangés dans un sachet de la taille d'une poche, des cantines et des jumelles. Elle quitta le magasin avec un petit sac à dos brun-roux, deux tubes rigides pour cartes et un boîtier en cuir huilé pour sa montre.

15 h 09 : retour à la maison

ELLE ARRIVA DEVANT chez elle peu après 15 heures. En ce jour d'été, le soleil était toujours haut dans le ciel et, quand elle bifurqua sur East Ending Street, elle se dit qu'elle avait encore une chance de pouvoir résoudre le mystère qui l'avait tracassée dans la matinée. Shadrack ne lui en voudrait probablement pas, puisqu'elle avait passé l'après-midi dehors, comme il le lui avait demandé.

Elle se rapprocha de leur maison et s'étonna de constater que la porte était grande ouverte. Une fois devant l'escalier, quelque chose d'étrange lui sauta aux yeux : une longue plume verte. Elle la ramassa et l'examina.

– C'est vraiment bizarre… murmura-t-elle.

À peine avait-elle atteint le seuil qu'elle comprit qu'un drame s'était produit.

L'intérieur était sens dessus dessous. Un véritable cataclysme. Comme si une force élémentaire l'avait ravagé. Le sol de la cuisine était jonché de nourriture et de vaisselle cassée. Les tapis du hall étaient entassés en vrac dans un coin, tandis que des débris de papiers et de cartes finissaient de se consumer dans le four. Presque toutes les cartes qui étaient d'habitude suspendues dans chaque pièce avaient été décrochées avec brutalité, seules des empreintes plus claires sur les murs témoignant de leur absence. Même certaines des lattes du plancher avaient été arrachées. Et à côté d'elle, près de l'entrée, se trouvait une longue plume rouge. Sophia resta figée quelques instants, proche de la crise de panique, puis elle lâcha la plume verte, laissa tomber le sac tout neuf qu'elle avait à l'épaule et se rua vers le bureau.

– Shadrack ! hurla-t-elle. *Shadrack !*

Personne. Le parquet était encombré de cartes, presque toutes déchirées. Les bibliothèques affichaient des rayonnages nus, les livres gisaient au sol, entassés en piles désordonnées. Avec horreur, Sophia constata que la porte de la salle des cartes était ouverte.

– Shadrack ? appela-t-elle du haut de l'escalier, la voix tremblante.

Pas de réponse. Elle descendit les marches une à une, les vieilles planches grinçant sous ses pieds. Quand elle parvint en bas, le chaos qui s'étalait devant elle la stupéfia.

Les vitrines avaient été fracassées et leur contenu avait disparu. Les bureaux étaient ouverts, leurs tiroirs béants. Là aussi, les livres avaient été tirés de leurs rayonnages et jetés au sol. Les meubles dans lesquels les cartes de papier étaient rangées étaient également vides. Sophia frémit devant l'ampleur du carnage, trop abasourdie pour appeler de nouveau Shadrack. Le moindre objet de la pièce avait été détruit ou volé. Une carte de verre, brisée, craqua sous son pied, et elle resta figée à en contempler les tessons. Une longue entaille traversait la table recouverte de cuir. Elle en toucha les bords déchiquetés avec prudence, comme incrédule. Puis elle leva la tête et ses yeux tombèrent sur le panneau mural au-dessus du coin lecture, qui retraçait le voyage de ses parents. Le support avait été fendu en deux, d'un bout à l'autre.

Sophia était comme pétrifiée, incapable de détacher son

regard des punaises qui parsemaient les fauteuils et le tapis autour d'elle. Une seule et unique pensée tournait en boucle dans son esprit : *Où est-il ? Où est Shadrack ? Où est-il ?* C'est à ce moment-là qu'un son, à l'autre bout de la pièce, la tira de son marasme. Pendant un instant, il lui fut impossible de courir, de hurler, ou même de bouger. Le cœur battant à tout rompre, elle se força à faire lentement demi-tour jusqu'à se retrouver face à l'entrée. Elle ne vit rien. Cela n'avait été qu'un bruissement léger, mais il ne lui avait pas échappé, et à présent, elle était certaine qu'il provenait du grand placard sous l'escalier.

Sur la pointe des pieds, elle avança dans cette direction, contournant les éclats de verre et s'emparant au passage du pied brisé d'une chaise. Elle le brandit à deux mains devant elle. Quand elle parvint à la base des marches, elle s'arrêta pour écouter et n'entendit que le rugissement du sang dans ses oreilles. Elle arriva au pied du rangement et s'arrêta pour guetter en silence. Puis elle tendit la main pour saisir la poignée de laiton et, d'un grand geste brusque, l'ouvrit en grand.

Des plumes, songea-t-elle, tandis que l'être surgi du placard la plaquait au sol.

Elle resta là, sonnée, stupéfaite, les yeux au plafond, jusqu'à ce qu'un visage apparaisse au-dessus du sien. On aurait dit que des plumes en sortaient pour pointer dans toutes les directions.

Le garçon du Cirque des Âges d'Ehrlach la regardait droit dans les yeux.

7
Entre les pages

21 juin 1891, 15 h 52

Il faut se souvenir que nous ne savons même pas avec certitude si le Grand Bouleversement a été causé par l'humanité ni, dans cette hypothèse, quel Âge l'a provoqué.

Trop d'époques demeurent étrangères, absolument pas répertoriées et au-delà de toute communication. De celles que nous connaissons, toutes ont été plongées dans la confusion et le chaos au cours des premières années après le cataclysme. Toutes ont souffert d'une désorientation, d'une isolation subite ou d'un cycle ininterrompu de violence. Quel Âge se serait volontairement attiré ça sur lui-même ?

Extrait de Histoire du Nouveau Monde,
par Shadrack Elli.

– HÉ ! LUI LANÇA LE GARÇON. Tu vas bien ?

Sophia cligna des yeux.

– Je suis désolé de t'avoir fait tomber, reprit-il. Tu vas bien ? Dis quelque chose.

Elle s'appuya sur ses coudes.

– Oui, répondit-elle, oui, je vais bien.

Elle fixa l'inconnu assis à côté d'elle sur le tapis.

– Tu étais dans le placard, constata-t-elle.

– Je me cachais. Tu étais où, toi ?

– Je viens juste d'arriver. J'étais sortie.

À présent que le choc se résorbait, la peur le remplaça. Un frisson glacé la parcourut. Le garçon tendit une main pour l'aider et elle eut aussitôt un mouvement de recul.

– C'est bon, je ne vais pas te faire de mal. (Il parlait d'une voix douce, avec les mots tronqués et le ton nasillard bas des Terres rases du Nord-Ouest.) Je n'ai rien à voir avec tout ça.

Sophia se remit debout.

– Qu'est-ce qui s'est passé ? Où est Shadrack ?

L'autre la considéra avec une expression étrange.

– C'est ton père ?

Elle secoua la tête, tremblant si violemment qu'elle en claquait des dents.

– Non, mon oncle. Où est-il ? (Elle examina rapidement la pièce du regard.) Je dois vérifier à l'étage.

– Non, attends ! (Le garçon leva une main pour l'arrêter.) Ce n'est pas la peine, il n'y est pas, annonça-t-il d'une voix douce.

– *Où est-il ?*

– Aucune idée.

– Mais tu l'as vu ?

Il acquiesça lentement.

– Ouais, je l'ai vu.

Il la scrutait avec attention, réfléchissant visiblement à ce qu'il pouvait lui révéler.

– Tu vis ici ? Avec Shadrack Elli ?

Entendre ce nom dans la bouche de cet étranger lui fit un effet bizarre. Sophia hocha la tête avec impatience.

– Oui. Oui, j'habite ici. Je te l'ai dit, c'est mon oncle. Maintenant, s'il te plaît, contente-toi juste de me raconter ce qui s'est passé !

Le garçon resta un instant silencieux.

– Je suis désolé d'avoir à t'annoncer ça de cette façon, mais ton oncle est parti.

Sophia eut l'impression que ses poumons se vidaient d'un seul coup. Les mots étaient non seulement traumatisants, mais aussi terriblement familiers. Elle comprit à cet instant qu'en réalité elle s'était toujours attendue à ce que ceux qu'elle aimait le plus disparaissent.

– Je suis venu ici pour le voir. Quand je suis arrivé, la porte était ouverte. À l'intérieur, il y avait beaucoup de raffut, mais je ne savais pas ce qui se passait. (Il s'interrompit.) Je suis resté dehors, dissimulé dans les buissons. Au bout d'une demi-heure, des hommes ont fait sortir ton oncle. (Il sembla attendre la réaction de Sophia avant de reprendre.) Ils étaient cinq. Ils l'ont jeté dans une voiture avec plusieurs cartons, et puis ils sont partis. Après ça, je suis entré et, quand je t'ai entendue en haut, je me suis caché. J'avais peur qu'ils soient revenus. (Il détourna le regard.) Je suis désolé.

– Qui étaient-ils ? Quel genre d'hommes ?

– Je ne sais pas. Enfin… je veux dire, ils avaient l'air ordinaires. Certainement des voyous. (Il fronça les sourcils.) Certains d'entre eux avaient des sortes de… (Il s'interrompit pour dessiner un trait en travers de son visage, du bout du doigt.)… comme des cicatrices.

Sophia déglutit avec difficulté.

– Shadrack allait bien ? demanda-t-elle avec appréhension. Il était blessé ?

– Il n'avait rien, répondit le garçon sans la moindre hésitation. Il se débattait et les injuriait. Il était furieux, mais pas blessé.

Sophia sentit sa gorge se nouer et comprit qu'elle ne pourrait pas retenir ses larmes. Elle pivota.

– J'ai besoin de rester un peu seule, chuchota-t-elle.

– Je suis vraiment désolé, déclara le garçon. Je… euh… (Il hésita.) Je vais à l'étage.

Sophia l'entendit gravir les marches, fermer une porte, et cessa aussitôt de penser à lui. Tout son esprit se focalisa sur Shadrack et son absence. Elle s'affaissa par terre. De lourds sanglots montèrent, douloureux et profonds, la faisant haleter et lui coupant le souffle, jusqu'à ce que, enfin, ils laissent place aux larmes.

Cela n'avait aucun sens. Comment Shadrack pouvait-il avoir disparu, juste comme ça ? Ce matin même, ils avaient étudié une carte ensemble, dans cette pièce, et à présent, l'endroit était dévasté, Shadrack enlevé, et Sophia seule. Totalement seule. Elle pleura jusqu'à en avoir des vertiges, et à ce moment-là, elle demeura assise, prostrée, sur la moquette. Ses tempes palpitaient, elle était déshydratée, et elle se sentait vide, terriblement vide.

Si j'avais gardé la trace du temps, songea-t-elle. *Si seulement je n'avais pas perdu le fil des heures, je serais revenue plus tôt. J'aurais pu rester avec lui, où qu'il soit. Et aucun de nous deux ne serait seul, à l'heure actuelle.*

Quelques minutes à peine avaient passé, mais cela lui semblait une éternité débordant d'un sentiment d'abandon ultime.

Il pourrait être n'importe où. Il pourrait être blessé, songea-t-elle soudain.

Et cette possibilité se plaça au premier plan de ses pensées.

Un son en provenance de la bibliothèque au-dessus d'elle la ramena avec brutalité au présent. Elle s'essuya les paupières, inspira profondément et se remit sur ses pieds. Elle ne supportait pas l'idée de contempler ce lieu magnifique dans cet état lamentable, aussi garda-t-elle les yeux baissés jusqu'au sommet de l'escalier. Quand elle atteignit le rez-de-chaussée, elle referma la porte du sous-sol derrière elle.

Le garçon était accroupi par terre et fouillait les documents étalés un peu partout. Il leva le visage vers elle et s'interrompit dans son furetage.

– Hé, ça va ? répéta-t-il.

– Oui. Merci.

Il hocha la tête, puis suivit son regard en direction des papiers éparpillés autour de lui.

– Je cherche une carte. Peut-être du Nouvel Occident. Il y en a une ? Je veux dire… avec tous les trucs entassés en vrac ici…

– Bien sûr qu'il y en a une, répondit Sophia, l'esprit comme englué. Je peux te la trouver, mais… mais pas tout de suite.

– D'accord, je comprends, acquiesça-t-il.

Il se leva et tenta vainement de lisser une partie des plumes cassées accrochées à sa taille. Sophia et lui se dévisagèrent en silence pendant plusieurs secondes.

– Je m'appelle Theo, finit-il par déclarer.

– Sophia, répondit-elle.

– Sophia, j'aurais dû t'expliquer que j'étais venu demander de l'aide à ton oncle. J'ai entendu parler de lui sur les quais, le célèbre cartographe bostonien… tout ça. J'espérais qu'il pourrait m'aider à rentrer chez moi. Je ne suis pas d'ici.

– Je sais, émit-elle d'une voix douce. Tu es un sauvageon des Terres rases.

La surprise réduisit Theo au silence, puis un des coins de sa bouche se souleva en un sourire.

– Oui, c'est ça. Je ne pensais pas que tu t'en souviendrais.

– Vêtu comme ça? Tu es difficile à oublier.

– J'imagine que c'est vrai, s'amusa Theo en baissant le regard sur lui avant de le reposer sur elle. Je me suis enfui ce matin. Quand le cirque est parti.

– Tu t'es sauvé.

– Oui.

Sophia ne savait plus quoi dire. Son cerveau ne fonctionnait pas correctement, elle n'arrivait pas à comprendre en quoi sa fuite avait de l'importance.

– Sophia, reprit Theo. Tu dois décider de ce que tu veux faire, et moi aussi. Est-ce que je pourrais... j'aimerais vraiment pouvoir me débarrasser de ce costume.

Elle cligna des paupières.

– Comment ça? Tu... tu ne t'habilles pas ainsi, normalement?

Theo ne répondit pas tout de suite.

– Bien sûr que non, finit-il par lâcher. Ça, c'est ce que cet imbécile d'Ehrlach me faisait porter pour le spectacle.

– Ah bon?

– J'aurais vraiment besoin de savon, dit Theo. Et peut-être de dissolvant pour peinture. Les plumes sont collées avec du miel et de la glu, c'est la misère pour les enlever. Et des vêtements, ce serait possible?

– Bien sûr.

Devoir se concentrer sur des choses aussi terre à terre fut

un véritable soulagement pour Sophia. Elle pouvait nettoyer la maison et remettre un peu d'ordre. Le diluant était rangé dans la buanderie, à côté de la cuisine ; elle y trouva également des torchons propres, au-dessus d'un tas de chiffons. Elle traversa les pièces saccagées, se frayant un chemin au milieu de la porcelaine brisée, des papiers déchirés et du mobilier cassé. C'était comme si elle avait été déposée ailleurs, dans un lieu inconnu, ce qui, étrangement, lui facilita la tâche.

– Tu peux utiliser la salle de bains de Shadrack, proposa-t-elle en montant l'escalier.

Theo la suivit, semant des plumes dans son sillage.

Bizarrement, le premier étage était vierge de tout vandalisme. Les intrus avaient dû trouver ce qu'ils cherchaient au rez-de-chaussée ou considérer qu'il n'y aurait aucun objet de valeur dans les chambres.

– Je crois que certains habits de mon oncle t'iront, déclara-t-elle, même s'ils risquent d'être un peu grands pour toi.

– Moi, du moment que je suis débarrassé de ces plumes…

Sophia fouilla l'armoire de Shadrack et dénicha une chemise assez petite, un pantalon et une ceinture. En revanche, les chaussures étaient beaucoup trop grandes. Elle indiqua la salle de bains à Theo et lui donna le diluant et les vêtements. Il la remercia, puis se figea sur le pas de la porte.

– Euh… tu ne vas pas partir, hein ? (Sophia le fixa sans comprendre.) Je me disais… je vais avoir besoin d'un endroit où dormir. Juste une nuit.

Sophia saisit enfin le sens de ses mots.

– Tu peux rester.

– Merci. Je te revaudrai ça. (Il fit claquer ses doigts d'un air désinvolte, avant de mimer un pistolet pointé sur elle.) Ce serait bien que j'aie la carte, aussi, si tu veux bien. Et demain, je disparais de ta vie.

La porte se referma et, au bout d'un moment, Sophia entendit l'eau couler.

Une fois seule dans la chambre de Shadrack, qui semblait si *normale*, la jeune fille se retrouva de nouveau submergée par le chagrin. Le fauteuil en cuir, les livres sur l'accoudoir du canapé, les cartes entassées un peu partout… C'était comme si son oncle n'avait quitté la pièce que pour quelques secondes. Le tapis bleu était usé suivant un chemin allant de la porte jusqu'au secrétaire en acajou qui, pour une fois, béait. Sophia se dirigea vers lui, l'estomac noué. Shadrack n'aurait jamais oublié de fermer son précieux meuble.

La tache d'encre sur le sous-main et le journal abandonné ne laissèrent aucun doute planer dans son esprit : Shadrack avait été interrompu en pleine écriture. Quand elle vit son nom sur la feuille, elle lut la dernière page avec anxiété.

J'ai du mal à décider de ce que je dois révéler à Sophia. Elle doit avoir conscience du danger, mais la frontière est mince entre compréhension utile et alarme injustifiée. J'ai profité de ce qu'elle était sortie acheter du matériel pour rendre visite à Carlton à l'hôpital, et j'ai été horrifié par son état. L'article ne mentionnait pas les terribles mutilations sur son corps et son visage. Je ne peux que supposer qu'ils ont omis d'en parler pour les besoins de l'enquête. Carlton ne m'a pas reconnu ; il ne reconnaît personne. Je doute qu'il ait conservé la moindre faculté cognitive. On dirait un enfant sans défense. Il émet des sons inarticulés, parfois, et semble éprouver de la douleur lorsque l'on soigne ses blessures, mais il n'a pas d'autre conscience du monde qui l'entoure. J'ai du mal à croire qu'une telle horreur puisse résulter d'une agression ordinaire... Je commence plutôt à penser que quelqu'un a

Le récit s'achevait sur ces mots. Paniquée à l'idée d'un Carlton Hopish mutilé, Sophia recula. Que croyait donc Shadrack ? Se pouvait-il qu'il ait vu quelque chose, à l'hôpital, qui l'ait mis en danger ? Contrairement à ce qu'elle espérait, ces pages ne contenaient aucun message à son intention, juste une énigme menaçante qui la terrorisait davantage. De nouvelles larmes emplirent ses yeux, et il lui fallut plusieurs profondes inspirations pour se reprendre.

Le fauteuil de Shadrack, où il lisait une heure ou deux chaque soir avant d'aller se coucher, affichait encore un creux à l'endroit où il s'était assis la nuit précédente. Sophia s'y dirigea d'un pas lourd et s'effondra dedans. Le siège sentait le cèdre, le pin et le papier ; l'odeur de Shadrack. Et si c'était la dernière fois qu'il s'y était installé ? Elle pouvait déjà imaginer à quoi la pièce ressemblerait dans un an, ou cinq, ou dix. Elle serait identique à celle de ses parents, un peu plus loin dans le couloir : les murs se seraient peu à peu décolorés suivant d'étranges motifs ; les livres se seraient gondolés, suite à une succession d'étés humides ; les vêtements et les chaussures se seraient ratatinés et affadis. Elle avait bien essayé de ne pas réfléchir à cette inéluctable évolution, mais maintenant qu'elle l'avait visualisée, elle ne parvenait plus à s'en débarrasser. À nouveau, le temps s'étira, et Sophia imagina un long futur sans lui, sans aucune famille. Entièrement seule. Cette possibilité la fit se recroqueviller dans le fauteuil et elle enserra ses genoux entre ses bras.

Sophia sentit quelque chose de gênant contre son flanc. Elle l'ignora. Néanmoins, plus elle tenta de l'oublier, plus l'objet s'enfonça dans ses côtes, jusqu'à ce qu'elle finisse par se redresser et repousser le coussin fautif. Il lui sembla curieusement dur. Calé dessous se trouvait l'un de ses vieux cahiers à dessin.

Qu'est-ce que ça fait là, ça? s'étonna-t-elle sans vraiment se poser la question avant de le ramasser.

Le livre lui parut lourd. Elle dénoua les deux liens de cuir qui maintenaient sa couverture fermée et les pages s'ouvrirent sur ce qui ressemblait à un message. Elle reconnut aussitôt l'écriture de Shadrack, même s'il n'y avait que quelques mots.

Sophia, trouve Veressa. Prends mon atlas. Je t'aime, SE.

Dessous se trouvait une carte de verre.

Sophia fixa avec émerveillement la petite plaque et la phrase l'accompagnant. Shadrack lui avait bel et bien laissé un message, après tout! Et il avait pensé à l'endroit idéal pour le dissimuler: entre les pages épaisses de son carnet, la mince feuille transparente était parfaitement protégée. La jeune fille fit courir ses doigts avec affection sur les mots écrits par son oncle. Ils semblaient empreints d'urgence, mais pas de désespoir ou de peur. Shadrack ne lui conseillait pas de se cacher ou de fuir. Sophia éprouva quelque chose. Pas du soulagement, mais de la détermination. Un sentiment qui la traversa de part en part. Elle se souvint de ce que Shadrack avait dit en des circonstances bien différentes: *Tout ce dont tu as besoin, Sophia, c'est d'avoir quelque chose à faire.*

Et à présent, elle avait effectivement quelque chose à faire:

elle devait prendre l'atlas de Shadrack et trouver Veressa, où que ce soit. Et peut-être qu'une fois qu'elle l'aurait fait, elle saurait où était Shadrack !

Sophia bondit sur ses pieds. D'abord, décida-t-elle, elle devait lire la carte de verre. La lumière rase du soleil, qui passait par la fenêtre, n'eut aucun effet. Elle alluma en catastrophe les lampes-flammes et rapprocha la plaque de l'une d'elles. À nouveau, rien ne se produisit. La glace ne contenait aucune inscription indiquant son lieu ou son moment, et était complètement transparente.

Serait-ce un bête morceau de verre ? se demanda-t-elle.

Non, impossible. Pourquoi Shadrack lui laisserait-il une vitre si elle ne contenait aucune information ? Elle l'examina avec intensité, la maintenant près de la lumière. Effectivement, dans le coin inférieur gauche, était gravée la marque des cartographes : une chaîne de montagnes au-dessus d'une règle. Mais la carte refusait de s'éveiller. Sophia se mordit la lèvre et rangea avec soin la plaque de verre entre les pages de son cahier. Elle devrait attendre. Elle devait d'abord trouver l'atlas.

17 h 45 : en quête de l'atlas

CARNET EN MAIN, Sophia retourna en toute hâte dans la bibliothèque. Elle inspira à fond, posa son cahier sur le sofa et s'agenouilla. L'atlas de Shadrack ne devait pas être bien difficile à trouver : il était grand, épais, et se détacherait forcément du tas d'autres ouvrages. Elle fouilla avec impatience dans les piles, en quête de sa reliure écarlate. Puis elle se dit qu'il serait tout aussi simple d'en profiter pour ranger.

Elle commença à poser des livres sur le rayonnage le plus proche. Lentement, le motif bleu et blanc familier du tapis réapparut. Elle remplit quatre étagères sans retrouver l'atlas. Les livres étaient tombés n'importe comment, et certains avaient des pages arrachées. Sophia essaya de se montrer méticuleuse sans perdre trop de temps. Elle finissait une cinquième rangée lorsqu'elle entendit des pas et, quand elle leva les yeux, Theo était dans l'encadrement de la porte.

Sophia le reconnut à peine. Sans ses plumes, il n'avait plus rien d'extraordinaire. Il avait des cheveux bruns un peu longs, tombant juste au-dessous des oreilles, et une petite fossette au menton. Dans les vêtements de Shadrack, il semblait plus âgé. Sophia lui avait d'abord donné quatorze ans, mais à présent, elle se demandait s'il n'en avait pas plutôt quinze ou seize. Jusqu'à son attitude qui paraissait plus mûre, avec sa main – qui arborait de profondes cicatrices, comme s'il avait subi des blessures répétées durant des années – appuyée sur l'encadrement de la porte. Mais même sans les plumes, il ne ressemblait à personne de sa connaissance en Nouvel Occident.

Ses camarades de classe étaient gentils, inoffensifs ou parfois cruels, selon leur tempérament. Aucun d'eux n'était très intéressant. Quant aux plus âgés, qu'elle avait rencontrés en faisant du théâtre et du sport, ils semblaient posséder des caractéristiques similaires, à des degrés plus avancés : plus consciencieusement gentils, inoffensifs ou cruels. Theo ne paraissait rien de tout cela. Il affichait cet air d'autorité sereine dont elle se souvenait depuis le cirque. Sophia se sentit rougir quand elle s'aperçut qu'elle ne savait pas combien de temps elle était restée à le fixer.

Les yeux bruns de Theo croisèrent les siens avec amusement.

– Tu… ranges ?

Sophia s'empourpra de plus belle.

– Non. Enfin, oui. Je cherche quelque chose, et c'est la méthode la plus pratique. (Elle se leva rapidement.) Il faut que tu voies ce que j'ai trouvé !

Sophia n'avait pas encore appris, du haut de ses treize ans, qu'il n'est pas inhabituel pour des inconnus de partager une familiarité subite au cours de circonstances extrêmes. Le choc d'une menace commune fait de l'autre un allié. Puis l'étranger ne semble plus si différent que ça : lui aussi est un individu en danger essayant de survivre. Et si l'étranger qui n'en est plus un se révèle quelqu'un que l'on peut apprécier, qui a paru agréable et intéressant depuis le tout début, tout se mettra alors en place d'autant plus facilement, presque comme s'il avait toujours été destiné à se trouver là.

N'avoir aucune horloge interne accentuait cette impression pour Sophia ; un bref instant passé avec quelqu'un pouvait lui faire l'effet d'avoir duré bien plus longtemps. Theo était un inconnu sans vraiment l'être, et un allié inattendu et intrigant. Si quelqu'un lui avait demandé à ce moment-là si elle avait la moindre raison de se fier à lui, elle aurait eu du mal à répondre. Et la question ne se posa pas. Elle l'appréciait et, de ce fait, elle *voulait* lui faire confiance.

Sophia ouvrit le carnet pour lui montrer la carte de verre et le message.

– Ça, c'est…

– Une carte, dit Theo en la saisissant avec prudence de sa main balafrée. J'avais compris.

Il la maintint dans la lumière, juste comme Sophia l'avait fait, tandis qu'elle le scrutait avec surprise.

– Comment tu as deviné ?

Il reposa soigneusement la plaque, sans avoir apparemment écouté sa question. Puis il lut le message et fronça les sourcils.

– C'est censé être une carte de Veressa ?

– C'est ce que je me suis dit. Mais je cherche un atlas parce que je ne sais pas du tout où se trouve Veressa.

– Tu n'en as jamais entendu parler ?

– Non. Et toi ?

Theo secoua la tête. Il inspecta la salle.

– À quoi ressemble cet atlas ?

– À un grand livre, à peu près haut comme ça, épais, avec une couverture rouge foncé.

– Très bien, alors partons à la chasse à l'atlas. (Il sourit.) Et quand nous l'aurons trouvé, peut-être pourras-tu me donner une carte du Nouvel Occident.

Il s'accroupit près de la pile la plus proche et commença à trier des ouvrages à côté. Il en était presque à la moitié quand Sophia plongea vers un tas un peu plus loin.

– Le voilà ! s'exclama-t-elle.

Comme il était ouvert, les pages tournées vers le haut, il lui avait échappé.

– C'est lui ! s'écria-t-elle. C'est l'atlas de Shadrack. (Elle le feuilleta avidement.) Quelle chance, il n'est pas abîmé.

Puis elle montra la couverture à Theo, ornée de lettres dorées qui indiquaient : *Atlas descriptif et annoté du Nouveau Monde, incluant les Âges préhistoriques et les Terres inconnues, par Shadrack Elli.*

– C'est vraiment lui qui l'a écrit ? demanda Theo, visiblement impressionné.

– Oh... oui. C'est le meilleur. Les autres ouvrages ne comportent pas la moitié des informations que contient celui-ci. (Sophia l'ouvrit rapidement pour consulter l'index.) Veressa, murmura-t-elle en faisant courir son doigt le long de la colonne des V, sans y trouver ce nom. C'est bizarre. Toutes les villes sont répertoriées, pourtant.

– Tu regardes les cités et les agglomérations, dit Theo en désignant l'en-tête de la page. C'est peut-être un lac, un désert, une forêt, ou je ne sais quoi d'autre.

– Possible, marmonna Sophia.

Elle examinait à nouveau l'index quand un bruit soudain la fit sursauter. Quelqu'un grattait à la porte de la maison, cette même porte que Sophia avait refermée derrière elle. Theo et elle se consultèrent du regard et, pendant plusieurs secondes, aucun d'eux ne parla ; ils attendaient. Puis ils entendirent le battant s'ouvrir.

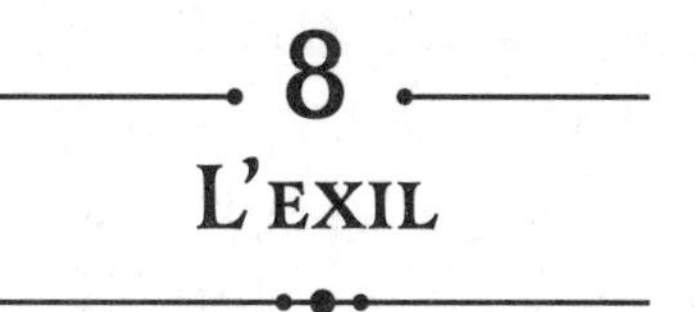

8
L'EXIL

21 juin 1891, 18 h 07

> *La zone située entre la frontière nord du Nouvel Occident et les Neiges préhistoriques – également appelées Neiges du Nord – demeure une étendue sauvage à la géographie floue. Les frontières ouest et sud, a contrario, sont devenues au fil du temps des régions revendiquées tant par les Terres rases que par le Nouvel Occident et les Territoires indiens. Même si déterminer une véritable démarcation serait impossible, cela n'a pas empêché les habitants des contrées voisines de prendre des mesures extrêmes pour défendre ces bordures aux endroits où ils les imaginaient.*
>
> *Extrait de* Histoire du Nouveau Monde,
> *par Shadrack Elli.*

SOPHIA PLONGEA sous l'énorme bureau de chêne de Shadrack, tirant Theo avec elle. De cet endroit, ils n'avaient aucune vue sur l'entrée latérale, mais dès que l'intrus pénétrerait dans le couloir, il serait visible par l'ouverture. Et il se trouva que Sophia n'eut pas à attendre bien longtemps.

– Que les Parques nous protègent ! s'exclama une voix féminine. Mr Elli ? Sophia ?

– C'est notre gouvernante, expliqua Sophia à Theo en s'extirpant de leur refuge. Je suis dans la bibliothèque, Mrs Clay ! l'appela-t-elle. Ici !

Mrs Clay arriva en trombe et pila aussitôt, les yeux écarquillés de peur.

– Mais que s'est-il passé ? Où est Mr Elli ?

Sophia put prendre la mesure, dans l'expression horrifiée de la gouvernante, de l'étendue du carnage.

– Aucune idée, répondit Theo comme Sophia restait muette. Il n'est pas avec nous.

Mrs Clay pivota vers lui et demeura bouche bée quelques secondes en s'apercevant de sa présence.

– Que voulez-vous dire ? Et d'abord, qui êtes-vous ?

– Shadrack a été emmené de force il y a quelques heures, déclara Theo. De force. (Mrs Clay le fixa d'un air stupéfait.) Je m'appelle Theodore Constantin Thackary, ajouta-t-il. Theo, pour faire simple.

– Qui ça ? Qui l'a enlevé ?

– Des hommes. Je n'ai pas vraiment pu les voir. Ils étaient en voiture. Le véhicule avait…

Sophia se tourna vers lui.

– Qu'est-ce qu'il avait de particulier ?

– Je viens juste de me souvenir qu'il y avait un dessin peint sur la voiture. Un sablier.

– C'est toujours ça, je suppose, dit-elle avec déception.

Mrs Clay parut étrangement soulagée par la mention de plusieurs hommes et d'un véhicule, et serra Sophia contre son cœur. Sa crise de panique semblait s'être résorbée.

– Je suis tellement navrée, Sophia. Tu n'imagines pas à quel point.

Que puis-je faire pour t'aider ?

– Shadrack m'a laissé un message.

– Un message ? s'exclama Mrs Clay. C'est plutôt de bon augure. Que disait-il ?

– De prendre cet atlas pour aller à Veressa. (Sophia baissa les yeux sur le livre qu'elle tenait dans ses bras.) On était justement en train de chercher où c'est quand je vous ai entendue arriver.

Mrs Clay afficha une expression perplexe.

– Excuse-moi, mais… en es-tu certaine ? Il a bien dit « Veressa » ?

– Oui.

– Montre-moi, réclama-t-elle d'une voix étranglée.

Sophia reposa l'atlas et tira prestement la note de son carnet.

– Ça dit bien « trouve Veressa ». (Elle leva des yeux pleins d'espoir sur Mrs Clay.) Vous savez où c'est ? Vous pensez qu'il pourrait y être ?

Mrs Clay inspira profondément et parut reprendre contenance.

– Sophia, c'est tellement inattendu. Je… je crois qu'il y a des choses que je dois te révéler. (Elle regarda autour d'elle.) Toute la maison est dans cet état ?

– Non, ils n'ont pas fouillé l'étage.

– Alors, montons dans mon appartement. Quittons cet horrible capharnaüm. Je vais nous préparer quelque chose à grignoter, et je vous raconterai mon histoire. Cela pourrait s'avérer utile.

Sophia éprouva soudain un épuisement brutal. Elle avait oublié que son dernier repas datait de la tranche de pain qu'elle avait mangée en se rendant chez Harding. Elle tremblait probablement en partie parce qu'elle était affamée.

– Je vous remercie, Mrs Clay.

Laisser la bibliothèque dans un tel état la désespérait, mais elle savait qu'elle ne pouvait rien faire d'autre pour le moment. Elle noua avec soin les lanières de son carnet et le pressa contre son cœur, ainsi que l'atlas de Shadrack.

L'appartement de la gouvernante, au troisième étage, avait toujours énormément contrasté avec le reste de la maison. Aujourd'hui, c'était encore pire. Les pièces étaient bien rangées et décorées avec goût, aussi lumineuses que les fenêtres ouvertes le permettaient. Un canapé bleu pâle orné de fleurs blanches, une collection de cages à oiseaux vides et une délicate table basse constituaient le principal aménagement de son salon. Des plantes en pot, dont la plupart bourgeonnaient, égayaient l'espace un peu partout : des violettes, des palmiers et des dizaines de fougères différentes. L'air était saturé d'une odeur de terre chauffée au soleil.

Ce qui frappait toujours le plus Sophia en entrant ici, c'était un tintement léger, mais permanent, comme des centaines de minuscules carillons. De chaque centimètre de plafond pendaient des mobiles, un véritable réseau de fils auquel étaient accrochés des cristaux, de la porcelaine et du métal. Les petits globes, clochettes, miroirs, cylindres et une infinité d'objets tourbillonnaient lentement en se heurtant et émettaient un son doux qui emplissait l'air. Les mobiles donnaient presque l'impression d'être vivants, comme si un troupeau de papillons léthargiques était venu se reposer dans la charpente. Theo se tordit le cou en arrière pour les admirer, fasciné.

– Je n'aime pas le silence, commenta la gouvernante en suivant son regard. J'espère que le bruit ne te dérange pas. (Elle désigna le salon.) Pourquoi ne vous installeriez-vous pas ? Je vais faire du café.

Sophia se percha sur l'un des fauteuils et tenta de ne pas penser au désastre du rez-de-chaussée. Les carillons commençaient à produire leur effet apaisant sur elle, ce qui était sans doute leur but. Theo et elle regardèrent les sculptures tournoyer au-dessus d'eux tandis que Mrs Clay ouvrait des tiroirs et mettait la bouilloire sur le feu.

– Je suis désolée pour toi, mais j'ai peur que Shadrack ne puisse pas t'aider, dit finalement Sophia à Theo.

Celui-ci haussa les épaules.

– C'est comme ça…

– Ehrlach va envoyer quelqu'un à ta recherche ?

– Non, il n'en aura pas le temps, répondit Theo avec un sourire en coin. Il l'aurait fait, en n'importe quelles autres circonstances, mais à l'heure actuelle, son unique objectif, c'est de présenter un dernier spectacle à New York. Le seul point positif de la fermeture des frontières, c'est qu'Ehrlach se retrouvera bientôt au chômage. Difficile de faire tourner un cirque dont chaque numéro est illégal, hein ? Cela dit, j'ai peur qu'il ne se contente de déplacer ses attractions ailleurs, ajouta-t-il avec une expression désappointée. Où qu'ils soient, les gens aiment ce genre de divertissements.

Mrs Clay revint avec un plateau, qu'elle déposa sur la table basse. Elle avait apporté des tasses et des assiettes, du beurre, du jambon et une miche de pain brun aux raisins.

– Un instant, annonça-t-elle.

Elle leur servit ensuite une tasse de café à chacun et se rassit. Elle s'effleura les tempes du bout des doigts, puis tapota son chignon bas pour se redonner une contenance. Theo et Sophia dévorèrent leur en-cas avec appétit. Sophia recouvrit de beurre et de jambon sa tranche de pain avant de mordre dedans à pleines dents. Ce n'est qu'après avoir bu à petites gorgées le breuvage presque bouillant de Mrs Clay qu'elle commença à se sentir mieux.

– Je suis désolée, mais ce que j'ai à vous apprendre risque d'être désagréable à entendre, avertit la gouvernante, les yeux rivés sur quelque chose qu'aucun de ses deux auditeurs ne pouvait voir, dans le fond de sa tasse. Ces souvenirs me sont très douloureux. Mais Shadrack vous a dit de chercher Veressa, aussi vais-je devoir vous expliquer pourquoi je ne peux pas retourner dans les Terres rases.

Theo se pencha en avant.

– Vous êtes originaire de là-bas ?

Mrs Clay croisa son regard.

– Oui.

– Comme moi.

– C'est bien ce que je pensais. C'est pourquoi je suis sûre que quand tu auras entendu mon histoire, tu comprendras quel danger je cours. Mais pour Sophia, tout ceci est nouveau, et il faut qu'elle soit au courant. Dans ce pays, les gens ont parfois des difficultés à appréhender les autres Âges.

Sophia remonta ses jambes sous elle dans le fauteuil. La voix de Mrs Clay, tremblante et haut perchée, faisait écho au tintement des carillons au-dessus de leurs têtes.

– Je ne sais pas ce que ton oncle t'a raconté, Sophia, reprit Mrs Clay, sur les circonstances de notre rencontre dans les Terres rases.

– Il m'a parlé de l'Académie. Il m'a dit qu'il y était resté deux ans, il y a très longtemps. Et que vous y travailliez. Rien de plus.

– C'est bien le cas. Il y a plus d'une dizaine d'années, il était étudiant à l'Académie impériale de cartographie de Nochtland, capitale des Terres rases et plus grande cité de l'Ère Triple. Comme tu n'es jamais allée dans cette contrée, Sophia, je vais avoir du mal à t'expliquer à quoi elle ressemble, mais je suis certaine que tu as lu beaucoup de choses à son sujet et que ton oncle t'en a parlé.

Sophia hocha la tête.

– Les Terres rases possèdent de nombreuses régions, dont chacune contient un Âge du passé. Nochtland, d'où je viens, est une ville magnifique. Tu ne peux imaginer à quel point elle me manque. Surtout ses jardins. Et quand il pleut, là-bas, ce sont de vraies pluies. Et le rythme de vie… si lent, si calme… (Elle soupira.) Mais c'est également un lieu terrible. Un endroit où tout peut arriver, tout peut changer. (Elle secoua la tête, comme pour s'éclaircir les idées.) Allons, mieux vaut te raconter les choses dans l'ordre.

« J'ai rencontré Shadrack, pour la première fois, il y a plus de quinze ans. Il venait à peine d'avoir vingt ans et s'était inscrit à l'Académie de cartographie de Nochtland, dont j'étais l'intendante. C'est un immense bâtiment historique près du centre-ville, avec des cours magnifiques et des allées couvertes. Je dirigeais une équipe de dix personnes et je gérais tout : la cuisine, le ménage, et même la lessive. L'établissement devait héberger environ cinquante étudiants et professeurs, en permanence, et je crois pouvoir dire que je faisais bien mon travail.

Mrs Clay afficha un air mélancolique. Sophia lui rendit son

sourire, mais en son for intérieur, elle avait du mal à imaginer la timide Mrs Clay, si distraite, avoir un employé sous ses ordres, encore moins dix.

– J'occupais ce poste depuis déjà plusieurs années quand Shadrack est arrivé, reprit Mrs Clay. À la minute où je l'ai vu, j'ai su qu'il irait loin. Figure-toi que nous n'avions quasiment jamais eu d'élève du Nouvel Occident. Bien sûr, les professeurs sont issus des quatre coins du monde ; mais les étudiants sont presque tous natifs des Terres rases. Nous n'étions pas sûrs que vous connaissiez seulement notre existence. Et pourtant, Shadrack avait entendu parler de l'Académie et décidé de s'y rendre, envers et contre tout, et surtout malgré le sous-développement de son Âge d'origine, si tu veux bien m'excuser de m'exprimer ainsi.

« Durant les deux années qu'il a passées à Nochtland, il s'est beaucoup rapproché d'une élève de sa classe, une jeune cartographe des Terres rases particulièrement douée. Après la première année, lorsqu'ils ont entamé leur apprentissage, ils sont devenus inséparables. Nous étions tous persuadés qu'ils finiraient par se marier et par partir ensemble, que ce soit pour rejoindre le Nouvel Occident au nord ou pour aller au sud, dans sa famille à elle, à Xela.

« Mais ce n'est pas ce qu'il s'est passé. Shadrack a terminé sa formation avant elle, et leur relation a semblé s'étioler. Personne n'a su ce qu'il s'était produit. Et finalement, au lieu de l'attendre – à peine un mois –, Shadrack nous a juste dit adieu et nous a quittés. J'ai eu l'impression qu'une partie d'elle avait fui avec Shadrack. J'appréciais beaucoup cette jeune femme, et je me suis inquiétée pour elle. (Mrs Clay s'interrompit.) Son nom était Veressa.

Sophia se rassit d'un coup.

– Pardon ? Veressa est une *personne* ?

Mrs Clay hocha la tête.

– À une certaine époque, c'était la plus chère amie de ton oncle.

– Mais il ne m'a jamais parlé d'elle ! protesta Sophia.

– Eh bien, comme je te l'ai expliqué, tous deux avaient de toute évidence eu un différend, juste avant le départ de Shadrack. Pour ce que j'en sais, ils n'ont jamais repris contact. Je ne serais pas étonnée que Shadrack t'ait caché son existence parce que cela lui évoquait des souvenirs douloureux.

Sophia secoua la tête.

– Il ne m'a jamais parlé de tout ça…

– Je suis certaine qu'il avait de bonnes raisons, dit tranquillement Mrs Clay. Shadrack et toi êtes aussi proches que deux personnes peuvent l'être. (Elle fronça les sourcils.) Mais à présent, laisse-moi te raconter la suite.

Elle se versa un peu plus de café et en but plusieurs gorgées. Puis elle parut rassembler ses pensées. Ainsi que ses forces.

19 heures : Mrs Clay parle du lachrima

– APRÈS LE DÉPART de Shadrack, reprit Mrs Clay, Veressa a eu du mal à terminer son apprentissage. Elle n'allait pas bien, elle était devenue l'ombre d'elle-même. Je crois qu'elle tenait vraiment beaucoup à ton oncle. Quand elle a obtenu son diplôme, elle est venue me rendre visite pour me faire ses adieux, mais je n'étais pas là. Elle m'a laissé une boîte de fleurs cristallisées. (Mrs Clay esquissa un sourire.) Elle était restée si attentionnée, malgré son chagrin… Bref… je ne l'ai jamais revue. J'ai entendu les enseignants mentionner son nom à l'occasion, mais Nochtland est une grande ville et l'on peut y vivre sans jamais croiser la plupart de ses habitants.

« Plusieurs années calmes se sont écoulées. Les étudiants arrivaient et repartaient, et les professeurs continuaient à donner des cours et à poursuivre leurs recherches. J'étais très heureuse. Puis, il y a environ sept ans, mes ennuis ont commencé. (Mrs Clay baissa les yeux sur sa tasse de café et poussa un profond soupir.) Quoi que tu aies lu, Sophia, il y a des choses que tu ignores à propos des Terres rases. On y trouve des créatures… (Elle s'interrompit un instant.) … des êtres qui n'existent pas, ici. Oh, je sais que les citoyens du Nouvel Occident parlent beaucoup des pillards aux frontières, et d'individus avec des membres en plus, des ailes ou des queues. Mais ce sont néanmoins toujours des humains, comme vous et moi. Il y a d'autres créatures que peu de gens ont vues et que personne ne comprend. Ma route a eu le malheur d'en croiser une.

« Je me souviens très bien de la première fois que je l'ai entendue ; c'était lors d'un beau dimanche d'octobre. La plupart des étudiants passaient la fin de semaine à flâner dans les jardins ou à se divertir en ville. J'avais étendu tout le linge dans le patio arrière, pour qu'il sèche plus vite, tellement le temps était agréable. Je m'étais installée au bord de la cour et je regardais les draps blancs tourbillonner dans la brise. Mes employés avaient pris leur dimanche après-midi ; j'étais sûre d'être seule. À l'époque, je n'avais pas peur du silence comme aujourd'hui, bien au contraire. Je suis restée assise là presque une demi-heure, à savourer le soleil et le calme. Puis j'ai entendu un son.

D'abord, j'ai cru que cela venait de la rue, mais ça me semblait trop proche. J'ai reconnu sans le moindre doute des pleurs.

« Je me suis redressée, inquiète. Les sanglots étaient bas, mais perçants ; un pic de douleur m'a poussée à me remettre debout. J'ai pensé qu'un membre de mon équipe s'était réfugié dans le patio arrière pour dissimuler sa peine. Je suis allée regarder et, quand un drap a été soulevé par le vent, j'ai vu quelqu'un s'enfuir. Intriguée, j'ai essayé de le suivre, mais il n'y avait plus personne.

« Après quoi les sanglots étouffés ont repris dans l'une des salles, je ne savais pas laquelle, et plus ils continuaient, plus leur tristesse me brisait le cœur, ce qui fait que je me suis à mon tour mise à pleurer. Soudain, moi aussi, j'étais en détresse. J'ai récupéré tout le linge sec et je suis restée au milieu du patio vide, à tenter de maîtriser les larmes qui coulaient sur mes joues et de localiser l'origine de ce son horrible. C'est ainsi que deux des filles qui travaillaient en cuisine m'ont trouvée, me lamentant dans la cour. Dès qu'elles se sont approchées de moi, les pleurs ont cessé et le désespoir que je ressentais a disparu. Je leur ai demandé : "Vous avez entendu ça ?" Et elles ont secoué la tête ; elles étaient paniquées par mon état. "Entendu quoi ?" m'ont-elles questionné.

« Le jour suivant, j'ai encore perçu les sanglots, dès mon réveil, et cette tristesse atroce est revenue. Avant même de m'être habillée, j'ai frappé à la porte des chambres autour de la mienne. Personne ne pleurait et personne n'avait rien remarqué. Mais moi, j'étais persuadée qu'il devait y avoir quelqu'un qui se cachait, qui se faufilait dans les recoins pour s'épancher sans crainte d'être dérangé. Et durant les jours d'après, les sanglots sont devenus de plus en plus récurrents. J'ai commencé à les entendre partout, en permanence, y compris en présence d'autres personnes. Puis le phénomène s'est amplifié et les gens se sont mis à percevoir ces pleurs en même temps que moi.

« Où que j'aille, cela me suivait ; le chagrin m'épuisait ; même si je savais que je n'avais aucune raison logique de l'éprouver, dès que le son retentissait, ma tristesse était incontrôlable. Cela me brisait le cœur. Parfois, la chose que j'entendais pleurait doucement, douloureusement. Ou bien elle gémissait et sanglotait. Par moments, c'étaient presque des hurlements, comme si elle était soumise à une terrible violence. Je n'ai plus eu le choix, j'ai dû accepter la vérité : j'étais suivie par un lachrima.

Theo émit un cri de stupéfaction.

– Un lachrima, pour de bon ?

Sophia se remémora la conversation qu'elle avait surprise entre Mrs Clay et Shadrack, le jour où le Parlement avait voté la fermeture des frontières, et elle posa la question qu'elle retenait depuis.

– C'est quoi, un lachrima ?

– Je n'en ai jamais vu, dit Theo. Ils sont censés être horribles.

La gouvernante hocha tristement la tête.

– C'est le cas. Personne ne connaît leur nature ni leur origine. Certains croient que ce sont des esprits, d'autres des êtres d'un Âge terrible du futur. Il y a tant d'histoires à leur sujet qu'il est difficile de démêler le vrai du faux. Tout ce que je sais, c'est ce que j'ai entendu… et vu.

– Vous l'avez vu ? lança Theo, le souffle coupé.

– Durant plusieurs semaines, les professeurs de l'Académie se sont montrés très philosophes et compréhensifs, et ont insisté sur le fait que la présence de cette créature n'était absolument pas ma faute. Mais la vérité est que chacun, et pas seulement moi, trouvait cela insupportable. Imaginez ce que cela peut être d'entendre en permanence des pleurs, même quand vous essayez de dormir. Pensez au fardeau d'une peine inexplicable, inconsolable. Pour le bien de tous, je me suis cloîtrée dans ma chambre en me disant que si je me contentais d'attendre, le lachrima se lasserait de me poursuivre et reprendrait sa route.

« C'est durant cette semaine-là que je l'ai enfin vu. La fatigue de plusieurs jours d'insomnie a fini par me rattraper, et j'ai sombré dans un lourd sommeil. Je me suis éveillée en plein milieu de la nuit, suite à un son horrible, des cris atroces, comme ceux qu'émettrait un animal terrorisé. Je me suis assise en sursaut, le cœur battant à tout rompre. C'est alors que je l'ai vu. Le lachrima était tapi à côté de mon lit.

– À quoi il ressemblait ? demanda Theo avec avidité.

– Il était presque comme les descriptions que j'en avais entendues, mais en bien plus effrayant. Il était grand et mince, vêtu de fins voiles blancs qui tombaient jusqu'au sol. Ses cheveux étaient noirs et très longs, et son visage caché dans ses mains. Il avait l'air… usé, comme s'il avait vécu des années dans un recoin sale et venait d'en émerger. Puis, quand il a repris ses pleurs, il a cessé de se tenir la tête.

« Je n'aurais jamais pu imaginer quelque chose d'aussi horrible. Il n'avait… il n'avait pas de traits distincts. Le lachrima était entièrement lisse et blanc, avec une peau où transparaissait clairement la forme de ses orbites, de sa bouche et de sa mâchoire, qui donnait l'impression que quelqu'un avait effacé son visage.

« Pendant un instant, j'ai été trop terrifiée pour réagir. Puis j'ai sauté hors de mon lit et j'ai couru. Même si j'ai fui à l'autre bout du bâtiment, ses plaintes me parvenaient encore. Quand je suis revenue dans ma chambre, à l'aube, celle-ci était vide, mais le son résonnait toujours dans ma tête et j'ai su, à ce moment-là, que je devais partir. Le matin même, j'ai préparé mes bagages et tout raconté au directeur de l'Académie. Il n'a pas cherché à me retenir.

« J'espérais peut-être, en mon for intérieur, que si je quittais l'université, le lachrima y resterait. Mais bien sûr, cela ne s'est pas produit. Pendant des semaines, j'ai essayé de le distancer, en habitant d'abord à Nochtland, puis dans de petites villes des environs. La créature me suivait où que j'aille, porteuse de tristesse et de terreur, à moi et à ceux qui m'entouraient. Après des mois de tentatives de fuite, j'ai fini par me diriger vers la frontière nord. Je ne me souciais plus, alors, d'où j'allais et de ce que je faisais, du moment que les pleurs cessaient. Le chagrin me pesait tellement que je ne pouvais même plus me souvenir d'avoir vécu sans lui un jour. À l'époque, je ne vénérais pas encore les Parques, car les habitants de chez moi adorent d'autres divinités, mais à présent que je connais ces puissances inconstantes, aimantes, cruelles et mystérieuses, et que je crois en elles, je suis persuadée qu'elles m'ont poussée sur un chemin bien précis. Elles avaient tissé un terrible piège autour de moi et me tiraient sans merci à l'intérieur.

« Un jour de novembre, plus d'un an après la première apparition du lachrima, je me suis retrouvée près de la frontière du Nouvel Akan. Une famille de marchands quittait le pays et m'a prise en pitié. Ils m'ont acceptée avec eux. Nous avons pénétré dans le Nouvel Occident de nuit, et je me souviens avoir sommeillé dans la voiture à ciel ouvert, au son de ces incessants pleurs étouffés, les yeux rivés sur les étoiles au-dessus de ma tête. Puis je me suis endormie.

« Quand je me suis réveillée, la matinée était bien entamée et la jeune mère assise à côté de moi dans le véhicule berçait doucement son nourrisson pour le calmer. Il a commencé à lui téter un doigt, et un silence total s'est abattu sur nous. J'ai pu entendre les sabots des chevaux marteler le sol, et les roues de la carriole grincer, ainsi que les petits bruits satisfaits du bébé qui s'apaisait. Les pleurs du lachrima avaient cessé.

« Je ne connaissais qu'une seule personne dans le Nouvel Occident : ton oncle, Sophia, et je suis partie à sa recherche. Heureusement, il était déjà assez réputé et je n'ai pas eu de mal à apprendre qu'il vivait à Boston. J'ai pris le train et, quand je suis arrivée chez vous, j'ai demandé à Shadrack de m'aider. Il s'est montré d'une gentillesse incroyable, comme tu peux t'en douter. Tous les deux, vous avez fait preuve d'une grande bonté envers moi. Au fil du temps, je me suis rendu compte que même si le lachrima ne me hantait plus, il m'avait transformée. Aujourd'hui, je ne supporte plus le silence. Et j'ai découvert que j'avais perdu une partie de mes facultés de concentration. (Mrs Clay secoua la tête.) Mon esprit n'est plus ce qu'il était. Néanmoins, vivre avec le souvenir du lachrima est mieux que vivre avec le lachrima lui-même. Comprends-tu, à présent, pourquoi je ne peux pas retourner dans les Terres rases ?

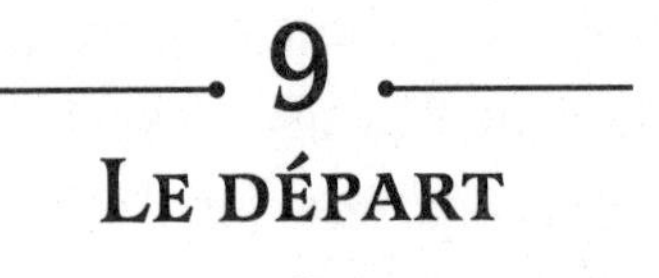

9
Le départ

22 juin 1891, 0 h 54

> *Les citoyens du Nouvel Occident qui souhaiteraient voyager au-delà de ses frontières doivent à présent garder sur eux leurs papiers d'identité et la montre qu'on leur a attribuée à leur naissance, ainsi qu'un certificat de naissance officiel. Le numéro de série gravé sur la montre doit correspondre à celui qui figure sur l'acte de naissance. Des copies certifiées, réalisées par un greffier, peuvent être acceptées si jamais les originaux ont été égarés.*
>
> *Décret du Parlement, 14 juin 1891.*

THEO AVAIT BESOIN d'assouvir sa curiosité à propos de l'apparence du lachrima, et Sophia d'apprendre tout ce qu'elle pouvait sur Veressa. Mrs Clay leur raconta ce qu'elle savait et, quand ils eurent enfin posé leurs dernières questions, il était déjà très tard. Elle les convainquit de passer la nuit dans son salon, au cas où les kidnappeurs reviendraient, en leur précisant bien qu'ils décideraient ensemble de la marche à suivre le lendemain matin.

Le tintement des carillons, mêlé aux pensées inquiètes qui tourbillonnaient dans son cerveau, empêcha Sophia de fermer l'œil. La vision de Shadrack arraché à sa maison ne cessait de tourner en boucle dans son esprit, accompagnée de celle d'une créature sans visage, folle de douleur. Sophia ouvrit les paupières pour chasser ces images. Dans la lumière diffuse, elle s'aperçut que Theo, couché sur le tapis, ne dormait pas plus qu'elle.

– Pauvre Mrs Clay, chuchota Sophia. Je n'avais pas la moindre idée de ce qu'elle avait traversé.

– J'aurais bien aimé rencontrer ce lachrima, moi, lui répondit Theo sur le même ton.

– Mais pourquoi ? Tu as vu ce qu'il a fait à Mrs Clay ?

– On m'a dit que si tu t'approches assez près, tu peux voir à travers leur peau… En fait, ils ont vraiment un visage, dessous. Mais peu de gens ont eu l'occasion de le découvrir. Si tu veux mon avis, ça vaut vraiment la peine de prendre le risque.

– J'imagine. Mais si je dois aller dans les Terres rases, j'espère que je n'en croiserai pas un, et surtout que je ne l'entendrai pas.

– Alors, c'est sûr, tu vas y aller ?

– J'y suis bien obligée. Shadrack m'a demandé de chercher Veressa, et c'est probablement là qu'elle se trouve. Je vais partir pour Nochtland et je commencerai mes recherches par l'Académie.

Theo resta muet pendant plusieurs secondes.

– Eh bien, écoute… finit-il par dire. Vu que je n'ai pas de papiers, ce serait bien plus facile pour moi de retourner dans mon pays si je voyageais avec toi. Si tu me fais passer la frontière, je t'aiderai à gagner Nochtland.

Sophia savait qu'elle ne pouvait pas demander à Mrs Clay de l'accompagner. Miles et les autres explorateurs que Shadrack comptait parmi ses amis s'étaient empressés de quitter le

Nouvel Occident après l'annonce du Parlement. Se rendre en train à La Nouvelle-Orléans, le point de sortie le plus proche de Nochtland, serait aisé, mais à partir de là, voyager dans les Terres rases toute seule se révélerait un défi bien plus ardu. Sophia s'en savait capable ; elle avait confiance en ses talents d'aventurière. Mais elle avait également conscience que toute aide serait la bienvenue.

– OK, dit-elle. Et merci, ajouta-t-elle au bout d'un moment.

– Pas de problème. C'est équitable : tu m'aides, je t'aide.

Elle l'entendit se retourner et s'installer pour dormir.

Sophia ferma les yeux, un peu soulagée d'avoir un but, une façon de suivre les instructions de Shadrack. Mais elle ne trouva pas pour autant le sommeil. Son esprit cessa avec joie de penser aux images dérangeantes de Shadrack et du lachrima pour se concentrer sur les horaires de train et les préparatifs de départ. Elle commença à recenser les objets dont elle aurait besoin.

Sa réflexion fut interrompue par un son autre que celui des carillons. Elle ne bougea pas, allongée les yeux fermés, tandis que Theo se levait de son couchage de fortune et sortait de la chambre. Sophia ne se douta de rien jusqu'à ce que, à sa grande surprise, la porte menant à l'escalier central de la maison émette son grincement familier. Elle ouvrit les paupières. Elle resta immobile un instant de plus et écouta le garçon descendre les marches. Puis elle se leva.

Elle pouvait entendre Theo au-dessous. Il s'était arrêté au niveau des chambres. Sophia distinguait la lumière jaune pâle des ampoules électriques entre les lattes du plancher. Elle fronça les sourcils, une impression de malaise l'envahissant peu à peu.

Qu'est-ce qu'il mijote ? s'inquiéta-t-elle.

Le plus silencieusement possible, elle commença à descendre.

Lorsqu'elle laissait sa perception du temps se relâcher, Sophia pouvait bouger si lentement qu'elle ne faisait presque aucun bruit. Quelques minutes plus tard, elle se trouvait dans le corridor, devant les appartements de Shadrack, en train d'observer Theo qui ouvrait et refermait les tiroirs de la commode de son oncle.

– Je peux savoir ce que tu fais ? demanda-t-elle.

Theo sursauta. Puis il vit Sophia dans le couloir et secoua la tête avec un rire amusé.

– Tu es sacrément forte, à ce petit jeu. Comment tu as réussi à descendre sans que je t'entende ?

– Qu'est-ce que tu fais dans la chambre de Shadrack ?

– Ne t'énerve pas, répondit Theo sur un ton lénifiant. J'ai juste eu une idée.

– Laquelle ? insista Sophia.

L'espace d'une seconde, elle crut qu'il s'était souvenu d'un indice, d'un signe, de quelque chose qui pourrait les conduire à Shadrack.

– Je me disais que, tu vois, comme ton oncle n'a certainement pas eu le temps d'emporter ses papiers et sa montre…

Sa notion confuse du temps donna à Sophia l'impression que les instants suivants explosaient en un immense sentiment de trahison.

– Tu envisageais de les… de les voler ? chuchota-t-elle. Tu prévoyais de *voler les affaires de Shadrack* ?

– Non ! protesta Theo. Absolument pas, je n'aurais jamais fait ça.

– Alors quoi ?

– Je pensais juste que le voyage serait bien moins périlleux si je… tu sais… si je les lui *empruntais.*

– Tu allais faire main basse dessus et partir comme ça, tout seul, asséna Sophia en durcissant le ton.

Theo leva les yeux au ciel.

– Mais non ! Je comptais les utiliser pour nous faciliter le passage, oui, puis te les rendre quand nous serions arrivés dans les Terres rases.

– C'est n'importe quoi. Pourquoi aurais-tu besoin de voyager avec moi si tu avais des papiers ? Des papiers volés, ajouta-t-elle avec amertume.

– Parce qu'on a déjà convenu que je t'accompagnerais, répliqua Theo, avec autant d'aigreur qu'elle. Je t'ai promis que je partirais avec toi ; on en a discuté ensemble.

– Dans ce cas, tu aurais pu tout simplement attendre demain matin et me demander. Tu ne t'es pas dit que je savais où Shadrack rangeait ses documents personnels ?

La voix de Sophia tremblait.

– Très bien, si tu ne veux pas me croire, c'est ton problème, rétorqua Theo. Et puis qu'est-ce que ça pourrait te faire, si je décidais de partir sans toi ?

– Je…

– Ton oncle aurait juste à réclamer de nouveaux papiers pour en obtenir. (Theo prit une grande inspiration.) J'ai l'habitude de me débrouiller tout seul, ce qui signifie que je dois en priorité penser à moi. Tu crois que je me suis demandé ce que deviendrait Ehrlach, sans son animal de compagnie en cage ? Non. Là d'où je viens, tu ne peux pas te soucier d'abord des autres. C'est chacun pour soi.

– Je vois, déclara Sophia, piquée au vif. Donc à tes yeux, je suis comme Ehrlach. Et Shadrack aussi ! Chacun pour soi. C'est ce que tu as pensé quand tu as assisté à son enlèvement ?

Theo se mit à faire les cent pas pour maîtriser sa colère.

– Oui, c'est exactement ce que je me suis dit. Un garçon couvert de plumes face à cinq hommes armés, les chances étaient minces. C'est vrai, j'aurais pu foncer dans le tas, et à l'heure actuelle, je serais au même endroit que ton oncle. Cela n'aurait aidé personne. L'autre solution, c'était ce que j'ai fait : observer, rester sur place pour te raconter ce que j'ai vu, puis t'aider à aller dans les Terres rases.

– Pourquoi tu ferais ça ? Tu te fiches de ce qui a pu arriver à Shadrack ! Tout ce que tu veux, ce sont ses papiers !

Sophia crispa les poings pour se contenir.

– Écoute, tu te trompes complètement sur mon compte. Oui, je préfère faire les choses par moi-même. C'est comme ça que j'ai toujours procédé, et je ne m'en excuserai pas. Mais j'ai une parole. On a décidé de collaborer et je compte bien tenir mes engagements. Tu peux croire ce que tu veux, mais je n'allais pas prendre les papiers de ton oncle. Je pensais juste que ça nous permettrait de nous rendre plus facilement à Nochtland.

Sophia scruta longuement Theo – ses yeux bruns, réduits à de minces fentes entre ses paupières plissées, ses poings serrés – et elle réalisa qu'elle ne le connaissait absolument pas. Cette impression de familiarité qui l'avait incitée à lui faire confiance spontanément, à le considérer comme un ami, s'était dissipée.

– Tu ferais mieux de partir tout seul, déclara-t-elle à voix haute, les joues écarlates. Je me débrouillerai très bien sans toi.

– Ne sois pas ridicule. Pour le moment, nous entraider est la meilleure chose à faire. Réfléchis-y, reprit-il sur un ton apaisant. Sais-tu seulement comment te rendre à Nochtland une fois à la frontière ?

Sophia resta muette. Un vent de panique la submergea rien qu'à cette idée.

– Touché, admit-elle.

– Bien, approuva Theo. Alors, notre accord tient toujours.

Il sourit, toute trace de colère ayant subitement disparu de son visage.

Cette expression satisfaite indigna Sophia, qui répliqua par une grimace.

– Shadrack conserve ses papiers dans un portefeuille de cuir, dans sa veste, dit-elle à voix basse. Et sa montre est accrochée par une chaîne à sa poche. Je suis sûre qu'il les a sur lui.

Sans attendre de réponse, elle fit demi-tour, si vite que ses cheveux volèrent par-dessus son épaule, et retourna d'un pas décidé dans le salon de Mrs Clay.

Theo la rejoignit peu de temps après et se rallongea sur le tapis à côté du canapé. Sophia était toujours furieuse ; son sang battait encore à ses tempes. Et elle était inquiète ; elle savait qu'elle n'avait pas de meilleure alternative, mais l'idée de se reposer sur Theo, qui lui semblait à présent si imprévisible, l'emplissait d'appréhension. Elle tenta de se calmer en contemplant la lente rotation des carillons au-dessus de sa tête. Les sculptures réfléchissaient la lumière pâle venant de la fenêtre et jetaient de petits reflets scintillants sur le mur et le plafond. Après plusieurs minutes d'attente, elle entendit la respiration de Theo s'alourdir et comprit qu'il s'était endormi. Elle lança un regard méfiant dans sa direction.

Chacun pour soi, se remémora-t-elle avec amertume. *Quelle drôle de mentalité ! Ça ne donne pas envie de voler au secours de quelqu'un emprisonné dans une cage. Je regrette d'avoir eu envie de l'aider.*

8 h 35 : un réveil chez Mrs Clay

LE SOLEIL ÉTAIT déjà haut lorsque Sophia se réveilla. Sa montre lui apprit qu'il était plus de 8 heures. Theo dormait toujours à poings fermés sur le tapis, le visage tourné vers le mur. Sophia sentit une odeur d'œufs et de café. Dans la cuisine, elle trouva Mrs Clay, chantonnant doucement devant la cuisinière. Elle portait son habituel chignon bien net et avait protégé sa robe d'un tablier blanc brodé. Elle avait l'air calme et semblait remise de ses émotions.

– Bonjour, Mrs Clay, la salua Sophia.

– Bonjour, Sophia ! répondit celle-ci. Viens donc manger quelque chose. Je me sens pleine d'optimisme, aujourd'hui ! (Elle tira du feu une poêle contenant des œufs brouillés et en servit à Sophia.) J'ai confiance ; je sais que les Parques t'aideront.

– Vraiment ?

Sophia s'assit, l'air dubitatif.

Shadrack considérait les Parques au mieux comme une convention sociale acceptable, au pire comme une dangereuse affabulation. Sophia aurait aimé l'imiter et se moquer de ces fariboles, mais quelque chose en elle se demandait avec inquiétude si la disparition injuste de ses parents ne confirmait pas plutôt l'existence de ces trois puissances cruelles et arbitraires qui tissaient malheur, malchance et mort aussi facilement que d'autres le lin. Mrs Clay lui avait longuement expliqué sa foi, au fil des ans, et Sophia avait fini par en être convaincue : ces trois divinités façonnaient les événements du monde, les filaient selon un motif dont elles seules connaissaient le sens.

– J'ai pris la liberté de leur parler de toi, continua Mrs Clay en versant une tasse de café à Sophia, avant de tirer son panier à couture du buffet. C'est fou comme elles peuvent se montrer agaçantes. (Elle secoua la tête.) Elles n'ont vraiment pas de cœur. Elles ont refusé de me dire quoi que ce soit à propos de Shadrack, mais elles ont semblé t'encourager à partir en quête de Veressa. Elles ont beaucoup insisté pour que je te donne ceci. (Elle tendit à Sophia une petite pelote de fil d'argent.) Je ne sais absolument pas ce qu'elles veulent que tu en fasses, soupira-t-elle. Elles sont aussi imprévisibles que cruelles. Mais j'ai découvert qu'en général, mieux vaut obéir à leurs injonctions, quand elles font des recommandations précises.

– Merci, dit Sophia avec une gratitude non feinte, avant de fourrer le présent dans sa poche. Peut-être m'aideront-elles en chemin.

– Oui, c'est possible. C'était le moins que je pouvais faire, ma chérie, puisque je ne peux pas t'accompagner. Bonjour, Theo, ajouta-t-elle en se tournant vers l'entrée.

Sophia pivota pour voir un Theo aux yeux bouffis de sommeil dans l'encadrement de la porte de la cuisine. Elle se retourna pour fixer son assiette d'un air fâché.

– Bonjour, répondit Theo.

– J'espère que tu as bien dormi.

– Très bien. Le tapis était extrêmement confortable. Vous étiez en train de planifier notre périple ? demanda-t-il en s'installant à table.

– Nous allions commencer. Veux-tu des œufs ? lui proposa Mrs Clay en se remettant aux fourneaux.

– Avec plaisir, Mrs Clay, dit Theo de sa voix la plus courtoise.

Sophia garda les yeux rivés sur sa tasse.

– Nous en avons discuté durant la nuit, continua-t-il, parfaitement à l'aise, et nous sommes tombés d'accord sur le fait qu'il serait judicieux de voyager ensemble jusqu'à Nochtland. Pas vrai, Sophia ?

Il lui adressa un sourire.

Sophia le regarda avec sévérité.

– C'est bien ce dont nous avons convenu.

– Je pourrais vous accompagner jusqu'à la frontière, proposa Mrs Clay avec hésitation, en tendant à Theo une assiette bien garnie.

– C'est très gentil de votre part, Mrs Clay, déclara Sophia, mais se rendre à La Nouvelle-Orléans sera facile. Nous aurons juste un changement.

Elle ne précisa pas que c'était la suite du voyage qui l'inquiétait : cette partie durant laquelle sa présence aurait été le plus nécessaire, mais à laquelle elle ne pouvait participer.

Si ça se trouve, dès que nous aurons atteint la frontière, Theo me faussera compagnie, songea-t-elle.

– Ils vérifieront les papiers des gens, dans le train, commenta Mrs Clay. J'ai entendu dire qu'ils mettent les étrangers dans des wagons à part.

– Oui, mais j'aurai les miens, et ils n'embêteront pas Theo s'il est avec moi, expliqua calmement Sophia. On n'est pas encore le 4 juillet.

– Theo, dois-tu prévenir quelqu'un ? Te rendre à Nochtland

va te retarder de plusieurs semaines.

– Ma famille ne s'attend pas spécialement à mon retour, répondit-il sans hésiter.

– Et tu veilleras sur Sophia, une fois dans les Terres rases ?

– Bien sûr. J'ai fait cette route une bonne dizaine de fois, sans rencontrer le moindre problème.

– Ce voyage me semble énorme, pour deux jeunes gens comme vous, soupira Mrs Clay, avant de tapoter son chignon. Si seulement je connaissais quelqu'un près de la frontière…

– Ce qui nous serait le plus utile, l'interrompit Sophia, ce serait que vous restiez ici au cas où Shadrack reviendrait. Sinon nous n'aurons aucun moyen d'être prévenus.

– Grâce à lui, j'ai obtenu des papiers et une montre, je n'ai donc plus aucun souci à me faire. S'il devait se passer quoi que ce soit dans les vingt prochaines heures, je vous ferais envoyer des lettres en express à la première gare.

Après avoir déplié sur la table de la cuisine une carte des gares et horaires de trains trouvée dans le bureau de Shadrack, ils décidèrent d'emprunter celui qui traversait le Nouvel Occident du Sud jusqu'à Charleston, en Caroline du Sud, avant de changer pour un autre à destination du Nouvel Akan, dans l'est du pays. Le voyage durerait plusieurs jours. Le chemin de fer s'arrêtait à La Nouvelle-Orléans et, une fois la frontière franchie, ils devraient continuer à cheval ou à pied.

Sophia contempla avec appréhension la vaste étendue vierge qui bordait le Nouvel Akan à l'ouest. Elle replia lentement le document.

– On doit faire nos bagages, annonça-t-elle. On prendra le train pour Charleston qui part en milieu de journée.

9 h 03 : en partance pour Charleston

SOPHIA RETROUVA SON sac tout neuf à l'endroit où elle l'avait laissé, près de la porte d'entrée. Elle n'avait jamais imaginé en avoir besoin si rapidement. Elle tira une petite valise de l'armoire de sa chambre et commença à y entasser des vêtements, du savon, une brosse à cheveux et deux couvertures. Même si ses chaussures habituelles étaient plutôt confortables, elle décida d'emporter les bottes lacées en cuir qu'elle portait pour les compétitions d'athlétisme, à l'école. Ainsi, si rien ne se passait comme prévu, elle pourrait au moins prendre ses jambes à son cou le plus vite possible. Theo la regardait depuis la porte.

– Tu peux récupérer toutes les chemises de Shadrack qui sont à ta taille, lui dit Sophia sans lever les yeux sur lui. Ses chaussettes sont dans sa commode, tiroir du bas. Mais bon, j'imagine que maintenant, tu sais où elles sont.

– Comme c'est gentil de ta part, répliqua Theo avec un sourire entendu devant l'ironie de sa remarque. J'en conclus que tu es toujours fâchée.

– Mais non, mais non, répondit Sophia en appuyant sur ses couvertures pour qu'elles tiennent dans sa valise.

– Si tu le dis… Je serai vite de retour ; j'ai surtout besoin de chaussures.

Sophia ferma son bagage et ouvrit son sac. Une multitude de poches étaient cousues des deux côtés de l'épaisse toile imperméable. Sophia y fourra tout son matériel de dessin. Elle tira de son armoire une taie d'oreiller de rechange et enroula la carte de verre dedans avant de la placer dans son carnet actuel, en compagnie du message de Shadrack. Le livre et l'atlas étaient pile à la taille du sac.

Puis, s'armant contre l'émotion, elle se rendit une fois de plus dans la chambre de son oncle et ouvrit le tiroir du bureau où il gardait leurs économies. Après avoir plié les billets dans une petite bourse de cuir, qu'elle rangea à côté de ses papiers d'identité et de sa montre vitale, elle ferma le meuble, puis s'occupa de ceux que Theo avait laissés béants et refit le lit. Enfin, après un dernier regard dans la pièce, elle mit son sac sur ses épaules et retourna au rez-de-chaussée en quête de cartes pour leur voyage à Nochtland.

Quand Theo revint, il portait une paire de belles bottes marron usées, mais bien entretenues. Il avait l'air particulièrement content de lui.

– Tu les as trouvées où ? s'enquit Sophia avec méfiance.

– Elles sont cool, hein ? J'ai zoné dans le quartier jusqu'à ce que je tombe sur un cordonnier ; et là, je suis entré, et je lui ai expliqué que j'avais laissé des bottes pointure 44, que la réparation était payée, mais que j'avais perdu le ticket. Il a fouillé un moment dans son arrière-boutique et est revenu avec celles-ci. Il était sur le point de les jeter !

– Eh bien, j'espère que personne ne va t'aborder dans la rue pour te demander de les lui rendre, répliqua-t-elle laconiquement.

Elle roula avec soin les documents étalés sur la table et les rangea dans son tube pour cartes tout neuf.

– J'ai bien assez de cartes pour le voyage en train, et j'en ai trouvé une de Nochtland, mais aucune assez détaillée du Nouvel Akan ni des Terres rases entre la frontière et la capitale.

– Je te l'ai déjà dit, je connais le coin, déclara Theo. Pas besoin de carte.

Ils entendirent des bruits de pas en provenance de l'escalier.

– Je vous ai préparé des provisions, annonça Mrs Clay en entrant dans la pièce, avant de tendre à Theo un panier plein à craquer. Je suis navrée de ne pouvoir faire plus pour vous aider. (Des larmes brillaient dans ses yeux.) Je suis vraiment désolée, ma petite Sophia, pour tout… (Elle s'éclaircit la voix.) Vous avez fait vos bagages ?

– Nous sommes prêts à partir, répondit Sophia.

Mrs Clay la prit dans ses bras et l'embrassa.

– Prends bien soin de toi, ma chérie. Ne t'inquiète pas pour moi, ni pour la maison ; nous nous débrouillerons très bien. Fais juste attention à toi. J'ai tes horaires de trains, et je serai ici pour les transmettre à Shadrack s'il revient.

– Merci, Mrs Clay.

La gourvernante serra la main de Theo.

– Veillez bien l'un sur l'autre, dit-elle. Et puissent les Parques vous protéger.

DEUXIÈME PARTIE

La poursuite

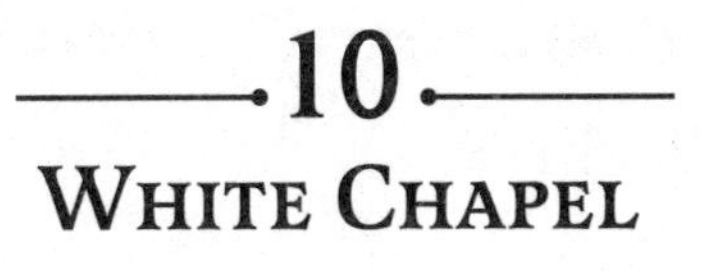

10
White Chapel

21 juin 1891 : l'enlèvement de Shadrack (jour 1)

La plupart des gens croient que les Chroniques du Grand Bouleversement ont été rédigées par un charlatan, un faux prophète : un homme qui s'est lui-même surnommé Amitto et qui, dans les jours ayant succédé au cataclysme, a choisi de profiter de la peur et de la panique générales. Ses écrits contiennent peu de détails et encore moins de matière : de vagues rumeurs de guerres, de morts et de miracles. Mais au sein de certains cercles, ils ont acquis une forme de crédibilité, et les fidèles d'Amitto, en particulier ceux de la secte nihilismienne, prétendent que ces textes ne présentent pas seulement la véritable histoire du Grand Bouleversement, mais également de vraies prophéties.

Extrait de Histoire du Nouveau Monde,
par Shadrack Elli.

DANS LE NORD du Nouvel Occident, un grand manoir blanchi par le soleil s'étalait au sommet d'une colline escarpée entourée de pins. Ses fenêtres étincelaient dans la vive lumière et les girouettes argentées surmontant ses pignons brillaient. Un petit chemin de terre, comportant une seule trace de véhicule, sinuait entre les arbres jusqu'à l'entrée de la maison. Sur tout le sentier, aucun mouvement n'était visible. Quelques corbeaux volaient tranquillement dans les bois, en direction d'une croix de pierre juchée sur le plus haut faîtage du bâtiment. À son extrémité, une chapelle s'y raccordait par une galerie couverte. Les oiseaux tournoyèrent et croassèrent avant de se poser. Le paysage devint alors d'une immobilité absolue, d'une paix totale. Les pins, les rayons de soleil filtrants, le manoir pâle, tout cela formait un ensemble serein. Mais à l'intérieur de la chapelle, l'ambiance était tout autre. Sous son immense voûte, un mouvement volontaire s'accélérait petit à petit.

Shadrack était assis, seul, les mains liées dans le dos, les chevilles attachées aux pieds de sa chaise. Il avait les yeux rivés au plafond, la tête appuyée au mur de pierre derrière lui. Le sol avait depuis longtemps été débarrassé de ses bancs, aussi l'endroit ressemblait-il plus à une salle d'étude qu'à un lieu de prière. Des étagères, alourdies par des milliers de livres, tapissaient ses cloisons, et la multitude de grandes tables qui emplissaient la pièce étaient couvertes de piles de papiers, d'ouvrages ouverts et de bouteilles d'encre. À l'avant de la chapelle, là où l'autel aurait dû se trouver, se tenait un énorme fourneau noir. Pour le moment, il était éteint. Il était complété de ses soufflets, de pincettes et d'une paire de gants de cuir brûlés. D'après les outils et le matériel éparpillés tout autour, cet appareil n'avait qu'une seule utilité : fabriquer du verre.

Shadrack observait, au-dessus de sa tête, le mouvement silencieux des créations de verre, qui tournoyaient sous la voûte : des centaines de grandes sphères transparentes formaient une constellation luisante, contrôlée par un simple mécanisme s'élevant depuis le centre de la pièce. Les dispositifs métalliques qui les reliaient entre elles, presque semblables à ceux d'une montre, aux yeux de dilettante de Shadrack, devaient avoir été soigneusement huilés, car ils ne produisaient aucun son. Il regardait la lente rotation sans à-coups et infinie des sphères. Il l'avait contemplée pendant des heures.

Leur surface même n'était pas immobile. Chacune d'elles donnait l'impression de palpiter d'un mouvement perpétuel qui paraissait presque vivant. La lumière filtrant les vitraux se réfléchissait sur elles avant de rebondir sur les murs et le plafond. Les sphères étaient trop hautes pour que Shadrack puisse les examiner clairement, mais leur tremblement délicat ne faisait qu'ajouter à leur beauté. Lorsqu'elles plongeaient plus près de lui, elles semblaient parfois révéler des formes subtiles, ou même des expressions. Shadrack était persuadé que s'il les fixait assez longtemps, il finirait par comprendre le motif qu'elles traçaient.

Il faisait également tout son possible pour rester éveillé. Il n'avait pas dormi depuis son enlèvement. En partie parce qu'il avait tenté de deviner l'identité de ses kidnappeurs. C'étaient de toute évidence des nihilismiens, comme en témoignaient leurs pendentifs : qu'il soit grand ou petit, en bois, en métal ou en pierre taillée, le symbole de la main ouverte était caractéristique. Mais ces inconnus n'étaient pas comme les fidèles d'Amitto que Shadrack avait déjà rencontrés par le passé, et il supposait qu'ils devaient appartenir à une branche obscure et militante de cette secte ; en dehors de leurs amulettes, tous étaient munis de grappins en acier. Et, d'après la façon dont ils s'en étaient servis chez lui, Shadrack pouvait affirmer avec certitude qu'ils s'étaient entraînés à les manier. Mais ce qui était le plus perturbant, c'était que ces étrangers muets portaient tous les mêmes cicatrices : des lignes inhabituelles, qui s'étiraient des commissures de leurs lèvres et traversaient leurs joues jusqu'au sommet de leurs oreilles. Autant de rictus artificiels, inaltérables et macabres, gravés sur des visages qui ne souriaient jamais.

Lorsque Shadrack les avait enfin convaincus qu'ils avaient trouvé ce qu'ils étaient venus chercher chez lui, ils avaient cessé de saccager sa maison et avaient battu en retraite sans prononcer un mot. Leur fuite de Boston en voiture lui avait paru interminable et il avait essayé, avec un succès tout relatif, de retracer son parcours. Tentative d'autant plus difficile qu'ensuite ils lui avaient bandé les yeux et l'avaient installé dans un compartiment de train. Mais sa boussole interne lui avait permis de reconnaître un trajet de plusieurs heures vers le nord. Hypothèse confirmée par les fréquentes bouffées d'air froid qui lui faisaient soupçonner qu'ils étaient à moins d'une heure ou de deux au sud des Neiges préhistoriques.

Toute la colère qu'il avait ressentie pendant sa capture s'était lentement dissipée durant cette journée de voyage pour céder la place à une attention particulièrement aiguisée. Quand ils avaient émergé du train, la brise nocturne lui avait paru fraîche, mais toujours estivale, emplie de parfums de pin et de mousse. Les nihilismiens balafrés l'avaient emmené directement jusqu'à la chapelle, avant de le ligoter sur une chaise et de lui enlever son bandeau. Puis ils avaient disparu. Le lent mouvement des sphères de verre avait alors apaisé les dernières rémanences de sa colère et, à présent, il n'éprouvait plus qu'une intense curiosité envers son environnement et sa situation. Sa captivité était devenue une nouvelle exploration.

Soudain, il entendit une porte s'ouvrir à proximité de l'autel et tourna la tête dans cette direction. Deux de ses ravisseurs entrèrent dans la chapelle, suivis d'une inconnue vêtue d'une robe crème aux manches étroitement boutonnées. Un voile clair dissimulait entièrement ses traits. Alors qu'elle s'approchait de lui d'un pas rapide et souple, Shadrack tenta de deviner ce qu'il pouvait de sa posture, puisqu'il ne pouvait voir son visage.

Elle s'arrêta à un mètre de lui.

– Je poursuis une quête depuis très longtemps, Shadrack Elli, et c'est elle qui m'a menée à vous. Mais je n'ai toujours pas trouvé la carte que je cherchais, le verre traçant. Où est-il ?

À l'instant où elle s'était mise à parler, Shadrack avait eu du mal à se concentrer sur ses mots. Ses phrases perdirent toute signification. Sa voix était magnifique… et familière : basse, douce, avec même un léger accent dont il ne parvenait pas à déterminer l'origine. Même si ses mots ne trahissaient aucune émotion, leur son le plongea dans une tempête de souvenirs. Il avait déjà entendu cette femme ; il la connaissait. Et ce devait être réciproque ; sinon pourquoi aurait-elle caché son visage ? Mais en dépit de cette irrépressible impression de déjà-vu, il ne put se rappeler son identité. Shadrack secoua la tête dans l'espoir de chasser le sentiment qui s'était emparé de lui. Il se força à se concentrer et à ne rien laisser filtrer dans sa réponse.

– Je suis désolé. J'ai donné à vos hommes ce qu'ils m'ont demandé. Je ne vois pas de quel verre vous parlez.

– Bien sûr que si, Shadrack, vous le savez, rétorqua doucement la femme en se rapprochant d'un pas. Vous et moi sommes du même côté. Dites-moi où il est et je vous promets que je remettrai les choses en ordre.

Durant un instant, Shadrack la crut. Il dut faire un effort monumental pour comprendre la signification de ses paroles et ne pas s'arrêter à leur son.

– Si vous et moi sommes du même côté, répondit-il, il n'y a aucune raison à ce que je sois ligoté sur cette chaise. Pas plus qu'il n'y en avait d'envoyer vos voyous nihilismiens m'arracher à ma maison, en premier lieu.

Tandis qu'il parlait, il sentit les effets de la voix féminine s'estomper.

– Alors, pourquoi ne me laisseriez-vous pas partir pour remettre les choses en ordre moi-même ?

La femme secoua la tête ; son voile ondula.

– Avant d'aller plus loin, je dois vraiment insister pour que vous me disiez où il se trouve. (Elle posa une main légère et gantée sur son épaule.) Vous avez berné mes hommes de sable, mais cela ne fonctionnera pas avec moi. Où est la carte traçante ? chuchota-t-elle.

Shadrack plissa les yeux dans l'espoir de percer le mystère de son voile, mais même d'aussi près, il ne distingua rien.

– J'ai des dizaines de cartes de verre. Du moins, j'en avais, avant que vos « hommes de sable » n'en détruisent la plupart. Peut-être devriez-vous fouiller les débris ; celle que vous réclamez se trouve probablement parmi celles-là.

La femme laissa échapper un léger soupir et s'écarta de quelques pas.

– Je craignais que cela ne se passe ainsi, Shadrack. Néanmoins, je suis heureuse de votre présence ici.

Son ton était calme et ne comportait que le plus infime soupçon d'inquiétude, comme si elle bavardait juste avec un ami plutôt que de menacer un prisonnier. Elle désigna les sphères qui tournoyaient au-dessus de leurs têtes.

– Vous êtes peut-être le meilleur cartographe de tout le Nouvel Occident, voire du monde entier, concéda-t-elle, mais je crois pouvoir dire, et vous m'en excuserez, que même si personne ne le sait, je vous surpasse de loin. (Elle leva les yeux en direction des sphères et sembla davantage s'adresser à elles qu'à Shadrack.) Il y a des années, j'aurais apprécié votre compagnie. J'ai consacré tant de temps à mes recherches ! déclara-t-elle calmement. Tellement d'essais et d'erreurs ; surtout d'erreurs. (De nouveau, elle baissa le regard sur son captif.) Savez-vous à quel point il est difficile de créer une carte de verre sphérique ? La technique de soufflage à elle seule a nécessité des années de pratique, et travailler avec des sphères ajoute une dimension toute nouvelle, si l'on peut dire, à la cartographie. Néanmoins, chuchota-t-elle, l'effort en valait la peine. Vous n'êtes pas d'accord ?

– Il faudrait que je puisse les lire par moi-même, pour déterminer leur qualité.

La femme pivota brusquement vers lui.

– Oui, pourquoi pas ? Cela fait un bon moment que je ne demande que ça.

Elle fit signe à ses deux comparses, un peu plus loin.

– Là-dessus, leur ordonna-t-elle en montrant une table.

Sans libérer Shadrack, les inconnus accrochèrent la chaise avec leurs grappins et la tirèrent jusqu'à un meuble monumental à quelques mètres de distance. Une sphère de verre se trouvait dessus, sur un présentoir métallique.

La femme détacha les mains de Shadrack.

– Allez-y, je vous en prie. Observez-le tant que vous voudrez.

Shadrack se frotta les poignets et, après un regard glacial adressé à sa ravisseuse, reporta son attention sur la sphère. Elle était légèrement opaque, brumeuse, presque aussi grosse qu'une tête humaine. Sa base semblait être en cuivre et avait été façonnée avec art. Le verre était parfaitement lisse. La lueur qui en émanait paraissait bouger d'elle-même, comme Shadrack l'avait déjà remarqué. Durant un long moment, il contempla l'objet sans comprendre, puis il s'aperçut que le mouvement à l'intérieur provenait de grains de sable, poussés par une force invisible, et qui tournoyaient en une lente danse. Ils tombaient en pluie, effleuraient le fond de la sphère, puis remontaient de nouveau le long des parois. Soudain, le sable forma un motif et Shadrack reconnut un visage qui le fixait.

Il eut un geste de recul.

– Ce n'est pas une carte du monde. C'est une carte de l'esprit humain.

La femme inclina sa tête voilée vers lui, comme si elle lui concédait un point.

– Vous brûlez.

Shadrack n'avait pas encore touché la sphère. À présent, avec une certaine excitation, il en effleura la surface lisse. Les souvenirs qui firent irruption dans son cerveau étaient plus puissants que tout ce qu'il avait expérimenté par le passé. Une odeur de chèvrefeuille le submergea, il entendit le carillon d'un rire ; il avait été projeté dans un buisson dont les feuilles s'écrasaient sous ses mains tandis qu'il cherchait à s'en extirper. Il se rappela s'être levé et avoir traversé une pelouse humide au galop avant de trébucher et de tomber de tout son long dans l'herbe. Il sentit les tiges mouillées contre sa joue et le parfum de la terre dans ses narines. Les souvenirs étaient ceux d'un enfant.

Shadrack sursauta et s'écarta de la boule nuageuse avant de la scruter à nouveau. Puis il secoua la tête.

– C'est remarquable. (Sa voix exprimait une admiration sans réserve.) Je n'ai jamais perçu des odeurs, des sons, des images d'une telle force. Je vous confesse ma curiosité : comment êtes-vous parvenue à rendre ces événements aussi vivants ?

À son tour, la femme effleura la sphère de ses doigts gantés.

– Pour avoir réalisé vous-même des cartes mémorielles, vous devez savoir que malgré tous vos efforts, les gens gardent toujours quelque chose en eux. Le souvenir leur appartient, après tout. Et vous, de l'extérieur, ne pouvez en recréer qu'un faible écho.

Shadrack haussa les épaules.

– Mieux vaut un faible écho que rien du tout. C'est comme ça. On ne reproduit qu'une ligne directrice, une trace d'un monde bien plus riche.

– Oui, mais un simple contour ne me suffit pas. Moi, je veux les souvenirs eux-mêmes.

Il examina une fois de plus le voile clair.

– Ce serait impossible. La mémoire des gens est inviolable, ajouta-t-il avec une note de reproche dans la voix.

La femme ne répondit pas. Puis elle tendit la main pour toucher une nouvelle fois la sphère. Elle s'y attarda un instant avant de reculer et de parler, sans prêter attention aux derniers mots de Shadrack.

– Ce n'est pas impossible puisque je l'ai fait.

– Que voulez-vous dire ?

– Cette vision est réaliste parce qu'elle est *complète*. Elle a été capturée tout entière dans ces grains de sable.

À l'entendre, c'était un prodige.

Shadrack considéra la sphère avec consternation.

– Et qu'est devenue la personne à qui appartenait cette vision ? Le garçon, ou l'homme, qui possédait ces souvenirs ?

– Ils ne sont plus à lui, à présent.

– Vous les lui avez volés ?

La femme haussa les épaules, comme si le mot lui semblait aussi maladroit que juste.

– Je ne vous crois pas.

Atterré, Shadrack garda le silence quelques instants avant de reprendre.

– Comment avez-vous fait ? finit-il par demander.

La femme émit un soupir de satisfaction.

– Je savais que cela vous intéresserait. Je vous montrerai le procédé, dans quelque temps. Pour le moment, je peux vous révéler que cela a nécessité de plonger le sujet dans du sable, puis d'utiliser ce sable pour fabriquer une sphère. La méthode est magnifique, mais le résultat l'est encore plus. Ceci… (Elle désigna la constellation de sphères qui tournoyaient au-dessus de leurs têtes.) Ceci… est la carte qui m'a menée à vous.

– Alors, vous devrez me la lire, répliqua Shadrack avec acidité. Parce que, pour ma part, je ne distingue pas de souvenirs volés dans cette collection.

– Vraiment ? demanda la femme avec une certaine surprise. Regardez de plus près. Observez leur façon de bouger. Les sphères glissent, s'écartent, se rapprochent soudain… Toutes ces visions sont reliées entre elles. Deux individus se croisent dans une rue. Quelqu'un aperçoit l'un d'eux par une fenêtre. Quelqu'un trouve un livre perdu ici, son voisin le donne là. Quelqu'un découvre une vieille cagette pleine de plaques de verre, et une autre personne les vend au marché. Quelqu'un en achète pour en faire une vitrine. Quelqu'un la vole. Cela vous paraît familier ? Cela s'est peut-être produit avant votre époque. Il y a une histoire, qui tourne au-dessus de votre tête, et la carte qu'elle dessine m'a menée jusqu'à vous. Il m'a fallu beaucoup de souvenirs pour remonter la piste de la carte traçante, et la vôtre.

Shadrack eut du mal à articuler une réponse.

– Alors, vous avez perdu votre temps.

– Non, déclara-t-elle avec calme. J'ai beaucoup appris. Bien plus que je ne m'y attendais. Voyez-vous, les gens se rappellent bien plus de choses qu'ils ne l'imaginent. Ils ignorent ces anecdotes qui leur semblent sans importance, mais pour un spectateur attentif, elles ressurgissent et prennent tout leur sens. (Elle souleva la boule de verre et la fit tourner entre ses mains, avant de la reposer devant Shadrack.) Celle-ci était la dernière. La clé. Relisez-la.

Après un instant d'hésitation, Shadrack pressa le bout de ses doigts sur la sphère. Immédiatement, il se remémora un secrétaire surmonté d'impressionnantes piles de livres. L'odeur de renfermé du papier l'entourait et une faible lumière brillait à travers la fenêtre. Aussitôt, il sut à qui le bureau – et le souvenir – appartenait. Il réprima un cri de stupéfaction.

Et, comme pour anéantir le moindre doute, la vision lui montra une plaque gravée sur la porte ouverte.

CARLTON HOPISH
MINISTRE DES RELATIONS AVEC LES ÂGES ÉTRANGERS

Un visage à la fois familier et bizarrement déformé apparut soudain à côté de la plaque. Le sien.

Il voulut ôter ses doigts de la sphère et de l'horreur qu'il lui inspirait, mais il n'y parvint pas. Il se souvenait de cette conversation, à présent, à travers les yeux de son ami Carlton, qui saluait Shadrack Elli et lui proposait un siège. Shadrack fit la grimace ; il savait où cette discussion mènerait et comprit soudain, avec une clarté terrifiante, pourquoi la femme voilée l'avait enlevé.

– Solebury part le mois prochain, dit Carlton. D'abord, il s'est refusé à l'admettre, mais à la fin, je suis parvenu à le lui faire avouer. (Il se pencha en avant et frappa la cuisse de Shadrack d'un air triomphant.) Il pense avoir enfin découvert une indication irréfutable de l'endroit où se trouve la carta mayor.

Shadrack fronça les sourcils.

– Il poursuit une chimère, grommela-t-il.

– Ne me ressors pas cette idiotie, protesta Carlton, pas toi, qui es un de ceux qui peuvent lire et créer des cartes liquides.

– Ce n'est rien d'autre qu'une fable.

– Comment peux-tu dire ça ? Je croyais que tu voulais partir avec lui, répliqua Carlton, l'air vexé. Ça ne te ressemble pas, de laisser filer l'occasion de faire une grande découverte, une chance de révéler enfin au monde sa propre carte vivante, celle qui contient chaque moment passé, présent ou futur, une carte qui montre quand le Bouleversement s'est produit et…

– Il n'y a rien à découvrir.

Carlton resta silencieux quelques instants, scrutant le visage fermé et réticent devant lui.

– Ton aide nous serait précieuse. Surtout si tu détiens la carte traçante universelle, comme on le prétend, ajouta-t-il.

Shadrack lui jeta un regard acéré.

– Où as-tu entendu ça ?

– Alors, c'est vrai ! s'exclama Carlton. Je donnerais n'importe quoi pour la voir.

– Je l'ai. (Shadrack se détourna.) Et crois-moi, je n'en tire aucun plaisir.

– Mais tu pourrais l'utiliser pour trouver la carta mayor, *murmura Carlton d'un ton pressant. Tu rendrais un immense service à ton pays, Shadrack.*

– Non ! Je refuse d'en parler davantage.

– Allons, Shadrack, ne m'en veux pas, plaida Carlton. Je ne me doutais pas que tu étais si obstiné à ce sujet.

Shadrack retira brusquement ses doigts de la sphère comme s'il s'était brûlé. L'image de Carlton sur son lit d'hôpital, sans défense ni mémoire, comme une coquille vide, envahit son esprit.

– Que lui avez-vous fait ? Est-ce à cause de vous qu'il est… *brisé* ?

– Ses souvenirs m'ont été très précieux, dit la femme d'une voix suggérant qu'elle souriait. Je les chérirai toujours. Ils m'ont menée jusqu'à vous.

– Vous lui avez fait ça pour rien. (Le timbre de Shadrack était rauque de fureur.) Si c'est la *carta mayor* que vous cherchez, vous perdez votre temps.

– Pourquoi tant de véhémence ? (Son voile oscilla légèrement.) Je m'interroge… Se pourrait-il que vous croyiez vraiment en son existence ? Se pourrait-il que le simple fait de la mentionner touche en vous un point sensible, une ancienne blessure qui n'aurait jamais vraiment guéri ? Dire qu'un tel savoir pourrait se trouver juste de l'autre côté de ce frêle mur de peau et d'os… reprit-elle en pressant ses doigts sur le front de Shadrack.

– Vous perdez votre temps, s'emporta celui-ci en se secouant pour se débarrasser de son contact.

Puis il comprit avec horreur que la femme devant lui pouvait sans difficulté faire de lui ce qu'elle avait fait de Carlton : un être vide, fragile, définitivement brisé. Il lui fallut un effort magistral pour maîtriser sa rage.

– Êtes-vous familier de la dernière section des *Chroniques du Grand Bouleversement* ? demanda l'inconnue voilée.

Tandis que Shadrack gardait les yeux rivés sur le bureau devant lui pour ne pas les fixer sur la sphère, il remarqua une paire de ciseaux.

– Bien entendu, je l'ai lu, mais les textes d'Amitto sont de toute évidence apocryphes. Pour moi, ce n'est qu'une œuvre de fiction destinée à manipuler les foules.

Tout en parlant, Shadrack posa négligemment son bras sur les ciseaux.

– Oh non, chuchota-t-elle. Ces chroniques sont véridiques. Tout ce qui s'y trouve s'est produit, ou va se produire. Souvenez-vous des lignes de conclusion, aux alentours du 27 décembre : « *Envisagez notre temps sur cette terre comme une carte vivante : une carte dessinée dans l'eau, à jamais mélangée, à jamais changeante, à jamais en mouvement.* »

– Je me les rappelle, émit Shadrack avec prudence en faisant glisser son trophée dans sa manche. Mais cela ne signifie rien. C'est de la poésie vide de sens, comme le reste des *Chroniques*.

La femme contourna le bureau à grands pas pour venir se placer face à Shadrack.

– Et que diriez-vous si je vous apprenais que ces sphères, au-dessus de nos têtes, prouvent que la *carta mayor* est réelle, qu'elle existe bel et bien ? Et, qui plus est, qu'un cartographe talentueux pourrait non seulement la lire, ajouta-t-elle avant de s'interrompre quelques secondes, mais également l'altérer, transformer le monde à partir d'elle.

– Personne ne l'a jamais vue, répondit laconiquement Shadrack, spéculer sur ses propriétés me semble donc quelque peu absurde.

– Vous ne m'écoutez pas. (Elle se pencha vers lui.) *Je peux prouver qu'elle est réelle.* Ce n'est pas seulement une carte du monde qui était et qui est ; elle montre toutes les alternatives. Et si un artiste tel que vous parvenait à la modifier, il pourrait transformer le présent. Et même réinventer le passé. Réécrire l'histoire. Vous comprenez ? L'Univers entier pourrait être redessiné. Le Grand Bouleversement pourrait être *annulé*.

– C'est impossible. N'importe quel cartographe, scientifique ou cosmographe vous le dira : cela ne ferait que créer un autre cataclysme. Le monde est ce qu'il est aujourd'hui ; son cours est tracé. Modifier les Âges chamboulerait encore les choses, à un prix inconnu, voire inimaginable. La seule manière d'unifier les époques, à présent, c'est à travers l'exploration, la communication, les alliances et le commerce. Par principe, je m'oppose aux types de changements que vous décrivez. Mais mon objection ici n'a aucune importance, puisque la tâche que vous vous êtes assignée est impossible à réaliser. (Il durcit le ton.) Vous vous bernez, si vous croyez autre chose.

– C'est vous qui vous bernez, répondit-elle d'une voix méprisante, avec votre manque de curiosité à propos des autres Âges ; une traversée en mer par-ci, un voyage dans les montagnes par-là. Que pensez-vous accomplir avec de si petites et ridicules expéditions ? À quoi bon mener des explorations, alors que vous avez la chance d'atteindre l'harmonie ? L'espoir de restaurer le *véritable* monde ?

– Cela ne peut être fait. Croyez-moi, j'ai étudié des cartes d'eau. Et si vous l'aviez fait, je ne serais pas ici. C'est impossible.

Le voile de la femme frissonna.

– Mais vous n'avez pas encore vu la *carta mayor*. Ce sera différent, alors.

Shadrack secoua la tête et se pencha davantage sur le plan de travail, ce qui lui permit de laisser tomber sa main droite et de tâtonner avec les ciseaux en quête de la corde qui lui serrait les chevilles. La femme était toujours de l'autre côté du bureau. Les deux nihilismiens balafrés se tenaient près du fourneau éteint, leurs grappins pendant contre leurs flancs. Il jeta un coup d'œil rapide en direction du bout de la chapelle et aperçut deux portes à double battant qui, sans doute, menaient vers l'extérieur. Puis il se rapprocha de la sphère de verre comme s'il l'examinait.

– Votre travail est impressionnant, et j'admire votre sensibilité cartographique. Vraiment. Mais je ne peux rien pour vous ; et même si je le pouvais, je ne le ferais pas. (Il avait coupé les cordes liant sa cheville droite et se pencha encore plus pour atteindre l'autre, sous le bureau.) Je n'accorde aucune foi aux *Chroniques*, ni à la *carta mayor*. Et je n'ai aucun désir de vivre un autre Grand

Bouleversement. Je ne souhaite pas avoir la moindre responsabilité dans un drame pareil. Ma seule consolation est que vous ne parviendrez jamais à mener cette tâche à bien.

Shadrack cisailla les cordes de sa cheville gauche et fit prestement remonter les ciseaux dans sa manche droite avant de se redresser sur sa chaise.

– Ah ! fit la femme, en contournant le bureau pour se rapprocher de Shadrack. Et si nous mettions votre foi à l'épreuve ? Si vous êtes vraiment persuadé que la *carta mayor* n'existe pas, dites-moi où vous avez caché la carte traçante. Vous pouvez ainsi me prouver que les *Chroniques* ne sont qu'un ramassis de poésie vide de sens.

Shadrack ne répondit pas et resta assis, le visage figé.

– Je crois que si elle n'est pas là, alors il n'y a qu'un seul moyen de la trouver : votre nièce, Sophia.

– Je vous l'ai déjà dit : toutes mes cartes de verre ont été détruites.

La femme plaça une main gantée sur le bras de Shadrack ; ce même bras qui dissimulait les ciseaux dans sa manche.

– Je ne vous ai pas dit mon nom, chuchota-t-elle. Vous pouvez m'appeler Blanca. Comme une page vierge, une carte vide. Ou comme du sable blanc. Ou une peau immaculée, sans marque.

Shadrack la scruta, sans répondre. Il lança un regard à ses deux gardes du corps qui semblaient perdus dans leurs pensées, les yeux rivés sur les sphères qui les surplombaient.

Soudain, Shadrack repoussa sa chaise en arrière, rejetant le bras de Blanca. Les ciseaux volèrent, effectuant une trajectoire courbe dans l'air qui fracassa une boule au passage. Une pluie d'éclats de verre et de sable s'abattit sur eux, mais il avait déjà commencé à courir en direction de l'autre extrémité de la chapelle, vers les larges portes au fond. Les pas des deux sentinelles résonnèrent derrière lui, ainsi que le hurlement furieux de Blanca à la vue de la sphère brisée.

Les énormes battants s'ouvrirent d'un coup et quatre autres nihilismiens pénétrèrent dans la salle. Shadrack plongea sur la gauche et fonça vers l'une des fenêtres : il pouvait grimper sur l'un des bureaux et, avec un peu de chance, percuter le vitrail avec assez de force pour passer à travers. Brusquement, un pincement douloureux lui déchira la jambe.

Il se retrouva cloué au sol, la poitrine écrasée contre la pierre, et l'instant suivant, tous ses poursuivants étaient sur lui. Tandis que l'un d'eux le remettait sur ses pieds, il sentit le goût du sang dans sa bouche. On lui ramena les bras dans le dos. Le grappin avait déchiré la jambe de son pantalon, laissant deux longues estafilades le long de sa cuisse. Seule la chance avait empêché ses pointes de s'enfoncer trop profondément dans le muscle.

Bien qu'il se débattît de toutes ses forces, les hommes de sable le traînèrent sur le plancher de la chapelle et le réinstallèrent sur la chaise devant le bureau.

– Attachez-lui le bras gauche, leur ordonna calmement Blanca. Bien serré. Maintenez-le droit, mais laissez-le libre de ses mouvements.

Les épaules de Shadrack le brûlèrent tandis qu'on lui tirait le torse en arrière pour lui ligoter une main.

– Et enfilez-lui la muselière. Seulement les rubans, je veux qu'il puisse voir.

L'homme devant lui tenait un petit bloc de bois de la taille d'un pain de savon, dans lequel une fine épaisseur de fil métallique était incrustée. Shadrack crispa les mâchoires et rentra le menton dans sa poitrine. Un de ses geôliers, dans son dos, lui tira la tête en arrière et le frappa à l'œsophage, juste assez fort pour le faire tousser. Avant d'avoir pu refermer la bouche, il sentit le morceau de bois s'enfoncer entre ses dents et les câbles presser contre ses joues. Puis ces derniers furent tendus et noués derrière son crâne.

Les fils commencèrent à mordre dans les commissures de ses lèvres. Shadrack comprit à quoi les nihilismiens devaient leurs cicatrices.

– Si vous ne vous débattez pas, vous ne vous couperez pas, lui expliqua Blanca d'une voix douce. Vous allez écrire une lettre, pour moi. (Elle déposa du papier et un crayon devant lui et se pencha en avant.) Tout de suite.

Shadrack prit le stylo d'une main hésitante. Blanca s'était reculée, mais pas assez vite ; il avait vu le visage dissimulé sous le voile.

11
SUR LA ROUTE

22 juin 1891, 11 h 36

> *Financée à l'origine par le gouvernement, la grande aventure ferroviaire a très tôt été monopolisée par des investisseurs privés qui ont rapidement compris comment s'enrichir grâce à la pose de rails à travers tout le Nouvel Occident. L'idée d'un chemin de fer national a été abandonnée et, au milieu du siècle, l'intégralité des lignes et des wagons était possédée par seulement deux ou trois compagnies. Les millionnaires du train sont devenus les individus les plus influents du pays.*
>
> *Extrait de* Histoire du Nouvel Occident, *par Shadrack Elli.*

MÊME SI SOPHIA voyageait chaque été avec Shadrack, elle n'avait jamais dépassé New York au sud, les Berkshires à l'ouest, et étudier des itinéraires ferroviaires ne l'avait pas préparée à l'excitation qu'elle éprouverait en grimpant dans un train électrique pour un si long trajet.

Le simple fait de quitter Boston à bord du *Seaboard Limited* l'étourdissait. Theo et elle avaient un compartiment pour eux seuls jusqu'à La Nouvelle-Orléans ; il comportait une longue banquette en cuir et deux couchettes qui se repliaient contre le mur, munies de draps blancs. Theo s'était blotti sur celle du haut et dormait avec béatitude. Sophia aurait aimé réussir à en faire autant, mais elle ne parvenait même pas à rester immobile et arpentait le minuscule espace lambrissé dans l'espoir que ses va-et-vient de la porte à la fenêtre l'aideraient à perdre la notion du temps. Ses doigts se refermèrent sur la pelote argentée qu'elle avait rangée dans la poche de sa jupe, et elle s'y agrippa, comme si ce geste pouvait faire apparaître les Parques et faire accélérer le train. Pour se distraire, elle énuméra mentalement tout ce qu'elle avait emporté pour son voyage, puis consulta les horaires et calcula combien de temps il leur faudrait pour aller de la frontière jusqu'à Nochtland.

Alors qu'ils arrivaient à proximité de Providence, dans le Rhode Island, elle ouvrit la fenêtre pour regarder au-delà du wagon de queue. La ville s'étendait comme un labyrinthe de briques, parsemé ici et là de clochers. Comme un ruban noir, le Blackstone Canal sinuait entre les bâtiments. Des arbres d'un vert poussiéreux le bordaient sur chaque rive et entouraient la gare toute proche, fournissant la seule source d'ombre pour la foule qui s'entassait sur le quai recouvert de lattes de bois. Une odeur de sciure et d'eau croupie emplissait l'air. Des policiers et des contrôleurs vérifiaient les billets et les papiers d'identité avant d'orienter les gens vers les wagons. Familles d'étrangers agglutinés les uns aux autres, exilés solitaires écrasés par le poids de bagages pleins à craquer et du découragement, tous attendaient sur les plateformes d'embarquement, à côté de voyageurs ordinaires qui les scrutaient avec curiosité, compassion ou parfois indifférence. Ce spectacle se répéta une heure plus tard dans la plaine verdoyante et fertile de Kingston, où des vaches s'attroupaient dans les rares zones d'ombre ; partout, l'impression d'inquiétude était la même. Le train quitta le sud du Rhode Island pour s'enfoncer dans le Connecticut.

Les fenêtres du wagon étaient grandes ouvertes pour laisser entrer la brise nocturne et Sophia se pencha au-dehors pour respirer un peu. Tandis qu'ils longeaient la côte, elle inspira l'air salé à pleins poumons et contempla les petites voiles blanches qui parsemaient la surface de l'océan. Il lui semblait que la nuit s'étirait avec une lenteur insupportable. Elle soupira.

Il faut que je trouve un moyen d'accélérer le temps, se dit-elle avec désespoir, *ou je vais avoir l'impression de passer l'éternité dans ce train.*

Elle se força à ne pas penser au foyer qu'elle laissait derrière elle, et à Theo avec qui elle avait à peine échangé un mot depuis qu'ils avaient entamé leur voyage, pour se concentrer sur l'horizon.

Petit à petit, le paysage changea. La voie ferrée s'écartait de la côte pour s'enfoncer dans les terres. Des érables élancés se rapprochèrent des rails, et elle put sentir l'odeur collante des feuilles qui s'étaient imprégnées toute la journée de la chaleur du soleil. Le train ralentit à l'approche de son terminus du Connecticut, et Sophia vit les arbres se clairsemer pour dévoiler une petite gare au quai étroit. Seule une poignée de gens attendaient là. Ses préoccupations reprirent le dessus lorsqu'elle découvrit les visages anxieux des voyageurs. Que se passerait-il si Shadrack rentrait à la maison trop tard, une fois qu'elle serait dans les Terres rases où Mrs Clay ne pourrait la joindre ? Elle sentit un pincement dans son estomac. Elle ne pouvait rien y faire pour le moment ; si Shadrack retournait à Boston, il devrait la suivre dans le Sud.

Tandis que Sophia se rongeait les sangs, elle remarqua deux

hommes qui discutaient avec le chef de gare. Bien qu'ils fussent tous de dos, la peur de l'employé était palpable. Il avait reculé jusqu'à finir adossé au mur, aussi éloigné de ses interlocuteurs que sa poitrine volumineuse et les briques le lui permettaient. Il les écoutait sans cesser de triturer nerveusement sa moustache en bataille et d'ajuster son chapeau. Soudain, l'un des hommes pivota pour examiner le quai, aussitôt imité par son compagnon. Sophia réprima un cri. Rien dans leur stature ni leurs vêtements ne sortait de l'ordinaire, mais ils arboraient de longues cicatrices en forme de croissant en travers de leurs joues.

– Theo ! le héla-t-elle. Viens voir ces hommes !

Elle n'avait pas fini sa phrase que le chef de gare donna un coup de sifflet.

Theo devait être réveillé depuis un moment, car il descendit immédiatement de sa couchette pour la rejoindre à la fenêtre, mais les inconnus n'étaient plus là. Sophia poussa un soupir de frustration.

– Ils ont dû monter à bord. Deux hommes balafrés. (Elle retraça les marques sur sa joue, de sa bouche à son oreille.) Et tu as bien dit que ceux qui se sont introduits chez moi avaient des cicatrices, non ?

Theo s'assit à côté d'elle.

– Eh bien, s'ils sont dans le même train que nous, nous avons des chances de les voir. À moins qu'ils ne descendent à New York. C'est probablement une coïncidence. Les cicatrices, c'est pas ça qui manque, dans le monde.

– Oui, c'est vrai, admit-elle, peu convaincue.

Elle sortit son carnet et tenta de se distraire en dessinant un peu, mais pour une fois, cela ne fit que renforcer son anxiété :

le cahier lui évoquait trop Shadrack. Les instants ordinaires de leur quotidien commun – les grignotages nocturnes improvisés après les journées de travail à rallonge de Shadrack, les escales dans des musées de Boston, les discussions à propos de leurs nouveaux achats à la librairie Atlas, les bouts de papier sur lesquels Shadrack esquissait Cora Cadran – tout cela témoignait de ce qu'elle avait perdu et ne récupérerait peut-être jamais, et l'alourdissait d'un fardeau écrasant. Des extraits de ses écrits parsemaient ses notes, parlant d'une voix claire et rassurante de la façon dont le monde était et devrait être.

Finalement elle prit l'atlas et se mit à en parcourir machinalement les pages. Bien entendu, Sophia l'avait déjà lu à de nombreuses reprises, mais à présent qu'elle l'envisageait enfin comme un guide vers des endroits qu'elle visiterait peut-être, il semblait prendre une autre dimension. Le chapitre volumineux sur New York dépeignait ses quais, ses parcs et les grands marchés couverts. Les illustrations ne restituaient que peu les véhicules bruyants, les chevaux et l'odeur de poisson dont Sophia se souvenait.

Elle passa au paragraphe sur les Terres rases. Sophia savait que leur nom venait de la description qu'en avaient faite les premiers voyageurs qui s'étaient aventurés au sud et à l'ouest du Nouvel Occident. « *Tierras baldías* », disaient les indigènes, ce qui signifiait « terres en friche », « terres rases », en espagnol.

Cette région comportait trois cités majeures : Nochtland, la ville côtière de Veracruz, et Xela, plus loin au sud. Les historiens supposaient que toutes trois avaient émergé après le Grand Bouleversement comme un mélange de trois Âges : le dix-septième siècle, d'après l'ancienne chronologie ; une période d'un millénaire antérieur ; et une dernière, d'un millier d'années plus tard. D'autres petites poches existaient également, mais la théorie des trois ères était bien établie, et les agglomérations étaient décrites de façon globale en tant qu'« Ère Triple ». Les habitants de cette zone étaient fidèles à une vieille religion qui considérait le temps selon des cycles transportés comme des balluchons sur le dos des dieux, qui cheminaient inlassablement avec leur fardeau. C'étaient des divinités accommodantes, qui acceptaient les sacrifices comme tributs et accordaient leurs faveurs autant que possible.

Au-delà de l'Ère Triple, les Terres rases étaient bien moins homogènes. L'homme qui en avait fait un empire, l'empereur Leopoldo Canuto, ne s'était guère préoccupé de conquérir ni d'explorer. Après le Bouleversement, il s'était surtout soucié de fonder une véritable cour au cœur de Nochtland, ne rechignant à aucune dépense pour transformer cette ville chaotique en une tentaculaire métropole de splendeurs. Son fils Julian avait suivi ses traces pour vivre dans un isolement complet avec ses nobles sans jamais vraiment quitter les limites de la cité. Durant leurs règnes, la majeure partie des Terres rases était demeurée sans réelle gouvernance, à la grande satisfaction des habitants. Ces Âges divers et variés se mêlaient en un millier de façons différentes, créant par endroits des havres paisibles, et à d'autres des friches anarchiques. C'étaient ces dernières qui avaient conféré à la région sa réputation de sauvagerie, et il fallait bien admettre que les bandes de maraudeurs nomades y étaient devenues aussi puissantes qu'ambitieuses, s'accaparant des villes entières comme un fermier posséderait des hectares de terres agricoles.

Le fils de Julian, Sebastian, était aux antipodes de son père. Totalement indifférent à l'exploration en elle-même, il était au contraire un conquérant convaincu. Quand sa jeune épouse était morte après lui avoir donné une fille, il s'était assigné la mission de rallier l'intégralité de l'empire sous sa bannière. Depuis vingt ans, il envoyait ses soldats jusqu'aux plus extrêmes contrées du pays pour tenter de déraciner ceux qui avaient durant si longtemps ignoré l'ordre et la loi. Mais Sebastian avait découvert que cette tâche était plus difficile qu'il ne l'avait prévu. Il n'écrasait une bande de pillards que pour en voir une autre la remplacer. Pendant ce temps, sa fille Justa, restée dans la capitale, régnait en son nom. L'entrée dans l'atlas de Shadrack indiquait que la famille impériale de Nochtland arborait la « Marque du Lierre » au lieu de la « Marque du Fer », deux termes dont Sophia n'avait jamais entendu parler auparavant.

– Tu as déjà vu la princesse Justa ? demanda-t-elle à Theo.

Il la considéra avec un air amusé.

– Jamais. Peu de gens peuvent s'en vanter, d'ailleurs.

– Qu'est-ce que c'est, la « Marque du Lierre » ?

Theo se détourna ; son regard se perdit à travers la fenêtre.

– C'est juste une histoire de lignée.

– Comme des armoiries ?

– En quelque sorte.

– Dans l'atlas, j'ai lu qu'il y a plus de jardins que de bâtiments, à Nochtland, dit Sophia. C'est vrai ?

Theo haussa les épaules.

– Possible.

– Non, mais tu es déjà allé à Nochtland ? Rassure-moi, demanda-t-elle avec une certaine acidité.

– Bien sûr. Mais je n'y ai jamais vécu, c'est tout.

– Mais alors, si tu n'es pas de Nochtland, tu viens d'où ?

– Des Terres rases du Nord. (Il joignit les mains.) Mais j'ai voyagé un peu partout.

Sophia le fixa avec attention.

– Et tes parents ? Ils sont toujours là-bas ? (Elle s'interrompit.) Tu ne crois pas qu'ils doivent s'inquiéter à ton sujet ?

– Je commence à avoir faim, répliqua abruptement Theo en ouvrant le panier que Mrs Clay leur avait préparé. Tu veux quelque chose ?

Sophia plissa les paupières. Theo était embarrassé, ce qui la rendait d'autant plus déterminée à en trouver la raison.

– Personne ne se préoccupe de ta disparition ou du fait que tu aies été enlevé par un cirque, ou bien personne n'est au courant ?

L'espace d'un instant, Theo sembla sur le point de lui répondre que ça ne la concernait pas, mais il dut réprimer son envie, car il demanda à la place :

– C'est lui que tu as vu sur la plateforme ?

Sophia se retourna. Dans le couloir, parfaitement visible depuis la fenêtre de leur compartiment, se trouvait un homme arborant deux longues cicatrices de chaque côté de sa bouche.

– C'est lui, chuchota-t-elle.

Il se querellait avec un voyageur bedonnant, aussi grand que lui, qui se tenait en travers de son chemin, en plein milieu du corridor. Sous le regard de Theo et de Sophia, la dispute monta jusqu'à ce qu'ils puissent l'entendre à travers la fine porte de leur petit refuge.

– J'ai réservé ma place il y a plusieurs semaines, protesta

l'homme corpulent, et je n'ai rien à cirer de ce que le chef de gare vous a promis. C'est mon compartiment.

L'inconnu balafré émit une réponse inaudible.

– Il est hors de question que j'attende un autre train à New York. Non, mais quelle idée ! Vous croyez que j'ignore la valeur de l'argent ? J'ai payé bien assez cher pour ça !

Son interlocuteur répliqua de nouveau de quelques mots à voix trop basse pour être compréhensible.

L'espace d'un instant, son antagoniste le fixa avec une indignation croissante, le visage virant peu à peu à l'écarlate.

– Monsieur, quand nous arriverons à New York, je ferai appel au premier policier que je trouverai, et je vous dénoncerai, dit-il avec calme. Vous êtes un danger pour les autres passagers de ce train.

Il tourna les talons et disparut à toute vitesse. L'homme balafré le considéra sans bouger, puis lança un coup d'œil malveillant au compartiment dans lequel Sophia et Theo se terraient, poussant cette dernière à se recroqueviller sur son siège. Enfin, lui aussi s'en alla.

Sophia resta silencieuse un moment.

– Alors, c'est un des hommes qui sont venus chez moi ?

Theo secoua la tête.

– Je ne crois pas. Leurs cicatrices sont identiques, mais pas leurs visages.

C'est peut-être vraiment une coïncidence, se dit Sophia, sans conviction.

Quelques heures plus tard, ils arrivaient en gare de New York. D'abord, elle sembla pareille aux précédentes, juste plus fourmillante d'activité. Des policiers encadraient les passagers en attente et les dirigeaient vers les quais ; des vendeurs, tirant des chariots, se faufilaient entre eux. La plateforme était parsemée de feuilles de journaux volantes. Une grande horloge, dont la deuxième aiguille était cassée, était suspendue entre deux voies parallèles. Puis Sophia réprima un cri de stupeur.

– Theo. Viens voir.

Le voyageur qui avait revendiqué l'usage de son compartiment se faisait expulser du train par deux hommes aux visages balafrés. Sophia sursauta lorsqu'ils les dépassèrent.

– Est-ce que c'est bien…

Elle ne put continuer. Elle avait aperçu l'éclat fugitif, mais étincelant, d'un objet métallique contre le flanc du monsieur corpulent, qui arborait une expression de panique à peine contenue.

– Ils ont un couteau, ou un pistolet, déclara Theo avec calme avant de pousser un petit sifflement. Ils y tiennent, à leur compartiment !

Sophia regarda avec une terreur grandissante les deux hommes conduire leur prisonnier sur le quai, croisant directement un groupe de policiers qui guidaient des voyageurs vers le train. L'un des officiers leur adressa un bref salut au passage.

– Tu as vu ? Il n'a rien dit !

Theo secoua la tête.

– J'imagine que ça signifie que les rumeurs sur la police du coin sont fondées…

– Qu'est-ce qu'on fait ? Tu crois qu'on doit en parler à quelqu'un ?

– Hors de question, répliqua Theo avec autorité. Si les flics refusent d'aider cet homme, qui le fera ? Allez, réjouissons-nous plutôt qu'ils soient descendus du train.

Sophia enroula ses bras autour de son torse.
– Oui, j'avoue que ça me rassure.

15 h 49 : à bord du train vers le sud

LE *SEABOARD LIMITED* quitta New York vers 16 heures. Alors que le crépuscule tombait, Sophia sortit un sandwich au fromage du panier et se força à l'avaler. L'employé des wagons-lits passa s'assurer qu'ils avaient bien tout ce qu'il leur fallait pour la nuit, et Theo remonta dans sa couchette avant de demander à Sophia de lui prêter des cartes. Elle finit par déplier son lit étroit pour tenter de lire son atlas, mais elle ne pouvait chasser de son esprit le voyageur terrifié. Puis ses pensées dérivèrent sur Shadrack, et son anxiété s'accrut encore plus. Leurs chances de le retrouver avaient semblé si fragiles et incertaines, en pleine lumière… De nuit, elles paraissaient tout bonnement infimes. Alors qu'elle s'efforçait de se concentrer sur ce qu'elle lisait, elle s'aperçut qu'elle n'y parvenait pas ; son cerveau finissait invariablement par ressasser des horreurs imaginaires. Finalement, elle referma l'atlas avec un soupir et le serra contre sa poitrine.

Elle se réveilla un peu plus tard, la joue pressée contre le livre. Un cauchemar dont elle ne se souvenait plus faisait palpiter follement son cœur et elle s'assit pour regarder par la fenêtre. Theo se pencha par-dessus le rebord de sa couchette.

– Je pensais que tu t'étais endormie, dit-il tranquillement.

– C'était le cas. Mais je n'ai plus sommeil.

Elle consulta sa montre ; il était presque 20 heures. Puis elle fixa la lune ronde et pâle qui surplombait les arbres.

– Tu sais où nous sommes ?

– Aucune idée. Quand nous avons dépassé les dernières gares, il faisait trop noir pour que je voie les panneaux.

Sophia se frotta les yeux.

– Je vais me dégourdir les jambes. Ça fait presque une journée entière qu'on est là.

Theo s'assit et se cogna la tête au plafond du compartiment.

– Ouille ! Je t'accompagne.

– D'accord.

S'endormir sous le poids des soucis et se réveiller dans un endroit étranger avait atténué son ressentiment envers Theo ; elle se sentait trop fatiguée et il y avait bien assez d'autres peurs trépignant en lisière de son esprit. Elle rangea l'atlas dans son sac, qu'elle passa sur son épaule.

Ils s'engagèrent dans le couloir désert, en direction du wagon-restaurant. L'air frais de la nuit s'infiltrait dans les interstices des fenêtres. On aurait cru qu'ils étaient les seuls à bord à être réveillés et le wagon-restaurant était complètement désert aussi, bien qu'imprégné d'une faible odeur d'argenterie ancienne et de pommes de terre vapeur. Les rayons clairs de la lune rendaient l'usage des lampes inutile ; une lumière froide baignait la salle, ses nappes blanches et ses sièges en cuir clouté de cuivre.

– Je n'ai jamais voyagé aussi longtemps en train, dit Sophia en s'installant à l'une des tables avant de regarder la voie.

Theo s'assit en face d'elle.

– Moi non plus. En fait, c'est la première fois que j'en prends un.

Sophia le considéra avec surprise.

– Vraiment ?

– J'en avais déjà vu, mais je n'étais jamais monté à l'intérieur. (Il esquissa un sourire ironique.) Première fois en Nouvel Occident aussi. Et, bien sûr, pile au moment où ils décident de fermer les frontières !

Sophia lui rendit sa mimique.

– Tu les as effrayés. Tu es la goutte d'eau qui a fait déborder le vase.

– À coup sûr. Je suis trop explosif pour eux.

Il claqua des doigts et braqua un pistolet imaginaire sur elle, avant de conclure sur un clin d'œil. Ils restèrent assis en silence durant quelques minutes, contemplant le ciel étoilé et les silhouettes noires des arbres qui défilaient.

– Personne ne s'inquiète, finit par reprendre Theo.

Sophia reporta son regard sur lui. Il avait toujours la tête tournée vers la fenêtre.

– Pardon ?

– Quelques personnes sont au courant qu'Ehrlach m'a capturé, mais elles s'en fichent.

– Pourquoi donc ?

Theo lui adressa un nouveau sourire, mais ses yeux sombres, rivés sur la lune, étaient sérieux.

– Chacun pour soi, comme je te disais. Je n'ai pas de parents, du moins pas à ma connaissance. J'ai vécu avec des pillards à la frontière occidentale, et ils ne se soucient pas des masses de savoir si je suis dans le même coin qu'eux, ou avec le cirque, ou dans les Neiges. Pour eux, c'est du pareil au même.

La lumière était trop faible pour que Sophia puisse bien décrypter l'expression de Theo, mais elle eut l'impression que son visage était plus pensif que triste.

– Qu'est-il arrivé à tes parents ?

– Aucune idée, je ne les ai jamais connus. Dans mes premiers souvenirs, je vivais dans des bandes de gamins dirigées par un pillard.

Sophia ne pouvait même pas imaginer une telle vie.

– Alors, qui s'est occupé de toi ?

– Des gosses plus âgés, la plupart du temps. C'est une fille plus grande qui m'a trouvé. Sue. Elle m'a découvert dans un tonneau vide, derrière je ne sais quel troquet.

– C'est quoi, un troquet ?

– Un saloon. Une taverne, si tu préfères. (Theo pivota pour croiser son regard.) Elle m'a donné des vêtements. Un nom. M'a nourri pendant des années. Jusqu'à ce que je puisse me débrouiller par moi-même. C'est plus facile, comme ça. Les pillards, ils vont et viennent ; comme moi. Pas de fardeaux, pas de tracas.

Ses yeux bruns la fixèrent bien en face et elle sentit que toutes les idées qu'elle s'était faites sur lui avaient brusquement changé. Quel effet ça faisait, d'être seul ? Vraiment seul ?

– Pourquoi tu ne me l'as pas raconté plus tôt ? Comme quand Mrs Clay te l'a demandé ?

Theo secoua la tête.

– Je n'aime pas qu'on ait pitié de moi, et c'est toujours le cas, quand j'en parle. Surtout avec les vieux. Tu vois ce que je veux dire ?

Oui, Sophia voyait très bien.

– Comment Ehrlach t'a-t-il trouvé ?

– On faisait du commerce à la frontière ; on négociait des chevaux avec un homme du Nouvel Akan. Les villes frontalières sont bourrées de gens qui vendent et achètent n'importe quoi. Ehrlach semblait juste être un commerçant de plus désireux de faire baisser les prix. Il a proposé une bête à Aston – le pillard avec qui je vivais à ce moment-là, avec d'autres gars – et il m'a demandé de l'amener à sa tente. Aston m'a ordonné d'obéir. Sauf qu'à l'instant où je suis entré à l'intérieur, je me suis retrouvé encerclé d'hommes avec de grands couteaux. Ce n'était pas la première fois que je me battais avec des types armés, dit-il en lui montrant sa main droite balafrée, et ce n'était pas un de plus qui allait m'effrayer. J'ai essayé d'enfourcher le cheval et de m'enfuir, mais ils m'ont pris de court. Aston n'a même pas eu le temps de s'apercevoir de mon absence qu'ils m'avaient déjà enlevé. (Il lâcha un rire bref.) Enfin, c'est pas comme si je lui manquais.

Il en parlait avec tant de désinvolture, avec cette élocution presque paresseuse caractéristique des Terres rases du Nord, que les mots semblaient quasiment reliés ensemble. Mais son apparente froideur ne masquait pas totalement les pointes de douleur cachées sous cette façade : des bris de verre sous un fin tissu. Sophia sentit quelque chose poindre dans son cœur, comme un sursaut d'admiration mêlée de tristesse. L'attitude qu'affichait Theo, cet air d'indifférence affectée, que ce soit à l'égard des dangers comme des humiliations, il l'avait payée au prix fort.

– J'imagine que toi non plus, tu ne regrettes pas Aston.

Theo lui adressa un sourire jusqu'aux oreilles.

– C'est le moins qu'on puisse dire.

À présent, ce fut à Sophia de détourner le regard. Elle garda les yeux rivés sur la lune, puis reprit la parole.

– Je ne me souviens pas de mes parents, mais j'ai appris beaucoup de choses à leur sujet. Shadrack m'a tout raconté. Ils sont partis quand j'étais petite, en exploration. Et ils se sont perdus.

Ils ne sont jamais revenus. Shadrack se serait bien lancé à leur recherche, mais il devait s'occuper de moi.

Sophia ne savait pas pourquoi elle l'avait formulé comme ça, mais c'était ainsi que ça lui était apparu la première fois qu'elle avait compris que sa présence empêchait Shadrack de partir en quête de Minna et Bronson. Elle avait perdu ses parents, mais Shadrack avait perdu sa sœur. Et malgré tout, il n'avait jamais donné l'impression à sa nièce qu'elle représentait pour lui un obstacle à son désir de la retrouver.

Ils gardèrent le silence pendant une minute, plongés dans la contemplation des reflets fugaces de la lune sur la table, lorsque sa lumière traversait les arbres qui défilaient.

– Shadrack m'apprenait à lire des cartes, reprit Sophia. Pour qu'on puisse partir à leur recherche ensemble. Mais, en vérité, mes parents sont des étrangers, pour moi. Shadrack était à la fois mon père et ma mère.

– Il l'est toujours, la corrigea Theo. Parce que nous allons le retrouver. As-tu découvert comment déchiffrer la carte de verre, déjà ?

Sophia fouilla son sac.

– Comment sais-tu que c'est une carte de verre ? La plupart des gens ne connaissent que celles en papier.

– Elles ne sont pas si rares que ça.

Sophia tira la plaque transparente de sa taie d'oreiller et la plaça avec précaution sur la table entre eux. Tandis qu'ils l'examinaient, quelque chose de remarquable se produisit. La lune s'éleva au-dessus de la cime des arbres et sa lumière tomba directement sur le panneau vitré. Soudain, une image naquit à sa surface. La carte s'était éveillée.

12
Un voyage au clair de lune

22 juin 1891, 19 heures

Parmi les cartes qui ont fait leur entrée dans les collections de musées et bibliothèques universitaires, se trouvent certaines cartes du Nouveau Monde que les cartographes du Nouvel Occident ne sont pas parvenus à lire pour le moment. Que ce soit parce qu'elles ont été façonnées par d'anciennes civilisations ou parce qu'elles reflètent des connaissances que nous n'avons pas encore découvertes, elles sont tout simplement incompréhensibles, même pour les chercheurs occidentaux les plus érudits.

Extrait de Histoire du Nouvel Occident,
par Shadrack Elli.

– LA LUNE ! s'exclama Sophia en se penchant sur la plaque transparente. Ce sont les rayons de la lune, j'aurais dû y penser !

Theo imita son mouvement.

– Qu'est-ce que ça fait ?

– Ces cartes réagissent à la lumière. D'habitude, celle des lampes ou du soleil suffit. Je n'avais pas imaginé qu'il puisse y en avoir qui réagissent à celle de la lune.

Elle avait le regard rivé sur le motif qui se déployait sur la surface du verre.

Cette carte ne ressemblait pas à celles qu'elle avait vues dans le bureau de Shadrack. En dehors de l'insigne qui l'identifiait, elle ne comportait ni cadrans ni légende d'aucune sorte. Des mots d'argent lumineux emplissaient la plaque de haut en bas, la plupart inintelligibles. Au milieu se trouvaient cinq phrases dans différentes langues écrites en alphabet romain. Celle qu'elle reconnut aussitôt disait : « Tu le verras à travers moi. » Sophia se rappelait suffisamment le latin que lui avait enseigné un étudiant zélé de son oncle pour deviner que la ligne au-dessus signifiait exactement la même chose.

Elle secoua la tête.

– Je suis incapable de dire si c'est seulement une carte, je n'ai jamais vu un truc pareil. Mais si c'est une carte mémorielle, on peut la déchiffrer, même si on ne comprend pas ce qui y est écrit.

– Ça doit bien vouloir dire quelque chose ! s'énerva Theo.

Sophia observa la plaque en se demandant où la toucher.

– Alors, essayons.

Ils posèrent leurs doigts dessus en même temps.

Sophia n'avait jamais éprouvé d'émotions aussi violentes en lisant une carte. Avant même d'avoir vu quoi que ce soit, elle se sentit submergée par une peur et un désespoir irrépressibles. Son cœur battait à tout rompre ; elle ne cessait de tourner la tête d'un côté à l'autre ; mais tout était flou et la panique s'empara peu à peu d'elle. Chaque détail de son environnement perdit de son sens, devenant confus et chaotique.

Elle était entourée de gens, de toute évidence présents, mais indistincts. Ils se tenaient à sa gauche, comme s'ils arpentaient un grand couloir, et s'avancèrent pour lui parler. Chaque voix noyait la précédente et elle n'en comprenait aucune. Avec un effroi croissant, elle grimpa l'escalier dans lequel elle se trouvait, mais les marches sous ses pieds étaient invisibles. Elle dépassa les gens jusqu'à parvenir à un endroit dégagé loin au-dessus de la foule. Le désespoir s'accrut encore. Elle savait que le souvenir n'était pas le sien, mais elle le ressentait comme tel. C'était comme si elle, Sophia, poussait de toutes ses forces sur un objet très lourd. Puis elle le sentit céder, rouler et, enfin, basculer et tomber.

Durant quelques instants, elle resta immobile, paralysée par la tension de l'attente qui faisait grincer chaque nerf de son corps. Puis la structure invisible autour d'elle commença à vibrer et à bouger. Elle sut, sans le moindre doute, que dans peu de temps, tout allait s'effondrer.

Elle replongea dans le couloir surpeuplé. Elle ignora la foule et, le cœur prêt à exploser dans sa poitrine, redescendit à toute vitesse la spirale. Le sol se mit à trembler sous ses pieds. Elle trébucha, se releva et reprit sa course. Des gens l'appelèrent au passage, mais leurs mots n'avaient pas le moindre sens ; elle ne voulait pas les entendre, ils n'étaient pas importants. Sa fuite frénétique s'accéléra. Une porte l'attendait, une ouverture invisible, quelque part devant elle, mais elle ne l'avait pas encore atteinte et les murs autour d'elle commençaient à tomber en ruine. La peur l'aveuglait. Tout ce qu'elle distinguait, c'était un grand vide blanc sous ses yeux, là où une issue aurait dû se trouver. Les marches s'effritèrent sous ses pieds.

Puis, soudain, elle fonça à travers un passage, même si

le battant en lui-même n'avait été qu'un bref éclair flou et sombre. Devant elle, au-delà de l'ouverture, il n'y avait rien ni personne. Tout n'était que néant. Une faible lueur étincelait au loin, de plus en plus intense à chaque instant : quelqu'un courait à sa rencontre. La vision s'effaça.

Sophia retira ses doigts d'un geste sec et constata que Theo l'avait fait aussi.

– Alors ? demanda-t-elle.

– J'étais dans un lieu plein de monde, répondit Theo avec hésitation, visiblement secoué. Puis j'ai poussé quelque chose, l'endroit où j'étais a commencé à s'effondrer, et j'ai pris mes jambes à mon cou.

– J'ai vu la même chose.

Sophia s'aperçut qu'elle respirait comme si elle avait couru. Ils se fixèrent du regard. Sophia lut dans les yeux de Theo une détresse et un besoin de comprendre identiques aux siens.

– Tu crois qu'il s'est passé quoi ?

– Aucune idée, déclara lentement Theo. Je suppose que quelqu'un a détruit cet endroit, où qu'il soit. Mais je ne sais pas pourquoi.

– Je pense que quiconque a fait ça peut très bien avoir été le seul à y survivre, commenta Sophia. Et cette carte en est la mémoire.

– Mais où ça se trouve ? Et ça s'est passé quand ?

– C'est difficile à dire ; tout ce qu'on peut voir, ce sont les gens. Il n'y a aucun bâtiment ni paysage pour se repérer. (Elle secoua la tête.) Shadrack avait sûrement une bonne raison de me laisser cette plaque de verre. À moins que je ne sois pas censée la comprendre, mais juste veiller dessus.

– C'était pas super marrant, en tout cas, commenta Theo avec amertume.

– Non, c'était horrible.

Sophia souleva la carte avec soin. Tandis qu'elle la remettait dans la taie d'oreiller, un mouvement, en limite de son champ de vision, attira son attention. Elle leva la tête. À l'autre bout du wagon-restaurant, la porte était fermée, mais quelqu'un les surveillait à travers la vitre.

Sophia resta figée, les yeux rivés sur lui. L'inconnu au visage balafré qui s'était disputé devant leur compartiment la scrutait, bien en face. Il la fixa encore un moment, l'air menaçant, avant de faire demi-tour.

– Sortons d'ici, murmura Sophia en enfouissant la carte dans son sac.

– Qu'est-ce qui se passe ? demanda Theo avec un regard par-dessus son épaule.

– Il est là ! L'homme aux cicatrices. Il n'est pas descendu à New York.

Theo alla à la porte et jeta un coup d'œil à travers la vitre.

– Ne fais pas ça ! chuchota Sophia avec horreur.

Theo scruta le couloir de l'autre côté du battant.

– Il est parti.

Sophia remit son sac sur son épaule et ils se dirigèrent au pas de course vers le bout du wagon.

– Il nous a vus lire la carte, s'inquiéta soudain Sophia tandis qu'ils traversaient le train.

– Et alors ? Il ne peut pas savoir ce que c'est.

Elle secoua la tête.

– Impossible que ce soit une coïncidence.

Ils pénétrèrent dans leur voiture et Theo ouvrit la porte d'un compartiment, Sophia sur ses talons, si près qu'elle lui rentra dedans quand il pila. Une lampe solitaire jetait des ombres vacillantes sur les murs et le mobilier. Deux revolvers et un assortiment de couteaux parsemaient les sièges, luisant dans la lueur pâle du clair de lune. Un gros grappin aux pointes acérées étincelait à côté d'eux. Sophia réprima un cri. Theo fit demi-tour et la repoussa en arrière. Ils foncèrent dans le couloir pour retourner dans leur compartiment, une porte plus loin. Une fois à l'abri, ils retrouvèrent leur souffle.

– C'est lui ! Il est… juste à côté, parvint finalement à prononcer Sophia.

Articuler ces mots lui donna l'impression de vider le peu d'air qui restait dans ses poumons.

– Il faut demander au contrôleur à changer de voiture.

– Non, pas moyen. Ce gars discutait avec lui tout à l'heure. Et j'ai vu sa tête à ce moment-là : il était terrifié. Je suis sûre que c'est comme ça que cet homme a obtenu ce compartiment, murmura-t-elle avec désespoir.

Theo prit quelques instants pour réfléchir.

– On arrive à Charleston dans combien de temps, d'après toi ?

– Aucune idée. Je n'ai pas… je n'ai pas d'horloge interne, avoua-t-elle, la voix tremblante.

– C'est pas grave, lui dit Theo d'un ton rassurant, sans vraiment comprendre ce qu'elle voulait dire. (Puis il posa une main sur son épaule.) Écoute, s'il nous avait voulu du mal, il aurait pu entrer dans notre compartiment n'importe quand, non ? Ne serait-ce que dans le wagon-restaurant, il aurait très bien pu nous rentrer dans le lard. S'il ne l'a pas fait pour le moment, c'est certainement parce qu'il n'a pas l'intention de le faire.

Sophia hocha la tête et prit une profonde inspiration.

– Nous allons rester dans notre compartiment jusqu'à Charleston, décida-t-elle.

23 juin, 9 h 51

QUAND SOPHIA SE RÉVEILLA, il faisait grand jour. Comment avait-elle réussi à s'endormir ? L'idée que leur poursuivant lourdement armé les attendait dans le compartiment voisin les avait tous les deux paniqués et ils étaient restés éveillés jusqu'au petit matin, trop nerveux pour se coucher, discutant par intermittence et couvant la porte d'un œil d'aigle. À présent, Theo était recroquevillé sur la banquette, l'air de dormir à poings fermés malgré sa position inconfortable. Sophia consulta sa montre et vit avec surprise qu'il était presque 10 heures. Quand elle se leva, Theo se réveilla. Il se frotta les paupières et regarda par la fenêtre.

– Où sommes-nous ?

Un ciel couvert et une masse floue de feuillage, aussi loin que sa vue portait, ne lui apprirent rien.

– Je ne sais pas trop.

Theo grogna et se mit sur ses pieds le temps de s'étirer. Ses habits d'emprunt étaient tout froissés et ses yeux marron légèrement embrumés.

– On n'est pas morts. C'est déjà pas mal.

Sophia lui lança un regard sévère. Il sortit le panier de son rangement et commença à farfouiller dedans en quête d'un petit déjeuner.

– Après, on devra acheter à manger au wagon-restaurant.

– On attendra plutôt d'être à Charleston, le contredit Sophia. Si le train ne prend pas de retard, on y sera à l'heure du dîner.

Theo hocha la tête, mastiquant pensivement une bouchée de cake aux fruits. Sophia en grignota jusqu'à ce que son estomac refuse d'en contenir plus et fit descendre le tout avec un peu d'eau.

Son compagnon se mit debout un instant plus tard.

– Je dois faire un tour aux toilettes.

– Oui, moi aussi. J'imagine qu'on n'a pas le choix. Vas-y en premier, et sois prudent.

Après son départ, Sophia regarda les arbres défiler par la fenêtre, dans l'espoir que le train s'arrête à une gare dont elle pourrait lire le nom pour savoir où ils se trouvaient. Pendant qu'elle s'endormait, elle avait eu une idée qui, à présent, continuait à la tourmenter sans qu'elle parvienne pour autant à s'en souvenir. C'était comme si elle papillonnait à la lisière de son esprit, juste hors de portée. La jeune fille sortit son carnet à dessin et gribouilla sans réfléchir sur une page ; parfois, cela l'aidait à faire ressurgir des choses. Lorsque le train ralentit, Sophia guetta la pancarte sur la plateforme. Elle consulta la grille d'horaires et constata avec soulagement qu'ils étaient pile à l'heure.

Les arbres le long des voies se balançaient dans le vent et, soudain, une hirondelle passa devant la fenêtre, avant de faire demi-tour et de se percher sur le rebord. Elle tourna la tête d'un côté, puis de l'autre, comme si elle inspectait le compartiment. Sophia tendit lentement la main vers son carnet. Elle l'ouvrit doucement, prit un crayon et se mit à dessiner l'oiseau. Tandis que ses doigts couraient sur la feuille, elle perdit la notion du temps. L'hirondelle l'étudiait. Elle sautilla avec légèreté sur le bord de la fenêtre, puis s'envola brièvement pour se poser sur le siège à côté de Sophia. Puis elle attrapa une miette dans son bec et retourna sur son perchoir d'origine. Ce n'est que lorsque le silence fut brisé par la sonnerie du train et que celui-ci fit un à-coup que l'oiseau repartit et disparut. Sophia le chercha du regard avec regret avant de reporter son attention sur son dessin. Et soudain, l'idée qui lui avait échappé depuis tout à l'heure surgit dans son esprit.

Elle lisait son atlas sur la couchette du haut lorsque Theo revint. Il n'était pas seul. L'air furieux, il rentra à grands pas dans le compartiment, suivi par quatre hommes : celui au visage balafré qu'ils avaient vu dans le wagon-restaurant, la veille au soir, et trois autres. Deux de ses compagnons arboraient des cicatrices identiques. Quand ils pénétrèrent à l'intérieur, Sophia remarqua des amulettes à leur cou. Deux en bois, accrochées à des lacets de cuir, et la troisième en bronze, sur une petite chaîne du même métal. Elles étaient gravées au motif de la main ouverte des nihilismiens. Des grappins pendaient à la ceinture des trois hommes balafrés, leurs longues cordes enroulées avec soin. Le quatrième, grand et bien habillé, ne possédait ni arme ni cicatrice. Un sourire calme étirait sa fine moustache. Il portait un costume gris qui semblait plus taillé pour un mariage estival que pour un braquage dans un train ; en fait, il n'avait pas du tout l'air à sa place dans cet endroit. Ses yeux bleu pâle se posèrent sur Sophia.

Tandis que Theo et les trois autres, le visage de pierre, se serraient le long des rideaux tirés, leur compagnon s'assit avec une expression de nonchalance amusée sur les traits. Sophia eut l'impression que la pièce rétrécissait soudain, comme s'ils s'étaient entassés dans un placard.

– Alors, entama son visiteur anonyme avec un grand sourire, sans montrer ses dents. Tu restes plus confinée dans ton refuge qu'une princesse dans sa tour.

Sophia le scruta avec froideur.

– Je ne suis pas une princesse.

Elle fut heureuse de constater que son ton était calme, ne trahissant rien des crispations de son estomac.

L'homme éclata de rire, comme s'il trouvait qu'elle avait fait une bonne plaisanterie.

– Non, ce n'est de toute évidence pas le cas, Mlle Tims.

– Vous savez qui je suis. Et vous, qui êtes-vous ?

– Tu peux m'appeler Montaigne. (Il croisa les bras, l'air parfaitement à l'aise.) Tu n'es peut-être pas une princesse, mais on m'a raconté que tu possédais un trésor digne d'une reine.

– J'en doute, répondit-elle sur le même ton.

Montaigne pencha la tête sur le côté.

– Allons, jeune fille, tu sais très bien que ce n'est pas une banale plaque de verre. (Il désigna l'homme le plus proche de lui.) Mortifié, que voici, l'a vue à l'œuvre. Elle réagit au clair de lune, c'est bien ça ? Très astucieux. (Il adressa un clin d'œil à Sophia.) J'ai conscience que cet objet a beaucoup de valeur, aussi suis-je disposé à te l'acheter. Tu n'as qu'à donner ton prix.

Sophia secoua la tête.

– Il n'est pas à vendre.

– Dans le Nouvel Occident, dit Montaigne en haussant les sourcils, tout est à vendre. (Il fouilla dans une poche intérieure de sa veste et en tira un grand portefeuille en cuir.) Tu n'as qu'à proposer un chiffre.

– Inutile de vous répéter, je refuse de le vendre.

Montaigne cessa de sourire. Il se redressa et leva une main à sa tempe en signe de réflexion.

– Eh bien, voici mon problème, Sophia. À nous quatre, nous avons six revolvers. Ce qui fait trois armes pour chacun de vous deux. Je trouve ça plutôt généreux, comme répartition. Ce à quoi il faut ajouter que tu n'es visiblement pas au fait des méthodes des hommes de sable. Pour ton propre confort, j'espère que tu n'auras jamais à t'y familiariser. Vois-tu, ces gros hameçons à leur ceinture finissent toujours par attraper les petits poissons, quelle que soit leur habileté à fuir. (Il se tapota une joue d'un index malicieux.) Mais je n'ai jamais aimé obtenir les choses par la force. C'est aussi méprisable que désagréable. (Il s'interrompit un instant pour soulever d'un doigt l'extrémité du grappin le plus proche de lui.) Et souvent très salissant.

Il se dirigea vers la couchette de sorte que son visage se retrouve au niveau des genoux de Sophia. Celle-ci s'éloigna le plus possible de lui.

– Je préférerais de loin que nous trouvions un arrangement qui nous convienne à tous les deux. Si l'argent ne t'intéresse pas, peut-être accepteras-tu un échange. Est-ce qu'un peu de marchandage te tenterait ?

– Tout dépend de ce que vous me proposez, répondit Sophia.

Montaigne rafficha son expression amicale.

– À peu près tout et n'importe quoi. Qu'est-ce qui te motiverait ?

– Shadrack. Je vous donne le verre si vous me rendez Shadrack.

Le sourire de Montaigne s'élargit.

– Quelle surprise ! J'avais parié que tu dirais ça ! Heureusement que j'ai pris mes dispositions ! (Il fourragea de nouveau dans son manteau en quête de son portefeuille et en tira un petit bout de papier.) Je crains fort que Mr Elli ne soit à une éternité de nous, expliqua Montaigne, et je ne pourrais pas l'échanger même si je le voulais. Mais peut-être que ceci t'intéressera.

Sans laisser Sophia voir ce qu'il y avait dessus, Montaigne le déchira proprement en deux. Il tendit la partie supérieure à la jeune fille, qui la lui arracha aussitôt des mains.

C'était un message :

chère sophia,

Nul doute n'était possible, c'était l'écriture de Shadrack.

– Donnez-moi le reste ! s'exclama-t-elle.

– Allons, allons, reprit Montaigne. Comme je te l'ai dit, je suis disposé à négocier. Tu auras l'autre moitié quand tu me remettras la carte traçante.

Sophia ne répondit pas. Le train ralentissait. Ils s'approchaient de toute évidence d'une gare. Le véhicule fit une embardée sur le côté et Sophia jeta un regard au bout de papier déchiré qu'elle tenait. Elle voulait la suite du message. Plus que tout au monde, elle brûlait de savoir si Shadrack allait bien.

– Très bien, dit-elle.

– Sophia ! protesta Theo. Ne lui donne pas la carte ! Force-le à la prendre de force, s'il la veut à ce point !

Sophia le scruta un instant et secoua la tête. Montaigne fit un signe approbateur et sourit.

– C'est bien. Tu es une fille intelligente.

– Donnez-moi la lettre.

– Le verre en premier, je te prie.

Sophia attrapa son sac et en tira la taie d'oreiller. Elle sortit la plaque transparente qui se trouvait à l'intérieur et la tendit à Montaigne. Ce dernier la prit, la leva dans sa main gantée et examina sa surface luisante.

– Très astucieux… (Il se tourna vers ses compagnons.) Parfait, nous en avons fini ici.

– La lettre ! s'écria Sophia, qui se tortilla jusqu'au bord de sa couchette.

– Ne paniquez pas, miss Tims, je tiens toujours parole, lâcha Montaigne avec désinvolture en laissant tomber la seconde moitié de la feuille sur la banquette.

Sophia la rattrapa au vol et, tandis que le train s'arrêtait et que les hommes commençaient à sortir l'un après l'autre du compartiment, elle lut l'intégralité du message de son oncle.

> *iLs ont dit quE tout ce qu'iLs m'Autorisaient à CoucHer suR ce papIer, c'était ton noM.*
>
> *shAdrack*

– Attendez ! les appela Sophia. Qu'est-ce que c'est que ça ? (Elle sauta de sa couchette.) Vous l'avez forcé à écrire ce message, ça ne signifie rien !

Montaigne lui adressa un nouveau clin d'œil.

– Je n'ai jamais prétendu que cela valait la peine d'être lu. Ça ne faisait pas partie du marché.

Sophia le saisit par le coude.

– Où est-il ? demanda-t-elle, la voix tremblante. Dites-moi qu'il va bien.

Montaigne libéra calmement son bras des mains de la jeune fille.

– Le sort de Shadrack ne te concerne plus, à présent, gamine, asséna-t-il froidement, toute trace d'amusement effacée de ses traits. Tu ferais bien de garder ça en tête.

La porte se referma derrière lui.

13
La Frontière de l'Ouest

23 juin 1891, 11 h 36

Nouvel Akan (le) : membre du Nouvel Occident depuis 1810. Après le Bouleversement, la révolte en Haïti a initié de nombreux soulèvements similaires à travers l'intégralité des territoires esclavagistes. Les émeutes dans les anciennes colonies sudistes de l'Empire britannique ont culminé en une seconde révolution qui, après huit ans de combats sporadiques, a mis fin à l'esclavage et rendu possible la formation d'une grande nation que les meneurs de la rébellion nommèrent « le Nouvel Akan ».

Extrait de Atlas du Nouveau Monde,
par Shadrack Elli.

SOPHIA SE PRÉCIPITA à la fenêtre. Montaigne et ses compagnons étaient descendus sur le quai. Maintenant, ils avaient ce qu'ils voulaient.

– C'est lui, Sophia, lui dit Theo. Montaigne. Je l'ai vu devant ta maison.

Sophia ne lui donna pas l'impression de l'avoir entendu.

– On devrait arriver à Charleston à l'heure du dîner. Mais je ne sais pas s'il fera nuit au moment où nous partirons.

Theo la regarda comme si elle avait perdu l'esprit.

– Je dois vérifier, reprit-elle en se ruant sur la feuille qu'elle avait posée sur son siège. Notre train pour le Nouvel Akan quitte Charleston à 17 heures. Nous arriverons à un peu moins de 16 heures, ce qui nous laissera environ une heure pour notre correspondance. (Elle s'assit, l'air frustré.) Ce sera juste.

– Ce n'est pas que j'en aie envie, mais… tu ne préfères pas les suivre ? émit Theo avec circonspection. Ils pourraient nous mener à ton oncle et on aurait au moins une chance de récupérer la carte.

Sophia secoua la tête.

– Non. Je ne veux pas me retrouver nez à nez avec eux quand la nuit tombera.

Un coup de sifflet retentit et le train démarra en cahotant.

– De toute façon, c'est trop tard, commenta Theo.

Il lança un regard par la fenêtre avant de tomber brusquement en avant avec un cri. Il ferma, puis rouvrit le battant. La vitre aurait dû être insérée dans une menuiserie métallique pas plus large qu'une feuille de papier qu'un petit loquet bloquait. Or, le cadre était vide ; le verre avait disparu.

– Sophia, dit-il lorsque la vérité lui apparut lentement, tu leur as donné la… la fenêtre ?

Sophia hocha la tête.

– J'ai eu cette idée quand tu es allé aux toilettes. J'ai mis la vitre dans la taie d'oreiller, et la carte dans mon carnet à dessin. (Elle se mordit la lèvre.) Mais dès que la nuit tombera et qu'ils regarderont leur trophée à la lumière de la lune, ils découvriront la supercherie.

Theo haussa les sourcils avant de se vautrer sur le siège à côté d'elle.

– Pas mal, marmonna-t-il dans sa barbe.

– Avec un peu de chance, ils seront trop loin de Charleston à ce moment-là, reprit Sophia. Puisqu'ils sont descendus ici. Ils peuvent aussi bien rester sur place qu'aller vers le nord. Je ne pense pas qu'ils soient en route pour Charleston, donc, nous avons une certaine marge de manœuvre ; enfin, tout dépend de l'endroit où ils seront quand la lune se lèvera.

Theo la considéra avec admiration.

– C'était sacrément culotté de ta part.

– Oui, je sais, admit-elle sans enthousiasme.

À présent que Montaigne et ses sbires n'étaient plus là, elle commençait à réaliser ce qu'elle avait fait. Elle serra très fort ses mains, qui tremblaient.

– Ils risquent de ne pas être très contents, quand ils s'en apercevront.

– Ça, c'est sûr, dit Theo en s'adossant à son siège. En tout cas, on ne peut rien faire tant qu'on n'est pas à Charleston. Et au moins, maintenant, on a le train pour nous deux.

Sophia acquiesça, sans ressentir le moindre soulagement. Elle repensait aux grappins des hommes de sable et s'efforçait de ne pas imaginer de quelle façon ils pouvaient s'en servir. Un frisson lui échappa.

16 h 02 : Charleston

ILS PASSÈRENT LA JOURNÉE à redouter l'arrivée du crépuscule. Le train s'arrêta à Charleston peu après 16 heures, finalement. Ils déchargèrent leurs bagages et prirent le temps de grignoter des sandwichs de rôti froid et au fromage dans l'espace bruissant d'activité en attendant leur correspondance pour le Nouvel Akan. Sophia avait écrit une lettre à l'attention de Mrs Clay, qu'elle posta en toute hâte. Les dernières lueurs du jour filtraient à travers les hautes fenêtres. Des pigeons emplissaient la grande voûte du plafond, les coups de sifflet lancés par les locomotives interrompant parfois leur roucoulement permanent.

Sophia ne remarqua pas le moindre signe de la présence de Montaigne ni de ses sbires balafrés.

Il y avait des hommes d'affaires solitaires et des familles nombreuses. Un petit groupe de nonnes, reconnaissables à leur habit, patientait dans l'atrium de la gare. Le train à destination du Nouvel Akan était complet et, tandis que Theo et Sophia attendaient sur le quai, ils comprirent pourquoi : un long cordon de policiers encadrait une foule d'étrangers qui, sans exception, devraient embarquer à bord.

Sophia fut frappée par l'air misérable de ces voyageurs forcés. Certains semblaient indignés ou furieux. Mais la plupart d'entre eux étaient simplement désespérés, comme ce couple à l'expression résignée dont le petit garçon ne cessait de pleurer doucement, agrippé à la jupe d'une vieille femme à côté de lui. Entre deux sanglots, il la suppliait avec des « ne pars pas, grand-maman ». Elle plaça une main tremblante sur la tête de son petit-fils et essuya ses propres larmes. Ce spectacle désolant détourna l'attention de Sophia des ténèbres qui approchaient et de la menace qui les accompagnerait peut-être.

– Tout le monde à bord ! héla le conducteur.

Les passagers commencèrent à monter l'un après l'autre. Sophia suivit Theo jusqu'à la dernière voiture, traînant sa valise derrière elle.

Une fois qu'ils eurent trouvé leur compartiment et que le bagage de Sophia fut rangé, celle-ci inspecta le quai du regard. Le *Transgolfe* était assez ancien, avec des sièges en cuir bosselé et des lampes qui n'éclairaient pas grand-chose. Il fallut plusieurs minutes pour que tout le monde soit installé, mais à 17 heures, le conducteur lança un coup de sifflet.

Sophia en soupira de soulagement.

– Je suis contente qu'on soit en été et que le soleil se couche si tard, fit-elle en contemplant le croissant pâle qui brillait dans le ciel.

Ils se mirent plus à l'aise et Sophia ouvrit son sac pour se distraire. Elle plaça la carte de verre près de la fenêtre, mais rien ne se produisit ; le clair de lune n'était pas encore assez vif. Alors qu'elle rangeait la plaque transparente dans son carnet, elle remarqua les deux morceaux du message de Shadrack. Finalement, la consolation d'avoir berné Montaigne était bien maigre, songea-t-elle avec abattement, puisque ce dernier avait également réussi à la duper. Il avait visiblement forcé Shadrack à écrire cette note dans le seul but de la tromper.

Mais plus Sophia relisait la phrase, plus quelque chose d'étrange la perturbait. La plume de son oncle était aussi nette et précise que d'habitude, mais son style était interrompu, par endroits, par des majuscules bizarrement placées.

chère sophia,
iLs ont dit quE tout ce qu'iLs m'Autorisaient à CoucHer suR ce papIer, c'était ton noM.

shAdrack

Elle recopia les capitales une par une dans son carnet et poussa un cri.

– Theo, regarde ! s'exclama-t-elle.

Au bout d'un moment à scruter le papier, son visage s'éclaira.

– Le lachrima, murmura-t-il. Fais-moi voir ça… (Il relut le message.) Mais pourquoi aurait-il écrit ça ?

– Aucune idée.

– Tu penses que c'est un avertissement à leur sujet ?

Sophia plissa le front.

– Peut-être. Mais ça me paraît bizarre. Pourquoi me mettre en garde contre une créature dont tout le monde a peur ?

– Mais il ne sait pas que tu es au courant de son existence.

– C'est vrai, même si j'ai surpris une conversation entre Mrs Clay et lui, le jour où elle lui a raconté ce qui lui était arrivé. Cela me semble toujours étrange. (Elle reprit le message.) Theo, qu'est-ce que tu sais d'autre, à leur propos ?

– Je peux te répéter ce que j'ai entendu, déclara-t-il d'une voix plus énergique. (Le sujet le passionnait visiblement.) Comme je te l'ai déjà dit, je n'en ai jamais vu, mais on en trouve beaucoup près des frontières. En général, ils se cachent ; ils essaient de rester à l'écart des gens.

– D'après toi, pourquoi il y en a autant, dans ces régions ? l'interrogea Sophia.

– Je ne sais pas.

– Peut-être que quelque chose aux frontières les attire.

– Possible, concéda-t-il d'un ton signifiant qu'il était tout sauf convaincu.

– Tu en as déjà entendu un ?

– Difficile à dire. Parfois, quand les gens entendent des

sanglots, ils prétendent que c'est un lachrima, juste parce qu'ils ont peur que c'en soit réellement un. Ça m'est arrivé aussi et je me suis posé la question, mais on raconte que le son produit par un lachrima est différent ; bien pire que des pleurs humains. Comme si on ne pouvait le chasser de son esprit.

– Pauvre Mrs Clay, murmura Sophia.

– Un jour, un marchand m'a dit qu'il en avait croisé un, dans sa propre maison, reprit Theo avec enthousiasme. Il était parti en voyage durant une semaine, et à son retour, avant même d'avoir atteint la porte, il l'a entendu. Il est entré à l'intérieur sans faire de bruit, et il a découvert un individu grand et mince, avec des cheveux très, très longs, qui errait de pièce en pièce comme un ouragan, arrachait les tableaux des murs et saccageait tout. Puis la chose a brusquement fait demi-tour vers lui et l'a regardé de son visage sans traits. Le marchand a aussitôt pris la fuite et n'est jamais revenu là-bas.

– Shadrack doit savoir quelque chose à leur sujet.

Le lachrima, la carte de verre, Montaigne, les nihilismiens, se dit Sophia. *Quel est le rapport entre tout ça ?*

– Montaigne a dit qu'il voulait ma « carte traçante ». Je me demande ce que ça signifie…

– Peut-être que c'est juste un terme différent pour « carte de verre » ?

– C'est possible, supposa Sophia, avant de penser à un autre sujet. Tu sais quelque chose à propos de ces gens qu'il a appelés les « hommes de sable » ?

Theo secoua la tête.

– C'était la première fois que j'entendais ça.

– C'étaient des nihilismiens.

– Comment tu le sais ?

– Leurs amulettes, expliqua Sophia avec surprise. Le dessin avec la main ouverte.

Theo haussa les épaules.

– On m'a déjà parlé des nihilismiens, mais je n'en ai jamais rencontré. On n'en croise pas beaucoup, dans les Terres rases.

– Dans le Nouvel Occident, ils sont partout. Ils croient que notre univers n'est pas réel. Ils se servent des *Chroniques* d'Amitto pour prouver que le vrai monde a été perdu à l'époque du Bouleversement et que celui-ci ne devrait pas exister. La main ouverte représente le prophète Amitto, elle signifie « lâcher prise ».

– Et tu ne les as jamais entendus être surnommés « hommes de sable » ?

– Jamais. Ils doivent avoir quelque chose de différent. Mais je ne sais pas quoi…

Sa voix s'éteignit tandis que son esprit s'affairait à relier les éléments. Qu'avait donc dit Shadrack, tout récemment, à propos des nihilismiens ? Elle n'arrivait pas à s'en souvenir. Il avait mentionné quelque chose, en rapport avec des cartes.

Je l'ai peut-être écrit dans mon carnet, songea-t-elle.

Mais ce dernier ne contenait pas le moindre indice.

Tandis que le train fonçait vers l'ouest, le ciel s'assombrit et une lune jaunâtre émergea des arbres, très basse sur l'horizon. Theo escalada sa couchette pour dormir et Sophia resta assise pour contempler le paysage qui défilait, se sentant tout sauf somnolente. Les collines aux sommets couronnés de pins cédèrent la place à des plaines parsemées de fermes. À chaque halte dans une des petites gares rurales de la Frontière, elle était persuadée que Montaigne et ses hommes allaient monter à bord, mais chaque fois il s'agissait de voyageurs hagards, inquiets, en route vers la frontière. Pour le moment, Sophia et Theo étaient tirés d'affaire.

24 juin, 1 h 18

IL ÉTAIT PLUS d'une heure du matin quand le train franchit la frontière entre la Caroline du Sud et la Géorgie. Sophia ouvrit son carnet de notes. Sur le papier, des hommes couverts de cicatrices, une créature menaçante et sans visage, dotée de longs cheveux, et une petite hirondelle prirent vie. Cora Cadran était assise, recroquevillée sur elle-même, dans un coin, les sourcils froncés, réfléchissant à tout ça. Sophia garda les yeux rivés sur son dessin durant une éternité. Il y avait un mystère à élucider, là ; un puzzle qu'elle devait résoudre. Elle traça une ligne autour du lachrima, comme une frontière. Son esprit moulinait avec lassitude sur ses croquis comme les roues du train.

Quand elle tourna la page, elle s'absorba dans une énigme plus facile à décrypter. Elle écrivit : « *Où T. a-t-il appris à écrire ? En quels autres endroits des Terres rases a-t-il voyagé ?* » Elle leva les yeux sur la couchette au-dessus d'elle, où l'intéressé dormait sans faire de bruit. « *Et pourquoi Sue ne s'occupe-t-elle plus de lui ?* » Bien que beaucoup plus prosaïque, l'énigme que Theo représentait lui échappa également et, au bout d'un moment, Sophia referma son carnet avec un soupir.

Ils traversaient la Géorgie. À chaque halte, le coup de sifflet du contrôleur brisait le silence nocturne. Le train entra dans le Nouvel Akan à 5 heures du matin. Le soleil avait commencé à éclaircir le bas de l'horizon, mais le ciel au-dessus était toujours constellé d'étoiles. Les plaines cultivées s'étendaient comme des eaux calmes de chaque côté de la voie ferrée. Lorsqu'ils s'arrêtèrent dans la première gare du pays, Sophia se pencha à la fenêtre. L'air était humide et sentait la terre. Sur le quai, à côté du chef de gare, se tenaient seulement une femme et ses deux jeunes enfants. Les trois passagers montèrent à bord, mais le train s'éternisa quelques minutes de plus. Deux contrôleurs descendirent se dégourdir les jambes sur la plateforme. Ils serrèrent la main de leur collègue.

– Bill, ça alors ! Je ne m'attendais pas à te croiser ici. Je pensais que les moustiques t'avaient dévoré.

– S'ils s'approchent de moi, ils ont de bonnes chances de se noyer tellement je transpire, répondit le chef de gare en s'essuyant le front. Je n'ai jamais vu un mois de juin aussi humide.

– Ma chemise est toute propre, mais j'ai l'impression de la porter depuis deux jours, se plaignit l'un des autres en s'éventant à l'aide des revers de sa veste d'uniforme.

Puis la sonnerie retentit et ils remontèrent à bord. Le train redémarra. Sophia distingua la lueur rose de l'aube, qui s'élevait derrière le quai.

Ils continuèrent leur progression à travers le Nouvel Akan pendant encore une demi-heure. Le ciel commençait à s'éclaircir de façon très nette quand ils s'arrêtèrent soudain après une embardée, en pleine campagne. Sophia regarda partout, mais ils étaient au milieu de nulle part. Vers l'avant, elle crut reconnaître un troupeau de chevaux. Elle se pencha davantage pour mieux voir, le ventre pressé contre l'appui de la fenêtre ; en réalité, il s'agissait de l'attelage d'un véhicule baigné dans la lumière grise de l'aube. Plusieurs personnes en descendaient au même moment, à côté de la voie, et grimpaient dans le train. Deux, trois, quatre individus.

Les hommes de sable les avaient rattrapés.

Sophia replongea dans le compartiment.

– Theo ! Ils sont là ! Ils sont en train de monter à bord ! Lève-toi, enfin !

– Hein ? Quoi ? marmonna-t-il depuis la couchette du haut.

– Réveille-toi ! hurla quasiment Sophia. On doit partir ! Tout de suite !

Elle fourra son carnet dans son sac qu'elle passa sur son épaule, et attacha les sangles supplémentaires à sa taille. Tandis qu'elle mettait ses chaussures, le train redémarra.

– Oh non ! C'est trop tard !

Theo, ébouriffé, mais bien éveillé, nouait déjà ses lacets.

– Où sommes-nous ?

– Quelque part dans le Nouvel Akan. Quatre hommes viennent juste de monter dans le train. Nous sommes en pleine campagne.

Le cœur de Sophia battait à tout rompre, mais son esprit était calme. Toute la nuit, elle s'était préparée à l'éventualité de cette situation. À présent qu'elle se produisait, c'était presque un soulagement. Elle ouvrit la porte et inspecta le couloir. Personne en vue.

– Tu veux qu'on se cache ? chuchota Theo.

– On va sauter en marche, plutôt.

Theo sur les talons, elle fonça jusqu'au dernier wagon et en sortit pour se poster sur l'étroite passerelle métallique à l'arrière. La voie se déroulait derrière eux, s'estompant dans le ciel rougeoyant de l'aube, tandis que le train continuait à accélérer. Le vent déferlait en rafales sur les flancs de la plate-forme, créant une dangereuse aspiration, et les roues cliquetaient contre les rails en un staccato de plus en plus rapide.

– Tu es sûre de vouloir faire ça ? glissa Theo à l'oreille de Sophia, par-dessus le bruit. Je ne suis pas expert, mais on a déjà pris pas mal de vitesse et…

– Si on ne saute pas, ils vont nous trouver. On doit le faire maintenant, avant qu'ils ne remarquent que nous avons filé.

Sophia s'avança jusqu'à l'extrémité de la plateforme. Soudain, Theo agrippa son bras.

– Attends une seconde, brailla-t-il en désignant l'échelle étroite qui montait sur le toit de la voiture. Et si on grimpait là-haut ? Ils croiront qu'on a sauté. On pourra les surveiller et on saura quand ils partiront.

Sophia hésita. Durant un instant, elle scruta le sol caillouteux qui filait en un flou rapide entre les rails, puis elle leva les yeux vers les barreaux.

– D'accord, hurla-t-elle. Je passe en premier.

Elle escalada prestement la rambarde et se suspendit dans le vide jusqu'à saisir l'échelle. Le vent la malmena, mais elle s'agrippa de toutes ses forces et progressa sans difficulté. Une fois au sommet, elle s'allongea sur le ventre et se colla à la surface métallique.

Un instant plus tard, Theo la rejoignait. Ils avancèrent avec prudence, attentifs à chaque vibration et trépidation sous eux, à quatre pattes, jusqu'au milieu du wagon avant de s'aplatir de nouveau contre le toit.

– Ça devrait aller, hurla Theo par-dessus le vent. Maintenant, on n'a plus qu'à attendre.

Dans sa tête, Sophia suppliait les Parques.

Je vous en prie, aidez-nous à leur échapper…

Durant plusieurs minutes, ils ne prononcèrent plus un mot, se contentant d'écouter le grincement des roues sur les rails. Le toit était dur contre les côtes de Sophia et elle plaquait désespérément les mains dessus, avec l'impression horrible qu'il suffirait d'un à-coup un peu plus brusque pour qu'elle soit projetée dans le vide.

Puis le son qu'elle avait redouté retentit : la porte arrière du wagon se referma en claquant. Quelqu'un venait d'arriver sur le balcon. Un instant plus tard, elle entendit le martèlement de bottes sur le sol métallique.

– Ils sont sur le toit !

Theo se raidit.

– Il faut partir. (Il se leva, enjamba Sophia et tendit la main vers elle.) Allez, viens !

Elle se remit debout et tenta de retrouver son équilibre. Theo la lâcha et commença à avancer en direction de la voiture suivante.

Sophia fit quelques pas en avant, puis se figea brusquement. Elle pivota pour jeter un regard par-dessus son épaule et manqua tomber : Mortifié grimpait sur le toit.

– Cours ! hurla-t-elle à Theo. Ne t'arrête pas !

Theo était arrivé au bout du wagon et, d'un saut agile, il bondit sur le suivant. Même si l'écart entre les voitures faisait moins d'un mètre, Sophia se sentit frémir à l'idée de se retrouver dans le vide au-dessus d'un train en mouvement. Elle jeta un nouveau coup d'œil en arrière ; Mortifié avait déjà réduit de moitié la distance entre eux et, malgré les embardées du train lancé à pleine vitesse, déroulait la corde accrochée à son grappin. Sophia s'accroupit, les genoux tremblants, avant de sauter.

Vole, Sophia ! Vole !

Deux voix lointaines lui parvinrent ; le souvenir de ses parents, qui la soulevaient du sol. Et l'espace d'un instant, elle se retrouva effectivement à voler, ou à flotter, portée en l'air par le vent. Elle regarda vers le bas et vit les rails, deux longues traînées noires sur fond gris, puis ses pieds touchèrent l'autre toit, comme si les deux mains qui l'avaient hissée venaient de la reposer en douceur, saine et sauve.

Elle traversa le deuxième wagon aussi vite qu'elle pouvait malgré les cahots. Le train bougeait sous elle à chaque enjambée, et chaque pas menaçait de la faire basculer sur le côté. Elle gardait les bras écartés au maximum pour ne pas perdre l'équilibre. Mortifié avait franchi l'espace entre les deux voitures précédentes et se rapprochait peu à peu. Il finit de préparer son grappin et le prit avec habileté dans sa main droite, prêt à le lancer.

L'un après l'autre, Theo et Sophia bondirent sur le troisième wagon. Le choc métallique de l'arme contre le toit résonna lourdement par-dessus le hurlement du vent. Le crochet avait heurté l'angle arrière du compartiment et Mortifié le ramenait à lui comme une ligne de pêche.

– On doit sauter ! cria Theo.

– Non, attends ! répondit Sophia. Regarde !

En face d'eux, un train était arrêté sur une voie parallèle toute proche pour permettre au leur de passer. Dans quelques secondes, ils le croiseraient.

– Génial ! beugla Theo. On va à l'avant !

Il s'élança et Sophia se remit à courir à toute vitesse, les bras volant à ses côtés, sans plus se soucier d'où ses pieds se posaient. Elle gardait le regard rivé sur la locomotive et traversa trois wagons, puis un quatrième, puis un cinquième. Ils étaient presque au bout. L'autre train se rapprochait comme s'il les attendait.

– C'est parti ! hurla Theo. On y va !

Enfin, ils arrivèrent à son niveau. Une rafale secoua la voiture. Theo retrouva son équilibre sans difficulté ; puis il prit son élan et sauta. Sophia vérifia derrière elle. Il ne lui restait que quelques secondes. Elle vit Mortifié, sur le wagon précédent, lancer son grappin. L'arme vicieuse sembla suspendue dans l'air, forme tourbillonnante qui reflétait les premiers rayons du soleil. Le brillant croissant d'argent grossit, tournoyant vers elle, ses pointes aiguisées étincelant dans leur mouvement.

Sophia se força à revenir au présent.

Ce n'est pas le moment de perdre la notion du temps ! se morigénat-elle avec hargne.

Elle lança toutes ses forces dans sa course et fonça vers le bout de la locomotive. Et sauta. Un instant plus tard, une surface dure heurta violemment son visage, son dos, ses genoux. Elle roulait. Vite. Comme une boule de billard sur le tapis. Elle chercha désespérément à s'agripper à quelque chose sans y parvenir et, soudain, le rebord s'éleva devant ses yeux. D'un seul coup, quelque chose s'écrasa en travers de ses jambes et la plaqua sur le toit. Elle ouvrit les paupières. Sa tête pendait dans le vide au-delà de la voiture, mais elle était sauvée. Theo s'était jeté sur elle et son poids la maintenait en place.

Elle se remit debout pile au moment où le train redémarrait

en cahotant, pour repartir vers l'est. Celui qu'ils avaient quitté était déjà loin.

– Où est-il ? s'exclama-t-elle. Il nous a suivis ?

– Il n'a pas eu le temps de sauter.

Theo dut hausser le ton pour se faire entendre par-dessus le bruit croissant. À sa grande surprise, Sophia vit qu'il lui souriait avec une expression de vive admiration.

– C'était totalement dément, mais ça a marché.

– Quoi donc ?

– D'attendre la dernière seconde pour qu'il ne puisse pas sauter après toi !

Il désigna l'autre extrémité du toit. Le grappin de Mortifié pendait à l'échelle comme un cerf-volant déchiré à sa corde.

– C'est vrai.

Sophia inspira à fond. Le train continuait à prendre de la vitesse.

– Il faut descendre.

– D'accord, mais au prochain arrêt, hurla Theo.

Ils restèrent allongés là sur des kilomètres et des kilomètres, à contempler le paysage qui défilait. Le soleil d'une lumière jaune baignait les champs autour d'eux, faisant naître des nappes de brouillard issu de l'air humide. Le métal frottait douloureusement contre la poitrine de Sophia ; la gare lui paraissait se trouver à l'autre bout du monde.

Enfin, le train commença à ralentir. Il longea la plate-forme qu'ils avaient dépassée en sens inverse à l'aube. La pancarte en bois qui se balançait au-dessus de la porte du bâtiment annonçait ROUNDHILL. Sophia et Theo rampèrent jusqu'au bout de leur voiture et descendirent du toit.

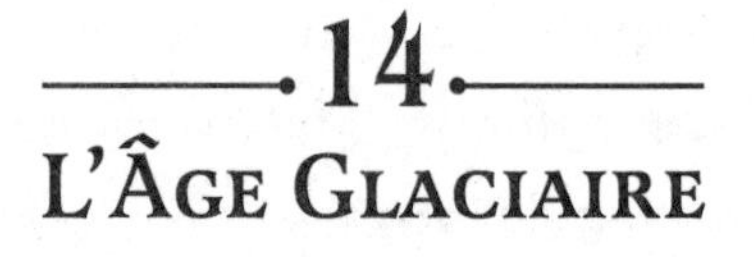

14
L'ÂGE GLACIAIRE

23 juin 1891 : l'enlèvement de Shadrack (jour 3)

> *Suite au Bouleversement et dans le sillage du chaos politique qui en a résulté, le Parti de la Défense s'est finalement avéré plus stable et durable que la plupart des autres. Basé sur les principes expliqués par Mary Wollstonecraft dans son manifeste* Défense des droits de la femme, *ce mouvement a lutté avec agressivité – et avec succès – pour l'égalité entre les sexes. Sans le cataclysme qui nous a frappés, ce parti aurait peut-être rencontré plus de résistance, mais grâce au désordre mondial, il s'est approprié certains territoires qui n'ont jamais, depuis, été contestés. Après avoir obtenu le droit de vote, les femmes n'ont pas tardé à se retrouver au Parlement, à la tête de manufactures d'importance, à la direction d'universités et à d'autres sièges du pouvoir.*
>
> *Extrait de* Atlas du Nouvel Occident,
> *par Shadrack Elli.*

SHADRACK AVAIT TRÈS peu dormi au cours de ses nuits de captivité. Même si ses ravisseurs lui avaient fourni de l'eau et un peu de nourriture, il ne se souvenait que de la « muselière ». Ce bois humide, imprégné de la peur de ses précédentes victimes, lui laissait un arrière-goût atroce que rien ne parvenait à chasser. Pour le moment, son visage n'avait pas été entaillé par les fils métalliques, mais il ne voulait pas tenter le sort à nouveau. Il avait de bonnes raisons de croire que, dans le manoir de Blanca, cet instrument de torture n'était qu'une horreur parmi d'autres.

Ils l'avaient transféré de la chapelle dans une petite pièce au sommet d'une haute tourelle. Sa chambre, qui avait autrefois dû être utilisée comme placard, ne contenait qu'une vasque et une couverture en lambeaux. Une meurtrière, pas plus large qu'un poignet, lui permettait de contempler la cour circulaire près de l'entrée. Il s'en servait également pour conserver son emprise sur le temps et se débarrasser de l'influence glaçante des murs de pierre et de sa conversation avec Blanca.

Cette femme avait réduit Carlton à une enveloppe vide. De quelle façon exactement, Shadrack l'ignorait, mais il lui semblait évident que Blanca n'en éprouvait pas le moindre remords et qu'elle lui ferait subir le même sort sans hésiter. Néanmoins, il savait qu'il ne l'aiderait jamais à trouver la *carta mayor*. Malgré la tristesse qu'il ressentait pour Carlton, il s'efforçait de résoudre le problème qui se posait à lui : comment empêcher Blanca de réussir. Quel qu'en soit le prix.

Cette question épineuse le tenait éveillé chaque nuit. Mais il ne parvenait pas à se concentrer : le manoir regorgeait de sons étranges. Parfois, il percevait une sorte de roucoulement, ou des pleurs, faibles et éthérés, qui surpassaient un bruit discordant, un grincement aigu presque permanent, comme celui d'une roue ou d'une poulie. Il semblait s'étirer à travers la pièce comme une toile fine et caustique, qui ne lui laissait aucun moyen de trouver le sommeil. Il s'installait dans l'air, à tel point que même les rares fois où il s'arrêtait, Shadrack continuait à l'entendre.

Durant sa deuxième nuit de captivité, l'un des hommes de sable ouvrit sa porte pour déposer une tasse d'eau et un croûton de pain sec à même le sol.

– S'il vous plaît, pourriez-vous me dire ce que c'est que ce bruit ? demanda Shadrack.

Il était assis par terre, adossé au mur de pierre, sa jambe blessée, couverte d'ecchymoses et de plaies, allongée contre les lattes du plancher glacial.

– Quel bruit ? répondit son visiteur.

– Celui-là… le grincement.

L'autre resta silencieux quelques instants, comme s'il tentait de relier les mots de Shadrack à une signification. Son visage balafré affichait l'étendue de sa réflexion. Finalement, un léger éclair de compréhension traversa son regard.

– C'est la brouette.

– La brouette ? Quelle brouette ? Pour quoi faire ?

– Pour le sable, répondit son geôlier d'un ton suggérant que c'était évident.

– Le sable pour quoi ? insista Shadrack.

– Pour le sablier.

La lumière disparut des yeux de l'homme, comme si la seule mention de cet objet avait étouffé ses pensées. Il recula et claqua la porte avant que Shadrack ait pu lui poser une autre question. Le grincement continua, aussi cuisant que celui d'une scie.

Le troisième matin fut gris et froid. Shadrack contemplait, par son étroite fenêtre, ce qui ressemblait à des préparatifs de départ. Dès le début, le voyage en train sans horaires ni contraintes lui avait laissé supposer que Blanca était en relation avec l'une des compagnies ferroviaires. La présence d'une voie de chemin de fer privée dans la cour, sur laquelle il y avait un wagon au flanc orné d'un dessin de sablier, le lui confirma. Durant plusieurs heures, les nihilismiens y chargèrent du matériel. Au milieu de la journée, deux d'entre eux apparurent à sa porte et lui firent quitter sa geôle.

Shadrack ne résista pas. Il parvint à peine à rassembler assez d'énergie pour tenir debout. D'abord, il crut qu'ils allaient l'emmener dans le wagon, mais au lieu de cela, ils s'enfoncèrent dans les profondeurs du manoir au travers d'une succession de longs passages de pierre. Ce fut le premier aperçu qu'eut Shadrack des œuvres d'art et trésors historiques que contenait le bâtiment. Les tableaux, tapisseries, sculptures qui emplissaient les corridors auraient fait honte aux musées de Boston.

– Le Tintoret, sa place est dans un musée, grogna-t-il dans sa barbe en avisant un tableau, souffrant autant de la blessure à sa jambe que de voir une telle merveille dissimulée aux yeux du monde.

Indifférents aux trésors fabuleux qui les entouraient, les hommes de sable lui firent descendre de force plusieurs volées de marches jusqu'à ce qu'ils se retrouvent dans un couloir au plafond voûté qui débouchait derrière l'autel de la chapelle. Blanca l'attendait au centre de la nef.

– Shadrack, l'accueillit-elle de sa voix douce, sans prêter attention à ses vêtements froissés et à son air d'épuisement total. Vous et moi n'allons pas tarder à partir. Notre mission est plus urgente que vous ne l'imaginez et le temps nous est compté.

Mais notre destination ne dépend que de vous. (Elle s'interrompit un instant.) Je sais à quel point vous désapprouvez mon projet, pour le moment, et j'ai bien conscience qu'il me faut vous persuader de m'aider à trouver la *carta mayor*.

– Je ne suis pas sûr que « désapprouver » suffise à exprimer mes sentiments à ce sujet, répondit Shadrack.

Blanca se rapprocha de lui, sa robe de soie grise et son voile bruissant doucement autour d'elle, et effleura son bras de sa main gantée.

– Une fois que je vous aurai tout expliqué, je ne doute pas que vous serez convaincu, reprit-elle comme s'il n'avait rien dit.

Elle désigna une grande carte en vélin fixée sur la table en bois. Elle représentait le Nouveau Monde. De petits tas de sable noir, brun et blanc la parsemaient, créant autant de motifs étranges. Vers la pointe sud du continent sud-américain, une poignée de grains de sable clair recouvrait toute l'étendue vierge à laquelle les cartographes faisaient toujours référence sous le nom de Tierra del Fuego. Cette zone remontait jusqu'à la Patagonie tardive.

– Pouvez-vous me dire quel Âge se trouve là, aux confins de l'hémisphère ?

Shadrack secoua la tête avec lassitude.

– Aucun explorateur n'a jamais réussi à s'y rendre.

– C'est un autre Âge, qui ressemble aux Neiges préhistoriques.

L'intérêt de Shadrack s'éveilla soudain.

– Comment le savez-vous ?

– Parce que j'y suis allée.

– Comment l'avez-vous atteint ? Tous les gens que je connais qui ont tenté de voyager au sud de Xela, et ils sont nombreux, ont échoué.

– Cela n'a aucune importance pour le moment, dit-elle. Croyez-moi : il y a un Âge glaciaire là-bas. Ce qui nous intéresse, c'est ceci : le Grand Bouleversement ne s'est pas produit comme vous l'imaginez. Vous pensez que la Terre, cette Terre physique, s'est détachée du temps, puis s'y est immédiatement rattachée, en se regroupant autour de failles séparant les Âges.

– Plus ou moins, oui.

– Cela a effectivement commencé de cette façon, reprit-elle en faisant courir son doigt ganté sur la carte en peau. Mais cela ne s'est pas terminé ainsi. Pendant des décennies, ces failles sont restées immobiles. À présent, elles se déplacent à nouveau.

Shadrack la fixa avec un mélange non réprimé de stupeur et d'incrédulité.

– Vous pouvez développer ?

– Pour faire simple, disons que les frontières entre les Âges bougent. (Elle désigna le Nouvel Occident.) Peut-être n'êtes-vous pas allé assez loin au nord pour constater que dans certaines régions, les Neiges préhistoriques reculent devant l'avancée du Nouvel Occident. (Shadrack tenta de l'interrompre, mais elle continua.) Et pourtant, cet endroit bien précis était autrefois prisonnier de la glace. Mais celle-ci a fondu et des arbres ont poussé partout. Aujourd'hui, l'air est plus chaud et des gens natifs de votre Âge y habitent. En ce lieu, les changements sont morcelés et brusques. Les neiges disparaissent et de nouveaux États, contemporains du vôtre, prennent leur place.

Shadrack scruta le sable dans l'espoir de comprendre le sens de ce qu'il entendait. Soudain, une série d'images, comme autant d'impressions issues d'une carte mémorielle, traversèrent son esprit. Mais ces souvenirs ne provenaient pas d'une carte ; c'étaient les siens. Il se rappela la lettre envoyée tant d'années auparavant par Casavetti, l'explorateur que sa sœur et son beau-frère étaient partis secourir : « *En ce lieu que je croyais connaître si bien, j'ai découvert un nouvel Âge.* » C'était cette découverte d'un nouvel Âge, particulièrement hostile, qui avait mené à sa capture, ce qui avait poussé Minna et Bronson à traverser la moitié du globe pour lui venir en aide.

Dans sa tête, Shadrack se remémora Sophia en train d'examiner les deux cartes des Caraïbes, à peine quelques jours plus tôt. Elle lui avait demandé comment un couvent pouvait avoir été remplacé, en seulement dix ans, par un désert. Le phénomène lui avait sauté aux yeux tandis que lui avait été trop aveugle pour en reconnaître la signification. Malgré tout son entraînement, toute son expérience et son intuition, comment avait-il pu rater ça ? Après un instant de silence stupéfait, il ouvrit la bouche.

– Toutes les frontières sont-elles en mouvement ?

Elle secoua la tête.

– Pas toutes, mais un grand nombre, dit-elle, d'une voix teintée de satisfaction devant le désarroi de Shadrack. Et elles bougent à des vitesses différentes. La frontière qui se déplace le plus rapidement est celle-ci. (Elle désigna de nouveau la Tierra del Fuego, à la pointe sud de l'hémisphère occidental.) Elle est matérialisée par les Neiges du Sud. Elle progresse de façon régulière et visible vers le nord, à travers la Patagonie tardive, depuis l'année dernière. Kilomètre par kilomètre, elle se dirige vers les Terres rases, et chaque Âge qu'elle touche disparaît sous la banquise. Votre nièce voyage vers le sud, reprit-elle d'une voix sereine, c'est bien cela ?

Shadrack sentit le sang lui monter à la tête. En envoyant Sophia dans l'endroit le plus sûr auquel il avait pensé, il l'avait malencontreusement placée sur la route d'un terrible danger.

– Mais alors… demanda-t-il lentement, les habitants de cette région risquent-ils de… ?

– Ils vont disparaître. Et, pour être plus précise, la progression de la frontière est plus… dommageable encore. Les glaciers n'avancent pas en douceur. Tout ce qu'ils touchent est anéanti.

– Ils doivent pourtant bien être au courant ; les gens fuiront devant ça, protesta Shadrack avec l'énergie du désespoir.

– En fait, on leur a déjà expliqué qu'une force puissante se dirigeait vers le nord. Mais ils croient que c'est un mur de vent, un phénomène météorologique destructeur, rien de plus.

Shadrack la regarda fixement pendant quelques instants, incapable d'accepter le sens de ses mots.

– Attendez, vous avez fait courir ce bruit *vous-même* ?

Blanca haussa les épaules.

– Je ne peux pas laisser tous les habitants des Terres rases se ruer vers le nord comme un troupeau de fourmis paniquées. La princesse Justa Canuto, que je connais bien, est une souveraine des plus classiques : elle se soucie avant tout de ce qui lui convient le mieux, et pas de ce qu'il faut à son royaume. La persuader que Nochtland survivra au mur de vent en faisant profil bas ne sera pas difficile. De plus, que les habitants fuient ou non ne changera strictement rien.

– À quelle vitesse progressent les Neiges du Sud ? demanda Shadrack.

– Au début, leur rythme était lent, mais le phénomène s'accélère de façon exponentielle. Ce qui a commencé comme un déplacement invisible, centimètre par centimètre, se compte à présent par kilomètres.

– Il doit pourtant bien y avoir un moyen, insista-t-il. Une manière de l'arrêter. Qu'est-ce qui en est à l'origine ?

– Je crois que c'est nous.

Shadrack la regarda avec stupeur.

– Mais comment ?

– La cause est inconnue. Vous, avec votre esprit empiriste, contesterez certainement ma théorie, qui est plus spéculative. J'en suis venue à la conclusion que nous avons provoqué ce changement en ne parvenant pas à vivre en accord avec une seule époque. Savez-vous combien de formes de mesures du temps existent, à l'heure actuelle, dans le monde ? Plus de deux mille. L'Univers ne peut plus contenir autant d'Âges disparates. La trame temporelle s'est littéralement déchirée sous nos yeux. (Elle s'interrompit, comme pour peser l'effet de ses mots.) J'étais sûre de pouvoir vous convaincre. Maintenant, vous comprenez : à moins que nous ne réagissions à temps, tout sera englouti par les Neiges du Sud.

– Que voulez-vous que nous fassions ?

Blanca désigna le vélin avec frustration.

– Je ne sais pas, Shadrack. C'est ce que vous devez me dire. Nous devons parvenir à la *carta mayor* avant qu'elle aussi ne soit emprisonnée dans la glace. À ce moment-là, ce sera à vous, l'unique cartographe en vie capable de créer des cartes d'eau, de la mettre à jour. Vous devez restaurer le monde tel qu'il était avant le Bouleversement.

– Mais il n'y a pas de « monde d'avant le Bouleversement » ! s'exclama Shadrack. Vous êtes aveuglée par les illusions des nihilismiens. On ne peut ressusciter je ne sais quel passé perdu. Et même s'il y avait une *carta mayor* et que nous la trouvions, même si je pouvais la modifier à temps, comment pourrais-je déterminer l'âge exact du globe ? Nous ignorons quand s'est produit le Bouleversement. Chez nous ? Quatre cents ans après ? À quelle époque devrais-je restaurer le monde ?

Quand Blanca reprit la parole, son ton fit comprendre à Shadrack qu'elle souriait.

– À la mienne.

– Quelle arrogance ! répliqua-t-il avec impatience. On ne peut pas savoir de quel Âge on est…

– Au *mien*. Pas au vôtre.

– Le vôtre ? Que voulez-vous dire par là ?

– Nous ne venons pas du même Âge, vous et moi, répondit-elle. Mon époque est à la vôtre ce que la vôtre est à la préhistoire. (Elle s'arrêta un instant.) Imaginez une ère où la paix règne à chaque coin du globe ; où la compréhension du monde naturel et de sa science est parfaite ; où l'humanité a atteint le sommet de ses plus belles conquêtes. C'est de là que je viens. Vous n'en avez jamais entendu parler, Shadrack. On l'appelle l'Âge Glaciaire.

Shadrack perçut avec stupeur la ferveur avec laquelle elle s'exprimait.

– Vous me pardonnerez de ne pas me montrer impressionné. Si le Bouleversement nous a bien appris quelque chose, c'est qu'aucun Âge n'est parfait ni inviolable.

Blanca enfonça ses doigts gantés dans le sable.

– Je ne crois pas que vous compreniez, Shadrack ; l'Âge

Glaciaire est supérieur à tous les autres. (Elle secoua la tête et, quand elle reprit la parole, ses propos furent teintés d'une sorte de tristesse.) Avez-vous la moindre idée des fautes que nous avons commises, au fil des Âges ? Tous ces horribles actes de destruction, toutes ces opportunités manquées, ces cruautés gratuites… L'Âge Glaciaire est au-delà de tout ça. Imaginez un monde sans toutes ces atrocités. À l'Âge Glaciaire, toutes les terribles erreurs de l'homme font partie du passé. Elles disparaîtront comme des grains de sable dans la mer. Comme si elles n'avaient jamais existé. (Elle s'interrompit et émit un léger soupir de plaisir.) Vous modifierez la carte d'eau, Shadrack, comme vous le feriez sur du papier : vous l'effacerez soigneusement, ligne par ligne, pour réinventer une toute nouvelle carte. Vous et moi allons dessiner l'Âge Glaciaire, complet, intact, afin qu'il recouvre le monde.

Shadrack secoua la tête.

– C'est de la folie.

– Vraiment ? s'enquit Blanca d'une voix douce. Vous êtes un scientifique. Vous savez que le temps passe et que la surface de la Terre change. Tous les Âges ont une fin. Ne souhaitez-vous pas la venue d'une ère dans laquelle l'homme puisse trouver la connaissance, le confort et la paix ? Vous avez juste peur de perdre l'univers qui vous est familier.

– Votre orgueil est stupéfiant, rétorqua Shadrack avec dégoût. Je n'ai jamais vu une foi aussi aveugle.

Blanca secoua sa tête voilée.

– C'est vous qui êtes arrogant, répondit-elle sans s'énerver. Pensez à ce que cela nous coûterait de préserver ces Âges primitifs auxquels vous vous accrochez. Pour satisfaire ce désir, vous acceptez de tolérer des tyrans mesquins, des guerres sans fin, de l'ignorance généralisée. Vous qui prisez tant l'éducation devriez vous réjouir à la perspective de mettre fin à ces Âges sombres, où chaque fragment de savoir emmagasiné est faux.

– Sans notre « faux savoir » et nos « erreurs », votre Âge ne serait jamais survenu, répondit Shadrack avec brusquerie. Chaque Âge à venir a une dette envers ceux du passé.

– Mais pensez aux *conséquences* de ces mensonges, rétorqua Blanca. Votre aveuglement est plus destructeur que vous ne l'appréhendez.

– Je crois que vous me surestimez. Selon votre propre point de vue, je ne suis qu'un irritant grain de sable issu du passé.

– Peut-être. Mais vous, en particulier, êtes un grain très important.

Shadrack éclata d'un rire amer.

– La flatterie ne me gagnera pas à votre cause.

Blanca examina la carte. Puis elle prit une poignée de sable blanc du tas à côté et le versa lentement dessus, pour recouvrir toutes les terres émergées. Très vite, il ne subsista plus que de la glace et l'océan.

– Quoi qu'il en soit, ces Âges obscurantistes ne survivront pas. Les Neiges du Sud progressent vers le nord, Shadrack. Nous pouvons argumenter sur tout le reste, cela demeure indéniable.

Shadrack scruta attentivement le voile qui couvrait toujours le visage de Blanca, le cœur battant. La vision qu'elle avait de l'avenir le rebutait ; néanmoins, il ne parvenait toujours pas à la croire totalement. Mais ne serait-ce qu'à un seul égard, il ne pouvait courir le risque de rejeter en bloc ses théories. Si cet Âge de Glace s'abattait vraiment sur Nochtland, à la vitesse que

Blanca décrivait, il devait retrouver Sophia avant que le cataclysme ne l'atteigne. Il sentit monter une soudaine bouffée de fureur contre lui-même à l'idée de l'avoir envoyée là-bas. Puis il se reprit.

– Quels sont vos plans ?

Elle resta quelques instants silencieuse.

– Je suis dans une situation délicate. J'ignore où se trouve la *carta mayor*, et vous refusez de me le révéler.

– Parce que je ne le sais pas, répliqua Shadrack avec brusquerie.

– Pas plus que vous ne voulez me dire où se rend Sophia avec la carte traçante.

Elle attendit que Shadrack s'exprime, mais celui-ci demeura muet. Blanca haussa les épaules.

– Je pourrais mettre vos souvenirs sous globe, pour avoir la réponse.

À nouveau, elle s'interrompit pour lui laisser l'opportunité de protester. Shadrack garda les yeux rivés sur le sol, le visage fermé.

– Mais si je faisais cela, je perdrais vos talents.

Elle se rapprocha de son prisonnier et prit une de ses mains dans les siennes.

– J'ai besoin de plus que votre mémoire pour modifier la *carta mayor*. Il me faut votre art, vos doigts. Quand vous accepterez de m'aider, je pourrai vous en dire plus. (Shadrack ne réagit pas.) Dites-vous bien que l'Âge de Glace est déjà sur nous, le pressa-t-elle, en lui serrant la main avant de la relâcher. Il a commencé ici, ainsi que là, et à cet endroit, reprit-elle en effleurant le sable en trois points de la Patagonie tardive. Ce n'est plus une affaire de semaines, mais de jours, je crois. À ce moment-là, la frontière atteindra Nochtland. (Elle fit un léger creux à l'emplacement de la capitale des Terres rases.) S'il vous plaît, l'incita-t-elle d'un ton plus cordial, dites-moi où vous avez envoyé la carte traçante.

Shadrack fit demi-tour pour s'éloigner d'elle, avec la plus grande difficulté à maîtriser sa frustration. Dans sa vie, il avait rarement été aussi pris au piège par les circonstances qu'aujourd'hui, et il détestait cette sensation. Blanca semblait savoir que Sophia se dirigeait vers le sud, et elle traquerait le verre traçant, qu'il l'y aide ou non. S'il l'accompagnait, la carte avait toutes les chances de tomber entre ses mains et la sécurité de Sophia n'aurait plus d'importance, aux yeux de Blanca.

Il n'y avait pas d'autre échappatoire : il devait s'évader, lorsqu'ils partiraient dans le Sud, et retrouver Sophia. C'était la seule façon qui lui permettrait de veiller tant sur sa nièce que sur la plaque de verre. Il pivota vers Blanca.

– Je ferai tout mon possible pour vous empêcher de toucher cette carte, et même de la contempler.

Durant quelques secondes, Blanca ne répondit pas.

– Ah, très bien. J'aurai au moins appris une chose : vous croyez bel et bien que la *carta mayor* existe. Sinon vous n'en viendriez pas à de telles extrémités. (L'air furieux, Shadrack serra les dents.) Vous devriez réfléchir encore un peu. Ce n'est qu'une question de jours avant que nous ne trouvions votre nièce.

– Je tente ma chance, répondit Shadrack d'une voix rauque.

– Si vous acceptez de m'aider, je m'assurerai qu'elle soit bien traitée lorsque nous l'aurons retrouvée. J'ai fait poster cinquante hommes à toutes les gares de la ligne sur laquelle elle voyage. Elle ne peut ni entrer ni sortir d'un train sans que j'en sois informée. (Elle haussa les épaules.) Ça fait partie des avantages de posséder la deuxième plus grande compagnie ferroviaire du Nouvel Occident. (Shadrack cligna des paupières.) Allons, le train privé menant directement ici ne vous avait pas suffi, comme preuve ? Et pourtant, si, vous pouvez en apprécier l'ironie : j'ai commencé à faire fortune sur les tables de jeu de New York, en pariant sur les temps de parole au Parlement. À partir de là, il m'a été facile d'acheter ma première plantation de tabac. Ce poison est vraiment très répandu, dans le Nouvel Occident. (Elle secoua sa tête voilée.) Une plantation en devient vite dix, et dix plantations suffisent à financer n'importe quel investissement spéculatif. L'acier, par exemple. Dont la fabrication est bien évidemment vitale pour produire des rails de chemin de fer. White Smoke Tobacco, la White Anvil Steel et la Whiteline Railroad Company. Vous ne trouvez pas que ça sonne bien ?

Shadrack put entendre le triomphe dans sa voix et serra les lèvres en une fine ligne.

Blanca poussa un petit soupir et se retourna vers les hommes qui attendaient ses ordres.

– Nous partons dans une heure. Entreposez tous les objets récupérés à Boston dans une malle ; ou plusieurs, si nécessaire. Ne lui laissez pas de ciseaux à portée de main, ajouta-t-elle après un instant.

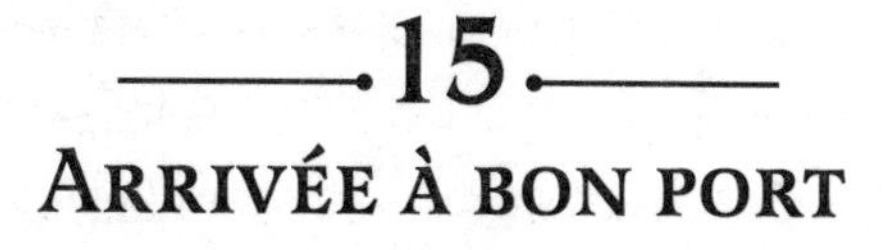

15
Arrivée à bon port

24 juin 1891, 8 heures

> *Roundhill (gare de) : cet endroit a été construit en 1864 par la Whiteline Railroad Company, à seulement huit cents mètres au nord de See-Saw, où la dernière bataille de See-Saw a eu lieu en 1809.*
>
> *Panneau de gare.*

LA PLAQUE DE VERRE était intacte, et Sophia n'avait pas égaré son sac, qui contenait également son atlas, toutes les cartes roulées pour leur voyage, son carnet à croquis et du matériel de dessin. Tout aussi important, sa bourse en cuir était restée attachée à sa ceinture ; sans argent, sans sa montre ni ses papiers d'identité, ils ne seraient pas allés bien loin. Les compartiments étaient complets, Sophia dut donc acheter deux tickets pour une banquette jusqu'à La Nouvelle-Orléans, puis Theo et elle s'assirent au bout de la plateforme pour attendre, durant une heure interminable, que le train suivant en partance pour l'Ouest arrive.

Toute l'énergie nerveuse qui l'avait aidée à tenir durant la nuit et les premières heures du jour s'était dissipée comme de l'air fuyant un ballon. Son menton et ses genoux étaient couverts de bleus ; ses côtes et son dos étaient encore endoloris de son atterrissage sur le toit du wagon, et tout ce qu'elle désirait, c'était pouvoir enfin dormir.

Au moins, on peut espérer ne pas avoir à s'inquiéter des hommes de sable, ici, se dit-elle.

Elle plongea ses doigts dans les poches de sa jupe pour attraper les deux talismans qui la réconfortaient : le disque froid et lisse de sa montre et la pelote de fil argenté. Elle avait le temps bien en main, et elle savait que les Parques veillaient sur elle.

L'air humide du matin la recouvrit peu à peu comme un chiffon détrempé ; les minutes s'écoulèrent lentement. Des gens commencèrent à apparaître sur la plateforme, leurs bottes poussiéreuses raclant les lattes du plancher dans une succession épuisante de frottements et de tapements. Sophia s'adossa contre une malle que quelqu'un avait laissée sans surveillance tandis que Theo contemplait les voies avec apathie. Elle ferma les paupières et, quand un cri la réveilla en sursaut, elle eut l'impression d'avoir à peine somnolé une minute.

Sophia leva les yeux. Une femme se dirigeait droit vers elle. C'était la plus extraordinaire créature qui fût. Tous les gens de la plateforme firent un écart quand ils la virent arriver. Elle était grande et portait une robe de soie gris charbon aussi volumineuse qu'extravagante, ornée de dentelle, et un chapeau noir muni d'un toupet de plumes de la même couleur, qui cachait en grande partie son visage. Sa taille fine était soulignée par une ceinture de cuir dans laquelle était passé un holster contenant un pistolet argenté. Elle pila devant Theo et planta ses mains gantées de blanc sur ses hanches ; un parfum de fleur d'oranger parvint aux narines de Sophia.

– Vous pensiez vraiment pouvoir la dérober sous mon nez, c'est ça ? demanda-t-elle, une expression d'amusement cynique jouant sur ses traits.

Sauf que son sourire n'avait rien d'amical.

Sophia leva son visage vers celui de la femme. Elle était belle, avec de longs cheveux noirs qui lui descendaient jusqu'à la taille et des yeux sombres pétillants. Sophia eut un instant de panique.

Mortifié est dans un train pour l'Ouest, donc Montaigne a envoyé quelqu'un d'autre à nos trousses !

Elle bondit sur ses pieds et Theo l'imita. Comparée à cette femme magistrale, elle avait l'impression d'être une gamine. Ses genoux et ses paumes étaient écorchés, et sa jupe, sa jupe de simple cotonnade à rayures, était déchirée en de multiples endroits. Ses habits de rechange, bien sûr, étaient toujours dans une malle qui continuaient à filer vers l'Ouest. Sophia serra les poings et tenta au moins d'afficher une expression de dignité.

– Elle n'est pas à vous, dit-elle, d'une voix qui sonna bien moins hautaine qu'elle ne l'avait espéré.

La femme éclata de rire.

– C'est tout ce que tu as trouvé pour te défendre ? Parce que je ne vois pas comment tu comptes t'y prendre pour deviner ce qu'elle contient.

Sophia envisagea de prendre la fuite, mais en considérant le pistolet, elle songea à Shadrack et avala sa salive.

– Où est mon oncle ? demanda-t-elle avec angoisse.

L'expression que son interlocutrice arborait devint perplexe.

– Tu dois te méprendre, je suis peut-être une pirate, mais je ne suis pas du genre à enlever les gens. Et cette malle ferait une bien piètre rançon, dit-elle.

– La malle ? Quelle malle ? s'enquit Sophia, totalement éberluée.

La femme lui lança un long regard, puis éclata d'un rire inattendu, si violent que même son chapeau en oscilla. Quand elle eut fini, elle adressa à Theo et à Sophia un grand sourire.

– Je crains de m'être lourdement trompée, expliqua-t-elle. Je faisais référence à cette malle, à tes pieds. Et sauf erreur de ma part, tu parlais de tout autre chose.

– Vous pouvez la prendre, vous savez, lui dit Theo.

– On n'y a pas touché, déclara Sophia en même temps.

– Alors, je te fais mes excuses, ma jolie. Mais je dois t'avouer être intriguée. Ton oncle a vraiment été enlevé ?

La femme semblait vraiment curieuse et sa voix résonnait d'une chaleur sincère.

– Non, répondit Sophia avant que Theo ne les trahisse.

Leur interlocutrice haussa un sourcil.

– C'est un secret, c'est ça ? Eh bien, ne vous tracassez pas à mon sujet ; je respecte parfaitement ce genre de chose. Je m'appelle Calixta, ajouta-t-elle.

– Moi, c'est Sophia, et voici Theo.

– Ravie de vous rencontrer. Je suis désolée que vous ayez d'abord fait connaissance avec mon mauvais côté, alors que, de surcroît, c'était sans la moindre provocation de votre part. Permettez-moi de me rattraper de façon appropriée, reprit Calixta en considérant quelque chose qui se trouvait loin derrière Sophia. Accepteriez-vous de partager mon compartiment ?

Sophia suivit le regard de Calixta et vit un point qui se déplaçait sur l'horizon ; le train arrivait.

– Oh, merci, mais nous avons des billets pour la voiture principale.

Calixta fit un geste désinvolte de sa main gantée.

– Qu'elle aille au diable, cette voiture ! J'ai réservé le plus grand compartiment à l'avant du train, et il est bien trop vaste pour ma petite personne. Porteurs ! appela-t-elle, ce qui fit surgir en urgence deux hommes du bâtiment principal. Je confirme : ce ne sont vraiment pas des professionnels dignes de ce nom, commenta-t-elle en un aparté hautain. Qui donc laisse une malle sans surveillance sur un quai ? Mais faisons semblant de n'avoir rien remarqué. Après tout, ce n'est qu'une minable petite gare perdue au milieu de nulle part, ajouta-t-elle. Veuillez apporter mes autres bagages, ordonna-t-elle aux hommes, qui s'empressèrent d'obtempérer.

À l'instant où le train s'arrêta, les contrôleurs descendirent. Calixta se dirigea directement vers l'avant, suivie de ses porteurs, et embarqua dans le premier wagon.

– Tu crois qu'on devrait vraiment monter avec elle ? demanda Sophia à voix basse.

Theo haussa les épaules.

– Pourquoi pas ?

– Elle a dit qu'elle était une pirate !

– On n'a rien à craindre, elle est juste un peu extravagante, c'est tout.

– Je n'en suis pas si sûre… commenta Sophia tandis qu'ils tendaient leurs billets pour la vérification d'usage.

La voiture principale était bondée. Une femme accompagnée de cinq enfants, dont trois hurlaient à pleins poumons, tentait de faire tenir sa nichée sur une seule et unique banquette. Près de la fenêtre, un homme corpulent s'en était accaparé deux en s'installant sur la première, puis en déposant ses bottes crottées, qu'il avait enlevées, sur l'autre. Les relents pestilentiels de ses pieds tiraient des mimiques consternées aux passagers qui l'entouraient. Il serait de toute évidence impossible de dormir dans ce wagon.

– D'accord, admit Sophia. Allons la rejoindre. Mais pas un mot sur la carte ni sur Shadrack.

Ils traversèrent la voiture bruyante, puis les deux suivantes, et parvinrent dans la première. La porte du compartiment de gauche était ouverte, et Calixta se trouvait à l'intérieur, en train de superviser le rangement de ses bagages.

– Ah, vous voilà ! Merci beaucoup, ajouta-t-elle à l'intention des deux porteurs, avant de leur tendre à chacun une pièce tirée de son porte-monnaie. Ouf ! soupira-t-elle en s'effondrant sur une banquette, faisant gonfler sa robe comme une montgolfière. Je meurs d'impatience d'échapper à ce marécage miteux et de retrouver mon navire. Ici, ça sent mauvais, tout est couvert de poussière, et les gens… les gens ! C'est moi, ou ils ne se lavent jamais ? (Elle tapota le siège à côté d'elle.) Sophia ? Tu veux t'asseoir ?

Sophia referma la porte du compartiment et s'installa avec raideur à côté de Calixta. Theo, en face d'elles, semblait avoir la bouche cousue.

– Vous comptez quitter La Nouvelle-Orléans par la mer ? finit-il par demander.

– Oui, et ce ne sera pas trop tôt ! *Le Cygne* sera à quai – mon frère doit avoir tout préparé – et nous partirons enfin d'ici. (Elle commença à ôter les épingles qui maintenaient son chapeau.) Tu veux bien m'aider, s'il te plaît ?

Sophia réussit à enlever la dernière tige métallique et Calixta posa son couvre-chef sur l'étagère au-dessus des malles. Puis elle lissa ses cheveux avant de se rasseoir.

– Quelle journée ! Et ce n'est que le début. (Elle retira ses gants.) Vous n'avez pas faim ? demanda-t-elle en continuant à se mettre à l'aise tout en se relevant. Il y a quelqu'un ? lança-t-elle dans le couloir, en sortant quelques secondes du compartiment.

Un coup de sifflet retentit et une trépidation parcourut l'habitacle.

Sophia et Theo échangèrent un regard. Calixta revint soudain et referma la porte derrière elle.

– Et voilà, c'est réglé : un petit déjeuner pour trois. Et maintenant, continua-t-elle tandis que le train prenait de la vitesse et que l'air frais entrait en tourbillonnant par la fenêtre ouverte, je ne vais pas vous assommer tout de suite de questions sur votre oncle fascinant ou sur ce que vous disiez *ne pas* être mien, mais puis-je au moins vous demander votre destination ?

– Oui… fit Sophia en hésitant. Theo doit retourner dans les Terres rases, et moi, je me rends à Nochtland.

– Donc, vous aussi envisagez de quitter La Nouvelle-Orléans par la mer.

– À partir de la frontière, nous pensions rejoindre Nochtland à cheval.

– Quelle mauvaise idée ! Ça vous prendra une éternité, et vous risquerez de vous faire voler vos chevaux à chaque halte. Vous devriez faire le trajet de La Nouvelle-Orléans à Veracruz à la voile. Ce n'est qu'une suggestion, bien sûr, mais si j'étais vous, je ne resterais pas une seconde de plus sur la terre ferme, commenta Calixta en levant les yeux au ciel.

– Que faisiez-vous ici ? s'enquit Sophia d'une voix qu'elle espérait empreinte d'un intérêt poli.

– Oh, je suis venue dans le seul but de négocier un nouveau contrat avec un marchand. C'était ma dernière chance de le faire, avec cette histoire de fermeture des frontières et tout ce qui en découle. J'aurais bien tenté d'ordonner à Burr – c'est mon frère – de s'en charger, puisque je suis le capitaine, après tout, et qu'il n'est que quartier-maître, mais il m'a répondu que j'étais bien meilleure que lui à ce jeu-là. Enfin… je dois bien avouer, ajouta-t-elle avec un soupir, que ses contrats ne sont jamais aussi lucratifs que les miens. (Elle émit un petit rire de gorge.) D'ailleurs, il ne décroche pas plus de propositions de mariage ! Si j'avais su que mon voyage me vaudrait trois demandes en fiançailles, plus ridicules les unes que les autres, j'aurais refusé de faire le déplacement, et au diable les contrats ! Le premier était un banquier qui s'obstinait à acquiescer avec véhémence à tout ce que je disais. En soi, ce n'est pas si désagréable, sauf qu'il le faisait la bouche pleine. (Elle plissa le nez avec une délicatesse dégoûtée.) J'ai d'ailleurs eu l'impression qu'il s'était mis en tête que m'épouser lui rapporterait une fortune, d'où sa demande ! Quelle idée ! Le deuxième, c'était un avocat qui a déjà enterré cinq femmes, sans que personne s'en étonne. Ça ne vous semble pas louche, à vous ? Et en dernier, j'ai eu le fils d'un marchand, qui ne m'avait sans doute fait sa déclaration que pour faire enrager son père. Et avec succès ! Je crois que les hommes peuvent souvent irriter les femmes par erreur, mais qu'ils se provoquent entre eux intentionnellement. (Calixta éclata d'un rire joyeux tout en s'éventant avec ses gants.) Pour tout vous avouer, reprit-elle avec une pointe de fierté, je suis toujours bien plus une source d'ennuis que de bonheur.

Sophia ne put s'empêcher de sourire.

– Pour ma part, je ne dirais pas ça : nous apprécions vraiment votre invitation à voyager avec vous, déclara-t-elle, bien consciente que ses mots sonnaient de façon pompeuse.

Calixta lui rendit son sourire.

– Mais tout le plaisir est pour moi, ma chérie.

Quelqu'un frappa à la porte. Ils cessèrent de discuter.

– Entrez, lança Calixta.

Un serveur venant du wagon-restaurant fit rouler un chariot dans le compartiment.

– Trois œufs sur le plat, madame.

– Et qui ressemblent à des œufs, quel miracle ! Merci beaucoup, répondit Calixta en pêchant un pourboire dans sa bourse.

Une fois seuls à nouveau, ils prirent leur petit déjeuner et, un peu après, Sophia s'aperçut que la nourriture chaude et le ronronnement sourd du train l'assoupissaient.

– Pourquoi ne t'installes-tu pas sur la banquette pour te reposer un peu ? proposa Calixta.

– Je ne dois pas dormir, murmura Sophia.

– N'importe quoi. Tu as besoin de sommeil. Theo et moi veillerons sur toi.

Sophia acquiesça, l'esprit trop épuisé pour demander pourquoi ils devraient monter la garde. Elle grimpa sur la couchette, rangea son sac à côté de son oreiller, posa la tête dessus et sombra aussitôt.

12 h 05

LE TRAJET ENTRE la ville frontalière de Géorgie et La Nouvelle-

Orléans dura plusieurs heures, durant lesquelles Sophia ne fit quasiment que dormir. Elle s'éveilla doucement au son du rire bas de Calixta, ce qui l'aida à chasser l'inquiétude persistante qu'elle éprouvait.

Les Parques ont vraiment été généreuses de mettre une bienfaitrice aussi gentille sur notre chemin, se dit-elle.

La gaieté de la pirate était contagieuse. Theo avait assurément un don pour charmer les gens, mais il avait visiblement trouvé son alter ego en Calixta. Il avait délaissé son air hardi et répondait volontiers à ses questions.

– J'ai vécu avec tout un groupe de gosses. Sans parents. Les plus grands se sont occupés de moi, et ensuite j'ai pris le relais auprès des plus petits. Nous nous sommes mutuellement élevés, vous voyez ?

– Comme c'est adorable, dit Calixta. Une vraie bande de petits pirates.

Theo éclata de rire.

– C'est pas faux.

Sophia s'installa sur le dos et consulta rapidement sa montre. Il était 12 h 05, on entrait dans l'après-midi. Si elle avait bien lu les horaires de trains, ils arriveraient bientôt à La Nouvelle-Orléans.

– En fait, c'était un orphelinat ? demanda Calixta.

– C'est ça, répondit Theo. Géré par des bonnes sœurs. Qui nous laissaient surtout livrés à nous-mêmes, je dois dire.

Sophia rangea sa montre, l'esprit soudain aux aguets.

Il ment, songea-t-elle, l'estomac étrangement noué.

– Tu étais très jeune, quand tes parents t'y ont placé ?

– Pas tant que ça. (La voix de Theo était légère, à tel point qu'il ne donnait pas l'impression de raconter des craques.) C'étaient des marchands. J'avais six ans quand notre maison a été écrasée par un mur de vent. Ils sont morts tous les deux. J'en ai réchappé de justesse.

– Que c'est triste, commenta Calixta avec émotion. C'est comme ça que tu as été blessé à la main ? Quand tu avais six ans ?

– Ouais. Les nonnes m'ont recueilli juste après. Les autres gosses m'ont surnommé « Theo le Veinard », parce que tout autour de moi avait été réduit en miettes, mais que j'avais survécu.

– Je suis persuadée que ce sont les bonnes sœurs qui ont fait de toi un tel ange, dit-elle avec espièglerie. Mettre ta vie en danger pour aider la fille que tu aimes… c'est vraiment charmant. J'imagine que tu irais jusqu'au bout du monde, pour elle.

Theo émit un rire gêné.

– Sophia et moi ne nous connaissons que depuis peu, vous savez.

– Oh, on ne me la fait pas, Theo le Veinard, déclara Calixta d'une voix douce.

Je ne veux pas entendre ça, songea Sophia, son estomac noué se transformant en boule de plomb.

– Vous venez peut-être juste de vous rencontrer, reprit Calixta, mais te voilà en train de l'aider à retrouver son oncle.

– Mais non, se moqua Theo. Je n'aide personne. C'est pas mon genre.

La lourdeur dans le ventre de Sophia sembla se répandre dans tout son corps jusqu'à la paralyser.

Ou alors, peut-être qu'il ne ment pas. Peut-être que c'est à moi qu'il a menti.

Il raconte juste ce que les gens veulent entendre. Et tout le monde le croit.

Une honte amère l'envahit et elle se sentit rougir. *Je m'étais pourtant juré de ne pas lui accorder ma confiance, mais je l'ai quand même fait. Quelle idiote !*

– Oh ! s'exclama Calixta, comme si elle était surprise. J'étais persuadée que Sophia et toi vous rendiez dans les Terres rases pour secourir son oncle. Ça en avait tout l'air, du moins.

Sophia savait qu'elle aurait dû s'asseoir et mettre un terme à cette conversation, mais elle ne parvenait pas à remuer un cil.

– Vous vous êtes trompée du tout au tout, reprit Theo. L'oncle de Sophia s'est sauvé il y a quelques jours avec une actrice de Nochtland. Il a même laissé un message à Sophia disant qu'il était fou amoureux et ne reviendrait jamais. De toute évidence, Sophia vous a confondue avec la belle actrice, conclut-il avec habileté.

Calixta émit son petit roucoulement amusé devant le compliment.

– C'est ce qui s'est vraiment passé ? Eh bien, tout s'éclaire.

– Si vous voulez mon avis, continua Theo, incapable de s'arrêter à présent que son histoire avait pris forme, je trouve que c'est vraiment cruel de sa part. Abandonner sa nièce, qui n'a que lui au monde, pour une actrice ? (Le visage de Sophia était cuisant et le poids dans son ventre avait commencé à la brûler.) Mais c'est ce genre d'homme, reprit Theo en soupirant. Bien sûr, ce voyage à Nochtland est sans espoir. Sophia ne le retrouvera pas, et même si elle y parvient, il lui dira juste de rentrer chez elle. Je n'ai vraiment pas envie d'assister à ça, conclut-il d'un ton sinistre.

Sophia sentit ses yeux s'emplir de larmes, tant devant le

mensonge qu'en entendant la vérité sous-jacente, et elle les essuya d'un geste furieux tandis que le train ralentissait.

– Eh bien, c'est l'heure de réveiller cette pauvre Sophia. Nous voici enfin à La Nouvelle-Orléans.

La tête de Theo apparut au bord de la couchette.

– Je suis réveillée, émit Sophia d'une voix hachée.

Theo lui sourit d'un air innocent.

– Alors, lève-toi, on est arrivés.

Le train s'arrêta à quai et Calixta passa la tête dans le couloir pour appeler un porteur. Tandis que Sophia descendait de sa banquette, son sac à l'épaule, l'homme entra dans le compartiment et commença à en sortir les bagages.

– Je prends une voiture pour aller jusqu'à l'appontement de mon navire, expliqua la pirate en remettant son chapeau. Si vous voulez, je peux vous emmener au dépôt où vous pourrez acheter des chevaux. Enfin, si c'est vraiment ce que vous comptez faire.

Theo était sur le point de la suivre quand Sophia l'agrippa par le bras.

– J'ai entendu tout ce que tu as raconté à propos de Shadrack.

Il lui adressa un grand sourire.

– Je me suis bien débrouillé, hein ?

– *Bien débrouillé ?* s'exclama Sophia, de nouveau les larmes aux yeux malgré ses efforts pour les contrôler. Comment as-tu pu dire des choses pareilles sur mon oncle ? Une *actrice* ?

Comme si elle n'avait pas déjà assez honte, Theo éclata de rire.

– Ça n'a rien de drôle !

– Allons, calme-toi. Tu prends les choses beaucoup trop au sérieux.

Sophia sentit ses joues s'empourprer une fois de plus.

– Je ne vois pas où est le mal à être sérieux. *C'est* sérieux ! J'ai aussi entendu ce que tu as dit à propos de ne pas rester avec moi. Je ne t'ai jamais demandé de me coller. Tu peux partir quand tu veux, je me débrouillerai très bien toute seule.

– Holà… fit Theo en lui prenant un bras. Calme-toi ; je lui ai juste raconté une histoire. Tu m'as demandé de ne pas lui parler de ton oncle, donc j'ai pensé que c'était un bon moyen de détourner son attention.

– Tu mentais ? Sur tout ?

– Évidemment. C'est ce que tu m'as demandé de faire.

– Pas de *mentir*. Je t'ai juste dit de ne rien lui révéler. Comment suis-je censée distinguer le vrai du faux, dans tout ce que tu racontes ?

– Sophia, je l'ai menée en bateau. Fais-moi confiance.

Elle lâcha un bref éclat de rire et détourna le regard.

– C'est ça. Comme si c'était facile.

Puis elle s'aperçut que de nouveaux passagers montaient à bord.

– On doit y aller, déclara-t-elle sobrement en tournant les talons.

Theo secoua la tête et la suivit.

Sophia descendit du train prestement et vit Calixta à l'autre bout du quai, en train de donner des ordres au porteur qui attachait ses malles sur le toit d'un véhicule. Alors que Sophia la rejoignait, un cri soudain lui parvint. Elle se retourna et les vit aussitôt. Trois, non, quatre hommes, arborant tous les mêmes cicatrices, qui couraient dans leur direction. L'espace d'une seconde, elle se retrouva pétrifiée. Puis elle resserra les doigts sur son sac et détala, ses pieds résonnant sur les lattes de bois du sol.

Theo la rattrapa rapidement et la dépassa. Calixta, dont les valises étaient à présent solidement attachées sur le toit du véhicule, n'eut besoin que d'une seconde pour comprendre la situation. D'un geste vif, elle ouvrit la portière et dégaina son pistolet.

– Montez ! hurla-t-elle.

Theo plongea en premier à l'intérieur, aussitôt suivi par Sophia. Calixta grimpa sur le marchepied et attrapa le rail à bagages de sa main libre.

– Roulez ! cria-t-elle.

Les chevaux bondirent en avant et emportèrent la voiture tandis que Calixta se penchait avec grâce à l'extérieur et tirait un premier coup de feu vers la plateforme. Sophia vit les hommes changer de direction et foncer vers la file de coches dont les attelages se bousculaient en ruant, paniqués par la détonation. Calixta replongea dans l'habitacle et referma la porte.

– Peux-tu m'aider de nouveau à enlever mon chapeau, s'il te plaît, ma chérie ? demanda-t-elle à Sophia.

Celle-ci posa son sac à côté d'elle et essaya d'ôter les épingles du couvre-chef avec ses doigts tremblants, tandis que le véhicule rebondissait en tous sens sur la chaussée.

– C'est bon, j'ai fini, annonça-t-elle au bout d'un moment en les piquant dans le ruban.

Calixta secoua sa masse de cheveux et se pencha par la fenêtre.

– Cocher ! appela-t-elle. Je triple vos gages si vous nous amenez sains et saufs au bout des quais. Le navire avec les voiles rouges et blanches. (Elle rentra la tête à l'intérieur.) Ils ont dû trouver un véhicule, à présent.

Les rues de La Nouvelle-Orléans défilaient autour d'eux.

Le conducteur leur avait fait contourner le centre-ville, mais la circulation n'en demeurait pas moins très dense et les cris des gens qui devaient s'écarter en catastrophe pour éviter la voiture lancée à toute vitesse se multipliaient. Sophia aperçut en un éclair un étalage de fruits qui s'effondrait au sol au passage des chevaux, et un bon nombre de chiens qui les poursuivaient en jappant.

– Plus qu'une minute, dit Calixta en jetant un regard par la fenêtre. Quand nous arriverons, descendez au plus vite et foncez vers le navire aux voiles rouges et blanches. (Ils opinèrent du chef en chœur.) Prends mon chapeau, recommanda-t-elle à Sophia. Allons, ma chérie, ne fais pas cette tête. (Elle sourit.) Je suis une excellente gâchette.

Leur coche cahota, puis eut un brusque à-coup lorsqu'il déboula sur les quais.

– Place ! Place ! hurla le conducteur.

Les chevaux contournèrent une charrette renversée et une pile de cagettes écroulées derrière elle.

Soudain, un craquement sonore retentit à l'arrière du véhicule, juste entre Sophia et Calixta.

– C'est eux, lança la pirate. Baissez la tête !

Elle se pencha par la fenêtre et tira à deux reprises. Puis ils s'arrêtèrent brusquement. Calixta ouvrit la porte d'un geste vif.

– Allez, c'est parti, les pressa-t-elle. Les voiles rouges et blanches ! Dites à Burr de venir en personne, il est hors de question que j'abandonne mes bagages, conclut-elle en écartant les pieds pour garder son équilibre, sans cesser de surveiller leurs poursuivants.

Sophia sortit en titubant, le chapeau de Calixta à la main,

les yeux rivés sur le quai, en quête des voiles colorées. Où étaient-elles ? Et où était Theo, d'ailleurs ? Il avait disparu. Il y avait des caisses partout, des marins, un cheval à la selle noire brillante qui s'agitait au bout de ses rênes, et deux chiens qui aboyaient en montrant une langue rouge. Theo se cachait-il quelque part ? Sophia s'accroupit derrière une pile de cageots en bois et regarda par terre. De la sciure et une moitié de poisson. L'air était imprégné de relents incongrus de rhum, comme s'il en avait plu, en fait. Elle leva la tête ; où étaient les voiles dont parlait Calixta ? Elles étaient toutes rouges et blanches. Ainsi que bleues, vertes et jaunes.

Elle vit ensuite des matelots courir en direction de Calixta. Ils devaient venir de son navire ! Derrière elle, une nouvelle détonation retentit, puis une troisième, et elle jeta un coup d'œil de dessous les cagettes pour découvrir la pirate, toujours à son poste et visant ses adversaires avec calme et précision tandis que ses marins faisaient glisser ses bagages du toit. Sophia se redressa et se prépara à les suivre.

Mais quand elle fit demi-tour, elle vit Theo, un peu plus loin, qui lui faisait de grands gestes de la main ; de l'autre, il tenait un pistolet et reculait pas à pas, tirant à intervalles réguliers, tandis qu'un homme corpulent, à côté de lui, portait l'une des valises.

Il sait tirer ?

Puis, soudain, Calixta ne fut plus à côté de leur véhicule. En fait, Sophia s'aperçut avec horreur que le quai était presque désert et que la pirate se trouvait sur le pont d'un navire aux voiles rouges et blanches. Il avait mouillé l'ancre à juste un jet de pierre plus loin, le gréement encore roulé. Il venait d'être déployé et commençait à prendre le vent en se tordant comme des rubans. Theo se tenait à côté de Calixta et montrait Sophia du doigt, séparée d'eux par une ligne d'hommes de sable.

J'ai perdu la notion du temps! paniqua Sophia.

Elle remarqua ensuite avec horreur qu'elle n'avait plus son sac à dos. Elle n'avait pas lâché le couvre-chef de Calixta, mais son précieux bagage avait disparu. *Oh non, j'ai dû le laisser dans le coche,* se dit-elle, presque hystérique. Les nihilismiens fanatiques visaient toujours le vaisseau ; ils n'avaient pas encore vu Sophia. Celle-ci posa le chapeau sur sa tête et se mit à ramper à quatre pattes en direction du véhicule qu'elle venait juste de quitter. Theo, Calixta et deux autres pirates échangeaient des salves de tir avec les hommes de sable. L'un d'eux se préparait à lancer son grappin.

À la surprise de Sophia, elle s'aperçut que l'un des marins avait son sac sur le dos. Une vague de soulagement la traversa.

Calixta a dû le trouver. Pourvu que j'arrive à rejoindre le bateau…

Elle pouvait même en voir la passerelle. En cinq enjambées, elle pourrait l'atteindre.

Elle se mit à courir et percuta aussitôt un grand homme mince, arborant un chapeau encore plus monumental que celui de Calixta. Il tenait un revolver dans une main et une longue épée dans l'autre. De la pointe de son colt, il releva le bord de son couvre-chef, révélant un visage barbu plutôt avenant et un grand sourire. Il considéra Sophia.

– Quand ma sœur t'a dit de veiller sur ses affaires, tu l'as vraiment prise au mot, constata-t-il avec approbation.

– Je… je suis désolée, bégaya Sophia.

– C'est ce que tu pouvais faire de plus sage, commenta-t-il gaiement.

Il remit son épée dans son fourreau, saisit la main de Sophia et l'emmena en courant vers la passerelle du navire aux voiles rouges et blanches. Les hommes de sable repérèrent aussitôt leur fuite et, immédiatement, changèrent de trajectoire. Sophia entendit des pas résonner sur les planches du quai, puis un choc violent lorsqu'un objet percuta le sol. Un silence tomba sur la scène durant une seconde, brisé un instant plus tard par des cris provenant des deux factions. Un grappin s'était enfoncé dans les lattes de bois juste à côté de son pied. Sophia traversa la passerelle en trébuchant et termina sa course sur le pont.

Hors d'haleine, elle se retourna pendant que le vaisseau s'éloignait de la jetée. Celle-ci était déserte, hormis quatre personnages à l'air bizarre : les hommes de sable, embourbés dans un étrange liquide noir et épais qui les avait piégés comme des mouches dans du miel. Sophia cligna des yeux, persuadée d'avoir mal vu. Puis un étourdissement la submergea. Elle voulut s'agripper à la rambarde du navire et s'aperçut qu'elle avait disparu. Elle s'effondra à genoux. Sa joue se retrouva contre le pont de bois huilé, et le monde entier bascula.

16
MAL DE MER

Si nombre de terres demeurent inexplorées depuis le Grand Bouleversement, les mers le sont encore plus. Les philosophes du Nouvel Occident se sont penchés sur une question bien précise : si une portion de l'océan appartenait au trentième siècle, le saurions-nous en naviguant dessus ? De façon purement pragmatique, il n'existe aucune méthode éprouvée pour déterminer l'âge des flots.

Extrait de Histoire du Nouveau Monde,
par Shadrack Elli.

LORSQUE L'ÉTOURDISSEMENT qui l'avait clouée sur place s'était résorbé, Sophia s'était remise sur ses pieds et avait regardé, avec une admiration nauséeuse, le vaisseau prendre la mer : les marins de Calixta déployaient les voiles, se transmettant des ordres à pleins poumons d'un bout à l'autre du pont jusqu'à ce que les grandes étendues de tissu soient gonflées de vent. Le soleil disparut derrière un nuage solitaire, et le parfum de l'océan entoura soudain la jeune fille. Sophia inspira à fond. Quand elle retrouva sa voix, elle tenta de s'excuser d'avoir perturbé leur départ à cause de ses difficultés à garder la notion du temps, mais personne ne semblait penser qu'elle avait commis la moindre erreur.

– Si tu tiens à remercier quelqu'un, remercie plutôt ce garçon, lui avait dit un Burr souriant en passant un bras autour des épaules de Theo, c'est lui qui t'a repérée. Pour ma part, je l'ai déjà félicité d'être une aussi fine gâchette. De la mélasse, c'est ça ? Tu as bien dû toucher quatre tonneaux. Tu nous as plus englué ces gaillards sur le quai que si on les avait roulés dans du goudron et des plumes ! Tu es un pirate dans l'âme, toi !

Theo s'illumina, presque intimidé par l'avalanche de compliments de Burr.

Qui plus est, tout ennui que Sophia aurait pu avoir provoqué s'estompa apparemment face à la tragédie qu'avait subie l'une des malles de Calixta, arrivée à bord avec deux trous causés par des balles. La pirate passa sa fureur sur celui qui l'avait transportée et sur son frère pour ne pas l'avoir déplacée lui-même. Burr se contenta de parcourir le pont en lançant des instructions à ses matelots pendant tout le temps où ils quittèrent le port et que sa sœur l'insultait.

– Ça te soulagerait de loger quelques balles dans la peau de Peaches, pour compenser ? lui demanda Burr au bout d'un moment. Je t'en prie, ne t'en prive pas.

Il désigna d'un geste cordial le malheureux en question, un marin plus âgé qui tripotait ses manches ornées d'une profusion de dentelle avec une expression misérable.

– Je devrais, ça, c'est sûr ! tonna Calixta. Tu sais à quel point c'est difficile de trouver des jupons de la bonne longueur ?

Inconsolable, Peaches secoua la tête.

– Je suis désolé, capitaine Morris.

– Très chère, plutôt que de nous parler de tes habits, reprit Burr, peut-être devrais-tu examiner d'abord les dégâts…

Calixta le fixa quelques instants de plus, l'air furieux, puis ouvrit le bagage incriminé. Elle inspecta les vêtements en silence, tandis que Peaches attendait avec angoisse le verdict à côté d'elle. Enfin, elle leva une tête à l'expression radoucie.

– Eh bien, il semblerait que ma boîte à poudre ait arrêté les balles. Peaches ? lança-t-elle d'une voix glaciale. Tu me dois une pleine boîte de poudre à maquillage.

– Bien sûr, mon capitaine ; dès que nous arriverons au port, répondit l'intéressé avec soulagement.

Calixta suivit ensuite ses bagages dans sa cabine. Tandis que les marins vaquaient à leurs occupations avec autant d'efficacité que de bonne humeur, Sophia se tint la tête et tenta de contrôler les vagues de nausées qui la submergeaient.

Les pirates ne ressemblaient en rien à ce qu'elle avait imaginé. Ils avaient l'air de voyageurs aisés et nonchalants, arborant des tenues excentriques. Tous parlaient avec le phrasé précis, presque désuet, des Caraïbes. Même le moins pittoresque lui faisait davantage l'effet d'un valet à la mode que d'un bandit endurci par des années passées à bourlinguer.

Theo était leur chouchou, depuis sa brillante démonstration de tir, et il avait aussitôt été emmené à l'écart pour discuter avec les matelots.

– Hé ! Tu vas bien ? demanda-t-il à Sophia.

Celle-ci, bien que consciente que son geste était mesquin, mais trop en colère pour s'en empêcher, prétexta qu'elle avait le mal de mer pour ne pas répondre. Theo haussa les épaules et s'éloigna. Elle se dit qu'elle avait finalement plus tendance à faire confiance aux pirates qu'à son compagnon, puisque Calixta avait sauvé son sac à dos et que Burr l'avait sauvée, elle ;

il aurait pourtant été tout aussi simple pour eux de l'abandonner au port.

Je vais devoir leur demander de l'aide pour aller à Nochtland, décida-t-elle en tentant de juguler l'anxiété qui ne faisait qu'aggraver son malaise.

Elle ne pouvait qu'espérer qu'une fois sur place, elle trouverait Veressa, et qu'ensemble, ils secourraient Shadrack avant que quelque chose de terrible ne lui arrive.

Même après des heures de mer, son violent mal de cœur ne diminua pas. Elle se résigna à rester inerte, assise dans son coin, en regardant l'horizon et en luttant contre la nausée. Tandis que le soir tombait, ils parvinrent à une zone de temps calme et l'air se rafraîchit agréablement. Calixta l'appela de l'autre bout du pont.

– Tu viens, ma belle ? On dîne dans ma cabine.

– Je préfère ne pas bouger, répondit Sophia. Je me sens encore plus malade à l'intérieur. De toute façon, je n'ai pas faim.

– Pauvre petite… Je comprends, j'espère que ça va s'arranger.

Sophia fit un effort surhumain pour se lever afin de mieux voir le coucher de soleil. Au-dessus d'elle, les étoiles apparaissaient et l'horizon allait du pourpre au rose, en passant par le bleu. Sophia scruta le ciel et, l'espace d'un instant, sentit sa nausée diminuer. Quelques secondes plus tard, elle entendit des pas et pivota pour découvrir quelqu'un qui traversait le pont dans sa direction.

– Je viens te tenir compagnie, ma chérie.

Sophia étudia avec curiosité la vieille femme aussi petite et presque aussi mince qu'elle, qui s'approchait.

Même si elle se tenait bien droite et parlait d'une voix claire, elle semblait être la personne la plus âgée de toutes celles que Sophia eût jamais rencontrées. Ses cheveux blancs étaient tressés et épinglés en couronne sur sa tête, et elle portait une robe lilas bien repassée, à la jupe et aux manches plissées.

– Je suis grand-mère Pearl, dit-elle en posant une main ridée sur celle de Sophia. Même si je ne suis la grand-mère de personne. (Elle sourit, sans lâcher Sophia.) Et toi, on m'a raconté que tu souffrais du mal de mer, ma pauvre…

– Plutôt, déclara Sophia.

Elle comprit à la subtile pression des doigts de l'aïeule sur les siens et à la façon dont elle tenait la tête qu'elle était aveugle.

– Je n'arrive pas à m'en débarrasser.

– Ah, je sais pourquoi.

La vieille dame sourit, et ses petites dents brillantes et alignées comme des perles sur un collier étincelèrent.

– Je peux le sentir dans ta paume.

Sophia cligna des yeux.

– Pour de vrai ?

– Bien sûr, ma chérie. C'est évident pour quiconque te touche. Tu n'es pas liée au temps. Cela dit, on te l'a certainement expliqué de façon à te laisser croire que c'était horrible. Ils ont dit ça comment ? Que tu n'avais pas d'horloge interne ? Pas de sens du temps ?

Sophia se sentit rougir dans l'obscurité croissante.

– Oui. Et c'est vrai. J'ai… je perds toujours la notion du temps. Je n'en suis pas particulièrement fière, marmonna-t-elle.

– Tu n'as aucune raison d'avoir honte, ma chérie, commenta grand-mère Pearl avec un bon sourire. Ne pas être relié au temps est un talent rare. Penses-y : tu es libre de dériver, de flotter, comme un navire qui n'aurait pas d'ancre pour l'alourdir et le freiner.

Sophia jeta un coup d'œil aux mains ridées qui enserraient les siennes.

– Parfois, j'aimerais bien avoir une ancre, pourtant.

La vieille femme la conduisit vers les fauteuils sur le pont.

– Tu en as pourtant une. Ne gardes-tu pas en permanence une montre sur toi ? Les gens ne te rappellent-ils pas constamment l'heure ? N'es-tu pas entourée d'horloges, qui égrènent chaque seconde pour te dire l'heure ? N'est-ce pas notre cas à tous ?

– J'imagine…

– Alors pourquoi aurais-tu besoin d'une horloge interne ? Fais-moi confiance, ma chérie. Tu es bien mieux sans. Durant mes quatre-vingt-treize années de vie, je n'ai rencontré au total que trois autres individus qui n'étaient pas soumis au temps, et tous étaient exceptionnels.

Sophia s'imprégna de ces mots et y réfléchit.

– Mais en quoi est-ce lié au mal de mer ? demanda-t-elle en s'asseyant.

– Eh bien, parce que nous voguons sur une soupe mêlant une multitude d'époques différentes. Quand le Bouleversement s'est produit, les flots étaient dans un endroit bien précis. À présent, de nombreux Âges se mélangent à l'intérieur, et le moindre verre d'eau en contient plus d'une douzaine.

Aucun des amis explorateurs de Shadrack n'avait jamais parlé de ça. Sophia leva le visage dans l'air marin, comme pour en goûter la vérité.

– C'est possible ?

– J'ai passé la majeure partie de ma vie en mer, et j'ai contemplé des mystères qui ne peuvent être expliqués que de cette façon.

– Quel genre de mystères ?

– D'étranges cités bâties à la surface de l'eau, qui apparaissent une seconde et disparaissent à la suivante. Des selkies et des tritons qui construisent des poches d'eau pour contenir un seul Âge. Et très souvent, dans les profondeurs, j'ai vu comme des fragments, des débris de plusieurs Âges, perdus dans les courants.

– Alors autrefois, vous n'étiez pas aveugle ? demanda Sophia, fascinée.

– Absolument pas. Toutefois, pour être honnête, ma vision était en quelque sorte cette ancre dont nous parlions. Tout comme c'est une bonne chose pour toi de ne pas avoir le sens du temps, je me passe très bien de la vue. Je sais que cela doit te sembler étrange, mais ce n'est que lorsque j'ai perdu l'usage de mes yeux que j'ai commencé à appréhender différemment le monde autour de moi.

– Que voulez-vous dire ?

– Eh bien… prends ta paume, par exemple. Dans ma jeunesse, j'aurais pu serrer ta main, tout comme je l'ai fait, mais j'aurais scruté ton regard et ton sourire pour me faire une idée de ton identité, et je n'aurais pas prêté la moindre attention au reste. Lorsque je suis devenue aveugle, j'ai pris conscience de détails auxquels je n'aurais jamais accordé d'intérêt auparavant, car le reste m'aurait distraite.

– Je crois que je comprends…

Sophia se rappela soudain à quel point elle s'était fiée à l'apparence de grand-mère Pearl pour mieux la cerner : ses cheveux, sa robe bien repassée, les rides profondes de son visage.

– Selon vous, je dois réfléchir à ce que mes sens me soufflent, puisque le temps ne signifie rien pour moi.

– C'est exactement ça, ma chérie, acquiesça son interlocutrice. Qu'y a-t-il que les gens ne remarquent pas, parce qu'ils ne se préoccupent que du temps ? Comme cela ne te déconcentre pas, tu distingueras ce qui leur échappe. (Elle s'interrompit pour permettre à Sophia de s'imprégner de ses mots.) En revanche, cela risque de te demander un moment pour mettre ce don en pratique, ajouta-t-elle avec un petit rire.

Sophia sourit.

– Vous avez raison. (Elle fixa les mains parcheminées de l'aïeule.) Si vous avez quatre-vingt-treize ans, cela veut dire que vous avez vécu le Grand Bouleversement.

– Tout à fait, même si je n'en ai aucun souvenir. Je n'étais qu'un bébé, à l'époque, mais ma mère m'en a parlé. Dans les Caraïbes unies, où les gens dépendaient tous du commerce transatlantique, le choc a été terrible. Les vieux ports européens ont disparu. Les colonies d'Amérique se sont transformées. Et les Terres rases ont sombré dans la guerre, le chaos et la confusion. Imagine des centaines de milliers de personnes qui, au réveil, découvrent que l'univers qu'elles connaissaient est brouillé comme un jeu de cartes ; elles étaient devenues des exilées solitaires, loin de leurs foyers anéantis. On aurait dit que le continent entier avait plongé dans la folie. Ma mère l'évoquait comme un véritable cauchemar, interminable, qui aurait changé le monde à tout jamais. Mais bon, il ne faut pas oublier que c'était une liseuse de rêves, et elle savait mieux que quiconque à quel point la frontière entre le mythe et la réalité est incertaine.

– Est-ce qu'elle était… (Sophia hésita.)… une pirate, elle aussi ?

– Oui, c'est vrai. Mais ce métier était très différent, à l'époque, dangereux et sous-payé. Pas comme aujourd'hui. Ma mère a été élevée à bord de bateaux et n'a jamais possédé ne serait-ce qu'une seule paire de chaussures, la pauvre. Elle a fait fortune en prédisant le temps qu'il faisait et en décryptant les rêves. Sa vie a été rude, mais à présent, on vit l'âge d'or de la piraterie.

Sophia songea, en se remémorant la voix de Shadrack, qu'en vérité, c'était plutôt le grand âge de l'exploration. Mais elle ne contredit pas l'aïeule.

– Ce navire a vraiment l'air bien aménagé, c'est sûr, dit-elle doucement.

– Oui, mes compagnons et moi avons beaucoup de chance. Nous sommes tous bien traités et nous avons même droit à des vacances. Burr et Calixta font de gros bénéfices, je n'ai aucun doute là-dessus, mais ils ne sont pas cupides ; ils les partagent avec nous. Aucun de nous n'a de raisons de se plaindre. Néanmoins, si tu croises d'autres navires, tu verras qu'en comparaison, celui-ci est modeste. (Grand-mère Pearl secoua la tête.) Je te jure, certains d'entre eux possèdent plus de richesses à eux seuls qu'une petite île. Les plus grandes îles, bien entendu, c'est différent. Es-tu jamais allée à La Havane, ma chérie ? L'argent y coule à flots, provenant des quatre coins du monde.

– Je ne me suis jamais rendue dans les Caraïbes unies, admit Sophia. Ni dans les Terres rases. En fait, avant ce voyage, je n'avais jamais dépassé le sud de New York.

Grand-mère Pearl éclata de rire et lui tapota la main.

– Eh bien, cela t'en fera encore plus à découvrir. Mon pays va te couper le souffle ; il fait toujours cet effet, la première fois.

– C'est ce que tout le monde dit.

– Tu te souviens de ce que je t'ai raconté à propos du verre d'eau de mer ? Eh bien, les Terres rases sont exactement pareilles, mais sur terre. Elles contiennent tous les Âges, mélangés en un instant.

– Je n'arrive pas à imaginer ça, dit Sophia en fronçant les sourcils.

– En fait, tu ne le perçois pas comme ça, du moins pas tout de suite, expliqua la vieille femme. Peut-être que juste après le Grand Bouleversement, les lignes de collision entre les Âges étaient visibles ; une rue dans un siècle, la suivante dans un autre. Mais aujourd'hui, après plus de quatre-vingt-dix ans, tout s'est posé. Dans l'Ère Triple, par exemple, trois Âges ont fusionné en un seul. Impossible de savoir si tel bâtiment est originaire du passé et son voisin du futur, ni si quelqu'un porte un mélange de vêtements provenant de trois siècles différents, ni si telle bête préhistorique est assise à côté d'une plus jeune. Aujourd'hui, cela ressemble juste à ce que c'est : un seul Âge qui en contient plusieurs.

Sophia se pencha en avant avec excitation.

– Parlez-moi des animaux. J'ai entendu dire que ce sont les êtres les plus étranges qui soient.

– Ils sont fabuleux, c'est vrai, confirma grand-mère Pearl. Mais dans les Terres rases, tu dois faire attention à la façon dont tu te sers de ces mots : animal ou créature.

– Ah bon ? Pourquoi ?

– À cause de la Marque du Lierre et de celle du Fer. (Elle s'interrompit devant le mutisme de Sophia.) En as-tu déjà entendu parler ?

– J'ai lu des choses à leur propos. (Sophia se souvenait de la brève mention qu'elle avait vue dans l'atlas de Shadrack.) Mais je n'avais pas vraiment compris ce que cela signifiait. C'est quoi ?

Grand-mère Pearl se renfonça dans son siège.

– Eh bien, je ne suis pas surprise que tu l'ignores. Les gens n'aiment pas en parler. Surtout ceux originaires des Terres rases. Mais tu ne pourras pas appréhender ce pays si tu ne connais pas les Marques. Elles ont toujours été là, en tout cas depuis le Grand Bouleversement, mais notre façon cruelle de les interpréter remonte bien avant dans le temps. Veux-tu que je te raconte comment tout cela a commencé ?

– Bien sûr.

– L'histoire a été mise en vers par le poète Van Mooring, un homme de Nochtland qui est ensuite devenu matelot. Chaque marin l'a entendue maintes et maintes fois.

Elle entama alors une longue chanson mélancolique d'une voix qui se répandit sur le pont comme une fragile toile d'araignée.

Devant les portes en fer de Nochtland
La garde veillait à ce que s'arrête la foule
De ceux qui se seraient avancés
Pour apercevoir le palais inconnu.

Un aperçu de pics et de verre étincelant
Parsemant les vastes jardins luxuriants,
C'était tout ce que les hautes portes offraient
Aux regards des passants et des habitants.

Jusqu'à ce que l'étranger apparaisse,
Son capuchon tiré bas sur son visage,

Demandant à être admis à l'intérieur
Et prétendant être de la famille du roi.

La garde refusa : l'étranger combattit.
Son capuchon tomba et, tandis qu'ils tentaient
De maîtriser ses bras et de le ligoter,
Le visiteur prit son envol.

Son manteau s'étendit ; ses ailes se déployèrent
Et montrèrent que l'inconnu n'avait pas menti.
Les feuilles d'émeraude avec lesquelles il volait
Portaient la Marque du Lierre et prouvaient la vérité.

La garde bondit, sauta de toutes ses forces
Et maintint le visiteur au sol.
Il tomba à terre, ses ailes brisées
Et son orgueil brisé méconnu des rois.

La Marque du Fer l'avait mis à bas.
Les sentinelles payèrent de la même façon
La cruauté de leurs coups guidés par la Marque :
Le prix d'avoir la tête en fer.

Sa voix s'estompa, mais les images continuaient à vivre dans la mémoire de Sophia.

– Qu'est-ce que ça veut dire : « Le prix d'avoir la tête en fer » ?

Grand-mère Pearl inclina la tête.

– Pourquoi ne lui parles-tu pas toi-même de la Marque du Fer, mon chaton ?

Le regard de Sophia dépassa le fauteuil de la vieille femme et elle vit avec surprise que Theo se tenait sur le pont, presque entièrement dissimulé par les ténèbres, quasiment invisible, mais apparemment à portée d'oreilles. Elle s'aperçut que, durant la chanson, elle avait oublié tant sa colère que ses nausées.

Après un instant d'hésitation, Theo se rapprocha et s'assit.

– La Marque du Fer, commença-t-il d'une voix calme, signifie qu'une partie du corps d'un individu est faite de métal. La plupart du temps, ce sont les dents. Dans ce cas, elles sont aiguisées et pointues, capables de déchirer n'importe quoi.

Sophia se recroquevilla en arrière.

– Ils ont arraché les ailes de l'étranger… avec les dents ?

– Ils gardaient le passage. Ils ne faisaient que ce que l'on attendait d'eux.

Grand-mère Pearl hocha la tête.

– Il est vrai que pour leur défense, les gardes dirent qu'ils protégeaient la porte. Et ils ont expliqué qu'ils n'avaient aucun moyen de savoir que ce visiteur inconnu était, en fait, un neveu du roi, revenu à Nochtland après des années passées sur la frontière nordique. Malgré tout, le souverain déclara que la Marque du Lierre aurait dû être une preuve suffisante.

– Que lui est-il arrivé ? demanda Sophia.

– Ses ailes avaient été déchiquetées par les soldats, mais au fil du temps, elles repoussèrent, comme des feuilles d'arbre.

– Les gardes furent quand même mis à mort, ajouta Theo.

Grand-mère Pearl se tourna vers lui.

– Oui, ils furent condamnés à mort, et l'ancienne inimitié entre les deux Marques n'a fait que s'envenimer depuis cet épisode. Cela n'avait été qu'une simple antipathie auparavant, juste une suspicion, mais suite à l'exécution des sentinelles du palais, le gouffre entre elles s'est élargi. La Marque du Lierre est considérée comme signe de privilège et d'aristocratie. Au sein de la famille impériale, elle prend en général la forme d'ailes. Pour d'autres, cela peut être une portion de peau, une boucle de cheveux, ou plusieurs doigts. Si tu as la chance d'être né avec ne serait-ce qu'un maigre brin d'herbe, tu peux être le plus humble des enfants, tu seras béni. Ceux qui l'arborent sont choyés dans les Terres rases, et ceux qui ne l'ont pas, les gens ordinaires comme toi et moi, tentent souvent de l'imiter. Par contre, la Marque du Fer représente un signe de barbarie et de disgrâce. De nos jours, quiconque en est affligé n'osera pas mettre le pied à Nochtland. Tous ceux qui la portaient se sont vus bannis. La famille impériale considère à présent la plus petite pièce de métal comme une conspiration. Cela va du simple dédain au traitement qu'on réserve à un criminel.

– Pas dans le Nord, intervint Theo.

– Parfaitement, confirma grand-mère Pearl. Dans ces contrées, les pillards arborent leurs dents de fer avec fierté et n'ont aucune honte à les exhiber au reste du monde. Tu en verras même à Veracruz et sur les routes autour de la ville. Néanmoins, ils évitent tous Nochtland. Ai-je bien résumé ?

Le regard de Theo se perdit sur l'océan.

– Carrément. Ils finissent toujours par se retrouver du mauvais côté de la loi, même s'ils n'ont rien fait de mal.

– Et certains les rangent avec les sauvages, voire pis. Il n'est pas inhabituel de les entendre nommés « créatures » ou « animaux » par les plus intolérants, raison pour laquelle je t'ai mise en garde.

– Mais ils sont vraiment si terribles ? demanda Sophia.

– Bien sûr que non, se moqua Theo. Tous les pillards que je connais ne sont ni pires ni meilleurs que le reste du monde. Ce sont juste des gens : certains sont gentils, d'autres méchants.

– En bref, reprit grand-mère Pearl, c'est une façon cruelle de penser, qui divise ce peuple depuis plusieurs décennies.

Sophia s'aperçut que le soleil avait complètement disparu. Le ciel était noir et parsemé d'étoiles, et un fin croissant de lune brillait à l'horizon.

– Alors, c'est ce que les gens veulent dire, quand ils parlent de « créatures » ?

– Eh bien, déclara la vieille femme, il existe également ce que toi et moi appellerions des « créatures » : des animaux issus d'autres Âges et des êtres étranges que tu ne vois ni sur terre ni en mer.

– Comme les lachrimas, commenta Theo.

Sophia leva les yeux au ciel sans qu'il le remarque.

Grand-mère Pearl resta muette quelques instants.

– Oui, comme les lachrimas. (Elle baissa la voix.) Je n'accorde aucune foi aux racontars, mais certains membres de l'équipage n'aimeraient pas t'entendre prononcer ce mot. On prétend que nommer ces créatures les aide à se rapprocher.

– Alors comme ça, de féroces pirates ont finalement peur de quelque chose ? Qui l'aurait cru ! ricana Theo, la mine plus enjouée.

– Bien entendu ! Nous apprécions peut-être l'odeur de la poudre, mais les apparitions et les lachrimas sont bien différents.

– En avez-vous déjà entendu un ? la questionna Theo avec avidité.

– Oui, répondit-elle d'une voix sérieuse. La première fois, c'était il y a bien longtemps, mais j'en ai croisé un autre, il y a seulement quelques années, qui hantait un vaisseau, *Le Rosaline* ; c'était à La Havane.

– Alors, il n'y en a pas que dans les Terres rases ? demanda Sophia.

– C'est là que l'on en rencontre le plus souvent, mais tu es susceptible d'en entendre un à peu près n'importe où. Celui-là se trouvait sur *Le Rosaline* depuis des semaines. Les pauvres matelots étaient à bout de nerfs. Quand ils sont descendus à terre, à La Havane, ils ont abandonné leur vaisseau, et le capitaine n'a pu convaincre aucune âme d'y retourner. Au final, je ne sais si c'est lui ou quelqu'un d'autre, mais une personne a coupé les amarres du navire pour le laisser dériver, avec seulement le lachrima à son bord. Si le bateau n'a pas coulé, il se trouve quelque part sur l'océan, voguant avec son unique passager. Tôt ou tard, il finira bien par tomber en ruine. Un vaisseau désert sur une mer vide. Le lachrima s'effacera avec le temps.

– Oh ! Alors, ils peuvent se dissiper ! s'exclama Sophia, frappée d'un éclair de compréhension. (Elle repensa à l'histoire de Mrs Clay et à la brusque disparition du lachrima à la frontière.) Mais comment ? Pourquoi ?

– Difficile à dire. C'est pour cette raison que certains les considèrent comme des monstres, d'autres comme des fantômes, et d'autres encore comme de simples sons. À Xela, ils se présentent le plus souvent sous cette dernière forme : les gens font référence à leurs plaintes sous le terme *el llanto del espanto*, « la lamentation de l'esprit ». On ignore comment ils disparaissent. Ces pauvres créatures sont très mal comprises. Mais mon impression est qu'elles ont conscience de leur sort. Elles savent qu'elles s'effacent. Et cela les terrifie. Tu ne le serais pas, toi ?

Grand-mère Pearl se remit debout en s'appuyant sur les accoudoirs de son fauteuil.

– Sur ce, je vais vous abandonner. T'ai-je distraite de ton mal de mer ?

– Oui, merci beaucoup, répondit Sophia avec sincérité. Je l'ai totalement oublié.

– Très bien. Demain, nous parlerons de sujets plus gais, d'accord ? (Elle toucha le front de Sophia, avant d'effleurer celui de Theo.) Dormez bien, les enfants.

– Bonne nuit, grand-mère Pearl, déclara le garçon en prenant sa main dans la sienne pour déposer un baiser dessus.

– Ah ! fit-elle en tâtant ses cicatrices avec ce que l'on aurait pu considérer comme de la tendresse. Voilà pourquoi tu m'as donné la gauche, tout à l'heure, mon cher garçon. (Elle lui adressa un sourire.) Il n'y a aucune honte dans cette paume, Theo. Juste de la force.

Il éclata d'un rire un peu forcé, mais ne répondit pas.

– Juste de la force, répéta-t-elle en lui tapotant le dos de la main. Bonne nuit. Dormez bien.

17
UN *CYGNE* DANS LA BAIE

25 juin 1891, 17 h 41

Après 1850, avec l'expansion du commerce du rhum et du sucre entre les Caraïbes unies et le Nouvel Occident, la flibuste dans les Caraïbes a crû jusqu'à devenir particulièrement lucrative. Les plantations durent affronter le risque permanent de détournements sur les voies maritimes ou opter pour une collaboration ruineuse. La plupart d'entre elles choisirent cette seconde solution et, au fil des ans, bon nombre de pirates se transformèrent en chefs d'entreprises légales chargées de protéger les cargaisons. Cela eut pour résultat d'agrandir le fossé entre les pillards et leurs cousins plus prospères au service des négociants.

Extrait de Histoire du Nouveau Monde, *par Shadrack Elli.*

CALIXTA ET BURTON Morris étaient issus d'une longue lignée de pirates. Pendant plusieurs générations, leurs ancêtres avaient écumé les eaux dangereuses des Caraïbes à l'époque où, quelle que fût la couleur de ses voiles, tout vaisseau était un ennemi potentiel. Personne n'aurait pu se douter, en faisant la connaissance de Calixta et de Burton, Burr pour les intimes, de la tragédie qui émaillait leur passé, vu leur gaieté naturelle. Et pourtant, c'était cette même tragédie qui les poussait à jouir aussi pleinement de la vie ; ils avaient conscience que celle-ci pouvait leur être arrachée à chaque instant.

C'étaient des jumeaux, les deux derniers d'une fratrie de sept. Leur mère était la fille d'un capitaine pirate et leur père le second du tristement célèbre *Typhon*. Pendant des années, ils avaient navigué tous ensemble, en famille, jusqu'à ce que le commandant du *Typhon*, soucieux de la réputation de son navire, attaque un rival ambitieux. La bataille avait été rude et longue, et quand elle s'était achevée, les deux vaisseaux n'étaient que des coques embrasées.

Calixta et Burr, âgés de moins d'un an à l'époque, avaient erré et dérivé dans leur berceau parmi les débris calcinés jusqu'à toucher terre. Grand-mère Pearl avait également survécu au naufrage, bien qu'elle eût perdu la vue durant l'incendie, et elle s'était accrochée au couffin pour le protéger avec le peu de forces qu'il lui restait.

C'était elle qui les avait élevés, tout comme elle avait choisi *Le Cygne*, le navire d'un homme au grand cœur, le capitaine Aceituna. Même s'il se targuait d'être un pirate, l'âge l'avait assagi, et il n'empruntait que les routes les plus sûres pour transporter le caoutchouc recueilli dans les Terres rases du Sud à destination des Caraïbes unies et du Nouvel Occident, où ce matériau était utilisé pour fabriquer des pneus, des bottes et autres objets usuels. Le « bois qui pleure », qui poussait aux confins de l'Ère Triple, avait enrichi beaucoup de gens, dont Aceituna lui-même.

Bien sûr, la tragédie qui les avait rendus orphelins avait pesé sur toute la jeunesse de Calixta et de Burr, mais grand-mère

Pearl et l'équipage du *Cygne* avaient fait leur possible pour aider les enfants à reprendre goût à la vie. Quand Aceituna avait pris sa retraite et laissé le navire entre leurs mains, Calixta et Burr avaient juré que leur vaisseau ne deviendrait jamais comme *Le Typhon*. La gloire leur importait peu, ils voulaient juste vivre confortablement. *Le Cygne* n'attaquait jamais sans provocation. Les Morris riaient de bon cœur lorsque leurs confrères se moquaient d'eux en les surnommant « les Pirates polis ».

« Mieux vaut poli que mort », répondait systématiquement Burr. Avant d'ajouter parfois : « Pourquoi devrais-je chercher à me battre alors que les meilleurs combats viennent d'eux-mêmes à moi ? »

Calixta possédait et mettait régulièrement à jour une liste des routes empruntées par les autres pirates et vérifiait chaque fois celle du *Cygne* pour éviter toute confrontation.

Durant sa deuxième nuit à bord, Sophia eut l'occasion d'étudier les cartes nautiques du vaisseau, ce qui lui fournit l'opportunité qu'elle avait attendue. Elle avait déjà décidé de demander à Burr et Calixta de l'aider à se rendre à Nochtland. C'était sa seule chance de réussir. Mais même si elle avait pu y parvenir sans eux, elle leur aurait posé la question. Ils l'avaient déjà secourue deux fois : la première quand Burr l'avait protégée des hommes de sable sur le quai de La Nouvelle-Orléans, la deuxième quand Calixta avait récupéré son sac à dos, alors qu'elle aurait tout aussi bien pu le laisser sur place ou le garder pour elle. Ces pirates n'avaient visiblement rien en commun avec les nihilismiens de Montaigne, et leur révéler ce qui était arrivé à Shadrack ne pourrait que lui être bénéfique, se dit Sophia, assise sur le pont éclairé d'une multitude de lanternes.

Depuis un long moment, elle était plongée dans la contemplation des cartes marines et graphiques climatologiques que Burr avait rapportées de sa cabine. Calixta et lui se trouvaient un peu plus loin et tentaient d'enseigner à Theo les bases de l'escrime. Grand-mère Pearl, installée juste à côté, les écoutait avec un bon sourire.

– Allez, espèce de limace ! Ne reste pas planté devant moi comme si tu me suppliais de t'embrocher, l'admonestait Burr. Esquive !

– Mais c'est lourd ! protesta Theo en reculant, les mains blanches à force d'être crispées sur le pommeau de son arme. Je préférerais me servir d'un revolver.

– Et pour couronner le tout, c'est un flemmard ! se moqua Burr à l'intention de Calixta en avançant vers son adversaire. Calixta est plus petite que toi, et elle manie cette épée avec davantage de facilité que tu ne tiendrais une de ses épingles à chapeau.

– Plus petite que lui ? protesta l'intéressée en pivotant vers son frère pour le désarmer à l'aide de la perche en bois qu'elle tenait. Tu me prends pour quoi, un poisson rouge ?

– Les poissons sont moins vaniteux que toi, très chère sœur, répondit Burr en esquivant la perche avant de rouler sur le pont pour récupérer sa lame. Et ils ne portent pas aussi bien les jupons en dentelle, admit-il en reportant son attention sur Theo. Sers-toi de ton autre main, proposa-t-il, celle que tu aimes apparemment utiliser comme cible.

Le garçon fit la grimace et passa son épée dans sa paume balafrée.

– Je dis juste qu'un revolver, c'est beaucoup plus pratique.

En quelques mouvements rapides, Burr dénoua un filin enroulé tout près. Theo leva le nez pour regarder de quoi il s'agissait, mais trop tard. Il se retrouva enseveli sous le filet qui s'était abattu sur lui.

– Hé !

Son cri fut suivi du tintement de son épée qui tomba à terre. Il se mit à se débattre au milieu du nœud de cordages.

– Alors, limaçon, à quoi te servirait un pistolet, dans cette situation ? le nargua Burton.

– Cette écoute est toute neuve, on l'a achetée le mois dernier, protesta Calixta.

– Regarde-le ! Tu crois vraiment qu'il va parvenir à la découper ? (Burr émit un petit rire en voyant Theo tenter de se frayer un chemin à travers les mailles du filet.) Tu disais quoi, à propos d'un poisson ?

Jusqu'à présent, Sophia ne leur avait pas prêté attention, absorbée dans l'étude de ses graphiques.

Soudain, elle laissa échapper un cri et brandit un rouleau de papier.

– Oh ! C'est Shadrack qui l'a faite !

– Qui ça, ma chérie ? demanda grand-mère Pearl.

Sophia se calma.

– C'est mon oncle, Shadrack Elli. C'est lui qui a dessiné cette carte.

– Vraiment ? fit Burr avec un intérêt non dissimulé.

Calixta et lui jetèrent un coup d'œil par-dessus l'épaule de la jeune fille.

– Ah, oui ? Elle est impressionnante de précision et de finesse. (Il désigna un point.) Par exemple, cette île est si éloignée de tout que la plupart des gens n'en ont jamais entendu parler. Seuls les pirates y font parfois escale. Et pourtant, cette carte est incroyablement exacte. Chaque ruisseau, chaque rocher… tout y est indiqué. C'est remarquable.

– Oui, elle est magnifique, acquiesça Sophia en suivant des yeux les lignes délicates tracées par la main familière de son oncle.

– Comment a-t-il réussi à faire ça ? Je suis persuadé qu'il n'y est jamais allé.

– Je l'ignore.

Sophia avait conscience que Shadrack était un cartographe d'exception, mais en dépit de tout ce qu'elle savait déjà de ses méthodes, elle devait bien admettre que nombre d'entre elles lui étaient complètement étrangères.

– Il a probablement discuté avec un explorateur. Il procède souvent ainsi.

– Avec un tel degré de précision ?

– Il est très doué. Si on lui décrit quelque chose, il peut en tirer une représentation parfaite.

Calixta secoua la tête.

– Mais les gens ne se souviennent jamais totalement de ce qu'ils ont vu. Ils oublient toujours quelque chose ou se trompent dans les détails. Toutes les œuvres de ton oncle sont-elles aussi belles ?

– Eh bien… (Sophia hésita un instant.) Il possède vraiment beaucoup de cartes très différentes.

Elle s'interrompit de nouveau avant de plonger lentement la main dans son sac.

– Pour tout vous dire, il m'en a confié une particulièrement étrange. Je ne suis pas encore arrivée à en tirer quelque chose.

Elle sortit la plaque de verre, qu'elle avait laissée éveillée. Les lignes gravées dessus brillaient faiblement.

– Je suis désolée, mais en fait, Shadrack ne s'est pas enfui avec une actrice. Il ne ferait jamais un truc pareil, expliqua-t-elle en jetant à Theo, qui émergeait de sous le filet de pêche, un regard acerbe. Il a été enlevé. Il m'a laissé un message me demandant d'aller trouver une de ses connaissances à Nochtland. Ainsi que ceci. Nos poursuivants, à La Nouvelle-Orléans, les hommes de sable. C'est ça qu'ils voulaient.

Burr la scruta avec attention tandis que Calixta s'asseyait à côté d'elle.

– C'est une carte de verre, expliqua Sophia. Vous en avez déjà vu ?

D'un commun accord, les jumeaux firent un signe négatif.

– Ils n'ont jamais dû en entendre parler, intervint Theo. On en trouve partout dans les Terres rases, mais nulle part ailleurs.

Burr haussa les sourcils.

– On peut la regarder de plus près ?

Sophia hocha la tête, et les Morris se penchèrent au-dessus d'elle.

– Pouvez-vous me la décrire, s'il vous plaît ? chuchota grand-mère Pearl.

– C'est une plaque de verre qui se couvre d'écritures au clair de lune, expliqua Sophia. Tout y est rédigé dans des langues étrangères, ou presque.

– Ici, il y a marqué « Tu le verras à travers moi », remarqua Burr.

– Mais c'est juste du texte, protesta Sophia.

– Qu'est-ce que tu veux dire par « juste du texte » ? l'interrogea le pirate, les yeux rivés sur les signes incompréhensibles.

– C'est une carte mémorielle. (L'idée de devoir revivre ce genre d'expérience ne la motivait guère, à présent qu'elle en connaissait le contenu.) Theo et moi l'avons déjà « lue ». Je crois que cela montre la même chose, quel que soit l'endroit que l'on choisit.

– Et que se passe-t-il, quand on fait ça ? demanda Calixta.

– Vous découvrez les souvenirs qui sont inscrits dedans.

Durant un instant, les pirates fixèrent Sophia avec incrédulité. Puis Calixta se pencha en avant.

– Moi d'abord.

Elle plaça avec impatience un doigt sur la carte et, aussitôt, changea d'expression. Elle ferma les yeux et afficha un air pensif. Quand elle écarta son index de la feuille de verre, elle frissonna.

– Seigneur, Calixta ! souffla Burr. Qu'est-ce que c'est ?

– Essaie, répondit-elle laconiquement.

Burton effleura la plaque à son tour ; un flot de souvenirs envahit son esprit, et son visage se figea.

– Je n'ai jamais vécu quoi que ce soit de ce genre, déclara-t-il lentement quand il eut fini sa lecture. C'est une carte de *quoi*, exactement ?

– On ne sait pas, dit Sophia. Mon oncle me l'a laissée, mais je ne l'avais jamais vue auparavant. Et je trouve bizarre qu'il n'y ait que du texte dessus. Je n'ai aucune idée du lieu ou de l'époque auxquels ça correspond.

– J'aimerais bien essayer, moi aussi, ma chérie, s'exclama grand-mère Pearl en se penchant en avant. Si l'un de vous m'aidait…

Sophia s'en chargea, et à peine la vieille femme eut-elle touché le verre qu'elle poussa un cri de stupeur. Sophia retira sa main.

– Non, protesta l'aïeule. Je veux le voir en entier !

Sophia reposa ses doigts sur la surface lisse.

– Ton oncle a-t-il jamais mentionné un événement de ce genre ? s'enquit Burr.

Sophia secoua la tête.

– Je crois que je m'en souviendrais.

Grand-mère Pearl termina sa lecture ; elle avait le visage sombre et les sourcils froncés.

– Le problème, reprit Sophia avec consternation, c'est que j'ignore presque tout des cartes mémorielles. J'avais à peine commencé à les étudier. Shadrack m'a expliqué qu'elles sont créées à partir des souvenirs que les gens ont du passé. C'est tout ce que je sais.

– Es-tu vraiment sûre de ce que tu affirmes, ma chérie ? demanda grand-mère Pearl.

– C'est-à-dire ?

– Je me pose une question, déclara la vieille femme. Cela me rappelle quelque chose. Dans la vision, cet instant où quelque chose de lourd est poussé et roule d'en haut, juste avant que tout soit détruit, me fait énormément penser à une ancienne légende que ma mère avait l'habitude de me raconter. Est-ce que ça pourrait être un conte ou une fable ?

Surprise, Sophia reporta son attention sur la plaque de verre.

– Je ne sais pas. D'après Shadrack, une carte ne peut contenir que ce que son auteur connaît. J'imagine que ça pourrait être un récit, du moment qu'il est réel. Elle porte l'insigne des cartographes, ce qui veut dire que la personne qui l'a créée a juré de le restituer de son mieux. Elle parle de quoi, votre légende ?

La vieille femme se renfonça dans son siège.

– Calixta, Burr, mes chers petits, c'est une histoire que je ne vous ai jamais racontée parce qu'elle est bien trop triste et horrible. Et honnêtement, je trouve que ma mère a été très bête de me la conter.

Burr lui adressa un sourire.

– Eh bien, maintenant, nous sommes adultes, mamie. Tu peux y aller !

Le visage de l'aïeule arbora une expression de tendresse qui l'illumina de l'intérieur.

– Tu as toujours été trop téméraire, mon garçon. Ce récit est propre à terrifier tous les cœurs, qu'ils soient jeunes ou vieux. Il parle de la fin du monde. Je crois que ma mère me l'a raconté parce qu'il la hantait. Elle l'appelait *L'Histoire du garçon de la cité enfouie.*

18 h 20 : le récit de grand-mère Pearl

– L'HISTOIRE COMMENCE AINSI :

« Dans une cité lointaine, à une époque encore à venir, se trouvait un orphelin. C'était un paria ; tous le rejetaient, car une terrible brûlure couvrait la moitié de son visage. Il ignorait ses origines et savait seulement qu'il avait été marqué à vie et que personne ne l'aimait à cause de ça. Il errait dans les rues, tout seul, chassé de partout. Jusqu'au jour où, poussé par un désespoir intense et une tristesse insondable, il grimpa au sommet du grand temple où, en haut des cinq cents marches, trônait la statue du dieu qui protégeait la cité. Il demanda à la prophétesse qui vivait là d'où il venait, ce qu'il était et comment changer le cours de sa destinée. La prêtresse scruta pendant très longtemps les ossements qui formaient un motif à ses pieds et, enfin, ouvrit la bouche.

« “Tu n’es pas des nôtres, dit-elle. Tu viens d’une cité souterraine. Voilà quel est ton véritable foyer. C’est la raison pour laquelle personne ne t’aime, ici, et pourquoi tu n’y as pas ta place.”

« Il lui demanda comment rentrer chez lui, mais elle l’ignorait. Elle aussi se détourna de son visage brûlé.

« “Tout ce que je sais, c’est que le dieu qui nous protège chutera de son piédestal avant que tu trouves la cité.”

« Ces mots hantèrent longtemps le garçon, et il fouilla la ville entière en quête d’une entrée vers la cité engloutie. Il chercha un accès, une porte, un tunnel, mais il ne découvrit rien. En désespoir de cause, il imagina un plan. Il allait faire tomber la statue de son socle, ce qui détruirait la ville et lui permettrait de révéler le passage souterrain dans ses ruines. Après tout, il avait toujours manqué d’amour et d’attention. Peut-être que s’il avait pu se souvenir d’une seule personne dans la cité avec plaisir, il n’aurait pas pu prendre cette résolution. Mais aucun habitant n’avait jamais fait preuve de la moindre gentillesse envers lui. Il remonta en courant les cinq cents marches, puis bondit sur la saillie où siégeait le dieu de pierre. Malgré sa petite taille, l’orphelin n’eut aucune difficulté à déloger la statue et à la faire basculer. Le temple tout entier se mit à s’effondrer autour de lui et, alors qu’il redescendait en hâte l’escalier, un incendie se déclencha.

« La cité brûla durant une semaine, jusqu’à être réduite en cendres, puis le garçon commença à fouiller dans les décombres, en quête d’un accès vers la ville souterraine. Mais ce qu’il découvrit le stupéfia. Il y avait des entrées partout ; presque dans chaque bâtiment, et en tout cas dans toutes les rues. Mais avant l'incendie, elles avaient été soigneusement barricadées, scellées, dissimulées et camouflées. Comme si, lors de l'édification des maisons, tout le monde avait veillé à cacher ce qui gisait dessous.

« Le garçon se faufila dans l'un de ces passages et s'enfonça dans les profondeurs de la terre. Il y voyagea durant des heures. Enfin, il trouva la ville que la prophétesse lui avait annoncée. Elle était magnifique, façonnée d'une pierre brillante qui étincelait malgré l'absence de lumière. Elle comportait d'immenses bassins d'eau miroitante et de larges allées. Des métaux précieux bordaient les routes et des joyaux scintillaient depuis les portes ; il n'y avait qu'un souci : elle était déserte. Seul l'écho de ses pas résonnait aux oreilles du garçon dans les vastes cavernes abandonnées. Il passa quatre jours à explorer la cité vide et, au matin du cinquième, finit, à sa grande surprise, par découvrir un vieil homme. Il n'avait jamais rencontré quelqu'un d'aussi âgé. Celui-ci lui expliqua qu'il était devin. L'orphelin s'assit devant lui, à bout de forces.

« "J'en ai assez des prophètes, dit-il. Donc, je ne vais pas vous demander de me révéler mon avenir. Mais j'aimerais savoir pourquoi cet endroit est désert. Où sont partis tous les habitants ? Et pourquoi ne les avez-vous pas accompagnés ?"

« Le vieillard fixa longuement le garçon et, bien que cela lui fût douloureux de répondre, il le fit quand même :

« "Cette ville a été abandonnée il y a de cela une éternité. Une prophétesse a révélé aux dirigeants de la cité qu'un jour, un de ses fils la détruirait et que tous ceux qui ne l'auraient pas quittée périraient. La peur poussa les anciens à déserter leurs maisons et ils s'exilèrent à la surface, dans l'espoir d'échapper à la prophétie. Cette voyante était ma mère, et elle fut la seule à ne pas partir. Elle pensait que les mots, une fois prononcés, finissaient toujours par se réaliser. Elle a disparu depuis bien longtemps, et aujourd'hui, il ne reste plus que moi."

« Le garçon écouta les paroles du devin et comprit que, dans son désir de trouver son foyer, il l'avait détruit. Il pleura jusqu'à en perdre presque la vue et ses larmes formèrent un lac, très semblable aux bassins qui l'entouraient. Quand il eut fini, il ouvrit les yeux et vit son reflet à la surface de l'eau salée. À ce moment-là, ses cicatrices s'effacèrent. Elles disparurent et un beau visage intact lui apparut. Ceux qui l'avaient autrefois connu l'auraient certainement aimé, à présent. Mais il n'y avait plus personne. Il resta alors sous terre, avec le devin, et vécut dans la cité enfouie jusqu'à son dernier jour. C'est ainsi que la légende dit que se déroule la fin des temps. »

Quand grand-mère Pearl se tut, personne ne reprit la parole.

– C'est ce genre d'histoires que ta mère te racontait, avant de te mettre au lit ? s'indigna Calixta.

L'aïeule soupira.

– Elle vivait tellement dans le monde des rêves… et son quotidien était si rude. Elle n'a jamais vraiment su où s'arrêtait la vie normale et où commençait la tragédie.

– C'est le moins qu'on puisse dire ! commenta Burr.

– Mais… ce n'est pas la vérité, n'est-ce pas ? s'inquiéta Sophia. Cela n'a pas vraiment eu lieu, hein ?

– Eh bien, c'est là que les problèmes temporels de notre époque et de notre monde entrent en scène, souffla la vieille femme. On ne peut jamais savoir si quelque chose s'est produit dans le passé ou dans le futur. Je n'en ai vraiment aucune idée. Ma mère m'a toujours dit que c'était une légende.

– Ce qui ne nous explique pas ce qu'elle ferait sur cette carte, ni l'importance que celle-ci avait aux yeux de Shadrack, en tout cas.

Grand-mère Pearl hocha la tête.

– Peut-être que je me trompe, après tout. Cela m'a juste paru très proche. Ces souvenirs peuvent se dérouler n'importe où. De tels cataclysmes ne manquent hélas pas.

Sophia retourna la plaque avec précaution pour figer les images et, ce faisant, elle aperçut quelque chose à travers le verre. Elle la souleva devant ses yeux et examina le pont à travers. Une des lattes de bois du sol semblait briller comme si elle était éclairée de l'intérieur.

– Qu'est-ce que c'est que ça ? s'étonna-t-elle à voix haute.

Quand elle vérifia en regardant à côté, elle constata que le plancher du navire lui apparaissait de façon tout à fait normale, sans que rien s'en détache à la faible lumière de la lune.

Burr la scruta avec intérêt.

– Qu'y a-t-il ?

Sophia souleva une fois de plus la carte et la latte se distingua des autres avec clarté.

– Juste là, dit-elle en montrant l'endroit du doigt. Une des planches semble briller ou être éclairée par en dessous. (Elle reposa la plaque.) C'est bizarre. Ça ne se produit que quand je regarde à travers le verre.

– Je peux voir ça ?

Burr s'était exprimé avec un peu plus d'autorité que d'habitude. Sophia lui transmit la vitre, qu'il porta devant ses yeux.

– C'est stupéfiant, chuchota-t-il. Calixta, regarde !

Sa jumelle récupéra la carte et, elle aussi, réprima un cri.

– Que se passe-t-il ? s'enquit grand-mère Pearl avec impatience.

– Quand on fixe le pont à travers la glace, lui expliqua Burr, une des lattes a l'air lumineuse.

– Celle d'Aceituna ? s'exclama l'aïeule.

– C'est ça. (Burr pivota vers Sophia et Theo, et baissa le ton.) Le capitaine Aceituna nous a donné tous ses documents, ainsi que ses graphiques de navigation. Il nous a également remis une carte qui indique son… comment appellerais-tu ça, Calixta ?

– Sa cagnotte d'urgence, dit-elle en rendant la plaque à Sophia, une expression pensive sur son beau visage.

– Il a enterré un trésor ? haleta Theo.

– Eh bien, pas exactement « enterré », le corrigea Burr. Mais oui, un trésor. Une réserve. Au cas où quelqu'un s'emparerait de son navire, il a gravé son emplacement sur une planche de cèdre et l'a incrustée, partie annotée vers le bas, dans le pont. C'est cette latte qui brille si fort à travers ta carte de verre, Sophia.

18
Chocolat, feuille, monnaie

26 juin 1891, 2 heures

> *La maison accepte UNIQUEMENT les fèves de cacao comme moyen de paiement, l'argent et les billets de l'Ère Triple. Les pierres précieuses, le verre ou les épices seront refusés. Les billets du Nouvel Occident sont pris à un taux de 1,6. Pour d'autres devises, veuillez contacter le changeur.*
>
> *Écriteau d'un marchand sur le marché de Veracruz.*

IL NE FALLUT que quelques essais pour déterminer pourquoi la plaque de verre éclairait la latte gravée d'Aceituna. Sophia examina presque l'intégralité du *Cygne* à travers la plaque, et seul un autre genre d'objet irradiait : les cartes. Celles de Burr brillaient comme des feuilles d'or ; celle dessinée par Shadrack étincelait comme si des étoiles avaient été incrustées dedans ; la cabine de Calixta, aux murs recouverts de cartes maritimes, semblait illuminée de l'intérieur, d'une lumière qui débordait des cadres des panneaux. Sophia demanda à Burr de gribouiller un plan sur une page blanche tandis qu'elle le regardait faire en se servant du verre comme de lunettes. D'abord, le papier, Burr et sa plume parurent parfaitement normaux. Mais dès que la fine ligne qu'il venait de tracer devint une route, son support changea d'apparence. Et quand il dessina un petit compas dans un coin, la feuille se mit littéralement à rayonner.

De toute évidence, cette carte illuminait les autres, quelles qu'elles fussent.

Tout le monde partit se coucher, mais Sophia resta sur le pont à s'interroger sur la signification de sa découverte, grand-mère Pearl ronflotant doucement à côté d'elle. Le plus souvent, la plaque transparente ne servait à rien : les cartes nautiques de Burr se reconnaissaient aisément et, pour qui ne savait pas les lire, la vitre ne les rendait pas plus claires. Par contre, pour chercher une carte secrète ou dissimulée, la sienne s'avérerait très utile, se dit Sophia. Son esprit se mit soudain en ébullition. Si elle permettait de révéler une carte de verre camouflée dans une fenêtre, par exemple, la carte traçante était inestimable.

Donc « traçante » signifie « qui sert à retrouver » et pas « qui sert à dessiner », songea-t-elle.

Les instructions en plusieurs langues qui jusque-là lui semblaient si étranges, ce « Tu le verras à travers moi », lui semblaient à présent limpides. Toute personne ayant appris à lire pouvait mesurer l'utilité de cette plaque.

Malheureusement, cela ne l'avançait en rien pour décrypter les souvenirs contenus à l'intérieur. Néanmoins, cela lui fit envisager sous un angle différent la raison pour laquelle Shadrack la lui avait confiée.

Peut-être n'est-ce pas pour le retrouver, mais pour me guider sur la piste d'une autre carte. Voire une carte que personne ne peut découvrir sans celle-ci ? Cette Veressa est-elle censée m'aider ?

Les pensées de Sophia se mirent à dériver et, soudain elle

s'assit, comme traversée par une décharge électrique. Elle fouilla avec résolution dans son sac et en sortit son carnet. Elle en parcourut les pages et examina le dessin qu'elle avait fait après sa confrontation avec Montaigne.

Toutes les pièces du puzzle y étaient : le lachrima évoqué dans le message de Shadrack, la carte de verre, Montaigne et les nihilismiens qui l'accompagnaient. Là où aucun lien ne semblait avoir existé, elle en voyait un, à présent, du moins entre certains de ces éléments. À l'époque où elle apprenait les bases de la cartographie, Sophia avait interrogé Shadrack sur l'éventualité de l'existence d'une carte du monde, et il lui avait parlé d'une « carta mayor », une carte mémorielle qui pour lui n'était qu'un mythe nihilismien. Ces derniers croyaient-ils que la plaque de verre leur révélerait cette *carta mayor* ?

Peut-être n'est-elle pas vraiment cachée, se dit Sophia. *Si ça se trouve, elle est juste sous notre nez.* Elle leva la vitre devant elle et scruta le ciel noir à travers elle.

– Tu le verras à travers moi, chuchota-t-elle.

De l'autre côté de la feuille transparente, les étoiles clignotèrent, frémirent, semblant la fixer comme autant de milliers d'yeux lointains.

6 h 37 : le port de Veracruz

LE LENDEMAIN MATIN, à l'aube, *Le Cygne* entra dans le port. La cité de Veracruz, porte orientale de l'empire de Sebastian Canuto, étincelait comme un coquillage blanc. Depuis le pont du navire, elle ressemblait à un joyau, emplie de promesses, et démentait l'immense paysage fragmenté qui s'étirait derrière elle.

Les villes de Nochtland, Veracruz et Xela gagnaient en splendeur chaque année, vampirisant toutes les richesses environnantes pour accroître encore leur magnificence outrancière. La princesse Justa, qui trônait du haut de son palais immaculé au cœur de Nochtland, pouvait prétendre que le pays tout entier jouissait d'un luxe similaire. Son père, l'empereur Sebastian, qui s'était aventuré jusque dans les terres nordiques pour éradiquer les hordes de rebelles, ne se faisait plus de telles illusions. Il avait parfaitement conscience qu'au-delà des remparts des cités de l'Ère Triple, son prétendu royaume n'était qu'une succession de fiefs isolés et de bastions assiégés, de bourgades appauvries et de fermes miséreuses entourées de plaines sauvages et inexplorées. Sebastian avait depuis longtemps abandonné son projet d'unification. À présent, il combattait les pillards du Nord moins pour les vaincre que pour éviter de devoir retourner dans un château d'où il avait fini par comprendre qu'il ne gouvernait presque rien. L'idée de devoir arborer à nouveau les attributs aussi rutilants que dérisoires de son titre l'emplissait d'une terreur désespérée. Il préférait laisser ces illusions à sa fille, qui les portait bien mieux que lui.

Et pourtant, dans l'Ère Triple, cette vision des choses semblait très convaincante, pour les autochtones comme pour les voyageurs. Sur le pont du *Cygne*, Sophia contemplait la cité avec une excitation fébrile. Sous ses yeux se déployaient un quai encombré, une ville tentaculaire de pierre blanche et, au-delà, des palmiers et du sable à perte de vue. Des mouettes affamées volaient au ras des vagues en émettant des criaillements empressés. La jeune fille observait les remous provoqués par la centaine de navires entassés dans la rade. La découverte des propriétés de la carte de verre lui avait ouvert des possibilités inimaginables et elle avait l'impression que cette multitude de choix aurait pu la faire exploser. Les Terres rases s'étalaient tout entières sous ses yeux, leurs mystères n'attendant que de lui être révélés. Elle arrivait enfin, après ce qui lui semblait avoir été une éternité de cauchemars fiévreux, et elle se rapprochait de la dénommée Veressa. Son estomac tressaillit et, à son grand soulagement, se calma lorsque *Le Cygne* fut à quai.

Burr donna des instructions bien précises à l'équipage : hormis grand-mère Pearl et Peaches, qui resteraient à bord, tous les matelots avaient droit à une semaine de congé. Il leur expliqua que Calixta et lui accompagneraient une partie de leur cargaison à Nochtland et qu'ils en profiteraient pour transmettre colis et messages de la part de tous ceux qui préféraient s'épargner les rigueurs d'un long voyage par la terre.

– Nous lèverons l'ancre le soir même de notre retour, à 8 heures, annonça-t-il enfin. Et n'oubliez pas que *Le Cygne* est calé sur le rythme à neuf heures des Terres rases. Donc quand je dis 8 heures, c'est bien selon leur horaire.

Les pirates se dispersèrent, et Burr rejoignit Calixta, Theo et Sophia.

– C'est jour de marché, aujourd'hui. On n'a qu'à aller voir Mazapán, proposa-t-il à sa sœur.

Calixta lui lança un regard lourd de sens.

– Tu fais ton radin, là. On peut se payer un fiacre.

– Est-ce que ça coûte cher, d'aller à Nochtland ? s'inquiéta Sophia en s'apercevant qu'elle n'avait aucune idée du cours de la monnaie des Terres rases ni de ce que sa bourse lui permettrait d'acheter.

Calixta fit un geste désinvolte.

– Theo et toi êtes nos invités, bien sûr, ma chérie. Je t'interdis de dépenser quoi que ce soit. De toute façon, ça ne coûte quasiment rien, ajouta-t-elle à l'intention de Burr.

– Pourquoi s'embêterait-on à louer une voiture alors que Mazapán en a une ? Je vais le voir, je reviens prendre les bagages, et nous serons partis dans l'heure. Toi, tu n'as qu'à rester ici et à collectionner les demandes en mariage. Est-ce que ça te convient, très chère ?

Calixta s'éloigna d'un air fâché et Burr posa son grand chapeau sur sa tête pour se protéger du soleil.

– Sophia ? Theo ? Vous avez envie de faire un tour au marché ?

– Vous pensez que… on pourrait avoir été suivis, depuis notre départ ? s'enquit Sophia avec crainte.

– C'est possible, admit le pirate, mais je n'y crois pas trop. Tes admirateurs de La Nouvelle-Orléans ont peut-être découvert notre destination, mais je ne vois pas comment ils auraient pu arriver ici avant nous.

Cela suffit à convaincre Sophia.

– Et pendant notre escale, est-ce que je pourrai poster une lettre pour Boston ? demanda-t-elle.

– Tu ferais mieux de la confier à Peaches. Il la déposera sur le prochain navire à destination des Caraïbes unies ; je suis persuadé qu'il y aura bien quelqu'un à bord en partance pour Boston.

Pendant qu'ils traversaient le quai surpeuplé, Sophia s'aperçut qu'il lui était impossible de perdre Burr, grâce à son grand chapeau, même si ses longues foulées l'obligèrent à redoubler de vitesse pour ne pas se laisser distancer. Il contourna des hommes qui portaient de lourdes malles sur leur dos, s'écarta prudemment d'un énorme tas de bois en équilibre précaire, puis évita un cochon, poursuivi de près par son propriétaire, qui fuyait en direction de la plage en poussant des couinements stridents. Comparée à la rade de Veracruz, celle de Boston paraissait d'un calme et d'une organisation exemplaires.

Un tumulte ininterrompu régnait, généré par les arrivées et les départs, les chargements et déchargements, le tout amplifié par les activités qui se déroulaient juste derrière les quais, un réseau dense d'étalages, de véhicules et de comptoirs improvisés. La foule qui les entourait semblait portée par une marée qui la déplaçait comme autant de grains de sable : elle s'écoulait le long des commerces avec fluidité, puis s'amoncelait et bouchait le passage, avant de se débloquer et de reprendre sa progression d'un coup. Un peu plus loin sur la droite, la première rangée de maisons de Veracruz dressait son mur de façades blanches en barrière à ce flux et reflux bruyant du marché. Tandis que leur guide fendait la cohue, Sophia s'agrippa à la fois à son sac et aux pans de sa redingote.

Une fois au cœur des étals, son champ visuel diminua considérablement, car elle était écrasée entre Burr et Theo. Alors qu'ils progressaient pas à pas, elle aperçut brièvement des vendeurs de tomates, d'oranges, de citrons, de concombres, de courges, d'oignons et de dizaines de produits inconnus qu'elle n'avait jamais vus, exposés sur des tissus ou empilés dans d'énormes paniers. Ils dépassèrent un stand où s'amoncelaient des sacs de poudres jaunes et blanches qu'elle reconnut comme étant diverses farines, ainsi qu'un autre qui proposait des épices aux parfums exotiques ; à cet endroit, l'air embaumait la cannelle, le clou de girofle et le poivre. Une femme, devant une petite tente, vérifiait l'équilibre de ses cages de poulets, à côté d'un colporteur aux seaux pleins de poissons. Plus loin il y avait un crapaud de la taille d'un homme, tranquillement assis, un collier étrange autour de son cou huileux. Sophia écarquilla les yeux, mais personne ne semblait trouver ça extraordinaire. Les marchands haranguaient les passants, certains en anglais et d'autres dans des dialectes incompréhensibles, égrenant leurs tarifs au fur et à mesure des transactions, emballant les objets et rendant la monnaie à leurs clients.

Une fois habituée à ce vacarme, Sophia perçut un nouveau son, nettement distinct : des carillons éoliens. Il en pendait au moins un à chaque étalage, et visiblement ceux accrochés aux angles des tentes étaient à vendre. L'air vibrait de la mélodie incessante de tous ces tintements qui lui rappelaient l'appartement de Mrs Clay, au-dessus de sa chambre.

Burr bifurqua soudain pour traverser à toute vitesse une allée de vendeurs de tissus. Tous clamaient leurs tarifs en vantant les couleurs de leurs rouleaux rouges, bleus ou violets. Une vieille femme, au grand sourire parsemé de dents cariées, agitait un drapeau de rubans sous le nez des badauds en faisant sonner un carillon pendu au-dessus d'elle. Sophia passa ensuite devant des amoncellements de plumes, de jarres remplies de boutons et de pelotes de fil. Elle enregistra tout ça du regard, ébahie, mais Burr accéléra encore le pas et elle dut se dépêcher pour ne pas le perdre de vue. Le pirate tourna sur sa gauche pour s'enfoncer au milieu des marchands de savons, de flacons de parfums et d'encens. L'air se chargea brusquement de fragrances capiteuses, puis ils arrivèrent au niveau des confiseries, et les effluves lui mirent l'eau à la bouche. Des bonbons de toutes sortes étaient présentés dans des récipients de verre : nougats, caramels, sucre filé et meringues. La plupart des étalages proposaient des gourmandises qu'elle n'avait jamais vues et ne pouvait identifier que grâce à l'odeur délicieuse qui en émanait.

– Nous y sommes presque, hurla Burr par-dessus son épaule.

Sophia, à bout de souffle, ne put répondre. Puis Burr disparut dans une tente ivoirine. Elle y pénétra à sa suite, à l'instant où le pirate clamait un « Mazapán ! » à l'intention d'un grand gaillard aux joues roses qui trônait derrière le comptoir – une table couverte d'une nappe en tissu. L'homme était entouré d'étagères croulant sous les assiettes, les bols et les plateaux.

– Burton Morris ! répondit l'autre sur le même ton, un large sourire lui fendant le visage.

Il finit de s'occuper de son client, puis serra Burr dans une accolade digne d'un ours. Tous deux se mirent à discuter à tue-tête pour s'entendre malgré le vacarme, mais Sophia avait cessé de leur prêter attention. Une femme tendait à un petit garçon la cuillère à soupe qu'elle venait d'acheter. Avec une mine extatique, le gamin mordit dedans et s'éloigna sur les talons de sa mère, la bouche tartinée de marron. La jeune fille resta le regard rivé sur les trésors exposés dans la tente. Le dénommé Mazapán était chocolatier.

Mais ses produits n'avaient rien d'ordinaire. Au premier abord, on aurait pu prendre Mazapán pour un potier, tant sa table ployait sous le poids d'une vaisselle magnifique : des assiettes, des bols, des tasses, des pichets, des fourchettes, des couteaux, des cuillères ; une coupole à gâteau, un plateau de service, un couteau à beurre ; et une longue série de cafetières aux cols sinueux et délicats, décorées de fleurs et peintes de motifs complexes aux couleurs éclatantes. Sophia en resta bouche bée. Elle effleura d'un doigt prudent une petite tasse bleue ; on aurait dit une vraie. Elle scruta avec curiosité l'homme qui avait créé ces merveilles, toujours plongé en pleine conversation avec Burr ; puis son attention se reporta sur la vendeuse de la tente voisine, une femme minuscule à l'air agressif qui se disputait avec un de ses clients.

– J'accepte les fèves de cacao, l'argent et les billets. Je ne sais pas d'où vous venez, mais ici, on ne prend pas les dessins !

Le grand échalas en face d'elle répondit quelque chose, en tendant de nouveau le petit rectangle noir qu'il tenait entre les doigts.

– Je me fiche que ce soit un appareil pour lire les cartes, rétorqua la marchande avec colère. Tu ne peux pas payer avec ça ! (Elle lui arracha des mains son paquet et désigna un point par-dessus son épaule.) Si ce sont les cartes qui t'intéressent, adresse-toi à quelqu'un qui en vend !

Sophia écarquilla les yeux. L'homme, qui portait un pardessus sale, se pencha vers la commerçante pour lui poser une question. Il lui fallut un moment pour attirer son attention ; elle s'occupait déjà d'un autre client. Quand il la tira par la manche, elle le fixa d'un air fâché.

– Parfaitement, dit-elle avec brusquerie. Va voir au stand d'oignons.

Sophia fit demi-tour pour regarder dans son dos et aperçut une femme derrière plusieurs paniers remplis de bulbes divers et variés. Burr discutait toujours d'un ton excité avec Mazapán, qui commençait à remballer ses marchandises. Theo avait disparu. Sophia avait cru qu'il était resté avec eux lors de leur traversée du marché, mais à présent, elle n'en était plus si sûre. Après un dernier coup d'œil à Burr, elle décida que son chapeau ferait un repère parfait dans le paysage et plongea dans la foule.

Autant il lui avait été difficile de se faufiler dans les allées à la suite de Burr, autant livrée à elle-même, cela s'avéra presque impossible. Elle fut rapidement piégée et poussée le long de plusieurs étalages sans pouvoir rien faire.

On se croirait dans un tramway aux heures de pointe, se dit-elle, avant d'apercevoir un panier plein d'oignons. *Et voici mon arrêt !*

Elle se débattit de toutes ses forces, multipliant les coups de coude, et finit par se retrouver, quelques instants plus tard, comprimée contre l'étalage. À côté d'elle, l'homme mince se penchait en avant pour poser une question à la marchande.

Celle-ci secoua la tête.

– Je suis désolée, monsieur. Je ne vends que des cartes d'oignons. Vous ne trouverez pas grand-chose d'autre, ici. Tous les négociants en cartes sont à Nochtland.

Son interlocuteur fit demi-tour avec une mine dépitée et s'enfonça de nouveau dans la foule. Il avait l'air fatigué et un peu désorienté, comme s'il avait voyagé trop longtemps.

C'est certainement un explorateur d'un autre Âge à court d'argent, compatit Sophia.

Elle le suivit des yeux un instant avant de reporter son attention sur les paniers d'oignons. Le plus proche d'elle comportait un petit papier épinglé sur le bord, avec l'inscription NOCHTLAND. Un deuxième portait la mention XELA et un troisième était étiqueté SAN ISIDRO.

– Où veux-tu aller, ma jolie ? lui demanda la vendeuse d'une voix forte. J'ai des cartes pour toutes les destinations de l'Ère Triple, ainsi que pour beaucoup d'autres endroits.

Ses cheveux noirs étaient enroulés en un chignon serré et piqués d'une demi-douzaine de gardénias odorants. Au-dessus de ses sourcils, de minuscules fleurs et des feuilles étaient peintes en vert foncé.

Sophia hésita un instant.

– À Nochtland, répondit-elle.

– Alors, elles sont juste sous ton nez, répliqua la femme avec bonhomie. Mais pour tout te dire, si tu pars d'ici, tu n'en auras pas besoin. Tu n'as qu'à suivre la route principale, impossible de te tromper. Avec de bons chevaux, c'est à deux jours de voyage.

Ses produits ressemblaient à des oignons normaux, d'un beau jaune cuivré.

– Comment ça marche ?

– Comment ça marche quoi, ma jolie ?

– Vos oignons. Ce sont vraiment des cartes ?

Sophia aurait aimé pouvoir les regarder à travers sa plaque de verre, mais le milieu de journée ne lui aurait pas permis de voir quoi que ce soit, et en plus, ce marché surpeuplé n'était pas le meilleur endroit pour exhiber un objet aussi précieux et fragile.

Néanmoins, la vendeuse n'eut pas l'air étonnée de sa question.

– Tu n'es pas d'ici, toi.

Sophia secoua la tête.

– Non, je viens de Boston, dans le Nouvel Occident.

– Eh bien, ce sont des oignons à tête-boussole. Garantis et authentiques. Ils ont été plantés dans le sol natif de leur destination. Chaque épaisseur d'oignon te mènera de l'avant jusqu'à ce que tu arrives à bon port.

– Que voulez-vous dire par « me mènera de l'avant » ? demanda Sophia, fascinée.

– Cela dit, ils ne te feront pas emprunter forcément le chemin le plus rapide ou le plus pratique, précisa la femme sans lui répondre. Mais ils t'amèneront bel et bien où tu le souhaites.

Sophia fouilla sa poche en quête de ses pièces.

– Est-ce que vous acceptez les devises du Nouvel Occident ?

– Je prends le cacao, l'argent et les billets de l'Ère Triple, mais aussi ceux du Nouvel Occident. Je peux les changer à un meilleur taux.

Sophia était en train de sortir sa monnaie quand un brusque mouvement de foule dans son dos faillit la faire tomber.

– Faites attention ! s'exclama-t-elle avec colère avant de sentir un bras s'enrouler autour de sa taille et l'éloigner de l'étal pour la tracter dans la cohue. Hé !

Elle hurla, mais alors qu'elle s'agrippait à son argent et à son sac en essayant de ne pas chuter, elle reconnut son agresseur avec stupéfaction. C'était Theo.

– Tu m'as fait mal ! s'écria-t-elle.

Le garçon ignora ses protestations.

– Allez, viens, ordonna-t-il en la tirant en avant.

Il se fraya un chemin à travers la foule, les doigts crispés sur le poignet de Sophia. Celle-ci remarqua qu'il veillait à garder la tête baissée.

– Qu'est-ce qui se passe ? chuchota-t-elle, haletante, à la première occasion. Tu as vu Montaigne ?

L'espace d'un instant, il afficha une telle expression qu'elle crut qu'il avait oublié ce nom. Puis il fronça les sourcils, jeta un coup d'œil par-dessus son épaule, puis l'emmena derrière un stand qui vendait des objets en cuir.

– Alors, c'est Montaigne ? insista Sophia avec plus de force.

– Non, répondit-il sèchement. C'est un pillard que j'ai déjà rencontré auparavant.

Sophia s'aperçut qu'en plus du raffut normal du marché, un tumulte plus inhabituel s'élevait et se rapprochait d'eux. Des cris furieux retentirent lorsque deux hommes basculèrent contre un étal et le firent s'effondrer.

– Un pillard ? s'inquiéta-t-elle, à bout de souffle, tandis qu'ils se faufilaient dans une brèche entre deux artisans. Qu'est-ce qu'il te veut ?

– Je ne peux pas t'expliquer pour le moment. Mais on doit prendre le large !

Ils émergèrent dans une partie plus calme du marché, où tous les étalages débordaient de paniers.

– Ici, exigea Sophia.

Elle se dégagea de l'emprise de Theo et courut en direction d'un des vendeurs, dont les paniers les plus grands auraient pu contenir une penderie pleine de vêtements – et même leur propriétaire.

– Tu vas te cacher là, déclara-t-elle aussitôt.

– T'es folle ? protesta Theo.

– Il arrive ! l'avertit Sophia en constatant que les clameurs se renforçaient encore.

Theo resta figé un instant, puis s'accroupit soudain. Sophia prit le panier le plus proche et le lui retourna dessus. Rien ne le différenciait de ses voisins.

– Ne bouge pas, souffla-t-elle avant de courir vers la vendeuse stupéfaite et de lui fourrer dans la main les billets qu'elle avait toujours en main. S'il vous plaît... On vous le rendra dans quelques instants.

La femme hocha subrepticement la tête, empocha l'argent sans rien dire et poussa avec douceur Sophia à l'arrière de sa boutique. Elle lui adressa quelques mots dans une langue que la jeune fille ne comprenait pas, puis lui tendit un petit panier à moitié fini.

Un homme apparut soudain et examina toute la zone avec attention, haletant comme un soufflet de forge. Sa chevelure blonde lui tombait presque jusqu'à la taille et sa barbe ébouriffée pointait en tous sens comme les tentacules d'une méduse. Toutes deux étaient entrelacées d'anneaux d'argent et de clochettes qui tintaient à chaque mouvement. Il portait des bottes jaunies par la poussière et son manteau de cuir brut était si long que ses revers déchiquetés traînaient par terre. Lorsqu'il pivota en direction de Sophia, les poings serrés, celle-ci vit que ses dents étaient en métal et semblaient particulièrement tranchantes. Elles formaient une crête effilée dans sa bouche, comme les pointes d'une série de vieux couteaux aiguisés à maintes et maintes reprises. Tout comme l'argent dans ses cheveux et le grand poignard qui pendait à sa ceinture, elles étincelaient au soleil. Sophia ne pouvait en détacher les yeux. Il lui rendit son regard un long moment avant de se diriger lentement vers elle en la menaçant avec son arme.

– Pourquoi tu me regardes comme ça ? gronda-t-il d'une voix plus tranchante que le fil de son arme.

– À cause de vos dents, souffla Sophia, incapable de retenir ces deux mots.

Elle n'avait plus peur. Elle était juste fascinée.

L'homme la scruta pendant ce qu'il lui parut une éternité. Puis il éclata d'un rire inattendu. Il cessa de la viser avec sa lame et en fit courir la pointe le long de sa denture, qui tinta comme un carillon.

– Ça te plaît, bébé ? Tu veux un baiser ?

Sophia secoua lentement la tête. Leurs regards se croisèrent et le sourire du pillard disparut soudain dans une mimique menaçante.

– Si tu ne veux pas que je t'en fasse un, je te conseille de me dire dans quelle direction le garçon a filé.

Elle tendit le bras vers la gauche, à l'opposé du marché.

L'homme esquissa de nouveau un rictus et Sophia aperçut un bref éclair luisant. L'instant suivant, l'inconnu était parti. Elle avait du mal à croire ce que ses yeux avaient vu : les scintillements métalliques de ses cheveux, de ses dents, de son couteau, des fermoirs d'argent de son manteau. Un silence de mort s'était emparé du groupe de marchands de paniers quand le pillard avait fait son apparition dans leur zone. À présent, ils se remettaient à parler en petits conciliabules discrets. Sophia eut l'impression qu'ils ne la quittaient pas des yeux.

Elle reposa le panier à moitié fini qu'elle tenait à la main et se précipita vers la cachette de Theo.

– Tout va bien ?

– Je ne peux pas voir derrière moi, répondit-il d'une voix étouffée. Il est parti ?

– Oui. Sors, on doit rejoindre Burr.

Elle souleva le panier et Theo se releva. Il inspecta brièvement l'endroit. Sophia fit demi-tour pour remercier la vendeuse.

Celle-ci lui tendit deux chapeaux de paille, puis elle hocha sa tête couronnée de nattes dans lesquelles de longues herbes vertes étaient tressées, tapota son tablier et lui adressa une courte phrase.

– Theo ? Qu'est-ce qu'elle a dit ?

Les yeux du garçon parcouraient toujours les étals, mais de façon plus détendue, et il lui jeta un bref regard.

– C'est pour nous. En échange de l'argent que tu lui as donné.

Sophia prit les couvre-chefs.

– Merci. Et merci pour votre aide.

La femme lui adressa un sourire avant d'opiner et de retourner à sa tente. Sophia se coiffa du premier chapeau et tendit l'autre à Theo.

– Mets ça, ça nous permettra de rester incognito, dit-elle.

Theo posa le sien sur sa tête.

– Viens. Je sais comment retrouver Mazapán. C'est par là.

Il attrapa le bras de la jeune fille et s'aperçut qu'elle tremblait.

– Qu'est-ce qu'il y a ? Ça ne va pas ?

– Si.

Sophia crispa les poings. Maintenant que le danger était passé, la peur la submergeait.

– Cet homme, ce pillard… il était terrifiant.

Durant un instant, l'expression de Theo s'adoucit. Il posa sa paume balafrée sur les doigts de Sophia et les serra fort.

– En tout cas, tu m'as sacrément impressionné. On aurait cru que rien ne pouvait t'effrayer. Allez, viens, filons d'ici.

19
LE MISSILE

24 juin 1891 : l'enlèvement de Shadrack (jour 4)

La plupart des récits de première main du Grand Bouleversement décrivent comment, une fois le temps suspendu, une année s'était écoulée. Néanmoins, Amitto le prophète prétend avoir vécu toutes les époques révolues et actuelles durant sa révélation, y compris les journées de vingt heures. C'est pourquoi ses Chroniques sont organisées en 365 jours : un pour chaque jour auquel il prétend avoir assisté. De façon assez banale, chaque jour représente un chapitre. Les nihilismiens ont de ce fait adopté la coutume de se surnommer selon le premier mot du chapitre correspondant au jour auquel ils ont rejoint la secte.

Extrait de Histoire du Nouvel Occident,
par Shadrack Elli.

SHADRACK AVAIT DÉJÀ voyagé très souvent en train électrique, mais jamais à bord d'un modèle comme celui-ci, qui s'appelait *Le Missile*. Comme son nom l'indiquait, il était plus léger et rapide sur ses rails que tout autre. Et l'intérieur était également mieux aménagé. L'explorateur avait traversé une cuisine tout équipée ainsi qu'un bureau cossu avant d'être conduit de force dans sa cellule improvisée. Pieds et poings liés à son siège, il avait été enfermé dans un petit placard sans fenêtre dont la porte en bois ne laissait filtrer que de minces rais de lumière entre ses lattes. Quand le jour faiblit, seule son horloge interne lui permit de savoir qu'il était plus de 17 heures.

Ses pensées filaient aussi vite que le train, voire le devançaient dans sa course vers le sud. Rétrospectivement, le déplacement des frontières entre les Âges lui apparaissait à présent comme une évidence. Les signes étaient là, sous ses yeux, depuis des années, mais sa prétendue connaissance du Grand Bouleversement l'avait aveuglé. Il se maudit de sa stupidité. Il avait violé un de ses principes les plus sacrés : « Observe ce que tu vois, pas ce que tu t'attends à voir ».

Suis-je seulement digne du titre de cartographe, songea-t-il, *alors que je n'ai même pas été capable de regarder correctement le monde qui m'entoure ?*

Et à présent, à cause de son aveuglement, Sophia courait un double danger. Il l'avait non seulement envoyée déjouer les ambitions d'une folle, mais aussi probablement condamnée à une mort certaine.

Il devait être bien plus de 18 heures quand la porte s'ouvrit d'un coup. Les hommes de sable soulevèrent son siège avec leurs grappins et le firent sortir de son cagibi, avant de l'installer presque au milieu de la pièce adjacente.

Shadrack cligna des yeux, ébloui par l'éclat des lampes. Il se trouvait dans un bureau aussi luxueusement aménagé que le reste du *Missile*, doté de grandes fenêtres, de tapis moelleux et de tout un assortiment de tables et de chaises. Ses geôliers se postèrent devant les portes.

Blanca trônait à l'intérieur, derrière un secrétaire sur lequel était posée une plaque de cuivre. À ses pieds, Shadrack remarqua les deux coffres contenant tout son matériel de cartographe, que ses kidnappeurs avaient emporté lors de son enlèvement.

– Je ne vais pas vous mentir, Shadrack, annonça Blanca de sa voix musicale. Même si je connais l'itinéraire de votre nièce, son compagnon et elle sont pleins de ressources et ont réussi à échapper aux hommes que j'avais envoyés sur leurs traces.

Shadrack eut du mal à dissimuler son soulagement. Puis il s'interrogea : Sophia voyageait avec quelqu'un ?

– Ce qui rend votre situation encore plus précaire, car cela signifie que je suis à court de patience. (Son voile ondula légèrement.) Comme vous le savez, j'attends deux informations de vous : la destination de Sophia et l'emplacement de la *carta mayor*. C'est pourquoi je vais vous proposer deux choix, un pour chacun des éléments dont j'ai besoin.

Elle souleva le carré de cuivre devant elle, qui étincela dans la lumière jaune.

– Vous pouvez me dessiner une carte de l'endroit où se trouve la *carta mayor* et me dire où Sophia se rend... (Puis elle sortit son autre main de dessous la table, révélant l'horrible bloc de bois serti de câbles métalliques.) Ou vous pouvez choisir de remettre la muselière, proposa-t-elle d'une voix presque douce.

Shadrack garda les yeux rivés sur elle, puisant dans ses ultimes forces pour dissimuler la panique qu'il ressentait à la vue de l'instrument de torture.

– Nous en avons déjà discuté, finit-il par émettre après quelques instants. Vous connaissez ma réponse.

Blanca resta silencieuse pendant un moment. Puis elle se leva.

– Vous me rendez vraiment les choses très difficiles, Shadrack. Je n'aime pas devoir brutaliser les gens, mais vous ne me laissez guère le choix.

Son ton était sombre. Elle se tourna vers le plus jeune de ses deux gardes.

– Pleurs, ne lui détache ni les bras ni les jambes. S'il hoche la tête, dénoue les liens de la muselière et fais-moi prévenir. S'il n'a pas réagi d'ici vingt-quatre heures, resserre-les.

Shadrack se demanda si c'était son imagination, ou si Blanca s'était vraiment adressée à son subordonné de façon beaucoup plus aimable qu'aux autres. De plus, le visage du jeune homme n'arborait pas les cicatrices de ses compagnons. Ses cheveux bruns étaient coupés court et ses joues rasées de frais. Il avait pincé les lèvres en écoutant les instructions de Blanca. Lorsque celle-ci quitta la pièce, elle lui tapota le bras au passage. La porte s'ouvrit et Shadrack put profiter d'un bref aperçu de la voiture suivante : un plancher ciré, quelques lampes qui émettaient une lueur diffuse et une brouette débordant de sable.

Il fit de son mieux pour ne pas s'étrangler quand ses ravisseurs lui placèrent le bloc de bois entre les dents. Surtout, il ne résista pas : cela leur aurait juste donné un prétexte pour l'enfoncer de force. Les fils métalliques se tendirent sur ses joues et il décida de ne plus bouger. Il se focalisa sur l'idée de se vider l'esprit, de ne pas s'étouffer. S'il suffoquait, il tirerait sur les câbles et ceux-ci lui entailleraient la peau. Shadrack se força à respirer lentement par le nez, en s'emplissant les poumons au maximum, jusqu'à ce que son pouls se calme. Quand il retrouva son sang-froid, il comprit qu'il ne pourrait pas supporter la muselière plus de quelques minutes. Il leva la tête pour regarder les deux hommes qui le surveillaient.

Le plus âgé des deux arborait les habituelles cicatrices et l'expression vide qui lui était à présent devenue tout aussi familière. Son grappin reposait dans sa paume comme une extension de sa main, avec une aisance presque naturelle. Ces nihilismiens balafrés ne faisaient pas preuve de la ferveur que Shadrack avait remarquée chez les fidèles d'Amitto. Il leur manquait le zèle et la passion que ces derniers affichaient comme des flambeaux ; non, les yeux de ces hommes évoquaient la perte, la confusion et une impression de quête éternelle et sans but. Mais le plus jeune des deux, Pleurs, lui paraissait différent. Il ressemblait plus à un *vrai* nihilismien : son regard était vif et brillait de conviction. Ses iris vert foncé scrutaient Shadrack avec intensité. Bien qu'il n'y lût pas une once de compassion, leur expression semblait suggérer quelque chose. Peut-être un sens du devoir, un but précis.

Shadrack s'efforça de réfléchir rapidement. D'abord, il devait se débarrasser de cette muselière. Il ne pouvait pas s'évader pour le moment, mais il serait plus à même de détourner l'attention de ses geôliers, ce qui serait déjà un bon début. Ses yeux croisèrent ceux de Pleurs et il hocha la tête. Aussitôt, ce dernier dénoua les câbles et écarta le bloc de bois.

– Va la chercher, dit-il à son compagnon.

– Attendez, le coupa Shadrack en pivotant sur sa chaise. Écoutez-moi. (L'autre se dirigeait déjà vers la porte.) « Le 4 juin », s'empressa-t-il de dire. « Les pleurs sont pour les damnés, qui regardent le visage du mal. Les souffrances appartiennent à l'univers factice et non au véritable monde. Ne vous fiez pas aux pleurs, et ne pleurez pas. »

L'homme s'arrêta, fit demi-tour et le fixa comme si sa citation avait touché quelque chose de si profondément enfoui en lui qu'il peinait à s'en souvenir. Le plus jeune agrippa son médaillon.

– La vérité, chuchota-t-il.

– Oui, la vérité d'Amitto, reprit Shadrack d'un ton pressant. Mais cette vérité, Blanca vous la dissimule. Elle vous ment sur le sens de ce passage selon lequel vous avez été nommé. « Ne vous fiez pas aux pleurs », a dit Amitto. (Il baissa la voix jusqu'à murmurer ; son interlocuteur dut se pencher pour l'entendre.) Je sais que vous avez entendu les pleurs, dans le manoir, tout comme moi. Oserez-vous le nier ? (Le silence de l'autre fut une réponse suffisante.) Je peux vous prouver que ces pleurs, ce mal, qu'elle vous dissimule, se rapproche et nous atteindra bientôt, insista Shadrack.

Le second nihilismien ne bougeait plus. L'air troublé, il fixait Shadrack comme s'il tentait de comprendre le sens des mots qu'il avait cités des *Chroniques du Grand Bouleversement*. Pleurs, le regard toujours rivé sur son prisonnier, réfléchit un instant.

– Comment ? finit-il par demander.

– Je ne peux pas vous l'expliquer comme ça, il faudrait que je vous montre, plaida Shadrack. Si vous voulez bien me rendre mes outils, je dessinerai la carte mémorielle qui vous permettra de démêler le vrai du faux.

– Ne lui donne rien, protesta aussitôt l'autre gardien.

– Allez lui dire que je suis en train de faire ce qu'elle désire, insista Shadrack. Je vous le promets, Pleurs. Je vous montrerai la vérité d'Amitto.

Le jeune homme avait la tête penchée vers lui, ses yeux verts brillant de la force avec laquelle l'obéissance et la ferveur nihilismiennes s'affrontaient comme l'eau et le feu. Il avait des obligations, des responsabilités, une loyauté envers ce monde. Mais rien ne pouvait surpasser sa foi en son prophète. Le feu l'emporta. Il se courba au-dessus de Shadrack et articula quelques mots, si bas que son acolyte, près de la porte, ne put les entendre.

– D'accord. (Puis il se redressa et parla à haute voix.) Vous dessinerez la carte qu'elle a demandée, ou vous ne dessinerez plus rien du tout.

Shadrack inclina le menton, arborant sa mine la plus effrayée.

– Cendres ! lança le dénommé Pleurs en se tournant vers son compagnon. Va lui dire qu'il a cédé. Je superviserai la réalisation de la carte.

20
AUX PORTES DE NOCHTLAND

26 juin 1891, 10 heures

> *Bienvenue à l'auberge Ensueno. Veuillez mettre vos chevaux à l'écurie et amarrer vos arboldevelas après avoir signé le registre des arrivées. Ne faites pas entrer vos montures dans la cour. Notre plancher vous remercie !*
>
> *Pancarte à l'entrée de l'auberge.*

D'HABITUDE, MAZAPÁN PRÉFÉRAIT faire appel à des mercenaires pour le protéger sur la route reliant le marché de Veracruz à Nochtland, où se trouvait sa boutique. Sa voiture arborait le sceau impérial, une feuille dont la tige s'enroulait autour d'elle comme une couronne, ce qui avait plutôt tendance à attirer les bandits de grand chemin. Néanmoins, Calixta et Burr faisaient une bonne escorte. Burr loua des montures pour Calixta, Theo et lui. Sophia, qui n'avait jamais monté, se retrouva dans le véhicule avec Mazapán.

Elle avait espéré avoir l'occasion de discuter avec Theo. Les dernières bribes de sa rancune envers lui s'étaient dissipées au fur et à mesure qu'ils avaient traversé le marché, main dans la main, mais sa fureur avait laissé place à une angoisse qu'elle avait de plus en plus de mal à contenir. Le fait d'être de retour sur la terre ferme signifiait qu'ils étaient de nouveau des cibles faciles pour Montaigne et ses acolytes. Et maintenant, ils devaient de surcroît se méfier de ce dangereux pillard qui traquait Theo.

Sophia ne parvenait pas à lui en vouloir. Elle désirait juste savoir qui était cet homme, pourquoi il pourchassait Theo, et s'il risquait de revenir avec des compagnons aussi effrayants que lui. À présent, elle croyait tout ce que Theo lui avait raconté sur son passé. Mais il ne lui avait pas tout dit. Ce qu'elle aurait surtout aimé, en fait, c'était de s'asseoir pour qu'il lui raconte tout, du début à la fin. Mais ils faisaient route séparément, parfois en tête, parfois Mazapán et elle ouvrant la voie, et en dehors de quelques questions sur l'itinéraire, Theo semblait se désintéresser totalement du voyage.

À la place de l'histoire qu'elle voulait entendre, elle eut droit à celle de Mazapán. Celui-ci lui parla d'abord de sa boutique, dans une rue huppée de Nochtland, ainsi que de la délicieuse vaisselle qu'il fabriquait dans sa grande cuisine lumineuse. Comme Mrs Clay, il s'exprimait avec un accent du Sud traînant. Ses vêtements à la mode des Terres rases ne se démarquaient pas de ceux de ses concitoyens, avec ses bottes de cuir fin, son pantalon de coton blanc et sa tunique brodée de lierre, mais à Boston, ils l'auraient rendu très repérable. Tout en lui, de son ventre bedonnant à ses cheveux bruns ondulés en passant par sa moustache volumineuse, semblait se balancer d'avant en arrière quand il éclatait de rire. Cependant, Sophia ne l'écoutait qu'à moitié et ne cessait de se tourner sur son siège pour voir s'ils étaient suivis. Ce ne fut que lorsque Mazapán lui tendit les rênes qu'elle comprit que le brave chocolatier faisait de son mieux pour la distraire.

– Bon, lui dit-il d'un ton débonnaire. Maintenant, tu te concentres et tu les empêches d'aller trop vite.

Sa prévenance l'emplit d'un mélange de reconnaissance et de honte.

– Pourquoi est-ce qu'on vous appelle Mazapán ? demanda-t-elle. Ça veut dire « pâte d'amande », dans votre langue ? C'est votre vrai nom ? Vous n'en avez pas d'autre ?

Il esquissa un sourire.

– En fait, je me nomme Olaf Rud. Mais dans ce pays, personne n'arrive à le prononcer correctement. Figure-toi que mon grand-père était un aventurier venu du royaume de Danemark, un endroit qui se trouve aujourd'hui très loin dans le nord de l'Empire clos. Il voyageait dans les Terres rases quand le Bouleversement s'est produit. Ce n'est que bien après qu'il a compris qu'il ne pourrait pas rentrer chez lui, que tous ses proches, toutes ses connaissances, avaient disparu à jamais.

Sophia esquissa un signe intrigué. Elle avait déjà entendu parler d'explorateurs bloqués au loin, d'exilés coupés de leur Âge d'origine, mais chaque cas était intéressant et unique.

– C'est pourquoi il est resté ici.

– Exactement. Et c'est ainsi qu'il s'est installé dans un pays où personne n'était capable de prononcer son véritable nom. Tout le monde m'appelle Mazapán, qui est effectivement le mot espagnol pour « pâte d'amande », et l'espagnol est l'une des nombreuses langues pratiquées dans l'Ère Triple. Autrefois, ma spécialité, c'étaient les confiseries en pâte d'amande. J'étais connu pour ça.

– Pourquoi « autrefois » ? Vous n'en faites plus ?

La moustache de Mazapán s'effondra comme sous le poids du chagrin.

– Ah, ce n'est pas une histoire très gaie.

– Ça ne m'embête pas, dit Sophia. Si ça ne vous gêne pas d'en parler.

Mazapán secoua la tête.

– Non, cela ne me touche plus, mais je crains que ça ne te donne pas une image très positive de Nochtland. Même si je suis persuadé que tu sauras découvrir ses charmes. Figure-toi que j'ai appris à faire de la pâte d'amande avec mon mentor, un grand chef qui aurait pu se consacrer à n'importe quelle cuisine, mais qui avait décidé que ce qu'il préférait, c'étaient les confiseries. Il m'a également enseigné la fabrication du chocolat, du sucre filé et des meringues, ainsi que toutes les merveilles de son art. Il faut dire que, quand il m'a pris comme élève, il n'était déjà plus tout jeune, et il est décédé à peine un an après que j'ai ouvert ma propre boutique. J'ai récupéré presque toute sa clientèle, et j'ai fait tout mon possible pour maintenir la qualité de ses produits. J'ai eu la chance d'attirer l'attention de la Cour et, au fil du temps, j'ai fini par réaliser des banquets pour la famille impériale, dans le palais même de l'empereur Sebastian Canuto.

Sophia en resta bouche bée.

– Des banquets… de sucreries ?

– Oui, oui, sans rien d'autre. Oh, j'imagine que je serais capable de faire cuire des haricots si ma vie en dépendait, mais au quotidien, c'est ma femme qui s'occupe de préparer les repas. En dehors des confiseries, je dois admettre que je ne vaux pas grand-chose. Mais sans me vanter, dans mon domaine, je suis le meilleur. Les festins impériaux étaient très complets, jusque dans le moindre détail. Tout ce qui était disposé sur la table était comestible et à base de sucre : les nappes, les assiettes, la nourriture, les fleurs… tout. Les plats étaient en chocolat, comme ceux que tu as vus au marché, mais leur contenu et la décoration étaient le plus souvent en sucre filé et en pâte d'amande. Le principal attrait de ces repas était que les gens ne savaient pas ce qui se cachait derrière les mets, car tout avait l'air réel… Comme si l'un des plaisirs les plus simples et éternels de l'humanité était d'être volontairement trompé sur les apparences. Moi aussi, d'ailleurs, j'adorais ces fêtes. Chacune d'elles était plus fantastique que la précédente, encore plus complexe et raffinée.

« Malheureusement, quelqu'un s'est servi de ces inoffensives mascarades à des fins moins innocentes. À l'occasion du sixième anniversaire de la princesse Justa, on m'a commandé le banquet le plus fabuleux que j'aie jamais conçu pour la famille impériale. Tous les courtisans étaient invités ; l'empereur, son épouse et sa fille trônaient bien sûr aux places d'honneur. Pour la décoration, j'avais prévu des orchidées en pâte d'amande, car l'impératrice adorait cette fleur. As-tu entendu parler de la Marque du Lierre ?

– Un peu. Mais je n'ai pas vraiment compris ce que c'est.

Mazapán secoua la tête.

– À mes yeux, ce n'est que l'une des innombrables différences qui nous distinguent les uns des autres. J'ai les cheveux bruns, les tiens sont blonds, ceux de Theo sont noirs. C'est comme ça, c'est tout. Cependant, dans les Terres rases, certaines personnes sont extrêmement fières d'arborer une couleur de peau ou de cheveux particulière. Je trouve ça quelque peu ridicule. Mais pour rester dans le sujet… l'impératrice portait la Marque du Lierre. Ses cheveux n'étaient pas comme les tiens ou les miens. C'étaient des racines d'orchidée.

Sophia plissa le nez.

– Des… racines d'orchidée ?

– Oui, je sais, ça doit te sembler très bizarre. Mais la Cour tout entière considérait ça comme le summum de la beauté. C'étaient de fines tiges blanches, qu'elle tissait et nouait en des coiffures élaborées. Il est donc normal qu'elle ait développé un amour et des affinités avec ces fleurs. Sa fille Justa a d'ailleurs hérité de cette caractéristique.

– Elle a des racines sur la tête, elle aussi ?

– Non. Chez elle, la Marque du Lierre se présente sous la forme de longues herbes vertes en guise de chevelure. Je ne l'ai pas vue depuis son enfance, mais on m'a dit que c'était très joli.

Sophia décida de faire preuve d'un peu de diplomatie et évita de donner son avis sur la question.

– J'avais donc créé des orchidées en pâte d'amande en hommage à l'impératrice, et il y en avait des vases disposés partout sur la table. Dès que le banquet commença, les invités goûtèrent la nourriture, les fleurs, les ustensiles et même la vaisselle. À un moment donné, alors que je regardais la scène depuis mon coin de la pièce, pour m'assurer que tout se passait bien, j'ai vu l'impératrice cueillir une fleur et croquer dedans. Je savais qu'elle ferait ça : je l'avais déjà vue, lors de précédents banquets, ne manger que des fleurs ! Puis elle en a pris une autre, et encore une. Et c'est là que, soudain, j'ai compris que quelque chose de terrible s'était produit. L'impératrice a fait une grimace horrible, a porté les mains à son cou, puis à son ventre. Elle s'est effondrée sur la table, pliée en deux, et ses merveilleux cheveux ont dégringolé dans la nourriture. Tout le monde s'est aussitôt levé. Un docteur est arrivé en quelques minutes, mais il était déjà trop tard : elle était morte, assassinée par une orchidée empoisonnée particulièrement rare, que quelqu'un avait placée au milieu des miennes.

Sophia haleta de stupeur.

– Et ils vous ont accusé ?

Mazapán secoua la tête.

– Non, heureusement. J'ai été interrogé, bien entendu, mais ils ont très vite compris que je n'aurais rien eu à gagner à tuer l'impératrice.

– C'est terrible… fit-elle avec compassion.

– Oui, c'est le mot. Même si personne ne m'a blâmé, l'empereur ne m'a plus jamais réclamé de banquet, ce qui est compréhensible. Quant à moi, j'ai eu beau me dire que je n'avais rien fait de mal, je n'ai pu m'empêcher de me sentir en partie responsable de ce drame. Si je n'avais pas créé ces orchidées, personne n'aurait pu dissimuler une fleur empoisonnée parmi elles.

– Mais non ! s'exclama Sophia. Ceux qui ont fait ça ont juste profité de la qualité de votre banquet !

– C'est vrai, admit-il sans pour autant en sembler convaincu. Mais pourquoi prendre un tel risque ? J'ai cessé de faire de la pâte d'amande, du sucre filé et de la meringue. Je m'en suis tenu à la vaisselle et aux couverts en chocolat, parce qu'au moins, ceux-là ne peuvent être utilisés à mauvais escient. Le pire qui puisse arriver, si quelqu'un mord dans une assiette ou une tasse en pensant manger l'une des miennes, c'est de se casser une dent ! s'amusa-t-il.

– J'imagine que c'est logique, finit par déclarer Sophia, avant d'ajouter : La princesse Justa a dû avoir le cœur brisé par la mort de sa mère.

– Sans le moindre doute, confirma Mazapán, avec néanmoins une certaine hésitation dans la voix. Je ne l'ai pas vue depuis son sixième anniversaire, mais c'était une fillette étrange. Elle était… comment dire ? Froide. Impossible de savoir si elle n'éprouvait aucune émotion ou si elle était juste extrêmement timide, mais elle paraissait dépourvue de ce charme que possèdent d'habitude les enfants. Ce qui fait que, je dois bien l'avouer, je n'ai jamais ressenti la moindre sympathie envers elle. D'après ce que j'ai entendu, elle est devenue une femme calme, réfléchie et introvertie. (Il s'interrompit, l'air pensif.) Nous n'allons pas tarder à changer de chevaux, reprit-il. Il y a un relais à quelques lieues d'ici.

La contrée qu'ils traversaient était plate et, autour de la route, dépourvue de toute végétation, afin d'empêcher d'éventuels bandits de s'y dissimuler pour tendre des embuscades aux voyageurs. Ils dépassèrent quelques colporteurs, chargés d'énormes malles, ainsi que deux cavaliers.

Sophia avait remarqué que des carillons éoliens, omniprésents au marché de Veracruz, étaient également disséminés à intervalles réguliers sur les poteaux qui longeaient la chaussée. Elle s'était habituée à leur tintement permanent, presque rassurant.

– Est-ce qu'ils servent à indiquer un autre itinéraire ? demanda-t-elle soudain.

– Euh… non, répondit Mazapán après avoir suivi son regard. Ce sont des alarmes, pour prévenir les voyageurs en cas de mur de vent. Vous en avez, vous aussi, dans le Nord ?

– Je n'en suis pas sûre.

– Ce sont d'énormes barrières de vent qui vous emportent

avec la force d'un cyclone. Quelle que soit leur taille, elles représentent un danger mortel.

– Comme des tornades.

– Oui, ça y ressemble beaucoup ; comme une infinité de tornades côte à côte. Cela fait des semaines qu'on nous prévient qu'il y a un mur de vent au sud qui se rapproche. Les carillons annonceront son arrivée afin que tout le monde puisse gagner les abris souterrains. Et… ah ! Nous y voilà !

Ils firent une pause rapide à l'auberge pour se restaurer. Au grand soulagement de Sophia, l'endroit était désert. Tandis que Burr et Theo changeaient leurs montures, Sophia préféra tenir compagnie à Calixta et Mazapán à côté de la berline, les yeux rivés sur la route.

Une forme étrange apparut à l'horizon, se dirigeant vers eux à une rapidité incroyable. Sophia s'apprêtait à prévenir Calixta quand elle en distingua les détails. Elle en resta bouche bée.

On aurait dit un arbre doté d'un gréement de bateau ; un fin et élégant navire, deux fois plus haut que la voiture de Mazapán et propulsé par d'immenses voiles vertes. Les gigantesques feuilles qui poussaient à la base du mât étaient nouées à son sommet pour contenir le vent. Les roues sphériques, tissées comme des paniers à partir d'un bois plus souple, étaient peintes en doré. Le vaisseau semblait survoler la route sans la toucher, à toute vitesse. Une fille d'à peu près l'âge de Sophia se pencha avec langueur par-dessus la balustrade arrière.

Sophia regarda le navire passer, fascinée, jusqu'à ce qu'il ne soit plus qu'un point à l'horizon.

– Mazapán ? Qu'est-ce que c'était que *ça* ?

– Ah ! Tu n'as jamais vu d'arboldevela.

Elle haussa les sourcils.

– On se contente généralement de parler de boldevela. C'est un vaisseau avec une coque en bois et des voiles vivantes.

– Vous en avez un ? demanda-t-elle avec excitation.

Il éclata de rire.

– Ces navires sont hors de prix, pour les gens ordinaires. Mais ils ne sont pas si rares. Tu en verras d'autres, avant que nous n'arrivions à Nochtland, que ce soit sur les routes ou sur les canaux.

Ils changèrent encore à deux reprises de montures avant de s'arrêter pour la nuit à mi-chemin entre Veracruz et Nochtland. Cela faisait déjà plusieurs milles que Sophia somnolait, la tête appuyée sur le bras de Mazapán. Lorsque les chevaux ralentirent, elle ouvrit les yeux et fouilla ses poches en quête de sa montre. Il était 1 heure selon l'horaire des Terres rases, et plus de 2 heures pour le Nouvel Occident.

– L'aubergiste me garde toujours une chambre, lui expliqua Mazapán. Avec un peu de chance, il y en aura une autre de libre. Dans quelques minutes, nous serons installés et couchés.

Après avoir mis les chevaux à l'écurie, ils remontèrent l'allée qui menait au bâtiment principal, leurs talons résonnant sur le dallage. Le sceau impérial trônait à l'entrée, à proximité d'un grand portrait de la famille régnante, dans le vestibule, et annonçait que l'établissement possédait l'agrément officiel pour héberger les voyageurs. Mazapán tira une bougie du stock placé sur la table à l'accueil et l'alluma. Puis il leur fit traverser un couloir jusqu'à la cour intérieure de l'auberge. Sophia et Calixta prirent l'une des chambres libres, reconnaissables à leur porte ouverte, tandis que Burr, Mazapán et Theo en choisissaient une autre. Sophia commença à se déshabiller, les doigts engourdis de fatigue. Ce n'est qu'à ce moment-là qu'elle s'aperçut qu'elle n'avait pas eu l'occasion de parler à Theo de toute la journée. Elle frissonna. La pièce lui semblait gigantesque, plus vaste qu'une caverne, et comportait de grands murs de stuc blanc et un plafond très haut, à poutres apparentes. Les draps étaient raides d'avoir séché au soleil, mais Sophia n'y prêta quasiment pas attention. Elle s'effondra dans le lit étroit et sombra immédiatement dans un sommeil de plomb.

27 juin, 3 heures : à l'auberge

SOPHIA SE RÉVEILLA plongée dans le noir, le cœur battant à tout rompre. Le cauchemar qu'elle avait fait lui emplissait l'esprit d'une purée de pois digne d'un brouillard anglais. Les mêmes pleurs résonnaient encore à ses oreilles ; les lamentations perçantes du lachrima qui, dans son rêve, retentissaient de plus en plus fort, jusqu'à étouffer tout autre son.

L'auberge était calme ; seul le tintement délicat des carillons, qui oscillaient doucement dans la brise, brisait le silence. Elle tendit la main vers sa montre, mais ses doigts tremblaient tellement qu'elle eut du mal à soulever le couvercle de cuivre familier pour lire l'heure. Malheureusement, il faisait trop sombre et elle ne voyait rien.

Sophia s'habilla et prit son sac. Après un dernier regard en direction de Calixta, mince silhouette sous les draps blancs de l'autre lit, elle ouvrit la porte et sortit profiter de la fraîcheur nocturne.

Elle descendit à pas feutrés le couloir dallé menant à la cour de l'auberge et sentit, petit à petit, son cauchemar se dissiper.

Des plants de jasmin s'enroulaient le long des poutres, emplissant l'air de leur fragrance suave. Grâce au clair de lune, elle put enfin consulter sa montre. Il était à peine plus de 3 heures. Elle se dirigea vers l'entrée, en direction de l'écurie. Les carillons accrochés à la charpente tintèrent doucement à son passage.

Une rocaille parsemée de cactus et de bancs en bois séparait les chambres d'hôtes des dépendances. Lorsqu'elle vit que quelqu'un était déjà assis là, elle pila, surprise. Puis elle reconnut Theo. À son approche, il s'écarta un peu pour lui libérer une petite place.

– Toi non plus, t'arrives pas à dormir? demanda-t-il.

Sophia secoua la tête.

– J'ai fait un cauchemar. Et toi?

– Pareil. Impossible de fermer l'œil.

Elle l'examina de près. Ses bottes éraflées n'étaient pas lacées. Il scrutait les ténèbres comme s'il s'attendait à ce que quelque chose en émerge à chaque seconde.

– Tu t'inquiètes à cause du pillard de l'autre jour?

– Pas tant que ça.

Sophia hésita. Elle aurait aimé qu'il développe, mais elle n'avait aucune envie d'entendre une nouvelle série de mensonges. Elle inspecta son visage pensif et décida d'en prendre le risque.

– Pourquoi est-ce qu'il te pourchasse?

Theo haussa les épaules, comme pour signifier que cela ne valait pas la peine d'en parler.

– Il s'appelle Jude. D'habitude, il préfère rester beaucoup plus loin au nord, près de La Nouvelle-Orléans. Tu te souviens de la fille dont je t'ai parlé? Celle qui m'a pour ainsi dire élevé, Sue?

Elle avait, genre, une dizaine d'années de plus que moi, et elle était vraiment douée, dans son domaine. C'était même la meilleure. Elle avait rejoint la horde de Jude un bon moment plus tôt. J'ai découvert il y a deux ans qu'elle avait été tuée durant un raid, parce que Jude l'avait envoyée en mission toute seule, après avoir prévenu leur cible de son arrivée. C'était un véritable traquenard.

– C'est horrible, commenta Sophia.

– Il n'aime pas que quelqu'un soit plus fort que lui, ou plus intelligent. Moi, de mon côté, j'ai toujours été persuadé que tôt ou tard, Jude tenterait sa chance de l'autre côté de La Nouvelle-Orléans. Dans les Terres rases, il n'y a pas vraiment de lois au sens littéral du terme, les pillards font ce qu'ils veulent. Mais dans le Nouvel Occident… Eh bien, il suffit de dire que cette ville possède la plus grande prison que j'aie jamais vue. Je me suis contenté de m'arranger pour que les forces de l'ordre apprennent que c'était Jude qui avait fait exploser toutes les lignes de chemin de fer des Terres rases. (Il sourit avec satisfaction.) Aux dernières nouvelles, ils l'ont fichu en tôle pour dix-huit mois.

– Il a vraiment fait ça ?

– Bien sûr ! Les pillards n'aiment pas l'idée de trains traversant leur pays ; pour eux, ça signifie juste plus de monde, plus de villes et plus de lois.

Sophia l'examina avec scepticisme pendant un moment.

– Donc, en fait, tu n'as rien fait de mal, finit-elle par dire.

– Je me fiche de savoir si ce que j'ai fait était bien ou mal. Je lui ai rendu la monnaie de sa pièce. À cause de lui, Sue s'est fait assassiner. C'est tout ce qu'il méritait.

– Et tu n'as pas peur qu'il te suive ?

Theo haussa de nouveau les épaules.

– Je ne pense pas qu'il ferait ça.

Il lui adressa un clin d'œil et refit sa mimique, en la visant de ses doigts avant de simuler un coup de feu.

– En plus, Jude, c'est que dalle, par rapport aux mecs qui te traquent, toi !

Le cœur de Sophia s'emballa une fois de plus.

– J'espère qu'ils ne savent pas où nous sommes.

– Pour le moment, aucune trace d'eux.

– Je pense avoir compris pourquoi ils veulent la carte, en tout cas.

Theo la regarda avec intérêt.

– Ah bon ? Pourquoi ?

– Tu te souviens, quand je t'ai dit que les nihilismiens considéraient que notre univers est faux ?

– Ouais.

– Eh bien, Shadrack m'a expliqué, il y a quelque temps, qu'en fait, ils croient qu'il existe une carte nommée *carta mayor*. D'après eux, elle serait immense et très puissante, et représenterait le monde entier. Pour ces fanatiques, elle montre le véritable monde, celui qui a été détruit par le Grand Bouleversement, et pas le nôtre. Mais personne ne sait où elle est cachée.

– Et la plaque que tu possèdes pourrait permettre de retrouver cette… *carta mayor* ?

– C'est ça. Si elle ne correspondait pas à ce qu'on imagine être une carte (elle se remémora les oignons de la vendeuse, sur le marché), le verre la rendrait visible. Mais je n'ai pas la moindre idée de ce à quoi la *carta mayor* est censée ressembler, ni de l'endroit où elle pourrait se trouver. Shadrack m'a laissé entendre qu'elle pourrait très bien ne pas exister.

– Mais ces gars sont persuadés du contraire.

– De toute évidence.

Theo réfléchit un instant.

– Tu sais, finit-il par reprendre, ton oncle s'est donné beaucoup de mal pour les empêcher de mettre la main sur cette plaque de verre. Peut-être qu'en fait, lui aussi croit que cette *carta mayor* est réelle…

– J'y ai déjà pensé. Mais si ça se trouve, c'est juste un objet précieux. Tu comprends ? Elle pourrait servir à plein d'autres choses. Pas seulement ce à quoi les nihilismiens la destinent.

– J'imagine que tu n'as pas tort.

Sophia marqua une pause.

– Avec un peu de chance, Veressa pourra nous le dire.

Theo ôta ses bottes d'un coup de talon, pour rester en chaussettes, posa ses pieds sur le banc et remonta ses genoux contre sa poitrine.

– Tu sais où la trouver ?

– Une fois que nous serons à Nochtland, je demanderai mon chemin pour aller à l'Académie, là où mon oncle et elle ont étudié. Je suis sûre qu'ils gardent la trace de tous leurs anciens élèves. Je crois que ce sera un bon point de départ.

– Tu as raison. Et elle, elle pourra certainement te dire où se trouve Shadrack.

Sophia aurait aimé faire preuve d'autant de confiance que Theo.

– Je l'espère. Je n'en sais vraiment rien. (Elle réfléchit quelques secondes.) Peut-être aurions-nous dû suivre les hommes de sable tant que c'était encore possible. Ils auraient pu nous mener droit à Shadrack.

– N'y pense même pas, on a fait de notre mieux. Tu obéis aux consignes de ton oncle. Mazapán doit bien connaître l'Académie. Calixta aussi, si ça se trouve. Tu le lui as demandé ? (Sophia secoua la tête.) Tu vas retrouver Veressa. Elle, elle saura ce qu'il faut faire.

Sophia ne répondit pas. Elle resta assise en silence, bercée par le tintement des carillons.

– J'aime beaucoup Calixta et Burr, finit-elle par admettre. Nous avons eu tellement de chance de croiser leur route !

Theo fit un grand sourire.

– Ça, c'est sûr. Ce sont des gens fiables, on peut compter sur eux.

– Et je suis également très contente d'être tombée sur toi, souffla-t-elle en le regardant à la dérobée.

L'expression de Theo fut comme traversée d'un nuage, avant de redevenir aussi calme et naturelle qu'un instant plus tôt. À la lumière du clair de lune, Sophia se dit qu'elle avait dû imaginer cette seconde de trouble.

– On ne m'appelle pas Theo le Veinard pour rien.

8 h 30 : sur la route de Nochtland

UNE PLUIE DRUE s'était mise à tomber et Mazapán multipliait les haltes pour vérifier que la bâche protégeant le toit de sa voiture était bien en place.

– Tu m'excuseras, Sophia, lui répéta-t-il encore une fois, mais si mes marchandises s'abîment, on me passera un sacré savon, une fois à la maison.

– Tout va bien, dit Sophia en se recroquevillant au maximum sous l'étroit auvent du véhicule.

Elle regrettait amèrement les habits de rechange qui se trouvaient dans la valise qu'elle avait dû abandonner et qui devait à présent l'attendre dans un entrepôt quelque part sur la ligne ferroviaire du Golfe.

Calixta et Burr chevauchaient côte à côte sous de grandes ombrelles étanches et colorées, absorbés par leur conversation. Theo suivait la voiture, préférant visiblement rester seul. Lorsqu'ils se retrouvèrent enfin au même niveau, il baissa la tête pour fixer ses rênes d'un air maussade et refusa de croiser le regard de Sophia.

Il fait comme moi quand je broie du noir, se dit Sophia avec étonnement.

La veille au soir, quand ils s'étaient quittés, à presque 4 heures du matin, Theo lui avait pourtant paru de bonne humeur.

La montre de Sophia affichait plus de 16 heures, selon l'horaire du Nouvel Occident, quand elle remarqua quelque chose sur la route, loin devant eux. D'abord, elle crut que c'était un groupe de voyageurs, mais au fur et à mesure qu'ils s'en rapprochèrent, elle s'aperçut qu'il s'agissait d'un bien plus grand nombre de personnes, plusieurs centaines, en fait, avançant à une allure réduite. Ils avaient atteint les abords de Nochtland. À travers l'averse et le crépuscule, elle parvenait à peine à distinguer la haute silhouette de la cité.

– La garde vérifie les papiers de tout le monde, devant les portes de la ville, lui expliqua Mazapán avec un long soupir. J'ai bien peur que nous ne soyons bloqués ici pendant des heures. J'avais oublié que les festivités de l'éclipse commenceront dans quelques nuits. Tous les habitants de la région veulent y assister, tellement c'est rare. De plus, les astronomes disent que celle-ci sera totale, la première depuis le Grand Bouleversement.

Sophia était trop épuisée pour poursuivre la conversation sur le sujet. Elle reconnut les voiles d'une boldevela loin devant eux, au milieu de la foule. Calixta et Burr ralentirent pour se placer de chaque côté de la voiture, et Theo remonta soudain à leur niveau.

– Je pars en éclaireur voir si la queue est longue, lança-t-il.

Avant que quiconque ait eu le temps de lui répondre, il avait éperonné son cheval et filé au galop. En quelques secondes, les ténèbres l'avaient englouti.

– Qu'est-ce qu'il fait ? demanda Sophia à Mazapán avec un mauvais pressentiment.

– Aucune idée, et ça ne changera rien pour nous. Nous allons rester ici au moins jusqu'à 9 heures. Vingt, pour toi, ajouta-t-il avec un petit rire. Quel soulagement de savoir que ma journée fait onze heures de moins ! Je n'aurai pas aussi longtemps à attendre !

Il tentait une fois de plus de la distraire.

– Ça ne marche pas comme ça, dit-elle avec l'ombre d'un sourire, le regard perdu dans le nuage de pluie.

Un groupe imposant piétinait devant eux. Les voyageurs avançaient pesamment, lentement, courbés sous le poids de leurs manteaux. Alors que le mille-pattes humain se penchait en avant, Sophia vit Theo revenir. Il se posta de son côté de la voiture. Son expression s'était encore plus durcie. Il était pâle, les yeux écarquillés de peur.

– Qu'est-ce qu'il y a ? l'interrogea-t-elle aussitôt, le pillard du marché remontant au premier plan de son esprit. Tu as reconnu quelqu'un dans la file ?

Theo se pencha vers elle.

– Je t'avais promis que je te conduirais en sécurité à Nochtland, pas vrai ?

– Oui, répondit-elle, un étau d'angoisse lui broyant le cœur.

– Eh bien, nous y sommes, dit-il d'une voix dure. Tu as tenu parole et moi aussi.

Il se courba encore plus vers elle, attira son visage vers le sien et lui déposa maladroitement un baiser brutal sur la joue.

– Adieu, Sophia.

Il fit pivoter son cheval et repartit au galop dans la direction opposée, en direction de Veracruz.

Sophia se leva en toute hâte.

– Theo ! hurla-t-elle d'une voix désespérée. Où vas-tu ?

Durant un instant, elle eut l'impression qu'il lui lançait un regard par-dessus son épaule, mais la seconde suivante, il avait disparu.

– Laisse-le, Sophia, la pressa Mazapán en l'incitant d'une main douce à se rasseoir. Je suis désolé, mon enfant, mais tu es en train de te faire tremper. Prends ce manteau et essaie de rester au chaud. (Il enroula un bras autour d'elle.) Theo nous a quittés, cria-t-il ensuite, en guise d'explication à l'intention de Calixta et de Burr qui, sous la pluie, lui demandaient ce qu'il s'était passé. Non, il n'a pas dit pourquoi. Il est parti au triple galop, ajouta-t-il.

– Juste comme ça, commenta Sophia, abasourdie.

TROISIÈME PARTIE

Piégés

21
LE BOTANISTE

28 juin 1891, 5 h 04

D'après les pages découvertes dans un entrepôt abandonné près de la côte Ouest, il existait autrefois une cité immense qui s'étendait de façon ininterrompue le long de l'océan Pacifique, entre les latitudes de 13° et de 15° nord. La datation de ces documents est inconnue, et seuls quelques vestiges épars de Pacific City, puisque c'est ainsi que ces archives la nomment, demeurent.

Extrait de Géographie culturelle des Terres rases, *par Veressa Metl.*

LA VILLE DE NOCHTLAND s'étendait sur des lieues et des lieues au fond d'une grande vallée. Protégée par ses hauts remparts, c'était plus une île qu'une cité, non seulement parce qu'elle était traversée par une multitude de canaux, mais aussi parce que ses habitants s'aventuraient rarement au-dehors.

Les négociants faisaient des allers-retours jusqu'à Veracruz, les chercheurs se rendaient au sud, dans les universités de Xela, et les explorateurs voyageaient au nord, dans les régions sauvages de la côte pacifique. Mais en dehors d'eux, tout le monde restait bien au chaud dans ses murs, prétendant trouver son bonheur dans le réseau des venelles étroites et des vastes jardins de la ville. Nochtland était une agglomération prospère, où le cacao, les billets de banque et l'argent frappé aux armes impériales changeaient facilement de mains. C'était également une ville cosmopolite, car des gens de tous les Âges avaient entendu parler de sa beauté et s'y étaient installés. Mais elle se montrait de surcroît plus que généreuse envers ceux qui portaient la Marque du Lierre.

Nochtland elle-même l'arborait partout. Les remparts étaient couverts de laiterons grimpants, de savonniers géants, de volubilis et de bougainvillées. De loin, la masse végétale semblait vivante, telle une créature étendue au bout de la longue route.

Si cela avait été possible, la princesse Justa Canuto aux cheveux d'herbe verte aurait avec plaisir interdit le métal, matériau méprisable ici, mais cela n'aurait pas fonctionné en dehors des murs de sa cité. Aussi, son utilisation, bien que strictement contrôlée et réglementée, était tolérée pour les écrous et les boulons, les serrures et les clés, les boucles de vêtements et les clous, même si les gens peinaient à obtenir les multiples dispenses nécessaires. Les avocats de Nochtland s'enrichissaient en gérant leurs demandes au tribunal. Bien sûr, la famille impériale ne subissait pas de telles contraintes ; de nombreuses personnes se plaignaient avec amertume de devoir attendre deux ans pour avoir l'autorisation de posséder une aiguille à coudre, tandis que les portes de Nochtland elles-mêmes, mal dissimulées sous le lierre, enfermaient la cité dans un carcan de fer.

Les voyageurs patientèrent sous la pluie toute la nuit et, alors qu'ils atteignaient enfin les remparts de Nochtland, Sophia dormait à poings fermés. Elle était restée éveillée très tard, les yeux fixant le vide et l'averse, à ressasser en boucle les derniers mots de Theo et la sensation légère de sa bouche sur sa joue, jusqu'à ce que sa tête et son corps s'engourdissent de fatigue. Au bout d'une éternité, elle s'était assoupie, appuyée sur le bras de Mazapán. Ce ne fut qu'en plein milieu de la nuit, quand les gardes de la cité, leurs grandes silhouettes drapées dans leurs longues capes à capuche, inspectèrent la voiture sous un ciel d'encre, qu'elle sortit en sursaut de sa torpeur pour replonger aussitôt dans un sommeil agité. Elle n'ouvrit définitivement les yeux que lorsque Mazapán la secoua doucement par l'épaule.

– Sophia ! On est arrivés, lui dit-il. Réveille-toi. Tu ne dois pas manquer le spectacle de Nochtland à l'aube. C'est la meilleure façon de découvrir la ville.

La jeune fille s'assit, encore à moitié endormie, et regarda autour d'elle. Même si elle émergeait peu à peu, la sensation d'engourdissement ne la quittait pas. Calixta et Burr, à quelques mètres devant eux, avaient déjà passé les portes. La vision de Theo traversa brièvement son esprit comme un minuscule poisson argenté à travers des eaux glaciales. Présent une seconde, disparu la suivante. Quand Sophia leva la tête, elle vit Nochtland pour la première fois. Elle avait espéré cet instant depuis si longtemps, et avec une telle impatience ! À présent, elle ne ressentait plus rien.

L'averse avait cessé ; il ne subsistait plus, dans son sillage, que de minces nuages effilés que l'aube teintait de bleu. Néanmoins, les rues pavées luisaient toujours d'humidité. Des carillons tintaient un peu partout, comme s'ils se répondaient. Les chevaux de la voiture avançaient lentement, remontant une grande avenue droite bordée de chaque côté d'un alignement de citronniers au parfum exacerbé par la pluie, et dont s'échappaient parfois des gouttes résiduelles. Derrière eux, de hauts murs d'où émergeaient des canopées monumentales confirmaient l'existence des célèbres jardins clos de la ville. Certains de ces arbres étaient si immenses qu'ils semblaient écraser les habitations, et Sophia remarqua que l'un des troncs massifs était ceinturé d'une volée de marches qui menait, perdue au cœur des branches, à une maison à pignons.

Partout retentissait le murmure de l'eau. Dans un mur à sa droite, une fontaine en forme de poisson crachait un jet cristallin ; de multiples gargouilles faisaient jaillir des filets d'eau sur les pavés. Le véhicule traversa un canal qui serpentait à travers la ville, bordé de jardins clos au bout desquels Sophia aperçut les toitures de tuile rouge de bâtiments. Puis la route se rétrécit ; de chaque côté, les parois de pierre étaient parsemées de portes basses et de fenêtres aux volets fermés. Les maisons dans les arbres, derrière eux, avaient également leurs rideaux tirés, et aucune lumière n'était visible.

Nochtland dormait encore.

Enfin, à quelques exceptions près : entre deux tentures, un enfant les espionnait. Lorsque leurs regards se croisèrent, Sophia ressentit un coup au cœur à la vue de ce visage surpris, presque perdu. Elle fourra ses mains dans ses poches pour saisir sa montre et la pelote de fil. Comme d'habitude, leur contact l'apaisa : le temps s'égrenait toujours à son rythme lent et les Parques s'étaient montrées clémentes envers elle. Peut-être lui avaient-elles enlevé Theo, mais en échange, elle avait Calixta, Burr et Mazapán ; elles devaient à coup sûr tisser pour elle un motif qui lui garantirait de terminer son voyage saine et sauve.

La voiture tourna à un angle et, soudain, ils se retrouvèrent dans une grande avenue bordée d'arbres.

– Voici la route menant aux portes du palais, annonça Mazapán.

– Votre boutique en est proche ?

– Très. Mais ce n'est pas notre destination. Je vous laisse ici. Tu vas pouvoir te reposer.

Sophia mit un moment à assimiler le sens de ses mots.

– Au palais ? répéta-t-elle, perplexe.

Mazapán sourit.

– Tu as bien choisi tes compagnons de voyage : Burton s'est lié d'amitié avec le botaniste impérial, et tu vas pouvoir profiter de la meilleure hospitalité de tout Nochtland. Bien mieux que tout ce que j'aurais pu te proposer, ajouta-t-il avec un clin d'œil. Regarde ! Les jardins royaux sont juste derrière cette clôture.

Devant eux, au sud de l'avenue, une grande grille métallique était enchâssée dans un long mur de pierre. Et entre les barreaux, Sophia vit une haie compacte de genévriers, suivie d'une rangée d'arbres qui s'étirait jusqu'à l'horizon.

– C'est plutôt difficile d'ici, mais à travers les feuilles, il arrive qu'on puisse apercevoir le palais, dit Mazapán. Il est presque entièrement en verre, et quand le soleil brille, ses vitres étincellent comme un millier de miroirs.

Un peu plus loin, Calixta et Burr avaient fait halte sur les pavés, devant une énorme fontaine constituée d'un grand bassin bas entourant un jet d'eau plus haut qu'un palmier.

– Nous sommes presque arrivés aux portes, annonça Mazapán en tirant sur ses rênes jusqu'à ce que ses chevaux s'arrêtent.

Calixta mit pied à terre et s'approcha d'eux.

– Ma pauvre chérie, dit-elle à Sophia d'une voix attristée, tu as dormi toute la nuit dans ces vêtements trempés…

– Tout va bien, répondit laconiquement la jeune fille.

– Je te promets qu'un bon repas et des couvertures chaudes t'attendent pas loin d'ici, déclara Burr en faisant avancer sa monture vers elle, avant de se pencher vers le véhicule. Mazapán, mon ami… nous ne pourrons jamais assez te remercier.

– Ce n'est rien, dit l'intéressé en saisissant la main de Burr tandis que Sophia descendait. Venez me rendre visite quand vous aurez fini vos préparatifs. (Il adressa un clin d'œil à la jeune fille.) Et pour goûter mes chocolats !

– Merci, Mazapán, répondit Sophia en s'efforçant de sourire. Je n'y manquerai pas.

Elle regarda la voiture contourner l'esplanade et s'engager dans la grande avenue, en direction des ruelles étroites de Nochtland.

– Pourquoi est-ce que tu ne monterais pas sur mon cheval ? Je le mènerai par les rênes, proposa Burr à Sophia.

– Volontiers, accepta-t-elle.

Il l'installa en selle et guida sa bête de l'autre côté de la fontaine, en direction d'une rangée de sentinelles postées devant un portail monumental. Les battants de fer forgé se tendaient vers le ciel avant de se recourber, plus hauts que cinq lances mises bout à bout.

Comme sur ceux qu'elle avait vus, alors à moitié endormie, à l'entrée de la cité, l'uniforme des soldats comportait de longues capes munies de capuches et des masques entièrement faits de plumes, qui dissimulaient l'intégralité de leur visage à l'exception de leurs regards impassibles. Les plus grandes plumes formaient une crête frissonnante sous l'effet de la brise au-dessus de leurs têtes. Tous avaient les bras nus, mais certains arboraient des bracelets de cuir, tandis que d'autres avaient la peau peinte ou tatouée de lignes denses et tourbillonnantes. Ils portaient de lourdes lances aux pointes d'obsidienne. Sophia se rappela le déguisement de Theo, à l'époque où il appartenait encore au cirque, et elle comprit qu'Ehrlach avait tenté, dans la mesure de ses moyens, de restituer le costume d'apparat des gardes de Nochtland.

En dépit de leur apparence terrifiante, Burr adressa la parole aux soldats avec autant d'aisance que s'il s'était agi de pirates du *Cygne*.

– Salut, les gars. Je viens rendre visite au botaniste impérial, comme d'hab.

– Il est au courant de votre arrivée ? demanda le plus proche.

– Pour une fois, non.

– Alors on va envoyer quelqu'un pour vous accompagner, répondit l'autre tandis que l'un de ses compagnons sortait du rang. Qui est cette fille ?

– Juste une nouvelle recrue.

D'un coup de talons, Calixta incita son cheval à trépigner de l'avant.

– Cette jument tient de moi, lança-t-elle avec un grand sourire. Elle est impatiente.

Le garde secoua la tête, visiblement habitué aux excentricités des Morris. Il ouvrit les portes sans un mot de plus et leur fit signe d'entrer.

Ils pénétrèrent dans une longue allée gravillonnée qui

traversait le parc en direction du palais, décorée de galets colorés décrivant un motif de tapisserie sur toute sa longueur. Ce dernier les mena jusqu'à un tunnel de grands genévriers et, quand ils en émergèrent, les jardins impériaux leur apparurent dans toute leur splendeur.

Sophia n'avait jamais rien vu d'aussi beau. À ses pieds s'étalait un vaste bassin empli de lis d'eau, entouré de part et d'autre de deux immenses gardénias parsemés de fleurs blanches. À côté d'eux se trouvaient des citronniers plantés dans des bordures en arc de cercle. Tout un réseau de sentiers gravillonnés traversait le jardin, contournant des fontaines de pierre. À chaque extrémité du plan d'eau, que le clair de lune faisait miroiter, et le long des allées trônaient des statues d'ancêtres royaux, tous porteurs de la Marque du Lierre : bien que leurs visages fussent taillés dans un marbre pâle, leurs ailes feuillues et leurs bras couverts d'écorce se détachaient sur le vert de l'herbe.

Le palais se trouvait juste derrière. C'était un grand bâtiment rectangulaire couronné d'une multitude de dômes. Comme Mazapán l'avait dit, il était presque entièrement en verre et étincelait comme une perle au soleil levant. Deux immenses serres y étaient accolées, leurs vitres réfléchissant les premiers rayons du jour. Le soldat leur fit contourner le bassin, et Sophia plongea le regard dans ses profondeurs, remarquant des poissons aux écailles brillantes qui filaient entre les nénuphars et les lis. Le parfum des gardénias et des fleurs de citronnier emplissait l'air tandis que des oiseaux voletaient de branche en branche.

Contrairement à ce qu'elle avait cru, ils ne se dirigèrent pas vers l'escalier de pierre ornant la façade principale du palais, où une autre ligne de sentinelles montait la garde, mais vers le jardin d'hiver de droite. Leur guide les abandonna devant une porte basse et repartit avec leurs chevaux. Durant toute leur attente, Sophia resta silencieuse et immobile, écoutant le gazouillis des fontaines et le pépiement des oiseaux.

Soudain, la serre s'ouvrit et un petit homme mince en jaillit.

– Burton ! Calixta ! s'écria-t-il.

Il se jeta sur Burr pour le serrer dans ses bras, puis tenta de répéter l'opération sur Calixta sans écraser son couvre-chef. L'inconnu portait d'étranges lunettes dotées de plusieurs lentilles dont les verres, répartis en corolle comme autant de pétales, étincelaient au soleil.

Puis il tourna ses yeux démesurément grossis vers Sophia.

– Et à qui ai-je l'honneur ?

– Martin, je te présente Sophia, répondit Burr. Elle vient du Nouvel Occident. Sophia, voici mon bon ami Martin, le botaniste impérial.

Lorsque l'escogriffe ôta son instrument de sa tête, Sophia se retrouva face à un personnage bien plus banal : un visage étroit, aux rides de rire profondément marquées, couronné d'une masse de cheveux blancs en broussaille. Son long nez, plus effilé que l'aiguille d'un cadran solaire, pointait vers l'extérieur, et un peu vers la gauche. Il observa Sophia de ses grands yeux bruns et lui tendit la main. Il esquissa une petite courbette en serrant la sienne.

– Enchanté de te rencontrer, Sophia, dit-il. Et quelle joie de vous revoir, tous les deux, reprit-il en s'adressant à Burr et à Calixta. Quelle surprise ! Mais ne restons pas ici ! Entrez, entrez !

Ils s'engagèrent derrière lui dans l'allée. Sophia remarqua qu'il boitait légèrement, sans que ça le ralentisse pour autant.

Devant à la fois suivre Martin et répondre à ses questions, Sophia eut à peine le temps de contempler les silhouettes courbées des cacaotiers, les grandes fougères qui les surplombaient et l'aspect clair et fragile des orchidées qui bordaient leur chemin. L'air était chaud et imprégné d'odeurs végétales.

– Vous êtes venus directement depuis les portes de la cité ? demanda Martin par-dessus son épaule.

– Nous avons attendu sous la pluie toute la nuit, reconnut Burr.

– Mes pauvres petits ! La queue a dû vous paraître interminable ! L'éclipse est dans à peine deux soirs. As-tu pu seulement te reposer un peu, Sophia ?

– Pas beaucoup, admit-elle, le souffle court, et tentant de ne pas se laisser distancer.

– Tu aimes les œufs ? lança-t-il soudain en s'arrêtant.

– Oui.

Elle avait failli lui rentrer dedans.

– Merveilleux ! s'exclama-t-il en reprenant sa course à travers le conservatoire. Je peux te proposer des œufs, du chocolat chaud et du pain de champignons. (Il marmonna quelque chose que Sophia ne parvint pas à comprendre.) Je vous laisserai même dormir une heure ou deux avant de vous mettre au travail, ajouta-t-il ensuite.

Sophia se demanda de quel genre de travail il pouvait bien s'agir, mais elle s'abstint de poser la question. Un moment plus tard, Martin ouvrit une porte à l'autre bout de la serre.

– Et voici les appartements du botaniste impérial, annonça-t-il en les invitant à entrer. Je vous en prie, faites comme chez vous.

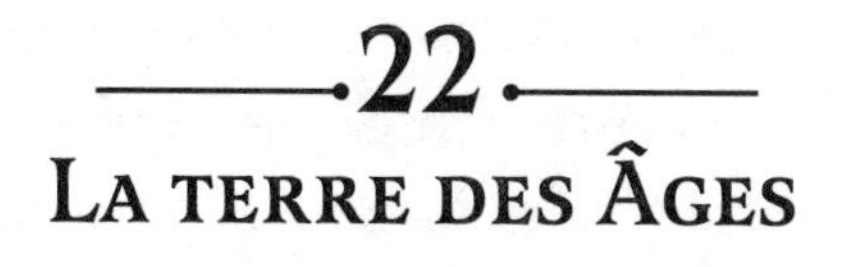

22
La terre des Âges

28 juin 1891, 6 h 34

> *Suite à l'analyse d'innombrables prélèvements effectués dans toutes les régions des Terres rases, pas moins de 3 427 Âges ont été identifiés dans ce territoire. S'il n'y a pas d'erreur, cela couvre plus de cinq millions d'années. Mais cette diversité est répartie dans tout le pays, et certaines zones ne contiennent qu'une faible proportion de ces époques. Par exemple, l'Ère Triple, puisque c'est sous ce nom que Nochtland, Veracruz et Xela sont connues, consiste en trois Âges principaux et très peu d'autres.*
>
> *Extrait de* Terres locales : leur importance en cartographie, *par Veressa Metl.*

LE BOTANISTE IMPÉRIAL avait un rôle si important à la Cour – voire dans toutes les Terres rases – que son titre s'accompagnait d'un appartement de fonction à l'arrière du palais, directement relié aux serres. Un peu comme chez Shadrack, le lieu de vie de Martin était envahi par son métier. Sa grande cuisine, son laboratoire, son bureau, sa salle à manger, assez spacieuse pour contenir une table pour vingt personnes, et même ses quatre chambres, débordaient principalement de matériel scientifique étrange, de livres de botanique et de géologie et, bien sûr, de plantes. Contrairement à Shadrack, en revanche, Martin veillait à tout garder en ordre, et le chaos de végétation et d'équipement était entreposé avec soin sur des dizaines d'étagères et dans autant d'armoires vitrées qui meublaient chaque recoin.

Après leur avoir servi le repas promis et tout en monologuant sur la culture du cacao qui composait leur chocolat chaud, Martin laissa à contrecœur ses invités se reposer. De toute évidence, Burr avait ses habitudes dans la maison, et il s'éclipsa aussitôt en bâillant.

– On peut prendre la chambre du fond ? demanda Calixta en tirant déjà Sophia dans cette direction.

– Oui, allez-y, répondit Martin. Dormez bien !

Lorsque Sophia pénétra dans leur suite, elle constata que le logement comportait une grande salle de bains privative, au sol et aux murs carrelés, qui contenait une douzaine d'orchidées en pot. Calixta lui proposa de se laver en premier ; elle apprécia l'offre à sa juste valeur : la pirate était maniaque concernant l'état de ses vêtements et de ses cheveux, et ça risquait d'être long.

Ce n'est qu'une fois allongée dans la baignoire de porcelaine et dans l'eau jusqu'au cou que Sophia se sentit pour la première fois presque autant en sécurité qu'à Boston. Elle se laissa absorber par le jeu des rayons de soleil sur le dallage. Machinalement, elle commença à se savonner et ses muscles se détendirent petit à petit. Enfin, elle sortit de son bain et s'enveloppa dans un peignoir de coton tout doux. Alors qu'elle nouait la ceinture à sa taille, un grand soupir lui gonfla la poitrine ; ce ne fut qu'à ce moment-là que, soudain, la glace qui engourdissait son esprit se craquela et fondit. Elle réprima un cri, s'étrangla et s'aperçut qu'en fait, elle sanglotait.

Elle se plia en deux en redoublant de pleurs.

Calixta arriva en courant et la prit dans ses bras.

– Allons, allons, souffla-t-elle.

Elle lui tapota le dos. Les plaintes lancinantes se transformèrent en hoquets douloureux et saccadés dont Sophia ignorait l'origine. Tout ce qu'elle savait, c'était que l'horreur de la disparition de Shadrack avait été, d'une certaine façon, adoucie par la présence de Theo, et qu'à présent, ce dernier était parti. Quant à Shadrack…

Sophia lâcha un halètement rauque. Shadrack était peut-être déjà mort.

– Laisse-toi aller, ma chérie, chuchota Calixta alors que les larmes de Sophia diminuaient. Expulse la douleur.

Après un long moment, Calixta la serra un peu plus fort, puis lui adressa un sourire rassurant.

– Tu sais quoi ? Je vais te brosser les cheveux.

Calixta lui tamponna la tête avec une serviette, puis la peigna, sans cesser de fredonner. Les coups de brosse réguliers et hypnotiques qui démêlaient peu à peu ses mèches et la mélodie sans mots rendirent très vite Sophia somnolente. Elle ne se souvint pas avoir grimpé dans l'un des lits superposés, qu'elle dut atteindre par une petite échelle. Une chemise de nuit à sa taille avait été déposée dessus. Elle l'enfila et s'endormit instantanément.

Quand elle se réveilla, elle ne reconnut pas l'endroit où elle se trouvait. Puis elle se rappela tout et s'assit.

Quelque chose avait changé durant son sommeil ; Sophia ne s'était pas sentie aussi détendue depuis son départ. Les heures à faire la queue sous la pluie, la désertion de Theo, la longue chevauchée depuis Veracruz, l'interminable mal de mer à bord du *Cygne*, l'horrible voyage en train à travers le Nouvel Occident… tout cela était derrière elle. Elle se sentait couverte de bleus et de courbatures, comme si son corps et son esprit avaient été piétinés, mais au moins, le pire était passé. Une vague de soulagement inattendue la submergea.

Calixta avait fermé les volets, et seuls quelques rayons clairsemés filtraient entre les fissures du bois, emplissant la pièce d'une lumière pâle et ambrée. La pirate dormait profondément dans l'autre lit. Sophia descendit aussi silencieusement que possible son échelle et fourragea dans son sac en quête de sa montre. Il était plus de 10 heures, selon l'horaire du Nouvel Occident. Le jour avait à moitié filé.

Elle ne put trouver ses habits, mais quelqu'un avait laissé une robe blanche brodée de lierre bleu sur une chaise. Chose surprenante : le vêtement lui allait parfaitement. Le coton repassé sentait encore très légèrement l'amidon et la lavande. Seules les pantoufles assorties, au pied du siège, étaient un peu grandes pour elle. Elle souleva son sac et le mit sur son épaule, glissa sa montre et sa pelote de fil dans une poche, puis sortit en refermant doucement la porte.

Pendant un moment, elle resta immobile sur les pierres fraîches du couloir, afin de s'imprégner de cette toute nouvelle sensation de résurrection. Elle pouvait presque sentir ses membres reprendre vie. Puis elle entendit le rire familier de Burr sortir d'une pièce toute proche, et elle descendit le corridor pour se retrouver devant le laboratoire. Le battant en était entrouvert. Martin examinait quelque chose à l'aide de ses lunettes et discutait avec animation avec Burr, qui se tenait à côté de lui, l'air rayonnant.

– Je n'ai jamais rien vu de tel ! s'exclama Martin. Je n'arrive même pas à le dater, ce qui en soi est déjà… stupéfiant ! Et tu prétends qu'un marin l'a récupéré sur une île… où ça ?

– Tu t'es bien reposée ? demanda Burr quand il découvrit Sophia sur le seuil.

– Sophia ! (Martin lui adressa un sourire, tout en clignant frénétiquement des yeux derrière ses verres grossissants.) Tu as bien dormi ?

– Très bien, merci beaucoup. Calixta est encore couchée.

– Dans ce cas, fichons-lui la paix, décréta Martin en attirant la jeune fille vers la table où il s'était tenu. Burr m'a dit que tu viens d'une famille de scientifiques. Alors tu dois absolument voir ça.

– Explique-lui ce que tu fais, l'interrompit Burr. Je n'ai pas parlé à Sophia de tes recherches.

– Mais oui, mais oui ! s'impatienta Martin en tirant un petit tabouret devant le plan de travail. Installe-toi. (Sophia était perplexe, mais elle s'assit quand même.) Regarde dans le verre ! s'exclama Martin avec excitation avant d'émettre un « oups » et d'enlever ses lunettes. Tiens, tu vas avoir besoin de ça.

Il les lui posa sur le nez et les régla. Soudain, le monde entier devint flou.

– Là, observe ça, réclama-t-il en lui tapotant gentiment le crâne pour qu'elle baisse la tête vers le bureau.

Sophia se retrouva à scruter ce qui ressemblait, à première vue, à des pierres de la taille d'un poing, parcourues de lignes zigzagantes dorées. Elle les fixa sans en deviner la nature, puis ôta les lunettes. Sur la table se trouvait un bocal rempli de terre sablonneuse.

– Je ne comprends pas, déclara-t-elle.

– Cet échantillon, expliqua Martin, c'est un marin qui l'a recueilli sur une île perdue dans… où ça, déjà ? demanda-t-il à Burr.

– Au sud des Caraïbes. Près de la côte de la Patagonie tardive.

– Et on dirait que ça provient d'un Âge dont on ne sait rien. Je n'ai pas le moindre indice de son origine, en dehors du fait que son époque nous est totalement inconnue !

– Comment pouvez-vous en être sûr ? s'étonna Sophia, dubitative.

– Parce que cette terre est issue de la main de l'homme.

– C'est possible ?

– Eh bien, non, justement ! (Le botaniste éclata d'un rire extatique.) C'est ce qui est si extraordinaire. C'est complètement incroyable, et pourtant, c'est le cas. Cet échantillon provient d'un Âge dont nous ignorons tout, que je suppose se trouver dans un futur extrêmement lointain. Mais qui sait ? Il pourrait tout autant être issu du passé.

Il haussa les sourcils et sourit.

– Je ne comprends vraiment pas, répéta Sophia.

– Viens avec moi, déclara Martin en la tirant sans ménagement de son tabouret.

Il traversa la pièce de sa démarche boitillante à une vitesse surprenante.

Sophia le suivit en trébuchant et Burr les rejoignit devant une table ronde près d'une fenêtre. Une grande carte de papier était agrafée dessus, couverte de notes manuscrites et de nombres.

– Cet échantillon date probablement de quatre milliards et demi d'années, s'extasia Martin. Enfin, par rapport à notre époque. Même si les Terres rases possèdent une vaste diversité d'Âges, bon nombre d'entre eux se situent dans un rayon d'environ mille ans, comme les Caraïbes unies et le Nouvel Occident. On pourrait résumer en disant qu'en gros, nous appartenons au même hémisphère temporel. Mais d'autres endroits du monde contiennent des époques à des milliers, voire des millions, d'années de distance de nous. Mon travail, enfin, une partie de mon travail, précisa-t-il, consiste à les dater à partir de leur sol.

Sophia examina la carte d'un peu plus près, mais les notes chiffrées ne lui évoquaient toujours rien.

– Et tous ces nombres, ce sont des dates ?

– En effet, ça permet de mieux comprendre comment tout s'organise, expliqua Martin. Je considère ma méthode comme la manière empirique la plus directe pour parvenir à identifier tous les Âges de notre nouveau monde. Notre ami Burr récupère des échantillons pour moi. Enfin, ses collègues, je devrais dire. Et, comme tu peux le voir, j'ai déjà réussi à répertorier beaucoup d'époques, dans notre partie de l'hémisphère.

La voix de Martin trahissait une fierté irrépressible. Il adressa un sourire rayonnant à Burr, qui le lui rendit brièvement.

– C'est très impressionnant, déclara poliment Sophia.

Elle avait beau comprendre l'importance des recherches de Martin, sa carte n'en restait pas moins un mystère à ses yeux.

– Mais ce n'est pas tout ! Montrons-lui la chambre verte ! reprit le botaniste à l'intention de Burr.

– Absolument ! renchérit celui-ci.

– On va pouvoir essayer ce nouveau sol. Ça vous tente ? Venez !

À l'autre bout de la pièce, Sophia découvrit une porte discrète faite de panneaux de verre qu'elle n'avait pas remarquée jusqu'à présent. Elle menait directement à une petite serre, à l'intérieur de la grande qu'ils avaient traversée ce matin.

– Ceci, reprit Martin d'un ton grandiloquent en montrant les pots de fleurs et les plateaux qui étaient presque tous vides, est l'endroit où se déroulent nos expériences les plus importantes.

– Quelles expériences ?

Sophia se sentit malgré elle entraînée par l'enthousiasme contagieux de Martin.

– Celles sur cet échantillon de sol, évidemment ! (Il se pencha jusqu'à ce que son long nez touche presque le sien.) Des tests *botaniques* ! chuchota-t-il. Ce que nous faisons ici, c'est combiner différentes graines et des boutures avec des terres d'autres Âges, expliqua-t-il en se redressant et en pivotant vers un bac de plantes à l'aspect bizarre. Les résultats peuvent être extraordinaires ! (Il tira un des pots situés sur une étagère à proximité et le tendit à Sophia.) Tiens. Que penses-tu de ça ? demanda-t-il.

– On dirait… un fraisier, hésita Sophia.

– Tout à fait ! s'exclama Martin. Mais goûte-les.

Il cueillit un des fruits de l'arbuste et le lui offrit.

Sophia fixa la petite baie avec méfiance pendant un instant, puis la glissa dans sa bouche.

– Mais ce n'est pas… (Son palais fut empli d'une saveur inattendue.) Attendez… on dirait un champignon !

Martin parut au comble du bonheur.

– Oui ! Des champignons ! C'est remarquable, pas vrai ? Ce sont ceux que j'utilise pour le pain. Je ne sais absolument pas pourquoi, mais les fraisiers donnent des fruits au goût de champignon quand je les plante dans ce sol issu des Terres rases du Nord. C'est particulièrement étrange. (Il reposa le pot.) Et par là, tu découvriras mes dernières expériences de cartographie végétale. (Il désigna une longue table sur laquelle se trouvait ce qui ressemblait à un potager classique.) En majorité de l'anis, du céleri et des oignons.

– Oh, il y avait des cartes d'oignons au marché de Veracruz, déclara aussitôt Sophia. Ça marche comment ?

– Ça n'a vraiment rien de difficile, tu peux me croire, répondit Martin avec modestie. Ces plantes sont en majeure partie formées par leur sol d'origine. Il est magnétisé, comme un compas, puis le légume, ou ses racines, te ramène toujours à la terre dans laquelle il a été planté, comme une baguette de sourcier, si tu vois ce que je veux dire. Ça marche mieux avec certaines espèces que d'autres. (Il se gratta le crâne.) Je ne sais pas pourquoi, mais les ananas mènent systématiquement à l'océan.

Il attrapa un pot vide.

– Ce que je cherche vraiment, c'est ce sol créé par l'homme que Burr nous a trouvé. Tu me passes l'échantillon ? demanda-t-il.

Burr lui tendit obligeamment un récipient en verre, dans lequel Martin préleva une cuillerée de terre pour la mettre dans un minuscule godet d'argile.

– Voyons voir, marmonna-t-il, après avoir ouvert un grand tiroir et farfouillé parmi la bonne dizaine de sachets à l'intérieur. Des pétunias ? Des oranges ? Du basilic ? On pourrait utiliser des boutures, mais… Je crois que je préférerais tenter… Oui !

On va plutôt se servir de ça ! (Il brandit une enveloppe marron.) Des volubilis !

Il en sortit quelques petites graines qui, collées à ses doigts, finirent enfoncées dans le pot d'humus. Puis il aplanit avec méticulosité la terre et l'arrosa à l'aide d'un pichet en céramique.

– Dans quelques jours, on verra ce qui aura poussé, dit-il en s'essuyant les mains avec enthousiasme. Et si je ne me trompe pas, ce sera quelque chose de remarquable !

– Quelles sortes d'autres expériences faites-vous ? demanda Sophia avec curiosité.

Martin n'eut pas le temps de répondre : Burr lança brusquement un cri d'alarme, attrapa le bras de Sophia et la tira d'un geste vif en arrière.

Un fin tentacule vert, aussi sinueux qu'un serpent, venait d'émerger de la terre et s'élevait dans l'air. Sous leurs yeux, il se divisa en deux, déploya deux délicates feuilles en forme de pique, puis continua à grandir. Soudain, le pot explosa et un réseau serré de racines argentées se répandit sur le comptoir, s'y agrippant pour s'étendre sur toute sa surface. La plante frôlait à présent le plafond bas de la serre. Une ramification se forma, puis une autre. Des pousses supplémentaires se développèrent, comme du lierre, et montèrent en spirale. Un petit bourgeon apparut près de l'une des feuilles, aussitôt suivi de deux autres. Presque simultanément, ils se teintèrent de vert, puis d'un bleu subtil, avant d'adopter un pourpre sombre au fur et à mesure qu'ils grandissaient et s'allongeaient. Enfin, dans une nouvelle explosion, le volubilis fleurit et une douzaine de minuscules parasols s'ouvrirent tous en même temps. Mais ce ne fut pas le plus surprenant. Ce qui stupéfia le petit groupe, ce fut le son qui accompagna ce prodige. Le souffle coupé, ils entendirent une multitude de voix flûtées aiguës crier dans une langue inconnue quelque chose qui n'était ni vraiment un appel ni vraiment un chant : une sorte de vocalisation perçante et modulée qui, Sophia l'aurait juré, contenait sans nul doute des mots, même si elle était incapable de les comprendre. Martin fut le premier à s'approcher de la plante.

– Martin, fais attention ! s'exclama Burr.

– Il n'y a rien à craindre, répondit le botaniste, fasciné, en se penchant davantage. Elle se repose, pour le moment. C'est vraiment remarquable, dit-il, plus pour lui qu'à l'intention de ses compagnons. Ces racines sont faites d'argent. Je me demande… mais oui ! La tige est organique. C'est tout simplement fantastique. (Il se tourna vers Sophia et Burr, une expression émerveillée sur le visage.) Ce volubilis ne ressemble à rien de ce que j'ai jamais vu. Il n'est qu'à moitié végétal.

– Et le reste ? s'enquit Burr d'une voix méfiante.

– Je crois qu'il est artificiel. (Martin secoua la tête.) Pas entièrement, mais quelque chose entre les deux, une sorte d'hybride. Il a poussé comme une plante, mais son essence est en partie métallique. J'ai lu des anecdotes à ce sujet, dans je ne sais quel récit obscur de la bibliothèque de ma fille, mais j'étais persuadé que c'étaient des théories, des fictions ou des contes. Je n'aurais jamais imaginé que de telles plantes puissent vraiment exister.

– Pourquoi fait-elle ce bruit ? demanda Sophia.

Martin sourit.

– Je ne sais pas. Mais j'ai bien l'intention de le découvrir. (Il jeta un dernier regard au volubilis.) J'ai beaucoup de choses à préparer ! Je vais faire un tour à la bibliothèque, après nous examinerons ces fleurs à la loupe grossissante. Ensuite, pourquoi pas préparer un deuxième échantillon ? (Ses yeux étaient humides d'émotion. Il s'essuya les paupières.) Quelle découverte !

Il retourna en toute hâte dans son laboratoire, suivi de près par Sophia et Burr, qui referma avec soin la porte de la serre, le visage assombri.

– Peut-être devrions-nous au préalable réfléchir un peu, Martin, dit le pirate en voyant son ami s'agiter au milieu de tout son matériel. Dois-je te rappeler que tes expériences ont parfois des… conséquences inattendues ?

– N'importe quoi, répondit Martin sans s'interrompre.

– *N'importe quoi ?* s'exclama Burr. Et le lierre étrangleur ? Et le labyrinthe de buis menteur, qui aurait tué cinq spectateurs royaux si tu ne l'avais pas empoisonné ? Et le pommier sanglant, dont j'ai entendu dire qu'il était à présent à l'origine d'innombrables histoires terrifiantes destinées à empêcher les enfants de se promener sans surveillance dans le parc ? Et les pommes de terre carnivores ? Et l'aulne marcheur ? *Martin !*

Ce dernier leva les yeux sur lui, stupéfait.

– Eh bien, quoi ?

– Cette plante a quelque chose d'étrange. Sa voix me perturbe. On n'a aucun moyen de connaître sa véritable nature. Il faut faire preuve d'un peu de prudence. Je t'en prie.

Le botaniste scruta la grande horloge à neuf graduations qui se trouvait à côté de la porte menant à la cour.

– C'est presque l'heure du déjeuner, marmonna-t-il dans sa barbe. Je devrais peut-être demander à ma fille de fouiller dans la bibliothèque. Volubilis. Non. Ça ne peut pas être ça. Humus ?

Sols artificiels ? (Il secoua la tête.) Il n'y aura pas la moindre entrée sous ce nom.

– Martin… répéta Burr avec gravité.

Le vieil homme lui adressa un sourire rayonnant.

– Depuis quand es-tu si rabat-joie, Burton ? Ça ne te ressemble vraiment pas. On doit sauter sur cette opportunité ! Une découverte comme celle-ci ne se présente qu'une fois par siècle !

– C'est toi qui me rends rabat-joie, Martin. Normalement, je jetterais la prudence et le sérieux par-dessus les moulins, mais j'ai appris qu'il faut faire attention. Je dois être la voix de la raison pour toi. Pense au contexte général. Réfléchis à… (Il s'interrompit quelques secondes, l'air songeur.) Souviens-toi du laurier-rose chuchoteur, ajouta-t-il avec gentillesse. Lui aussi pouvait parler.

Martin hésita.

– Le laurier-rose chuchoteur ? répéta Sophia à voix basse.

– Ça n'a vraiment aucun rapport, finit par dire Martin. Ta comparaison est totalement absurde.

Burr inspira à fond, la frustration gravée sur ses traits.

– Martin, je te demande juste d'agir avec prudence. Cultiver une plante avec des racines d'argent dans ce palais te fera accuser de trahison.

Martin leva les yeux au ciel avec une mimique d'impatience exagérée.

– Je vais te dire quelque chose, Burton : il n'y a aucun danger, martela-t-il.

– Quels risques refuses-tu de prendre en compte, cette fois-ci ? lança soudain une voix féminine.

Sophia pivota, s'attendant à voir Calixta, mais découvrit à

sa place une petite femme mince aux cheveux tressés de façon complexe au-dessus de sa tête. Elle portait une longue robe moulante qui tombait jusqu'à ses pieds ; celle-ci était ornée de minuscules fleurs de soie bleu roi. Un étroit collier de perles serrait son cou délicat. Son vêtement lui laissait les bras nus et, d'abord, Sophia crut qu'une fine ligne de sequins partait de ses épaules pour s'arrêter au niveau de ses poignets. Puis, lorsqu'elle s'approcha, la jeune fille s'aperçut que ce qu'elle avait pris pour des décorations était en fait des épines : moins épaisses qu'un ongle, d'un vert clair, légèrement incurvées et, apparemment, très pointues. La femme lui adressa un sourire empreint de gentillesse. Elle avait l'air jeune, mais son visage arborait une expression sérieuse et pensive, comme si elle l'avait empruntée à quelqu'un de bien plus âgé qu'elle. Sophia comprit soudain ce que voulaient dire les gens qui la qualifiaient de « plus sage que son âge ne l'aurait laissé croire ». Elle le reconnaissait ici, sur les traits de cette femme. Celle-ci pivota vers Martin, et Sophia remarqua que ses cheveux noirs étaient parsemés de minuscules fleurs bleues.

– Ma chérie, tu arrives pile au bon moment ! J'ai besoin de ton aide immédiate ! s'exclama le botaniste en se ruant vers elle.

– Quel immense plaisir de vous revoir, dit Burton en lui baisant la main.

– Plaisir partagé, mon cher Burr, répondit-elle en souriant. Comment va Calixta ?

– Ma chérie, nous n'avons pas le temps de faire des mondanités ! s'écria Martin en lui attrapant le bras. Il faut à tout prix que tu examines l'échantillon de terre que Burr m'a apporté ! C'est une découverte extraordinaire ! Tu n'en croiras pas tes…

– Père, l'interrompit-elle sans agressivité. Tu vas quand même me dire qui est ton autre invitée, j'espère…

Martin se reprit.

– Oui, bien sûr, bien sûr… Désolé, ma chérie. Voici Sophia, une amie de Burr et de Calixta. Sophia, continua-t-il en se tournant vers elle avec une petite courbette, je te présente la bibliothécaire impériale, qui est également cartographe de la Cour. Ma fille, Veressa. »

23
Les quatre cartes

28 juin 1891, 11 h 22

> *Ferme la porte et, surtout, n'écoute pas.*
> *Car ta peur le lachrima sentira.*
> *Et s'il est attiré par ta panique,*
> *durant la nuit, il te rendra visite.*
>
> *Berceuse de Nochtland, premier couplet.*

CE N'EST QUE quand Veressa murmura « Enchantée de faire ta connaissance » que Sophia finit par retrouver sa langue.

– C'est *vous*, Veressa ? s'exclama-t-elle un peu trop fort. La cartographe ?

– Oui.

La voix de la femme trahit autant de surprise que d'amusement. Sophia se sentit étourdie. Elle posa une main sur la table, que Veressa saisit.

– Tu vas bien ?

– Vous… mon oncle m'a envoyée à vous, dit Sophia en tentant de reprendre ses esprits. Je suis venue de Boston pour vous rencontrer. Mon oncle, c'est Shadrack Elli. Vous savez où il est ?

Cette fois, ce fut au tour de Veressa de la fixer, les yeux écarquillés.

– Je n'en crois pas mes oreilles, finit-elle par chuchoter. Je n'ai pas entendu ce nom depuis tant d'années !

Sophia se mordit les lèvres de frustration et de déception. Elle avait tellement espéré que, sans la moindre raison, une fois qu'elle aurait trouvé Veressa, celle-ci lui révélerait ce qui était arrivé à Shadrack et lui donnerait aussitôt un plan pour voler à son secours. Ses doigts se refermèrent sur la pelote de fil dans sa poche.

Pourquoi m'avez-vous menée si facilement à Veressa, demanda-t-elle aux Parques, *si elle ne peut pas me conduire à Shadrack ?*

– Allons, viens, lui proposa gentiment Veressa. Asseyons-nous pour en discuter.

Elle posa une main sur l'épaule de Sophia et la guida en douceur vers la cuisine.

Martin et Burr les suivirent et restèrent debout, un peu à l'écart, tandis que Sophia et Veressa s'installaient à la grande table.

– Et maintenant, reprit celle-ci, dis-moi tout, en commençant par votre situation avant que Shadrack ne t'envoie à ma recherche.

Sophia lui expliqua tout du mieux qu'elle put, avec beaucoup de difficultés lorsqu'il fallut parler des cartes de verre, des lignes de chemin de fer et d'autres sujets, puisqu'elle ignorait ce que Veressa savait déjà à ce propos. Veressa l'interrompit deux fois : la première pour l'interroger sur l'histoire du lachrima de Mrs Clay, et la seconde sur Montaigne. En dehors de ça, elle écouta attentivement, sans lâcher la main de Sophia, la serrant pour l'encourager aux moments où son récit devenait confus ou difficile à partager. Quand Sophia eut terminé, Veressa resta plongée dans ses réflexions pendant plusieurs secondes.

– Accepterais-tu de me montrer les messages de Shadrack et la carte ? finit-elle par demander.

Elle lut rapidement les courtes lettres, puis mira longuement la plaque transparente à la lumière. Elle la posa ensuite sur la table en poussant un grand soupir.

– Je ne pensais pas que cela se passerait ainsi, dit-elle, mais il était inévitable que ça se produise. (Elle leva les yeux sur son père.) Je suis désolée, papa, mais il y a des choses que je ne t'ai pas racontées et que tu vas entendre pour la première fois. (Elle baissa le regard.) J'avais des raisons de ne pas t'en parler.

Martin s'assit brusquement, apparemment plus surpris par cette phrase que par tout ce qui s'était passé depuis le début de la journée.

Veressa effleura la feuille de verre pendant un bon moment, puis frissonna, comme si elle avait vu quelque chose à sa surface.

– Je connais cette carte, déclara-t-elle d'une voix calme. Shadrack et moi l'avons découverte ensemble, il y a bien longtemps. Je ne peux m'empêcher de regretter que nous l'ayons trouvée. (Elle secoua la tête.) Je vais vous raconter comment ça s'est passé.

11 h 31 : Veressa parle de Talisman

– NOTRE RENCONTRE DATE de l'époque où nous étions étudiants, comme Mrs Clay te l'a dit. Et elle n'avait pas tort de croire que nous étions très proches, très liés. Mais quelque chose… (Veressa s'interrompit avant de reprendre rapidement.) Quelque chose nous a séparés. Ce que Mrs Clay ignorait, c'était l'étendue de nos recherches. Elle ne pouvait se douter de la dévotion, de la passion, que nous éprouvions envers notre discipline. Créer des cartes avec tous les matériaux existants, verre, argile, métal, tissu, que sais-je encore, faisait partie intégrante de notre cursus. Toutefois, nous avons appris, durant l'un de nos cours, qu'il y avait d'autres supports possibles, mais que leur usage était interdit à l'école. Nos professeurs évitaient même de mentionner le sujet. Mais un jour, nous avons entendu parler d'un enseignant qui avait été démis de ses fonctions parce qu'il avait refusé de mettre fin à ses recherches. Il s'appelait Talisman, ou Talis, pour faire court. Je ne me souviens pas si c'était son vrai nom ou juste un pseudonyme.

« Si nos professeurs nous avaient décrit les terribles expériences de Talisman, l'horreur nous aurait fait perdre tout intérêt pour elles. Mais leur mutisme avait exacerbé notre curiosité. Je ne sais plus qui de nous deux a émis l'idée de trouver Talisman, mais une fois celle-ci formulée, ni Shadrack ni moi n'avons cessé d'y penser. Bribe par bribe, nous sommes parvenus à reconstituer son histoire et avons découvert qu'il vivait en ermite dans la banlieue proche de Nochtland.

« Avant de nous rendre sur place, nous avons pris la précaution de lui écrire, pour expliquer que nous étions étudiants en cartographie et que nous désirions en apprendre plus sur ses méthodes. À notre grande surprise, il nous a répondu presque aussitôt. Il nous a dit que nous serions les bienvenus chez lui et qu'il serait ravi de partager ses connaissances avec nous. Quand nous l'avons rencontré, nous l'avons trouvé gentil et accueillant, bien que plus vieux et plus usé que nous ne nous y attendions. Son visage arborait les stigmates d'une profonde douleur. Sa maison avait beau être immense, elle était particulièrement délabrée, mais il avait fait de son mieux pour nous procurer tout le confort nécessaire. Il nous a montré les chambres où nous dormirions et les espaces de travail qu'il nous avait attribué. Je me souviens qu'il ne nous a accordé que quelques minutes avant d'aller préparer le dîner ; apparemment, personne d'autre ne vivait là. Ce sont les seuls instants de paix que nous avons connus dans cette demeure.

« Conformément à ses instructions, Shadrack et moi nous sommes rendus dans la salle à manger, où nous avons attendu presque une heure sans qu'il nous rejoigne. C'est à ce moment-là qu'un son étrange, qui venait des profondeurs de la maison, a retenti. Des pleurs.

« J'étais mal à l'aise, mais Shadrack m'a rassurée en me rappelant que nous ne savions pas quels problèmes personnels Talisman pouvait traverser. Nous devions continuer à patienter, a-t-il insisté. Une deuxième heure s'est écoulée, puis une troisième. Toujours sans le moindre signe de Talis. Les sanglots se sont renforcés, jusqu'à ce qu'il soit impossible de les ignorer. À ce stade, je n'aspirais plus qu'à quitter les lieux. Puis ils se sont résorbés et je me suis persuadée d'attendre encore un peu.

« Soudain, aux alentours de 9 heures, Talisman est apparu à la porte de la salle à manger. Enfin, je dis que c'était Talisman, mais il était quasiment méconnaissable. Il agitait les bras comme un fou et nous hurlait dessus dans une langue étrangère. Terrifiés, Shadrack et moi nous sommes agrippés l'un à l'autre. Hélas, nous avons vite compris qu'il ne nous voyait pas. En fait, il semblait carrément regarder à travers nous. Il a continué à vociférer dans le vide, comme si quelqu'un s'était tenu devant moi, puis, aussi brutalement qu'il était arrivé, il a tourné les talons et quitté la pièce.

« Shadrack et moi nous sommes retranchés dans ma chambre. Nous avons bloqué la porte avec un siège et sommes restés assis toute la nuit. Les pleurs ont persisté jusqu'au petit matin, tour à tour montant et diminuant, mais nous n'avons pas revu Talisman.

« Nous avions déjà prévu de fuir dès qu'il ferait jour. Néanmoins, à l'aube, nous avons entendu quelqu'un frapper doucement à la porte. Shadrack a prudemment enlevé le fauteuil et ouvert. Avec stupéfaction, nous avons découvert notre hôte. Contrit et les cheveux en bataille, il se tenait dans le couloir et implorait notre pardon. Il ne semblait garder aucun souvenir des événements de la nuit, mais paraissait soupçonner que quelque chose avait mal tourné. Le voir tenter de s'excuser de quelque chose dont il ignorait tout m'a fait beaucoup de peine.

« "Le dîner vous a-t-il convenu ?" a-t-il demandé avec empressement.

« Nous avons répondu que nous n'avions pas eu l'occasion de souper. Il en a eu les larmes aux yeux.

« "Vous m'en voyez terriblement navré, dit-il. Je ne peux… je ne sais comment me faire pardonner. Je vous prie de me laisser me racheter avec un petit déjeuner."

« Comme il aurait été cruel de le lui refuser, nous l'avons suivi dans la salle à manger. Nous étions tous deux perplexes devant son changement d'attitude, mais cela ne nous a pas empêchés de partager avec lui un repas, qui s'est avéré tout à fait normal.

« Après quoi Talisman a paru rasséréné et, sans qu'on le lui ait demandé, a orienté la discussion sur la cartographie.

« "Votre intérêt pour mon travail m'honore, a-t-il déclaré. Et je suis particulièrement heureux de pouvoir vous le faire découvrir. Pour tout vous dire, je suis l'unique dépositaire de ce savoir, et je crains qu'après moi, personne ne prenne la relève."

« À ces mots, une ombre est passée sur ses traits. Nous lui avons assuré que, même si nous ignorions tout de ses expériences, nous étions passionnés par le sujet et ouverts d'esprit.

« "Merveilleux ! a-t-il alors lancé avec une expression rayonnante. N'avez-vous jamais trouvé remarquable que la principale méthode pour lire les cartes mémorielles soit le contact humain ? Comment se fait-il que les mains aient la capacité de transmettre des images au cerveau ? En fait, il n'y a pas que le bout des doigts : le corps tout entier interagit avec le contenu d'une carte, reprit-il avec encore plus d'enthousiasme. Essayez : votre coude, votre poignet, votre nez… c'est pareil. C'est comme si la peau était une grande éponge, avide d'absorber des souvenirs ! Et c'est exactement ça : nous *sommes* des éponges, et nous nous imprégnons bel et bien des souvenirs !"

« J'ai alors entendu pour la première fois la théorie qui a depuis été confirmée par d'autres chercheurs, même si, à l'époque, je suis restée dubitative devant les explications de Talisman. Aujourd'hui, je ne remets pas ses dires en question. Il a certes utilisé ses connaissances à des fins horribles, mais ses observations sont irréfutables.

« "Nous commençons à peine à appréhender les conséquences du Grand Bouleversement sur le monde, a repris Talisman. Mais s'il y a bien une chose dont nous sommes sûrs, c'est que les Âges qui se sont formés à ce moment-là sont séparés par des frontières, des lignes de faille, des bordures. Autant de limites que j'ai toujours voulu comprendre. À quoi elles ressemblent ; ce qui s'y est passé durant leur création ; ce qu'elles étaient auparavant… Il est possible que nous ne trouvions jamais les réponses, mais cela ne doit pas nous empêcher de chercher. Pour ma part, j'imagine une grande lumière aveuglante, qui aurait déchiré le monde en une multitude de parties. (Il a éclaté de rire.) Je me fais sans doute des illusions. Mais ce qui est sûr, c'est ce qui est arrivé aux gens qui se trouvaient *sur* ces lignes de faille lorsque le Bouleversement a eu lieu."

« Shadrack et moi l'avons fixé avec stupéfaction. Nous ne nous attendions absolument pas à ça.

« "Vous ne vous étiez jamais posé la question ? s'est-il étonné. Moi, cela m'obsédait. Et *à présent, je sais*. Ces malheureux sont tombés dans un gouffre temporel. Chaque événement qui s'est produit à l'endroit où ils étaient les a traversés, comme un éclair à travers un prisme. Pouvez-vous imaginer l'effet que cela aurait sur vous ? Pouvez-vous ne serait-ce qu'envisager le choc, que ce soit pour le corps ou pour l'esprit, d'être plongé dans l'infini ?"

« Il a secoué la tête, comme dépassé par cette seule idée.

« "Contrairement à ce que vous pourriez croire, a-t-il repris, ils ne sont pas morts. Oh non, c'est plutôt l'inverse. Ils sont allés au-delà du temps, leurs vies ont été étendues de plusieurs décennies, voire de plusieurs siècles. Tout en se perdant à jamais. Des millions de souvenirs qui ne leur appartenaient pas ont ricoché dans leur cerveau. Imaginez cela : le noir est l'absence de couleur ; le blanc en est la somme. Que peut-il advenir lorsqu'une multitude de vécus étrangers envahissent une âme ? Une blancheur totale, un noir absolu. L'esprit a été effacé, tout comme leurs traits. À l'image d'une aïeule heureuse affichant les rides de chaque rire, d'un vieillard aigri arborant les marques de chaque froncement de sourcils ou d'un vétéran les cicatrices de chaque bataille, leur corps conserve les stigmates de toutes les visions qui ont submergé leur identité. Ils portent les visages du néant."

Sophia, jusqu'alors absorbée par le récit de Veressa, laissa échapper un cri.

– Mais bien sûr ! C'est pour ça qu'il n'y en a pas à Boston !

Veressa hocha la tête.

– C'est à ce moment-là que j'ai compris, tout comme Shadrack.

« "Les lachrimas", a lâché Shadrack d'un ton morne.

« "Oui ! s'est exclamé Talisman. Nous avons nommé lachrimas ces créatures qui se lamentent sous le poids d'un excès de souvenirs qui ont à jamais étouffé les leurs ; les lachrimas pleurent durant toute leur longue vie, alors même que celle-ci s'efface jusqu'à ce qu'il ne reste plus d'eux qu'un son, une plainte, à l'heure de leur dernier soupir. En vérité, les lachrimas sont les âmes perdues de notre monde."

« J'ai alors compris la signification de ce que nous avions entendu le jour précédent.

« "Est-il possible qu'il y en ait un dans votre propre maison ?" ai-je demandé.

« Talisman s'est brusquement levé de son siège.

« "Venez avec moi ! a-t-il dit en se ruant hors de la pièce. Oui, un lachrima vit avec moi depuis près de trois ans ! Trois ans !"

« Il s'est arrêté pour poser une main moite sur mon bras. Shadrack et moi étions stupéfaits.

« "Trois années que j'ai passées à tenter de sauver cette âme en peine !"

« Il s'est remis à courir et nous l'avons suivi dans le labyrinthe de sa maison, fascinés et horrifiés. Enfin, au bout d'un long couloir, nous avons atteint une porte en bois renforcée par de lourdes chaînes. Talis a repris son souffle, tiré une clé de sa poche et déverrouillé l'énorme cadenas qui maintenait les fers en place.

« "Attention, il dort", a-t-il chuchoté.

« Sans faire de bruit, il a entrebâillé le battant. Nous avons découvert une petite pièce au plafond très haut. Une fenêtre à barreaux laissait passer une vive lumière. Sous l'ouverture se trouvait une couchette étroite dont, au premier abord, je n'ai pu identifier l'occupant. La silhouette était incontestablement féminine, bien qu'en partie dissimulée par des draps blancs. Quelque chose reposait en travers du lit et j'ai soudain compris que c'était son bras. J'ai d'abord cru que le tissu de sa manche présentait d'étranges motifs colorés. Puis, sans se réveiller, la créature s'est tournée vers nous ; sa longue chevelure claire, répandue sur son oreiller, coulait jusqu'au sol. Et j'ai vu son visage. Quelle horreur, ce visage ! Il était marbré de terribles blessures et de cicatrices, comme si on l'avait entaillé à répétition durant une éternité.

« Talisman a désigné sa prisonnière d'un bras tremblant de fierté.

« "Voici mon œuvre, a-t-il chuchoté. Ma grande invention cartographique ! J'ai dessiné la carte *sur sa peau* !"

« À ce moment-là, j'ai compris que cet étrange tissage de marques que j'avais pris pour un vêtement était des lignes d'encre tracées sur le corps du lachrima.

"Shadrack a froncé les sourcils.

« "Mais qu'avez-vous fait à son visage ?" a-t-il demandé.

« "Grâce à de précises incisions, j'ai par deux fois failli trouver ses traits cachés !" a expliqué Talisman avec fierté.

« Un frisson d'horreur m'a fait saisir Shadrack par le coude. J'ai alors dû émettre un cri, car le lachrima a soudain bougé dans son sommeil et a levé la tête. Il nous a considérés en silence, nous renvoyant l'image atroce d'une caricature ; puis, d'un coup, il a laissé échapper une plainte déchirante. Il s'est couvert le visage de mains qui étaient, tout comme ses bras, marquées de symboles indéchiffrables, et a poussé, encore et encore, ce même gémissement, comme souffrant un terrible martyre. Nous avons fini par percevoir deux mots : "AIDEZ-MOI ! AIDEZ-MOI !"

« Je me suis sauvée de la pièce, entraînant Shadrack avec moi, et Talis nous a suivis en toute hâte avant de refermer la porte à clé. Mais cela n'a pas suffi à assourdir les pleurs du lachrima ; j'ai alors eu l'impression que s'ils continuaient, je perdrais l'esprit. Quand j'ai vu l'expression de Talisman, j'ai constaté que cela l'affectait encore davantage. Il est tombé à genoux, le regard sur nous, et a émis un balbutiement inarticulé d'une voix aiguë d'enfant.

« "Qu'est-ce qu'il a ?" ai-je crié.

« "Je l'ignore, a répondu Shadrack. On dirait qu'il se prend pour un bébé."

« Les hurlements du lachrima continuaient, et j'ai su que je ne pourrais pas les supporter plus longtemps. J'ai fait demi-tour et dévalé le couloir, fuyant l'horrible son et la vue terrifiante de Talisman à quatre pattes. Shadrack courait derrière moi et, même si nous nous sommes égarés dans les méandres de la maison à plusieurs reprises, nous avons fini par retrouver notre chemin et sommes arrivés dans la salle à manger. Ensuite, nous avons regagné nos chambres et préparé nos bagages. Nous sommes allés récupérer nos chevaux. Je tremblais des pieds à la tête et j'ai eu du mal à seller le mien. Alors que nous achevions de les harnacher, le son du lachrima a décru avant de s'arrêter. Néanmoins, je n'avais qu'une hâte : partir le plus vite possible.

« Soudain, Talisman a ouvert à la volée la porte de l'écurie et s'est dirigé vers nous d'un pas chancelant. Une peur irrationnelle et irrépressible s'est emparée de moi.

« "Je vous en prie, a-t-il dit d'une voix faible. Attendez… je vous en supplie."

« Pour ma part, je ne serais pas restée, mais Shadrack a hésité. Il avait pitié du vieil homme. Celui-ci semblait épuisé, à bout de forces, et j'ai compris alors pourquoi il arborait en permanence cette expression de souffrance, même quand il n'était plus sous l'influence du lachrima. Il portait un petit paquet enveloppé de tissu dans les bras. Tout en se rapprochant de nous, il le fit passer dans sa main gauche et tendit l'autre vers nous en un geste implorant.

« "Je vous en supplie, a-t-il répété d'une voix rauque. Attendez."

« "Nous partons, Talisman", a asséné Shadrack.

« "Je sais, a-t-il dit, effondré. C'est normal que cela vous terrifie. C'est mon cas, à moi aussi, mais je dois vous l'expliquer. *Quelqu'un* doit comprendre. Les pleurs du lachrima brouillent ma perception du temps. J'ai perdu mon chemin. J'ai oublié qui je suis, où je suis… et même *quand* je suis."

« "Libérez le lachrima, l'a supplié Shadrack. Partez avec nous. Nous vous trouverons un docteur à Nochtland. Vous pouvez encore guérir, avec du repos et de bons soins."

« Talis a secoué la tête.

« "Je ne peux pas. C'est le travail d'une vie entière. Je veux restaurer l'esprit de cette créature, même si c'est au prix du mien."

« "Mais ne voyez-vous pas les dégâts supplémentaires que vous causez ? Vous n'aboutirez à rien !"

« "Je dessine une carte mémorielle sur sa peau. Grâce à cela, elle se rappellera son propre passé, le vrai !"

« "Je vous demande à nouveau de faire preuve de pitié envers cette âme en peine et de partir avec nous", a insisté Shadrack en lui saisissant le bras.

« Talis s'est arraché à son emprise et lui a tendu son paquet.

« "Si vous devez me quitter, alors emportez ceci avec vous. Ces objets sont trop précieux pour rester dans cette demeure, où ils risquent de disparaître avec moi. (Il a esquissé un faible sourire.) Ne craignez rien, ce ne sont que des cartes, semblables à celles que vous connaissez déjà. Elles contiennent la clé d'un grand mystère, et je ne veux pas qu'elles soient enterrées avec un vieillard comme moi."

« Shadrack les a acceptées, ne sachant quoi répondre à ces mots, et Talis a reculé. Il a levé un bras comme pour nous saluer et a lentement quitté l'écurie. Shadrack a eu l'air indécis, comme hésitant sur ce qu'il devait faire. Puis il a glissé le paquet dans sa sacoche de selle et enfourché son cheval.

« "Filons d'ici", m'a-t-il juste dit.

« Nous sommes retournés à Nochtland sans faire de halte, incapables de discuter des événements. Une fois de retour à l'université, nous avons tenté de reprendre nos recherches, mais en vain. Nous étions apathiques, ressassant en boucle ce que nous avions vu et le fait que nous n'avions pas entrepris grand-chose pour aider cette créature torturée. Shadrack m'a rendu visite le jour suivant dans ma chambre, avec le paquet que Talisman lui avait remis.

« "Je crois que nous devrions examiner ça ensemble", a-t-il dit.

« À l'intérieur des épaisseurs de linge soigneusement enroulées se trouvaient quatre cartes : une de verre, une d'argile, une de métal et une de tissu, qui se complétaient et racontaient une histoire tragique. En dépit de l'horreur à laquelle elles étaient associées, il nous a bien fallu reconnaître qu'en effet, elles représentaient les clés d'un mystère particulièrement fascinant. Après les avoir étudiées, nous en sommes venus à la même conclusion : elles contenaient un souvenir décrivant la genèse du Grand Bouleversement.

Tous les auditeurs de Veressa réprimèrent un cri. Celle-ci baissa les yeux sur celle qu'elle tenait entre les mains.

– Mais nous n'avons pas réussi à tomber d'accord, reprit-elle d'une voix triste, sur ce que nous devions en faire. Surtout à propos de celle en verre, puisqu'il s'agissait non seulement d'une carte mémorielle, mais également d'une carte traçante, un outil servant à identifier et à dessiner d'autres cartes. Shadrack était persuadé que nous devions les utiliser à des fins de recherche, pour découvrir où le Grand Bouleversement s'était produit. D'après lui, cela nous permettrait de trouver la *carta mayor*, la légendaire carte liquide qui montre le monde et son évolution. Cette idée, je l'avais eue, moi aussi. Je crois que dans notre cercle, n'importe qui l'aurait eue. Mais moi, je craignais qu'il n'en résulte que du mal. (Veressa s'interrompit et secoua la tête.) À mes yeux, c'est un mythe dangereux, qui a conduit de nombreux explorateurs à leur perte ou à de lourdes déceptions. Certains disent qu'il s'agit d'une carte liquide normale. D'autres prétendent qu'elle a bien plus de pouvoir que ça, qu'elle ne se contente pas de montrer tous les univers possibles, passés, présents et futurs, mais qu'elle permet également de les modifier. Selon eux, tout changement transformerait le monde. Nul ne sait si cette théorie est vraie, mais cela n'a finalement aucune importance : la rumeur suffit. Les gens croient ce qu'ils veulent. Pour ma part, j'ai redouté ce qui pourrait se produire si cette carte tombait en de mauvaises mains.

Sur la table, Martin serra les doigts de sa fille entre les siens.

– Shadrack et moi n'avons pas réussi à dépasser nos divergences d'opinion, reprit Veressa avec tristesse. Et nos disputes n'ont fait que s'envenimer. Je suis persuadée que, par-dessus tout, c'était la culpabilité qui nous empoisonnait. Le lachrima nous avait appelés à l'aide et nous avions fui. Au bout du compte, à force de compromis et pour respecter mon désir, Shadrack a accepté de séparer le legs de Talisman afin de minimiser son potentiel destructeur. La carte de verre était un instrument fabuleux, mais sans les autres, elle ne raconterait qu'une partie de l'histoire du Bouleversement. Je sais que Shadrack s'en est servi avec la plus grande sagesse, en utilisant sa finesse et sa qualité pour créer lui-même des œuvres magnifiques. Grâce à elle, il a aidé notre société à accroître ses connaissances, et il a fait tout son possible pour dissimuler son existence.

Néanmoins, les bruits ont continué à courir. Jusqu'ici, des rumeurs me sont parvenues de ce que l'on nomme aujourd'hui la « carte traçante universelle ». Il était inévitable qu'avec une telle réputation, de plus en plus d'explorateurs et de chercheurs veuillent la trouver. Les trois autres cartes n'étant que de simples décors de fond sans celle de verre, je les ai gardées avec moi.

« Shadrack et moi nous sommes séparés en mauvais termes. Depuis, il ne m'a écrit qu'en une seule occasion, pour me dire qu'il était retourné chez Talisman, mais que ce dernier avait définitivement perdu la raison. Il avait donc libéré le lachrima, qui avait aussitôt fui, et confié le vieillard à un hospice religieux de Nochtland pour qu'il y soit soigné. Je lui rends parfois visite. À l'heure actuelle, c'est un enfant, égaré dans un monde imaginaire qu'aucun de nous ne peut voir. Mais je n'ai plus jamais entendu parler de Shadrack. Enfin, jusqu'à aujourd'hui. (Elle adressa un faible sourire à Sophia.) Et aujourd'hui, grâce à toi, la carte de verre est de retour à Nochtland.

– Mais où sont les trois autres, ma chérie ? demanda Martin. Je n'ai jamais remarqué de telles cartes ici…

Veressa soupira.

– Elles sont à l'abri dans la bibliothèque. Elles seront bientôt à nouveau réunies toutes les quatre en un seul endroit.

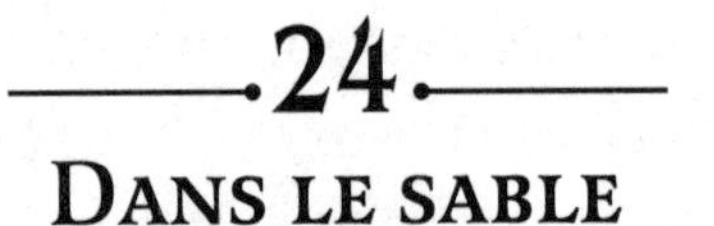

24
DANS LE SABLE

26 juin 1891 : l'enlèvement de Shadrack (jour 6)

Arboldevela : terme utilisé pour décrire l'« arbol de vela », ou « arbre à voiles », un moyen de locomotion propulsé par l'énergie éolienne et pouvant naviguer tant sur terre que sur mer. Les premiers modèles ont été développés pour la cour de Leopoldo. La force motrice du vent, générée et emmagasinée dans les voiles, sert à faire avancer un corps central grâce à des roues tressées qui se transforment en roues à aubes quand la coque touche l'eau. Ces véhicules sont fréquents dans l'Ère Triple et sa périphérie nordique.

Extrait de Glossaire des Terres rases,
par Veressa Metl.

SHADRACK AVAIT COMPRIS qu'ils ne tarderaient plus à quitter le train : toute la matinée, les hommes de sable avaient empaqueté les affaires de Blanca. Il tenta de se concentrer sur la mission qu'il s'était fixée. Il avait rapidement transféré ses souvenirs dans le rectangle de cuivre et, à présent, la tâche fastidieuse de les organiser et de les rendre perceptibles à autrui était en cours.

Il se pencha sur la feuille métallique avec une loupe pour vérifier le motif d'oxydation qu'il venait de créer. Ses outils – un microscope, plusieurs marteaux et burins miniatures, une mallette pleine de fioles de liquides colorés et un petit brasero rempli de charbons froids et couverts de cendres – étaient éparpillés autour de lui sur le plan de travail. Pleurs se tenait à côté de lui, suivant ses progrès avec une patience étudiée. Tous deux s'étaient à peine adressé la parole depuis que le nihilismien avait, Shadrack ne savait comment, transmis leur mensonge à Blanca, mais celle-ci n'était pas revenue.

Shadrack pensait que le train avait presque atteint la frontière des Terres rases. Il n'avait pas la moindre idée de leur destination une fois qu'ils seraient parvenus au bout de la ligne de chemin de fer. Il ne lui restait plus beaucoup de temps ; il devrait tenter de fuir au plus vite.

Alors qu'il grattait avec prudence la feuille de cuivre, la porte s'ouvrit soudain à la volée. Blanca entra, aussitôt suivie de quatre de ses hommes.

– Nous quittons *Le Missile*, annonça-t-elle. Votre nièce est montée à bord du *Cygne*, un navire reliant La Nouvelle-Orléans à Veracruz. (À son intonation, Shadrack eut l'impression qu'elle souriait sous son voile.) De ce fait, nous partons pour le Sud. Quand nous atteindrons la frontière, nous emprunterons une boldevela et nous nous rendrons nous aussi à Veracruz.

Shadrack se retint de réagir à sa présence.

– Je vous donne ces informations en gage de bonne volonté, ajouta Blanca, pour que vous n'ayez plus le moindre doute sur le fait que vous serez bientôt réunis, tous les deux. Votre carte décrivant l'emplacement de la *carta mayor* devrait être prête juste à temps. (Son attention se tourna sur la plaque de cuivre.) L'avez-vous terminée ?

– Pas tout à fait, répondit aussitôt Shadrack.

– Je veux la voir.

– J'aimerais d'abord la terminer.

Blanca s'avança et saisit l'œuvre inachevée.

– Pleurs ? Du feu.

Le jeune homme n'hésita qu'une seconde avant de tirer une boîte d'allumettes d'une poche de sa redingote. Il en gratta une et la tendit devant lui. Blanca approcha la plaque de la flamme, puis la posa sur la table lorsqu'elle se mit à grouiller de motifs incompréhensibles. Elle enleva en toute hâte un de ses gants et appliqua ses doigts sur la surface cuivrée. Shadrack était paralysé de peur.

Durant plusieurs secondes, Blanca resta figée. Puis elle écarta sa main comme si le contact l'avait brûlée.

– La *carta mayor* ne peut se trouver là, cet endroit n'existe plus. Comment l'avez-vous découvert ? chuchota-t-elle. Comment est-ce possible ?

Elle avait haussé le ton, avec son timbre unique empli d'une crainte et d'une colère aussi palpables qu'étouffantes qui résonnèrent dans la pièce. Pleurs frissonna et recula en trébuchant.

Shadrack sentit le sang bourdonner à ses oreilles et se leva d'un coup de sa chaise.

– Je pourrais vous retourner la question, riposta-t-il en tentant de reprendre son calme.

La seule voix de Blanca suffisait à faire manquer un battement à un cœur endurci.

– Comment avez-vous pris connaissance de ce lieu ?

Elle s'étouffa presque sur son propre cri.

De toute évidence, Pleurs n'avait jamais vu Blanca dans un tel état. Ses compagnons avaient les yeux rivés sur elle, paralysés de terreur.

– J'y étais, répondit Shadrack sans animosité. Tout comme vous.

– Vous m'avez menti, gémit Blanca en contournant la table. Vous m'avez trompée !

– J'avais promis de vous dessiner une carte.

Blanca se rua sur lui, sa fureur jaillissant d'elle comme des flammes d'une maison en feu. L'espace d'un instant, Shadrack crut qu'elle allait se jeter sur lui. Mais elle s'arrêta juste avant, son voile palpitant à quelques centimètres de distance de ses yeux ; à chaque seconde, il s'attendait à subir de plein fouet l'impact de son explosion de colère. Puis, soudain, elle se recroquevilla sur elle-même, comme si l'incendie avait été étouffé, et Shadrack n'entendit plus rien que sa respiration haletante. Le fin tissu s'agita devant son visage.

– Je vois maintenant ce que vous êtes, chuchota-t-elle d'une voix tremblante. Vous êtes mauvais. Vous faites preuve d'une cruauté inimaginable en me rappelant cet endroit. Comment avez-vous pu me faire ça ?

– Je ne souhaitais pas vous blesser, plaida Shadrack avec conviction. Je voulais vous montrer que je comprends. (Il plongea les yeux dans les profondeurs du voile qui lui faisait face.) Si vous les laissiez juste contempler cette carte, reprit-il d'un ton plus doux, eux aussi comprendraient.

Blanca pivota soudain comme sous l'effet d'une décharge.

– Qui d'autre est au courant de cela ?

Les nihilismiens secouèrent tous la tête. Seul Pleurs planta un regard flamboyant dans celui de Blanca ; il n'eut pas besoin de parler.

– Que t'a-t-il promis ? demanda Blanca.

– Qu'il m'expliquerait mon nom. L'origine des pleurs. Je veux connaître la vérité, ajouta-t-il avec une pointe de provocation.

Blanca le fixa sans répondre. Quand elle ouvrit de nouveau la bouche, sa voix avait changé.

– C'est normal, fit-elle avec un calme presque surnaturel. Quelle folie de ma part d'avoir si longtemps reporté ton entraînement, Pleurs. Bien sûr, tu connaîtras la vérité. (Elle pivota vers Shadrack.) Et vous, vous découvrirez le prix à payer pour m'avoir dupée. Vous pouvez peut-être vous protéger en vous rendant indispensable, mais vous ne pouvez pas sauver le reste du monde.

Elle contourna d'un pas vif le bureau et fit un signe à l'intention de ses sbires pétrifiés, adossés à la cloison.

– Emmenez-les, ordonna-t-elle en désignant Pleurs et Shadrack.

Mi-portés, mi-tirés, ils furent tous deux conduits dans le wagon suivant. La brouette que Shadrack avait entendue à tant de reprises était appuyée dans un angle de mur. Un sablier de la taille d'un homme adulte se trouvait au milieu de la pièce, couché sur le flanc, suspendu au centre d'un rail métallique circulaire. Ses deux parties consistaient en une superposition de feuilles de verre en forme de pétales, soudées les unes aux autres. L'un des bulbes était fermé et rempli de sable ; le second était vide et ouvert, une des plaques qui le composaient déployée comme une fragile porte. Shadrack comprit aussitôt ce qui allait se passer.

– Non ! hurla-t-il en tentant de se libérer. Vous n'obtiendrez rien en faisant ça !

– Vous avez perdu votre chance de négocier avec moi, répondit froidement Blanca avant de se tourner vers ses hommes. La muselière et la veste.

– Vous n'avez pas besoin de lui ! protesta le prisonnier.

Pleurs avait cessé de se débattre. Il était debout, stoïque, le regard dans le vide et l'air pensif, comme s'il se remémorait un souvenir lointain. Ses doigts reposaient sur l'amulette à son cou. Deux de ses anciens compagnons lui enfilèrent brutalement une camisole de force, qui lui replia les bras contre le corps, et la serrèrent au maximum dans son dos. Une cagoule de toile fut placée sur sa tête, dissimulant ses yeux. Puis ils enfoncèrent le bloc de bois dans sa bouche et nouèrent les fils de fer par-dessus.

– Si vous faites ça, cracha Shadrack, je vous jure que je ne lèverai pas un doigt pour vous aider !

– Je crois que vous changerez d'avis quand votre nièce portera cette muselière. (La réponse de Blanca paralysa Shadrack de terreur.) Ceci n'est qu'une simple démonstration. Souvenez-vous, Shadrack : le seul responsable de ce qui va se passer, c'est vous. Vous ne me laissez pas le choix.

Les fanatiques poussèrent leur prisonnier dans le bulbe vide, où il s'allongea inconfortablement, le visage vers le haut, les genoux repliés contre le torse. Shadrack vit que les câbles de la muselière se tendaient déjà sur sa peau à travers la cagoule. Puis les autres refermèrent la porte transparente et firent basculer le sablier à la verticale, de sorte que Pleurs se retrouva écrasé et sans défense dans la partie basse. Le sable commença à se déverser sur lui. Son impassibilité cessa. Il se mit à se débattre, asphyxié, tambourina follement des pieds dans le verre, donna des coups de tête, en vain. Il ne parvint qu'à s'entailler les joues, et son sang se mêla aux grains de sable clair.

– Ça suffit, sortez-le de là ! hurla Shadrack. J'ai compris la leçon !

Il tenta de libérer ses bras, mais son gardien les lui maintint dans le dos. Sous ses yeux, Pleurs continuait à s'agiter de plus en plus faiblement, tout en disparaissant inexorablement.

– Vous pouvez retourner le sablier, finit par lâcher Blanca.

Les deux hommes firent de nouveau basculer l'engin de torture, ce qui amena leur victime au-dessus de leurs têtes. La masse qui l'avait englouti se mit à se déverser dans son contenant d'origine. Tous attendirent en silence. Le prisonnier ne se débattait plus. Il semblait inconscient.

– Sortez-le de là, ordonna Blanca quand le piège fut vidé.

Les bras croisés, elle regarda ses subalternes coucher l'appareil, ouvrir le compartiment et attraper les sangles de la camisole de force avec leurs grappins pour soulever Pleurs. Ses membres étaient inertes. Ils le déposèrent au sol, dénouèrent la camisole, enlevèrent la muselière et le bloc de bois. Les yeux clos, il ne réagit pas. Deux longues lignes sanglantes couraient de sa bouche à ses oreilles.

– Qu'a-t-il perdu ? Quelle quantité ? demanda Shadrack d'une voix atone. Va-t-il être comme Carlton ?

Le train s'arrêta soudain et les fanatiques redoublèrent d'activité.

– Nous avons atteint la frontière, annonça Blanca. Déchargez les coffres et le contenu du bureau. J'ai besoin de vingt minutes pour convertir ce sable. Ne m'interrompez pas. (Puis elle s'adressa à Shadrack.) J'ai pris l'intégralité de son essence à votre ami Carlton. Pleurs sera comme ceux-là, répondit-elle sans la moindre émotion en désignant ses subalternes. Débarrassés du fardeau de leur passé, mais encore capables de réfléchir. En possession d'une partie de leur esprit, celle qui se rappelle qu'ils sont nihilismiens. Il saura qu'il ne doit accorder aucune foi à la réalité du monde, qu'il faut croire en ce qui est invisible, et poursuivre cette croyance aveuglément. Ce sont mes hommes de sable, ajouta-t-elle d'un ton presque affectueux en baissant le regard sur Pleurs.

Puis elle tourna les talons et quitta le compartiment.

25
La bibliothèque impériale

28 juin 1891, 13 h 48

> *Sans-lierre : terme injurieux utilisé parmi les habitants de Nochtland pour décrire un individu qui fait pitié, que l'on considère comme faible ou lâche. Son étymologie provient en partie de l'expression « Marque du Lierre », qui désigne les personnes physiologiquement marquées par la matière végétale.*
>
> *Extrait de* Glossaire des Terres rases, *par Veressa Metl.*

SOPHIA AVAIT TOUJOURS du mal à croire qu'elle avait transporté pendant si longtemps un objet d'une telle valeur dans son sac à dos : ce n'était pas juste une carte traçante, mais une carte mémorielle du Grand Bouleversement ! À ses yeux, il était évident que Montaigne et les nihilismiens voulaient l'utiliser pour localiser la *carta mayor*. Et Veressa avait plutôt tendance à confirmer cette théorie.

Celle-ci ayant proposé aux invités de son père de regarder les quatre cartes, ils l'avaient suivie jusqu'à la bibliothèque impériale, où elle les avait sorties du coffre-fort. La plaque de verre était pour le moment inerte, faute de clair de lune, mais le simple fait de lire les trois autres ensemble était déjà stupéfiant. Ils attendirent tour à tour de pouvoir contempler les strates de connaissances pouvant leur apprendre l'histoire du Grand Bouleversement. Tous se turent, absorbés dans leurs pensées. Quand Sophia fut passée, elle tenta de comparer les trois parties qu'elle venait d'observer avec ses souvenirs de la carte de verre.

Qu'est-ce que ça signifie ? s'interrogea-t-elle.

Veressa rangea les trois cartes à leur place et fit sortir ses invités. Les couloirs du palais étaient pavés et couverts d'épais tapis de feuilles ou de pétales de fleurs. Tandis qu'ils parcouraient un corridor jonché d'aiguilles de pin dont le parfum imprégnait l'air, Sophia entendit un léger tintement, comme des cloches de cristal. À sa grande surprise, Veressa se plaqua aussitôt contre un mur et s'agenouilla. Martin l'imita en ménageant sa mauvaise jambe.

– Vite, libérez le passage et inclinez-vous ! chuchota Veressa d'un ton pressant.

Calixta, Burr et Sophia obéirent, même si cette dernière trouva à leur groupe une mine parfaitement ridicule dans cette position, surtout les pirates. Ils ne semblaient pas du genre à faire des courbettes à qui que ce soit.

Le tintement s'accrut et un cortège apparut à un tournant du couloir. La cohorte était composée de femmes dont les soieries vert pâle tombaient jusqu'au sol, ornées de minuscules carillons ; des orchidées parsemaient leurs coiffures compliquées.

Seule l'une d'elles avait les cheveux longs et lâchés. Ils étaient d'un vert vif, de la couleur d'une prairie d'herbes hautes, et coulaient jusqu'à sa taille. Dans son dos, deux grandes feuilles d'eucalyptus émergeaient de ses omoplates pour se replier contre sa colonne vertébrale. Des ailes.

– Bonjour à vous, botaniste impérial, dit la princesse Justa. Et à vous aussi, bibliothécaire impériale.

Elle avait le même accent que Veressa et Martin, des syllabes précises aux *r* roulés, mais son timbre était clair et impérieux, comme si elle parlait depuis le sommet d'une montagne.

Veressa et Martin murmurèrent en retour les salutations d'usage sans quitter le sol des yeux. Sophia remarqua que Calixta et Burr fixaient le vide devant eux, à mi-chemin entre le dallage et le cortège. Sophia, elle, ne put s'empêcher de scruter la princesse bien en face. Le regard de Justa passa sur le petit groupe avant de se poser sur la jeune fille, qui frissonna lorsqu'elle se sentit examinée des pieds à la tête – ou, plutôt, de la tête aux pieds – avec dédain.

– Et qu'est-ce que *ceci* ? s'enquit-elle d'un timbre polaire.

L'attention générale se porta sur les voyageurs. Les courtisans haletèrent à l'unisson et refluèrent avec horreur dans un chœur paniqué de clochettes.

– Pardon ? demanda Sophia, d'une voix plus docile qu'elle ne l'aurait cru.

– Dans vos oreilles, précisa la princesse.

La main de Sophia se porta à son oreille droite.

– Oh ! Mes boucles !

Elle jeta un coup d'œil désespéré à Veressa et s'affola de l'expression mortifiée de celle-ci.

– De l'argent, si je ne me trompe, émit Justa.

Elle souriait, mais son rictus ne contenait pas la moindre joie.

– C'est bien ça, admit Sophia.

L'aristocrate lança un regard glacial à sa bibliothécaire.

– Nous sommes surprise du genre d'invités que vous choisissez de faire entrer dans ce palais, lâcha-t-elle. Si nous ne vous connaissions pas, nous vous interrogerions sur vos motivations. La famille impériale n'a cessé d'être persécutée, notre propre mère a même été victime d'une conspiration du fer, et nous ne devons notre survie qu'à la plus stricte vigilance. Votre désir est-il donc de nous exposer au danger ?

– Je vous prie de ne pas douter de mes intentions, Votre Altesse. Ce n'est qu'une enfant. Une étrangère, qui plus est, expliqua Veressa avec respect, sans lever la tête. Elle ne pensait pas mal faire.

Un long silence s'ensuivit, ponctué des murmures des dames de compagnie et du tintement des clochettes.

– Nous nous fierons à votre jugement pour ce cas, conclut Justa, mais considérez ceci comme un avertissement. Il faut visiblement vous rappeler que les créatures porteuses de la Marque du Fer sont des êtres sans scrupules. Les geôles de ce palais sont pleines de lâches qui ont tenté de nous détruire, que ce soit de l'intérieur ou de l'extérieur. Envoyer une enfant accomplir leur mission est exactement le genre d'attaque auquel je m'attends de leur part.

Veressa murmura des excuses. La princesse releva le menton, avança d'un pas, et son cortège se remit en branle derrière elle, le tintement cristallin diminuant au fur et à mesure que la procession disparaissait à l'autre bout du couloir.

Veressa, Martin et leurs trois compagnons se redressèrent.

– Pardon, Veressa, je suis vraiment désolée ! s'exclama Sophia. Je n'avais pas pensé à ça !

– Ma pauvre chérie, tu n'as rien fait de mal ! lui répondit Martin.

– Bien sûr qu'elle n'y est pour rien, confirma Veressa. C'est complètement absurde ! ajouta-t-elle en descendant le corridor à grands pas. Le degré de fanatisme et d'intolérance de la famille impériale est stupéfiant. Vous imaginez ça ? S'indigner pour des boucles d'oreilles !

– Heureusement que nous avions veillé à bien dissimuler nos épées et revolvers ! se félicita Calixta.

Veressa et Martin pilèrent sur place.

– Vous n'avez pas fait ça, quand même !

La voix de Veressa n'était qu'un chuchotement, mais Martin regarda en tous sens, comme si les murs avaient des oreilles.

– Nous ne nous en séparons jamais, confirma Burr. Et nos armes sont vraiment très bien cachées.

– Si les gardes les avaient découvertes, vous auriez sans nul doute été jetés en prison. Ni mon père ni moi n'aurions pu faire grand-chose pour vous. En fait, si cela se produisait, il y a de fortes chances qu'ils nous arrêtent, nous aussi, et nous irions tous rejoindre ces pauvres diables dans les geôles.

– Je suis désolée, Veressa, intervint Calixta. Mais nous les avons toujours conservées avec nous, à chacune de nos visites. Pourquoi aurions-nous fait autrement aujourd'hui ?

– Je n'étais absolument pas au courant, souffla Veressa avec nervosité. Vous avez pris des risques inconsidérés. La surveillance du palais a été encore accrue en prévision des festivités de l'éclipse, qui débuteront dans deux jours, mais également à cause du mur de vent qui se dirige vers le nord.

Les pirates échangèrent un long regard.

– Nous devrions partir, dit Burr. Je vous présente toutes nos excuses pour vous avoir fait courir un tel danger.

Veressa soupira.

– Non, c'est moi qui suis navrée, déclara-t-elle d'une voix empreinte de tristesse. Cette situation est ridicule, et l'intolérance de la princesse m'embarrasse, tout comme le manque d'hospitalité auquel elle nous contraint. S'il vous plaît, restez au moins jusqu'à demain. Pour votre propre sécurité, je ne vous proposerai pas de prolonger votre séjour le temps de l'éclipse, mais il est bien trop tard pour que vous vous remettiez en route aujourd'hui.

Martin secoua la tête avec exaspération.

– Ils ne devraient pas avoir à partir du tout. Mais, malheureusement, je dois bien admettre que ce serait plus prudent.

Dès qu'ils eurent regagné les appartements du botaniste impérial, Sophia ôta sans mot dire ses boucles d'oreilles. La méfiance de Justa semblait avoir empoisonné jusqu'à leurs relations ; plus personne n'avait d'idées quant à la marche à suivre. Ils finirent par conclure que retrouver Shadrack était vital et cherchèrent des moyens de s'occuper de Montaigne et de ses hommes de sable, mais concevoir un plan sans connaître l'identité ni la localisation de leurs adversaires s'avéra impossible. Ils étaient dans une impasse.

Sophia écoutait ses compagnons d'une oreille distraite, mais son esprit ne cessait de revenir aux quatre cartes. Quelque chose à leur sujet la tracassait, la poussant à se focaliser dessus comme si c'était une énigme à résoudre, à la fois pressante et fuyante. Les souvenirs contenus dans les cartes étaient si détaillés et réalistes que, si son oncle ne l'avait pas avertie de cet effet, elle aurait juré que c'étaient les siens. Et tandis que ses amis continuaient à argumenter en tous sens sans parvenir à un accord, Sophia tenta d'élucider ce mystère en gribouillant dans son carnet. Mais aucune solution ne lui apparut.

Ses pensées dérivèrent de la sorte durant tout le souper, constitué de galettes de maïs et de fleurs de courge, et, une fois dans son lit, elle chercha dans l'atlas de Shadrack un indice pour avancer. Mais plus elle le feuilletait, plus l'énigme lui semblait obscure ; rien ne pouvait expliquer la familiarité des souvenirs des quatre cartes. Finalement, elle décida de se changer les idées et dénicha, sur l'étagère de livres de sa chambre, un ouvrage intitulé *Biographie des monarques de Nochtland.*

Elle ne trouva pas grand-chose sur l'enfance de Justa Canuto. En revanche, l'histoire que Mazapán lui avait racontée sur le drame qui s'était produit durant le banquet occupait plusieurs pages. Le chocolatier ne lui avait pas décrit les terribles conséquences que l'assassinat de la mère de la princesse avait eues.

RÂCE À L'AIDE INESTIMABLE DE SES conseillers, l'empereur a découvert que deux frères arborant la Marque du Fer étaient parvenus à dissimuler leur métal avec habileté et à s'élever à un rang prestigieux. Elad et Olin Spore n'ont jamais reconnu leur crime, quelle que fût la méthode d'interrogatoire, mais la théorie la plus logique est qu'ils auraient préparé ces orchidées afin d'empoisonner la reine dans le but de pouvoir manipuler plus facilement son époux, rendu vulnérable par le chagrin. Si tel était leur plan, ils en furent pour leurs frais. Loin d'être affaibli, le monarque

> les a tous deux condamnés à mort. Puis il a fait inspecter tous les occupants du palais en quête de la Marque du Fer et, ensuite, a cherché du réconfort au sein de la religion de la Croix, même s'il n'avait auparavant jamais été de leurs fidèles. La Cour a été réduite à quelques conseillers proches, et le souverain a ordonné des peines de plus en plus sévères à l'encontre de ceux qui portaient quelque métal que ce fût. Néanmoins, la culpabilité des frères Spore n'a jamais été prouvée. Quelques mois après la mort de sa femme, l'empereur a entamé sa noble et longue quête en vue de conquérir les confins de son royaume.

Sophia soupira. Il n'était pas étonnant que la princesse Justa soit aussi intolérante, se dit-elle.

19 h 27

QUAND SOPHIA se réveilla, en plein milieu de la nuit, sa chambre était plongée dans le noir. Dans l'autre lit, Calixta ronflait doucement, mais ce n'était pas ce son léger qui l'avait tirée de son sommeil. C'était le rêve qu'elle avait fait. Elle avait rêvé des quatre cartes. Dès que le crépuscule était tombé, ils étaient retournés dans la bibliothèque et, même si consulter les quatre cartes superposées n'avait servi à rien, quelque chose avait néanmoins frappé son inconscient jusqu'à ressurgir dans ses songes. D'un seul coup, elle s'assit pour fouiller dans son sac, qu'elle avait laissé à côté de son oreiller; puis elle fourra son atlas à l'intérieur et passa son bagage sur son épaule avant de descendre la petite échelle de son lit. Elle enfila ses pantoufles et quitta la chambre à toute vitesse en faisant le moins de bruit possible.

C'est en traversant le couloir sur la pointe des pieds qu'elle prit conscience des sons qui lui parvenaient, caractéristiques de la nuit : des criquets dans le patio ; le murmure des fontaines du jardin derrière les murs ; le tintement des carillons éoliens, certains délicats et haut perchés, d'autres graves et bourdonnants. Sophia s'étonna en découvrant que la porte de l'atelier de Martin était ouverte ; un rai de lumière en émanait.

Peut-être n'est-il pas si tard que ça… supposa-t-elle avant de chercher sa montre au fond de sa poche.

Il était plus de 19 heures. Intriguée, elle jeta un coup d'œil dans le laboratoire.

Les plans de travail étaient surchargés de plantes ; une multitude d'autres pendaient au plafond. Des bocaux de verre emplis de terre s'amoncelaient près de grands récipients d'eau bleue et de minuscules compte-gouttes verts. Martin était perché sur un tabouret et examinait quelque chose à travers ses énormes lunettes. Sophia remarqua avec stupéfaction qu'un objet ressemblant à une jambe de bois reposait à côté de lui sur la table, avec à son extrémité une chaussette et un soulier. Sous son genou, la jambe gauche de son pantalon était totalement vide.

– Martin ? lança-t-elle d'un ton hésitant.

Il sursauta sur son siège.

– Sophia ! Tu m'as surpris ! (Il ôta ses lunettes.) Que fais-tu debout à cette heure ?

– J'ai fait un cauchemar, répondit-elle, sans vraiment se souvenir de son rêve.

– Ah… ça arrive. C'est un endroit étrange, avec des coutumes qui le sont tout autant. (Puis il suivit son regard.) Oh, tu n'avais pas vu ma prothèse ?

Elle secoua la tête, rouge d'embarras. Mais, à son grand soulagement, Martin ne semblait pas offusqué.

– Non, je ne l'avais pas remarquée. Elle... elle est en bois ?

Martin prit l'objet et le souleva pour le scruter d'un air critique.

– Tout à fait, c'est du bois. Du bête bois cassant et mort, je le crains.

– Que lui est-il arrivé ? demanda Sophia. Enfin... à votre vraie jambe, je veux dire.

Il lui fit un clin d'œil.

– Je l'ai perdue au cours d'une expédition. À l'époque où je n'étais pas encore un vieux croûton, répondit-il en reposant sa prothèse. Parce qu'avant de boiter et de devenir botaniste... j'étais un aventurier !

– Pour de vrai ? s'exclama Sophia, ravie.

– Parfaitement. Je dois avouer que je n'étais pas un très bon explorateur. Un jour, dans une région reculée des Terres rases du Nord, j'ai découvert une vallée où vivaient une multitude d'animaux étranges.

– Quel genre d'animaux ?

– Des bêtes énormes, certaines aussi grandes que cette serre ! Elles étaient visiblement originaires d'un autre Âge. Et moi, stupidement, j'ai cru qu'elles ne me feraient pas le moindre mal, parce que j'avais remarqué qu'elles ne mangeaient que des végétaux, pas de viande. Sauf que... reprit-il avec un sourire rusé, je n'avais juste pas prévu qu'à leurs yeux, j'avais probablement l'air d'une plante.

– Qu'est-ce que vous voulez dire par là ?

Martin tira sur le genou droit de son pantalon. Son tibia affichait une étrange teinte verdâtre, comme le tronc d'un hêtre.

– Vois-tu, mes jambes ressemblent plus à un arbre qu'à un assemblage de chair et d'os.

– Je n'aurais jamais imaginé ça ! s'exclama Sophia en repensant aux épines sur les bras de Veressa.

– Pas plus que je n'avais idée d'avoir la même apparence qu'un savoureux brin d'herbe à leurs yeux, s'amusa Martin. Je prenais gaiement des notes quand l'une des bêtes a soudain tendu son énorme tête vers moi, m'a renversé d'un petit coup de museau et m'a mangé le pied !

– Oh ! C'est horrible ! s'écria Sophia.

– En effet, le résultat n'était pas très appétissant, admit Martin. Heureusement, je n'étais pas seul, et un de mes compagnons de voyage m'a aidé à retourner à l'abri. Quand je suis rentré à la maison, un sculpteur de talent m'a fabriqué cette jambe de bois. Je ne pouvais plus être explorateur, conclut-il. Comme tu peux le constater, je boite. Mais en fait, j'éprouve plutôt de la reconnaissance envers cet animal géant : sans lui, je n'aurais jamais découvert la botanique.

Sophia esquissa un sourire.

– C'est une façon de voir les choses.

– J'espère que je ne t'ai pas donné matière à faire de nouveaux cauchemars !

– Non, je ne crois pas, dit-elle en faisant demi-tour. Vous comptez travailler toute la nuit ?

– Je vais bientôt arrêter. On se verra demain matin. Dors bien.

Heureusement, le manque d'horloge interne de Sophia n'affectait pas son sens de l'orientation et, même si le palais était très sombre et qu'elle ne s'était rendue qu'une seule fois dans la bibliothèque, elle n'eut aucune difficulté à retrouver son chemin. Les aiguilles de pin répandues sur le sol étouffaient totalement le bruit de ses pas.

Sophia prit le temps de s'assurer qu'il n'y avait personne, puis se faufila en silence entre les doubles portes entrouvertes. Devant elle, la vaste salle était déserte, plongée dans la pénombre. La première fois qu'elle était venue, elle était tellement concentrée sur les cartes qu'elle n'avait même pas pensé à regarder autour d'elle. Les immenses étagères de livres étaient entrecoupées par six grandes fenêtres qui surplombaient le jardin et, à présent, laissaient passer un clair de lune argenté ; un escalier en spirale étroit menait à un balcon qui longeait les rayonnages. Les angles du plafond étaient noyés dans les ténèbres, bien au-delà de la faible portée des lampes de travail.

La jeune fille traversa le tapis de feuilles de fougères jusqu'au coffre en bois dans lequel Veressa conservait le legs de Talisman ; elle avait montré à Sophia comment l'ouvrir, car il était constitué d'une multitude de pièces mobiles, comme un puzzle complexe. Après avoir sorti les cartes, elle rapprocha un fauteuil et utilisa son souffle, de l'eau et des allumettes oubliées sur un bureau pour éveiller les trois premières. Puis elle mira la dernière, la plaque de verre, à la lumière de la lune et la posa pardessus les autres.

Dès qu'elle l'eut touchée, les souvenirs envahirent à nouveau son esprit. La sensation de fuite terrifiée à travers une foule anonyme demeurait la même. Mais, à présent, elle percevait tout le reste avec un réalisme effarant. La carte de métal, qui lui permettait de voir les structures édifiées par l'homme, lui fit visualiser l'intérieur d'une pyramide à la taille incroyable. La longue spirale se frayait un chemin dans les entrailles de l'édifice jusqu'à son sommet pointu. Les cloisons autour de Sophia étaient constituées d'un matériau presque transparent, comme de la glace et du givre.

Non, se corrigea Sophia : *c'est une simple vitre embuée ; certaines zones sont parfaitement transparentes.*

Des panneaux colorés, comme des tableaux, les décoraient par endroits, mais leur motif demeurait toujours flou ; la personne à qui ces souvenirs appartenaient était passée devant sans s'en soucier, focalisée sur sa fuite. Lorsque Sophia parvint au sommet de la pyramide, elle découvrit l'objet massif qui ne tarderait pas à rouler : un bloc de pierre rond. Elle fit les derniers pas, s'arc-bouta contre la roche et poussa. Elle ne la vit pas atterrir, mais sentit son impact quand les murs autour d'elle se mirent à vibrer.

La carte d'argile lui permit de distinguer le paysage au-delà de la haute tour. Une immense étendue ponctuée de pics acérés et de ce qui ressemblait à de gigantesques bâtiments blancs. Et la carte de tissu montrait le ciel le plus étrange qu'elle eût jamais contemplé. Des éclairs crépitaient en permanence autour d'elle, illuminant un couvercle de nuages gris. Une neige drue tombait sans cesse et ricochait contre les panneaux opacifiés.

Mais ce n'était pas ce à quoi Sophia brûlait d'assister. Elle trépigna d'impatience jusqu'à ce que la vision lui parvienne. Alors, elle quitta le corridor en trombe pour déboucher dans une grande étendue immaculée, avant de faire demi-tour. La pyramide tout entière s'effondrait dans une explosion de verre brisé et de bouffées de flocons. Sophia se détourna du spectacle et regarda à l'horizon. Quelque chose, presque trop loin pour elle, à peine un point noir sur la neige, se déplaçait dans sa direction. Cela ressemblait à un être humain. Et lorsqu'il se rapprocha, elle distingua un reflet fugitif provenant d'un objet que la personne tenait à la main. Puis l'image se dissipa.

Sophia était convaincue de savoir de qui il s'agissait. Elle avait déjà vu cette démarche, cette façon de courir vers elle. À moins que ce ne fût simplement la certitude de celui ou celle à l'origine de ce souvenir qui l'en persuadait ? Et que portait-il ? Un miroir, peut-être ? Une lame ? Une montre ? Cela pouvait être tout et n'importe quoi. Elle rouvrit les yeux et se prépara à lire à nouveau la carte.

– Tu es un vrai rat de bibliothèque, toi, hein ?

Sophia se retrouva en une seconde sur ses pieds, explorant la pièce du regard.

– Qui est là ? chuchota-t-elle.

Les ténèbres près de la porte bougèrent et une silhouette en émergea. Elle entendit un rire bas. Puis le temps s'interrompit quand le nouveau venu pénétra dans la lumière jaune de la lampe de bureau.

C'était Theo.

26
Deux Marques

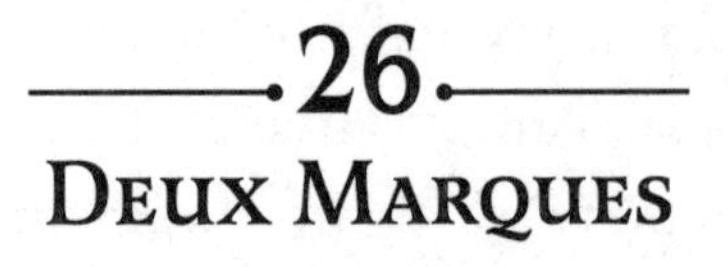

Mur de vent : phénomène météorologique commun dans les Terres rases du Nord. Découlant très probablement du Grand Bouleversement, le mur de vent est à l'origine de nombreuses légendes. Certains prétendent qu'il « parle ». Les observateurs scientifiques n'ont trouvé aucune preuve de ceci ; ils décrivent en effet des barrières denses formées par des bourrasques ininterrompues de différentes puissances. Le plus fort jamais recensé faisait huit kilomètres de large et a parcouru six cent cinquante kilomètres en dix jours.

Extrait de Glossaire des Terres rases,
par Veressa Metl.

SOPHIA GARDA LES YEUX rivés sur Theo, le cœur battant ; elle eut beau le fixer de toutes ses forces, ce n'était pas suffisant. Il ne s'était écoulé qu'une seule journée, mais cela lui paraissait beaucoup plus long. Theo portait toujours les habits de Shadrack, froissés et un peu poussiéreux, et les bottes éraflées qu'il avait « empruntées » au cordonnier de Boston. Il semblait parfaitement à l'aise et arborait un sourire aussi effronté que d'habitude.

– Qu'est-ce que tu fais là ? chuchota-t-elle.

– T'es pas contente de me voir ? répondit-il en s'installant sans la moindre gêne dans l'un des fauteuils.

Sophia s'empourpra.

– Je t'ai demandé ce que tu faisais là. Et comment tu es entré, d'abord ?

– Ils ne gardent pas tous les remparts, seulement ceux autour des portes.

Sophia avait envie d'aller le toucher, pour s'assurer qu'il était bien de retour ; mais elle se sentait également blessée et éprouvait à nouveau cette incertitude qui semblait naître inévitablement en présence de Theo.

– Je ne comprends pas… finit-elle par dire.

– Enfin, je ne pouvais quand même pas t'abandonner à ces pirates, pas vrai ? lança-t-il en souriant.

– J'aimerais bien pouvoir t'accorder au moins un dixième de la confiance que j'ai en eux.

Sa voix chevrotait dangereusement.

– Mais tu peux ! protesta-t-il. Je suis là, non ?

– Sauf que tu es parti. Pourquoi n'es-tu pas resté avec nous, à l'entrée de la ville ? Pourquoi avais-tu besoin d'y pénétrer en douce ? Tu aurais pu t'attirer des ennuis. Les gens d'ici, enfin, en dehors de Veressa et Martin… ils ne sont pas très accueillants.

Theo écarquilla les yeux.

– Tu as trouvé Veressa ?

– Oui. On est dans sa bibliothèque en ce moment même, murmura Sophia tandis que Theo inspectait l'endroit. Elle est bibliothécaire et cartographe de la Cour. Son père est le botaniste impérial. Burr et Calixta le connaissent depuis des années.

Son compagnon émit un sifflement.

– Elle sait où est ton oncle, alors ?

Sophia secoua la tête, incapable de soutenir son regard.

– Enfin, déjà, c'est bien que tu l'aies trouvée, dit-il sur un ton différent. Calixta et Burr sont toujours dans le coin ?

– Tu ne les as pas croisés ?

– Non. J'ai réussi à franchir les murs du palais seulement hier soir. Je suis passé par cette espèce de bâtiment, là, qui ressemble à une serre, sur le flanc. Je t'ai vue marcher dans le couloir, alors je t'ai suivie.

– La nuit dernière ?

Theo pivota en direction des fenêtres.

– Regarde. C'est presque l'aube.

Sophia consulta sa montre. Il avait raison ; il était presque 6 heures du matin. La confusion et l'incertitude qu'elle avait ressenties à l'apparition de Theo continuaient à la tourmenter, ce qui rendait leur conversation aussi artificielle que bizarre. Les mots qu'elle voulait dire, tout comme les questions qu'elle aurait aimé lui poser, tourbillonnaient dans son esprit, incapables d'en sortir. *Qu'est-ce qui t'a effrayé ? Moi ? Quelque chose d'autre ? Avais-tu dès le début prévu de revenir ? Est-ce que tu vas repartir ?*

– Vous dormez où, les pirates et toi ?

– Juste à côté de la serre, chez Veressa et son père, Martin.

– Alors, il faut que tu leur parles.

Sophia n'avait jamais entendu une telle gravité dans la voix de Theo.

– Pourquoi ? Qu'est-ce qu'il y a ?

– Ce phénomène, que tout le monde annonce, et qui se dirige vers le nord… ce n'est pas un mur de vent.

– C'est quoi, alors ? paniqua Sophia.

– Les pillards que j'ai croisés sur la route ont remarqué des milliers d'oiseaux volant dans la même direction, à toute vitesse. D'abord, je ne les ai pas crus, mais après, je les ai vus, moi aussi. Les murs de vent ne leur font jamais un tel effet.

– Alors, qu'est-ce que c'est ? Qu'est-ce qui se passe ?

Theo ouvrit la bouche pour répondre, mais pile à cet instant, une cohorte de gardes se fit entendre dans le hall d'entrée. La patrouille. Le garçon se remit rapidement debout, les yeux rivés sur la porte.

– Parle des oiseaux à Burr et à Calixta, chuchota-t-il. Je n'ai pas le temps de t'expliquer le reste et je ne peux pas m'attarder ici davantage. Si tu me rejoins à l'extérieur des murs de Nochtland dans une heure, je te raconterai tout. Prends tes affaires aussi ; comme ça, on pourra partir.

– *Partir ?*

Sophia sauta sur ses pieds et récupéra les quatre cartes, oubliant dans sa précipitation que trois d'entre elles ne lui appartenaient pas, puis les fourra en catastrophe dans son sac.

– Pourquoi tu ne me dis pas tout maintenant ?

– Après, répéta Theo, aux aguets, guettant le bruit décroissant des pas.

– Je veux savoir tout de suite. Juste au cas où.

Theo fit lentement demi-tour pour croiser son regard. Il arborait une expression étrange, que Sophia n'avait jamais lue auparavant sur son visage. Elle réalisa avec stupéfaction qu'il semblait blessé.

– Tu ne me fais vraiment pas confiance, hein ?

Sophia en resta muette, sans doute parce qu'il avait raison. Elle avait envie de le croire ; c'était même le cas, du moins en partie. Mais comment se fier totalement à lui ? Avec lui, rien n'était jamais acquis ni définitif ; il pouvait tout aussi bien disparaître à nouveau un jour, comme il l'avait fait aux portes de Nochtland.

– Je suis désolée, chuchota-t-elle, mais avec toi, je ne suis jamais sûre de rien.

Il la scruta quelques secondes de plus avant de lui adresser un rapide signe de tête.

– Tu connais un endroit où je peux me cacher en attendant ?

Sophia n'avait pas prévu qu'il changerait si facilement d'avis.

– Oui, finit-elle par répondre. Chez Veressa et Martin ; là-bas, on sera en sécurité.

– Parfait, conclut-il en désignant la sortie du menton. Allons-y.

Ils traversèrent le plus vite possible – et sans faire de bruit – le tapis de fougères et, après avoir inspecté le couloir, quittèrent la bibliothèque. Sophia s'assura de bien fermer la porte derrière elle. Durant tout le trajet, Theo vérifia leurs arrières tandis qu'elle faisait de même devant. Mais heureusement, ils ne croisèrent personne.

Alors qu'ils avançaient sur la pointe des pieds dans le long corridor des appartements de Martin et Veressa, Sophia remarqua qu'il y avait de la lumière dans la cuisine.

– Quelqu'un est déjà debout, chuchota-t-elle.

Ils découvrirent Martin, qui se préparait un petit déjeuner copieux devant la cheminée en tuile, qui servait à la fois de four et de poêle. Quand ils pénétrèrent dans la pièce, le botaniste leva les yeux sur eux.

– Hello ! Que se passe-t-il ?

– Martin, voici Theo, s'empressa d'expliquer Sophia. Il m'accompagnait depuis mon départ du Nouvel Occident. Et il a quelque chose d'urgent à nous dire, à propos du mur de vent qui se dirige vers le nord.

Theo hocha la tête.

– Oui, sauf que ce n'est pas un mur de vent.

Martin laissa les mots s'imprégner dans son cerveau avant de répondre.

– Alors mieux vaut réveiller les autres, finit-il par déclarer calmement en s'essuyant les mains sur son tablier.

29 juin 1891, 6 h 33

– THEO ! S'EXCLAMA Calixta à peine entrée dans la cuisine. D'où tu sors ?

Sophia, qui en avait profité pour se changer en vitesse, avait eu du mal à convaincre Calixta de quitter leur chambre sans procéder à son interminable toilette rituelle, mais la capitaine pirate s'était néanmoins montrée à la hauteur.

– Oh, j'étais dans les parages, esquiva Theo en haussant les sourcils. Ce n'est pas ma faute si vous n'avez rien remarqué !

Calixta éclata de rire et l'entoura de ses bras pour l'embrasser sur la joue.

– Contente de te revoir, même si tu es vraiment un vaurien. Nous abandonner ainsi, sans la moindre explication… tu nous as brisé le cœur ! le sermonna-t-elle avec un regard lourd de sens sur Sophia.

Celle-ci s'empourpra et tenta de changer de sujet.

– Où est Burr ?

Martin finissait de préparer le petit déjeuner quand un Burton à l'air à moitié endormi les rejoignit.

– Ah, voilà la Mélasse ! Tu m'as manqué. Où étais-tu passé, espèce de voyou ? Pourquoi nous as-tu quittés ?

Il étouffa presque Theo dans une étreinte d'ours.

– La solde n'était pas assez bonne, répliqua Theo en lui rendant son accolade.

– Je t'interdis de nous laisser tomber de nouveau comme ça, la Mélasse ! Regarde-nous ! Sans toi, livrés à nous-mêmes, tu vois où nous avons atterri ? Dans un trou à rats mal famé du palais, où on ne nous nourrit même pas correctement !

Il s'empara d'un des gâteaux ronds et dorés que Martin était en train de sortir du four.

– Eh bien, justement, je suis venu vous sortir de là, répondit Theo sans rire.

– Veressa, je vous présente Theo, ajouta Sophia à l'intention de la bibliothécaire impériale quand celle-ci entra dans la pièce.

Theo esquissa une petite courbette.

– Theodore Constantin Thackary.

Veressa lui tendit une main.

– D'après ce qu'on m'a raconté, tu as pénétré dans le palais en secret ? Sans rencontrer d'obstacle ?

– J'ai juste fait le mur, mais en sens inverse.

– Je n'arrive pas à croire que les gardes ne t'aient pas vu, s'inquiéta-t-elle. Enfin, je veux dire… j'espère qu'ils ne t'ont pas vu. C'est bien le cas, n'est-ce pas ?

– Je ne pense pas. Mais même s'ils m'avaient repéré, je devais venir. Il fallait que je vous prévienne que vous devez quitter la ville.

Il était resté debout tandis que tout le monde s'entassait dans la cuisine, et à présent, son impatience devenait de plus en plus évidente à chaque seconde.

– Dès que possible !

– Raconte-nous ce que tu as vu, Theo, le pressa Sophia.

– J'étais sur la route du Nord. Vous savez laquelle c'est ? Celle qui passe à l'ouest de Nochtland. Et hier matin, j'ai rencontré des pillards que je connaissais, du même coin que moi. Ils m'ont dit qu'ils avaient remarqué que des oiseaux migraient vers le nord. Ce qui était aberrant, car ce n'est pas du tout la bonne saison pour ça. En plus, ils ne volaient pas en groupes, ils se contentaient de filer dans cette direction, tous ensemble, tous mélangés.

Martin avait commencé à servir le repas, mais, un par un, tous les convives reposèrent leurs fourchettes et oublièrent leur petit déjeuner.

– Un mur de vent n'a jamais provoqué ce genre de comportement, déclara Veressa d'une voix soucieuse.

– Tout à fait. C'est ce qu'on a pensé aussi. C'est alors qu'un des autres voyageurs sur la route a parlé des lachrimas.

– Et qu'est-ce qu'il racontait, à propos des lachrimas ? demanda Sophia.

À ce moment-là, seul Martin continuait à dévorer ses œufs.

– Il a dit qu'au sud, très loin d'ici, il y a un Âge inconnu entièrement peuplé de lachrimas. (Tous les regards, hormis celui de Martin, se posèrent sur Theo.) Et que, maintenant, ils se dirigent vers le nord.

Un long silence s'ensuivit, uniquement entrecoupé par les bruits de mastication du botaniste.

– Ça n'a aucun sens, finit par émettre Sophia. Theo, Veressa nous a expliqué pas plus tard qu'hier que les lachrimas ont vu le jour sur les lignes de faille du Grand Bouleversement ; que c'est la frontière elle-même qui les a créés.

– Où veux-tu en venir, Sophia ? demanda Burr.

– En fait, je trouve juste étrange que personne n'ait jamais entendu parler des lachrimas dans le Nouvel Occident, réfléchit-elle à voix haute. Bien entendu, s'ils ne naissent que sur les lignes de faille, c'est normal qu'il y en ait partout dans les Terres rases, vu le mélange d'époques contenu dans cet empire. (Elle s'interrompit un instant.) Mais pourquoi apparaîtraient-ils soudain en aussi grand nombre ?

– Je viens de te l'expliquer, déclara Theo. Ils vivent dans un Âge au sud, et ils ont décidé de marcher vers le nord.

– Mais ça n'est pas logique. Ça ne correspond pas à tout ce qu'on m'a dit sur eux. Ils ne se déplacent jamais en groupe ; ils sont solitaires, non ?

– C'est vrai, confirma Veressa.

– Et si…

Sophia se remémora les histoires de Veressa et de Mrs Clay, le message de Shadrack et le souvenir lointain des cartes déchiffrées dans la pièce secrète du 34 East Ending Street. Soudain, deux images surgirent dans son esprit, celles des cartes des Caraïbes orientales qu'elle avait lues le jour de la disparition de son oncle, dont la première montrait un couvent paisible tandis que l'autre, dessinée dix ans plus tard, ne représentait qu'un vaste no man's land stérile.

– Et si un Âge au sud d'ici avait brutalement changé, ce qui aurait généré une ligne de faille à un endroit où il n'y en avait pas auparavant ? C'est bien de là que viennent les lachrimas, non ? ajouta-t-elle. D'une nouvelle frontière ?

Hormis Martin, tout le monde la fixa avec stupéfaction.

– Je vois ce que tu veux dire ! s'exclama Veressa. En partant du principe que les lachrimas sont bien des gens ordinaires transformés par la rupture de leur Âge, ses bordures seraient matérialisées par l'émergence subite de lachrimas. Oui, ce pourrait être ça.

Un lourd silence emplit la pièce. Martin posa ses couverts sur la table, but la fin de son café et se racla bruyamment la gorge.

– Eh bien, commenta-t-il avec vigueur, prenant la parole pour la première fois depuis qu'ils s'étaient tous réunis dans la cuisine. Je crois que le moment est venu pour moi d'entrer en piste. (Tout le monde se tourna vers lui.) Le jeune Theo a raison. Nous devons quitter le palais, ainsi que la ville. Et toi, ma chère, ajouta-t-il en pivotant vers Sophia, tu as également vu juste. Et j'ai de quoi vous le prouver à tous.

Il repoussa sa chaise et asséna une claque théâtrale sur la table, avant de tirer deux petites fioles de verre, apparemment pleines de terre, de ses poches.

– J'ai enfin fini par trouver les coordonnées de l'endroit dont tu me parlais, Burton, et j'ai compris ce qui me semblait louche quand tu m'as apporté cet extrait. (Il brandit le flacon qu'il tenait dans sa main droite.) Voici un sol fascinant, entièrement artificiel, que Burr m'a remis hier, provenant d'une île minuscule à quatre-vingts kilomètres de la côte orientale de la Patagonie tardive. (Puis il exhiba son autre récipient.) Et ceci est un échantillon de terre du vingt et unième Âge qu'il m'a rapporté il y a près d'un an. Ce que je n'avais pas remarqué jusqu'à la nuit dernière, c'est que tous deux viennent du même lieu.

Ses auditeurs mirent un moment à appréhender la portée de ses mots.

– Vous voulez dire que le sol de cette île a changé ? s'étonna Sophia.

Elle comprit alors sans le moindre doute qu'elle avait raison : les cartes des Caraïbes montraient bel et bien deux époques différentes.

Veressa poussa un cri.

– Juste ciel, père ! Cela signifie que non seulement de nouvelles frontières apparaissent, mais qu'en plus, elles se déplacent !

Une avalanche de questions déferla autour de la table.

– Oui, lança Martin par-dessus le tumulte. Nous ne savons ni comment ni pourquoi, ni même de quelle façon cela affecte le monde, mais les bordures entre les Âges sont effectivement en mouvement. J'ai d'abord cru qu'il pouvait s'agir d'un phénomène isolé, mais ce que Theo vient de nous révéler rend bien plus probable l'hypothèse que cette fissure serait continentale et que la transformation se produirait à travers toute la Patagonie tardive. En d'autres circonstances, reprit-il en haussant le ton pour couvrir le tumulte, je préconiserais de rester à Nochtland. Après tout, c'est ici, dans mon laboratoire et dans ta bibliothèque, dit-il en se tournant vers Veressa, que se trouvent nos meilleures ressources pour résoudre cette énigme. Mais je crains que ma seconde preuve ne change quelque peu la donne.

Veressa était visiblement perplexe, et son père lui adressa un regard contrit avant de lui saisir une main.

– Je suis désolé, ma chérie.

À la stupéfaction de tous, il retroussa son pantalon du côté droit.

– Voyez-vous, haleta-t-il en se pliant en deux, après mon expérience extraordinaire d'hier avec les graines de volubilis, expérience à laquelle Burr et Sophia ont eu la chance d'assister, je me suis posé la question du potentiel de cette étrange terre artificielle. (Une fois son genou découvert, tout le monde dans la pièce reconnut la texture d'écorce de son tibia intact.) Une inspiration subite m'est venue la nuit dernière, très tard, reprit-il d'une voix étouffée en roulant la partie gauche du vêtement. Je me suis demandé : si cet humus produit un résultat aussi rapide et surprenant avec une simple semence végétale, que donnera-t-il avec une bouture ? Ou, dans mon cas, un moignon ?

Il se redressa, l'air épuisé par ses efforts.

À partir du genou, sa jambe était entièrement constituée d'argent.

– Père ! s'écria Veressa en se précipitant vers lui. Qu'as-tu fait ?

– C'est incroyable ! marmonna Burr dans sa barbe.

Sophia tendit une main hésitante et effleura le métal froid du tibia de Martin.

– Eh oui, je crains fort que ce ne soit aussi réel que permanent, fanfaronna Martin. Comme Sophia et Burr ont pu le constater, le volubilis a développé des racines d'argent. Je n'étais pas certain que mon moignon repousserait comme une branche : voici la réponse. Il semblerait que j'aie à présent une jambe avec la Marque du Lierre et l'autre avec celle du Fer. (Il secoua la tête et baissa le regard sur elles.) En conséquence de quoi j'imagine qu'il ne serait pas très judicieux pour moi de séjourner plus longtemps au palais.

Veressa bondit sur ses pieds.

– Effectivement, nous devons fuir au plus vite. (Sa voix était calme, mais déterminée.) Toi, tu ne bouges pas d'ici et tu prépares nos affaires pendant que j'explique à Justa qu'elle doit ordonner l'évacuation de la cité. Dès que j'ai fini, nous partons ensemble.

– À mon avis, nous ferions mieux de ne pas rester sur le plancher des vaches, émit Calixta. Nous voyagerons beaucoup plus vite à bord du *Cygne*.

– Je suis d'accord, ajouta Burr. Nous pouvons lever l'ancre immédiatement ; nous serons à Veracruz en moins de deux jours. Et vous êtes tous invités à nous accompagner. (Il se tourna vers Sophia, qui avait les yeux rivés sur le sol.) Sophia ?

La jeune fille agrippa les lanières de son sac qui, en cet instant précis, lui paraissait incroyablement lourd. Elle avait l'impression de se tromper. Son instinct lui soufflait qu'elle ne devait pas partir tout de suite. Son esprit tournait et retournait tout ce qu'elle avait appris depuis son arrivée à Nochtland. Ces découvertes étaient importantes ; et elle avait encore des choses vitales à accomplir. Ils ne pouvaient pas fuir ; pas maintenant. Néanmoins, quel autre choix avaient-ils ?

– Merci, Burr. Je vais monter à bord du *Cygne*, moi aussi.

– Alors nous devons nous préparer.

Veressa commença à ranger la table tandis que le reste du groupe quittait la pièce. Une fois dans la cour, ils entendirent un bruit inattendu : quelqu'un frappait brutalement à la porte en bois qui séparait la maison du botaniste du corps principal du palais.

27
D'UNE POIGNE DE FER

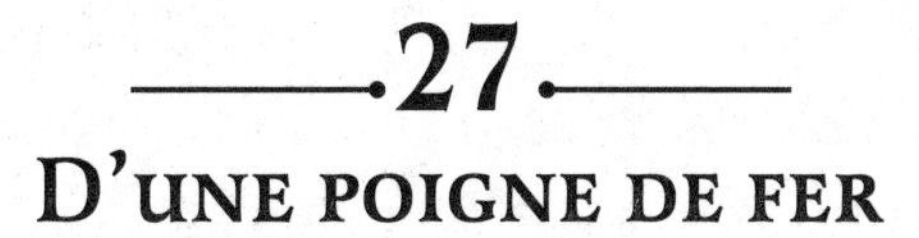

Jardins du palais – origine globale des sols.
Roseraie de l'ouest : à importer UNIQUEMENT depuis les États papaux.
Jardin central et fontaine : indigène (Terres rases du Milieu).
Haie périphérique de genévriers : côte des Terres rases du Nord.

Extrait des notes de Martin concernant les jardins.

– QUI EST LÀ ? demanda Veressa à l'intention de la personne dans le couloir.

– La garde impériale exige d'entrer, miss Metl, répondit une voix. Un intrus a été repéré. Il se serait réfugié dans les serres. Nous devons fouiller vos appartements.

À peine la sentinelle avait-elle terminé sa phrase qu'un chœur d'aboiements retentit.

Veressa jeta un coup d'œil à ses amis et à son père avec terreur. Martin rabaissait en catastrophe son pantalon.

– Je viens de sortir du lit. Pouvez-vous revenir plus tard ?

– Désolé, nous avons reçu l'ordre de procéder aux perquisitions sans délai. Si vous n'ouvrez pas tout de suite, nous devrons forcer la porte.

– Très bien, je comprends. (La voix de la jeune femme était d'un calme factice.) Accordez-moi seulement une minute pour enfiler ma robe de chambre.

– Faites vite, alors, finit par accepter le soldat.

Veressa se précipita dans la cour.

– Nous n'avons plus le temps. Cachez-vous dans les serres et essayez de filer.

– Certainement pas, s'indigna Burr. Calixta et moi nous rendrons quand vous ouvrirez la porte.

– Je refuse de vous abandonner face au danger. Si les chiens s'approchent de mon père… (Celui-ci détourna la tête quand elle lui lança un regard inquiet.)… nos vies ne vaudront plus la peine d'être protégées.

– Ne soyez pas ridicule, l'interrompit Calixta en saisissant Sophia et Theo par un coude. Raison de plus pour que nous restions ici. Je me charge de cacher les jeunes, ainsi que mes armes. Burr, toi aussi. (Son frère obéit aussitôt et quitta la salle.) Et nous devrons nous débrouiller pour qu'ils n'inspectent pas toutes les pièces. Suivez-moi, mes chéris.

Malgré l'urgence de son ton, Calixta émit ses ordres avec calme en conduisant Theo et Sophia dans sa chambre.

– Nous allons leur ouvrir, et vous deux attendrez ici. (Elle fourra son pistolet et une longue épée dans l'un des coffres et le cadenassa.) Après avoir discuté avec moi, je ne pense pas qu'ils tiendront à fouiller chaque recoin, mais si c'est le cas, je suis persuadée que vous avez tous remarqué que cette fenêtre ouvre sur les jardins, ajouta-t-elle en désignant la baie vitrée en question.

Sophia et Theo hochèrent la tête. Calixta se redressa, portant instinctivement une main à sa ceinture avant de se souvenir pourquoi son holster n'était plus à sa taille. Durant une seconde, la belle pirate afficha un air étrangement vulnérable ; son bras se perdit dans les plis de sa jupe. Elle se reprit néanmoins rapidement.

– Je reviens dans un instant !

Dès qu'elle fut partie, Theo et Sophia plaquèrent une oreille contre le battant pour écouter. D'abord, ils entendirent la voix claire de Veressa qui faisait entrer les gardes. Une conversation lui succéda ; Sophia distingua un timbre grave, mais elle ne parvint pas à discerner le nombre de soldats. Les gémissements et aboiements des chiens ponctuaient la discussion. Puis elle crut reconnaître la voix de Martin, lancé dans un long monologue. Puis un court silence, qui s'interrompit soudain avec un cri inattendu. Les bêtes devinrent frénétiques. Sophia et Theo se jetèrent un coup d'œil paniqué.

– Ah, bravo, la fiabilité des pirates ! chuchota le garçon. Je suppose qu'une fois à terre, le quartier-maître ignore les ordres du capitaine !

Un véritable tumulte explosa ensuite, de plus en plus fort, jusqu'à ce qu'une détonation, probablement issue du pistolet de Burr, brise le vacarme. Une seconde plus tard, un bruit de course résonna dans le couloir. Quelqu'un tenta d'entrer dans leur chambre, mais Calixta l'avait fermée à clé.

– Ouvrez cette porte ! hurla une voix.

Sophia et Theo foncèrent à la fenêtre et sautèrent dans un parterre de fleurs, tandis que les gardes martelaient le battant de leurs poings. Durant un instant, les fugitifs restèrent accroupis, le temps d'inspecter les alentours. Sophia tenait son sac serré contre sa poitrine. Derrière eux, les soldats n'avaient toujours pas réussi à pénétrer dans leur chambre.

– Je suis entré par ici, lui dit Theo en désignant un angle du jardin. Dans le coin derrière les buissons, j'ai trouvé un barreau descellé dans la clôture.

Sophia remarqua un long sentier bordé de bougainvillées, qui traversait le gazon en diagonale.

– En passant par là, on a une chance.

Ils se mirent à courir. Sophia ne cessait de regarder par-dessus son épaule, mais seuls le ruissellement des fontaines et le pépiement des oiseaux lui parvenaient. Sous la tonnelle d'arbustes, c'était comme si le château n'existait pas. Même les flèches de verre et les hautes haies de genévriers à la périphérie étaient invisibles.

Une fois au bout, Sophia et Theo entendirent des soldats s'égosiller, mais au fur et à mesure qu'ils s'enfonçaient dans les profondeurs du sentier, le bruit de cascade dépassa tout le reste. Soudain, ils émergèrent sur une pelouse ornée d'une monumentale fontaine de pierre ; des sirènes et des tritons décoraient son bassin principal, surmontés de jets d'eau majestueux. À travers la brume créée par la myriade de gouttes, Sophia vit ce qu'elle avait espéré : les grands genévriers à l'angle sud-est du parc. Ils filèrent dans leur direction.

– Alors, elle est où, ta sortie ? demanda-t-elle avec anxiété à son compagnon.

Au moment où Theo allait répondre, un sifflement strident l'interrompit. On aurait dit le cri déformé d'un oiseau, porté par le vent à travers le jardin. Sophia et Theo firent demi-tour en même temps. Un garde s'approchait d'eux, lance tendue et cape déployée dans le dos. Il courait vers eux comme un rapace sur sa proie, son masque de plumes frissonnant à chacun de ses pas. Theo se rua vers la haie en quête d'une issue.

– C'est là ! Ici ! s'exclama-t-il.

Il attrapa la main de Sophia et la tira à travers un espace exigu entre les buissons et la grille de fer forgé. Il fouilla au pied de la clôture, testant chaque barreau jusqu'à trouver celui qui était descellé. Lorsqu'il le repéra, il se mit à le tordre en tous sens pour le déloger.

Sophia se colla à la haie et vit avec horreur que le soldat était tout proche, les lèvres retroussées comme un chien enragé.

– Theo ! chuchota-t-elle d'un ton paniqué. Il arrive !

– C'est bon, je l'ai !

Theo tenait à la main le haut d'une tige de fer de presque deux mètres de long. Il poussa Sophia à travers l'ouverture et la rejoignit aussitôt dans la rue. Une seconde plus tard, le garde se jetait contre la clôture, tentant furieusement de se faufiler à travers comme ils l'avaient fait. En vain. L'oiseau de proie était en cage. Ses plumes s'écrasèrent contre les barreaux métalliques, et derrière son masque, ses yeux semblèrent luire d'un éclat dangereux. Puis il cessa de se débattre pour arborer un sourire prédateur.

Sophia fut saisie d'un mauvais pressentiment et se retourna.

Juste en face d'elle, un autre soldat la toisait de haut, pique dressée. Le temps se figea. La jeune fille resta paralysée. Le masque féroce de leur adversaire reproduisait les traits acérés d'un rapace. Les muscles imposants de ses bras nus se tendirent, et il projeta son arme sur Theo et elle de toutes ses forces.

Puis quelque chose d'inexplicable se produisit.

Theo lança sa main droite en avant dans un geste futile de défense. Sa paume heurta la pointe d'obsidienne, qui s'arrêta net. Mais la force du coup les repoussa tous deux en arrière, et Sophia se retrouva écrasée entre la clôture et Theo, en bouclier devant elle. Ils restèrent immobiles ainsi, comme deux papillons épinglés sur un mur, tandis que le soldat écarquillait les yeux de surprise et tentait encore, sans y parvenir, d'enfoncer sa lance dans la chair de Theo. Ce dernier leva la barre métallique qu'il tenait dans sa main gauche et la lança dans les côtes de son adversaire. L'homme poussa un grognement de douleur, mais ne relâcha que légèrement sa prise. Ce fut toutefois suffisant. Ses prisonniers se libérèrent et traversèrent la rue en trombe, évitant de justesse le projectile, qui se planta à côté d'eux.

Ils s'enfoncèrent dans les allées tortueuses de Nochtland. Leurs pas résonnaient sur les pavés. Aucun d'eux n'osa jeter un regard en arrière, se contentant de bousculer les passants et de trébucher sur le sol inégal tandis qu'ils dépassaient avenues et petites traverses.

– Ici ! s'écria Theo en remarquant une venelle étroite.

Ils s'arrêtèrent au même moment, à bout de souffle. Ils restèrent pliés en deux plusieurs secondes, presque incapables d'entendre quoi que ce soit en dehors de leur propre respiration. Après quelques instants, ils tendirent l'oreille pour vérifier si des gardes les avaient suivis.

– Ils ont abandonné, chuchota Theo.

Ils explorèrent l'allée en quête d'un refuge. Alors qu'ils s'approchaient du canal, Sophia remarqua une saillie de pierre sous l'un des ponts. Ils se laissèrent glisser le long du talus raide et se tapirent avec soulagement sur la corniche humide. Adossés aux contreforts, bien cachés sous la rue, ils purent enfin prendre le temps de se reposer, tapis dans l'ombre.

– Montre-moi ta main, demanda Sophia au bout d'un moment.

Theo, toujours haletant, la plaça sur le genou de Sophia, la paume en l'air. La jeune fille sentit sa gorge se nouer en voyant la vilaine plaie sanguinolente. Puis, comme elle l'avait supposé un peu trop tard lorsqu'ils s'étaient retrouvés coincés contre les remparts du palais, elle remarqua un reflet luisant et froid à l'intérieur de la blessure. Les os métalliques de la main de Theo avaient arrêté la lance.

Elle comprenait à présent pourquoi il avait tant voulu éviter Nochtland ; elle savait quel risque il courait en y pénétrant. Elle tira de toutes ses forces sur les coutures de sa tunique en coton et en arracha avec brutalité les manches, puis en trempa une dans le canal pour essuyer le sang sur la peau de son ami. L'autre lui servit à envelopper sa main, le bout du pansement improvisé bien serré sous ses articulations. Theo ne protesta pas, pas plus qu'il ne résista. Il resta immobile, la tête appuyée contre le mur et les yeux fermés.

– Ce sera bientôt guéri, déclara-t-il d'une voix épuisée. Ça se referme toujours très vite.

Sophia se rassit. Des larmes brûlantes coulaient sur ses joues, qu'elle essuya d'un geste brusque.

– Je suis désolée de ne pas avoir accepté de te rejoindre à l'extérieur de la ville ce matin, dit-elle en avalant sa salive. J'aurais dû te faire confiance.

Elle avait envie de le prendre dans ses bras pour lui faire comprendre à quel point elle s'en voulait, mais elle ne parvint pas à s'y résoudre.

Sans ouvrir les paupières, Theo sourit.

– Ne le sois pas. Tu n'as aucune raison de croire un menteur.

Sophia ne put discerner s'il était sérieux ou non. Elle garda sa main bandée dans la sienne et se contenta de regarder l'eau étincelante du canal s'assombrir petit à petit en passant en silence sous le pont. Ils n'échangèrent pas un mot de plus.

8 h 42 : sous le pont de Nochtland

PLUS LA MATINÉE avançait, plus la circulation sur le pont devenait bruyante. Une fois sa fatigue immédiate dissipée, Sophia commença à s'agiter et à trouver bien inconfortable la corniche de pierre sur laquelle elle s'était assise. Impossible de quitter la ville sans connaître le sort de Veressa, de Martin et des pirates. Sophia pensait qu'ils pourraient se rendre eux-mêmes à Veracruz pour demander l'aide de l'équipage du *Cygne*, mais l'aller-retour là-bas leur prendrait quatre jours. Entre-temps, les lachrimas pouvaient tout aussi bien avoir submergé Nochtland. Elle vérifia l'heure : il était près de 9 heures, dans le Nouvel Occident.

Theo ouvrit les yeux.

– Ouais, on devrait bouger, déclara-t-il.

– On ne peut pas les abandonner, protesta Sophia. Si ça se trouve, ils ont déjà été jugés et condamnés pour trahison.

– Je savais que tu répondrais ça. Normalement, je serais contre, mais nous aurons besoin d'eux pour embarquer sur le *Cygne*.

(Sophia fit la grimace devant cette logique égoïste.) De plus, je pense qu'on peut vraiment les aider, ajouta-t-il avec un petit sourire.

– Je suis bien d'accord, acquiesça Sophia avec plus de confiance qu'elle n'en avait.

Pendant un moment, elle écouta le clapotis de l'eau sous le pont.

– Tu crois que Justa va faire évacuer la ville ?

– Bien sûr que non. Même si Veressa parvient à le lui expliquer, Justa préférera imaginer que ça fait partie d'une vaste conspiration de la Marque du Fer. Réfléchis : Martin a une jambe métallique, Burr a dégainé une épée et un pistolet, et ils n'ont rien pour prouver ce que je leur ai dit à propos des lachrimas. Je suis persuadé qu'ils croupissent dans un cachot, à l'heure actuelle.

– La cité va donc continuer à croire que c'est juste un mur de vent qui se dirige vers le nord.

– Tout à fait. Et ils attendront que les carillons éoliens l'annoncent.

Theo émit un grognement de dérision.

– Et s'ils n'évacuent pas la ville, ils maintiendront les festivités de l'éclipse, demain, réfléchit Sophia à voix haute. Martin a dit qu'elles dureraient toute la nuit. Que des gens viendraient de partout pour y assister. (Elle s'interrompit.) Toutes sortes de gens...

Theo la considéra d'un air songeur.

– Je crois que j'ai saisi ton idée. Nous pourrions en profiter pour nous faufiler à l'intérieur du palais sans qu'on nous remarque. (Il hocha la tête.) C'est pas bête, mais il nous faudrait des costumes.

– Et un endroit où se cacher en attendant le bon moment.

On pourrait peut-être se réfugier chez Mazapán, non ? proposa Sophia avant de reprendre : à moins que les gardes ne pensent à y aller.

– Ils n'y manqueront pas. (Theo testa sa main blessée en pliant et dépliant les doigts au-dessus de l'eau.) Tu sais où elle est, sa boutique ?

Sophia secoua la tête.

– Il me l'a décrite, mais il ne m'a pas donné l'adresse. On peut se renseigner, par contre.

À contrecœur, ils décidèrent de quitter leur abri. Ils escaladèrent le talus et rejoignirent l'avenue ensoleillée, bourdonnante de piétons, de véhicules tirés par des chevaux et de boldevelas. Sans oublier de vérifier qu'aucun soldat ne les remarquait, ils se dirigèrent vers le centre-ville. Theo demanda à une vieille vendeuse de violettes si elle avait entendu parler d'une chocolaterie tenue par un certain Mazapán. Elle leur indiqua aussitôt une allée étroite à quelques rues de là. Quand Sophia la vit, elle reconnut les auvents et la vitrine que Mazapán lui avait décrits.

Mais trop tard.

Le magasin était cerné par des gardes arborant de longues capes et de féroces masques ornés de plumes. À côté d'elle, Theo réprima un cri.

– Ils sont déjà chez lui ! chuchota-t-il avec surprise.

– Mais Mazapán n'a rien fait ! protesta Sophia.

– Ils ont dû arrêter Burr et Calixta. Et c'est Mazapán qui les a fait entrer à Nochtland. Ils auront voulu le questionner également, déclara Theo d'une voix sombre.

– Pauvre Mazapán… (Sophia secoua la tête et se renfonça dans la traverse.) Nous allons devoir trouver une autre idée.

28

CAP AU SUD

28 juin 1891 : l'enlèvement de Shadrack (jour 8)

Et quand ton cœur à son oreille battra,
Le lachrima déchirera
Le moindre de tes songes et ta paix éternelle
De son hurlement démentiel.

Berceuse de Nochtland, deuxième couplet.

LE PETIT COMPARTIMENT dans lequel Shadrack avait déjà passé un jour et une nuit ressemblait énormément à une cabine de bateau. Deux étroites couchettes étaient incrustées dans les flancs, encadrant un hublot rond qui permettait de voir la route et le paysage. Mais, contrairement à un navire, la boldevela tirait sa force de l'arbre monumental en son cœur. Tout était construit autour et dans les entrelacs des racines ; derrière les murs se trouvait la terre tassée qui alimentait le végétal. Les pièces sentaient l'humus et, par endroits, des radicelles se frayaient un chemin à travers les cloisons. Shadrack ne distinguait pas grand-chose d'autre ; les nihilismiens l'avaient jeté, pieds et poings liés, sur la couchette supérieure. À certains moments, lorsque la boldevela rencontrait des bourrasques plus violentes, il lui fallait se raidir au maximum pour éviter de rouler et de basculer dans le vide.

En d'autres circonstances, le temps aurait déjà coulé à une lenteur exaspérante, mais l'état d'esprit de Shadrack ne faisait qu'aggraver la situation. À présent, fuir lui semblait impossible. Il avait espéré gagner la confiance de Pleurs, voire son aide. Au lieu de quoi, et à cause de lui, ce malheureux avait perdu la raison, et lui son unique allié potentiel. Il était seul, à la merci de ses geôliers, prisonnier dans un recoin d'un vaisseau qui filait vers le sud à une vitesse inimaginable, et totalement incapable de se sauver, encore moins de sauver sa nièce.

Les Neiges du Sud se déplaçaient vers le nord, détruisant tout sur leur passage. Shadrack tira avec l'énergie du désespoir sur ses liens. Pour ce qu'il en savait, elles avaient peut-être même déjà atteint Nochtland. Les glaciers suivraient et la cité disparaîtrait, jusqu'à ce qu'il ne subsiste d'elle que les vestiges de ses lacs et de ses canaux. Il ne reverrait jamais plus Sophia. L'idée paralysa Shadrack d'horreur quelques instants ; s'il présumait le pire, il en deviendrait encore plus impuissant. Il devait continuer à croire qu'il lui restait du temps ; il devait trouver un moyen de s'échapper.

Depuis qu'ils étaient montés à bord de la boldevela, ils n'avaient fait aucune halte, et Shadrack avait l'impression qu'ils devaient déjà s'être profondément enfoncés dans les Terres rases. Il était même persuadé qu'ils ne feraient aucune pause avant d'être arrivés à Veracruz. C'est là qu'il pourrait de nouveau tenter de fuir. À tout prix. Dès qu'ils auraient atteint la côte, il devrait fausser compagnie à ses ravisseurs.

En milieu de journée, le vaisseau s'arrêta d'un coup. Un bruit ressemblant au fracas d'une tempête lointaine résonna. Quelques secondes plus tard, quelqu'un traversa le pont en courant et ouvrit la porte à la volée. À la stupéfaction de Shadrack, un homme de sable l'arracha à sa couchette et coupa ses liens d'un même geste brusque.

– Ne restez pas planté là ; nous avons besoin de toutes les mains utiles, sinon nous sommes tous morts !

Sans attendre de voir si son prisonnier le suivrait, l'autre tourna les talons et repartit en trombe. Après un instant d'hésitation, Shadrack se rua hors de sa cabine et dévala le long couloir étroit.

Quand il atteignit le pont, il comprit aussitôt l'urgence de la situation. La boldevela était presque entrée en collision avec un mur de vent particulièrement puissant, et les sbires de Blanca, leurs grappins logés dans la coque, tentaient désespérément de retenir le navire avant qu'il ne soit aspiré à l'intérieur des terrifiants tourbillons et réduit en miettes. Le mât lui-même et ses grandes feuilles vertes servant de voiles s'inclinaient en direction de la tornade comme un jeune sapin dans la tourmente. Les bourrasques hurlaient et grondaient comme un fauve réclamant sa proie, attirant le vaisseau dans leur étreinte destructrice centimètre par centimètre.

Soudain, Shadrack prit conscience d'un fait : privée de son moyen de locomotion, Blanca ne pourrait plus le poursuivre.

C'est ma chance ! songea-t-il en plongeant en direction de l'échelle de corde sur le flanc du navire.

Il la dégringola à toute vitesse, puis se laissa tomber sur les trois derniers mètres, ses jambes s'effondrant sous lui.

Il roula sur lui-même, puis se releva, avant d'être bousculé par la tempête et de recouvrer enfin son équilibre. Il commença alors à courir vers l'ouest de toutes ses forces, ses bras montant et descendant comme des pistons, filant en parallèle au phénomène naturel. Il tenta d'en rester assez loin pour ne pas être aspiré à l'intérieur, mais cela lui faisait l'effet de lutter contre une marée. D'abord, il pensa s'être bien écarté du mur de vent, puis il regarda à sa gauche et constata qu'il en était bien plus près qu'il ne l'avait cru. Comme il bifurquait vers le nord, ses poumons se mirent à le brûler. Il manquait d'oxygène et s'épuisait. Il fit volte-face et courut à reculons, pour voir si le navire avait déjà été détruit. Ce n'était pas le cas. Il était toujours en équilibre précaire, comme au bord d'un précipice, à des centaines de mètres de distance.

Le terrain était desséché et plat, jalonné d'excroissances rocheuses. Shadrack était incapable de dire sur quelle longueur s'étendait le mur de vent et ce qu'il ferait une fois qu'il en atteindrait le bout. Il savait juste qu'il devait continuer à courir. Quelque part, loin au sud, Sophia attendait qu'il vienne la sauver.

Il jeta un coup d'œil par-dessus son épaule et distingua la boldevela, une tache sombre à l'horizon. Son imagination lui jouait-elle des tours ou le navire était-il plus gros qu'un instant plus tôt ? Puis il lança ses dernières forces dans sa fuite.

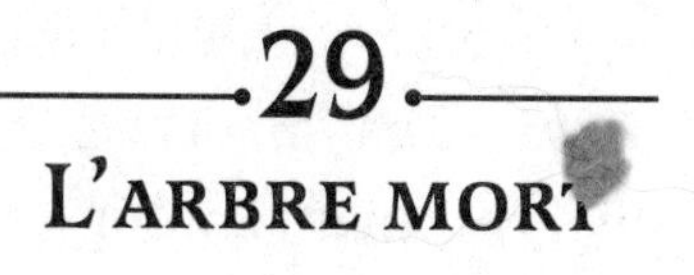

29
L'arbre mort

29 juin 1891, 13 h 51

> *Tête en fer (avoir la) : terme injurieux en usage dans les Terres rases, principalement à Nochtland, pour désigner un individu dont le cerveau est en métal. Seul le squelette humain pouvant être, à notre connaissance, constitué de métal, cette expression n'est utilisée que métaphoriquement. « Avoir la tête en fer » signifie être grossier, brutal, violent ou stupide.*
>
> *Extrait de* Glossaire des Terres rases, *par Veressa Metl.*

SOPHIA ET THEO avaient déjà marché plus de deux heures quand la jeune fille découvrit l'arbre mort. S'ils n'avaient pas été contraints de se cacher en catastrophe chaque fois qu'ils repéraient un garde impérial, ils n'auraient même pas fait de halte. Mais ils étaient exténués et la cité semblait leur refuser le moindre abri.

L'arbre était situé assez loin du palais, voire du centre-ville. Une pancarte avait été fixée au pied et arborait la mention : CONDAMNÉ. MALADIE DES RACINES. ORDONNANCE URBAINE 437. DÉMOLITION PRÉVUE AU 1ER AOÛT. Et effectivement, les racines affleurant la surface paraissaient pourries ; néanmoins, la base massive de l'arbre supportait toujours d'énormes branches dénudées qui surplombaient les bâtiments environnants. Certaines des marches en bois s'enroulant autour du tronc étaient descellées, d'autres manquaient. La maison perchée au cœur de sa ramure affichait un air sinistre. Ses vitres étaient brisées et plusieurs volets étaient tombés, comme autant de dents cariées. De toute évidence, elle était abandonnée depuis un bon moment.

Sophia et Theo se consultèrent du regard.

– Tu crois que l'endroit est sûr ? demanda-t-elle.

– Si nous arrivons à atteindre la partie construite, oui. (Theo testa la première marche.) Je passe en premier. Du moment qu'il y a un plancher, ce sera bien suffisant pour nous.

Sophia surveilla son ascension avec inquiétude. Elle s'assura à plusieurs reprises que personne ne les observait, mais heureusement, ils étaient parvenus dans une zone moins fréquentée et les seuls bruits qu'elle entendait émanaient de plusieurs pâtés de maisons plus loin. Lorsque Theo continua à grimper de l'autre côté du tronc, elle le perdit de vue.

– Pour le moment, tout va bien ! la héla-t-il un peu plus tard en lui faisant des signes encourageants.

Il gravit les dernières marches et disparut à l'intérieur de l'habitation.

Sophia garda les yeux rivés dessus, nerveuse. Impossible pour elle de savoir depuis combien de temps Theo avait disparu. Au bout d'un moment, sa tête émergea de l'une des fenêtres béantes.

– C'est génial ! Viens !

Sophia s'agrippa des deux mains au tronc et commença à

monter avec prudence l'escalier en spirale, bien trop effrayée pour apprécier le panorama de la cité qui se déployait à ses pieds.

– Alors, c'est pas super ?

Ce furent les premiers mots de Theo quand elle franchit enfin le seuil. D'abord, elle ne comprit pas la raison de son enthousiasme. Hormis une longue table en bois et un gros poêle cabossé sans tuyau, la pièce était vide. Deux fauteuils renversés se trouvaient près de l'accès au deuxième niveau. Puis elle découvrit les fenêtres. Elles étaient toutes de tailles et de formes différentes, allant de minuscules carrés à d'énormes diamants ; toutes offraient une vue stupéfiante sur Nochtland.

Sophia regarda autour d'elle avec admiration.

– C'est magnifique. Ça devait l'être encore plus, avant que l'arbre ne pourrisse.

Theo monta à l'étage et Sophia sortit de sa rêverie pour le suivre. Là-haut, le plafond était en pente, et les fenêtres rondes. Un grand miroir fendu était appuyé contre le mur, à côté d'un matelas de coton bosselé plié en deux.

– Ils nous ont même laissé un lit !

D'un coup de pied, Theo ouvrit le matelas et s'assit prudemment dessus. Sophia s'effondra à côté de lui. Elle ferma les yeux quelques instants, soulagée de ce répit, et inspira à pleins poumons l'air saturé de relents de bois humide. Elle avait envie de se rouler en boule sur le grabat et d'oublier cette ville aussi étrange qu'effrayante au-dessous d'elle. Elle préféra imaginer la maison telle qu'elle avait dû être, derrière un écran de feuilles vertes, avec des rideaux jaunes aux fenêtres, palpitant dans la brise, et un bureau bleu près du hublot central ; l'endroit idéal pour dessiner.

Puis, avec un soupir, elle rouvrit les paupières et fixa le plafond.

– Alors, de quoi on a besoin pour pénétrer dans le palais ?

– De beaux déguisements. Le plus élégants possible, et quelque chose pour faire office de masques.

Sophia s'assit lentement et farfouilla dans son sac.

– J'ai toujours mes économies du Nouvel Occident, proposa-t-elle. On pourrait s'en servir pour acheter tout ça.

– Montre. (Theo tendit la main pour qu'elle y verse ses pièces.) Très bien, dit-il après les avoir comptées. Tu restes ici, et moi, je vais acheter de quoi nous déguiser.

– *Quoi ?* Non ! Je viens avec toi.

Theo secoua la tête.

– On nous repérerait bien plus facilement : les gardes sont à la recherche de deux adolescents. Et je suis désolé, mais tu ne passes pas vraiment inaperçue. Moi, j'ai l'air d'un local, contrairement à toi.

Sophia le fixa avec consternation. Theo lui serra les doigts avec une expression grave.

– Tu sais que je vais revenir…

– Mais oui, t'inquiète, répondit Sophia avec frustration. Évidemment que je le sais. Je n'ai pas envie de rester toute seule ici à attendre, c'est tout. Et ta main ?

– Elle va bien.

– Tu ne peux même pas porter quoi que ce soit.

– Bien sûr que si. Fais-moi confiance, c'est beaucoup plus prudent comme ça. Et plus facile.

Sophia se résigna.

– D'accord.

Theo se remit debout et fourra l'argent dans sa poche.

– Je ferais mieux de filer, alors, dit-il en inspectant le ciel depuis l'une des fenêtres. L'après-midi est bien avancé et les boutiques ne vont pas tarder à fermer.

– Tu penses revenir dans combien de temps ? s'inquiéta-t-elle en se relevant aussi.

– Peut-être une heure. Le soir sera certainement déjà tombé. Si je peux, j'achèterai des bougies, ajouta-t-il en examinant la pièce vide.

Sophia l'accompagna jusqu'au premier niveau de la maison et le regarda dévaler les marches qui encerclaient le tronc de l'arbre.

– À toute ! lui lança-t-il d'une voix calme avant de disparaître.

Sophia resta un instant là, puis redressa les deux fauteuils près de l'escalier intérieur. Elle les disposa de chaque côté de la table. Enfin, elle s'effondra dans l'un d'eux, appuya son menton sur sa paume et laissa ses yeux errer dans la pièce.

Non, ce n'était pas qu'elle ne faisait pas confiance à Theo ; plus maintenant. Elle savait qu'il avait l'intention de tenir parole. Mais tant de choses pouvaient l'en empêcher… Les gardes pouvaient le repérer ; quelqu'un pouvait le questionner au sujet de sa main et ne pas apprécier sa réponse ; le pillard du marché représentait également un risque. Le temps s'étira et la pièce s'assombrit progressivement. Sophia ne bougea pas. Que se passerait-il si Theo ne revenait pas ? Le crépuscule laisserait place à la nuit, la cité tout entière s'endormirait, et elle resterait là, dans cet arbre, à l'attendre. Puis le ciel reprendrait des couleurs, le jour poindrait, et elle devrait s'aventurer au cœur de Nochtland dans l'espoir de pénétrer dans la boutique de Mazapán malgré les soldats. Cette seule idée suffit à lui nouer l'estomac. Et si elle n'y arrivait pas ? Elle n'avait plus d'argent. Même en parvenant à quitter la ville sans être repérée, elle n'avait plus aucun moyen d'acheter de la nourriture et il lui faudrait regagner Veracruz à pied pour appeler les matelots du *Cygne* à l'aide. Et si par miracle elle réussissait, comment rentrerait-elle chez elle ? Le 4 juillet approchait ; après quoi les frontières seraient fermées, et des nuées de réfugiés se formeraient aux points d'accès, ce qui lui compliquerait davantage la tâche. Et si elle se retrouvait piégée au-dehors ?

Je n'y arriverai jamais, songea-t-elle. *Je ferais aussi bien d'aller au palais et de me rendre.*

Elle consulta sa montre ; Theo était parti depuis plus de deux heures.

C'est ridicule. Je ne sers à rien, en restant assise ici à paniquer. Je dois faire quelque chose.

Sophia s'arma de courage, ouvrit son sac et en tira les cartes. Celle de verre était encore éveillée. Elle les étudia à trois reprises en se focalisant sur l'étrange apparition à la fin du souvenir ; cette silhouette qui tenait une balise lumineuse à la main et courait vers elle. Chaque fois, elle était à deux doigts de la reconnaître.

Je vais les relire encore un coup, pensa-t-elle. *Et je saurai enfin de qui il s'agit.*

Mais en dehors de cette énervante impression de familiarité, rien ne changea. Elle poussa un soupir et reposa les cartes. Quelque chose en elles la perturbait. Presque comme si… presque comme si elles étaient faites pour elle et qu'elle avait toutes les clés pour les déchiffrer. Mais il lui manquait toujours un élément.

Puis elle ouvrit son carnet et, profitant des derniers rayons du soleil couchant, elle se mit à gribouiller au hasard, laissant son crayon errer à sa guise sur le papier. Elle se retrouva à esquisser les contours d'une figure connue. Theo apparut au centre de la page, souriant avec effronterie, prêt à lui faire un clin d'œil. À sa grande surprise, Sophia s'aperçut que son croquis était très ressemblant. Elle n'avait pas exactement restitué les traits de son visage, mais il était largement reconnaissable ; bien plus, en tout cas, que sur son premier essai, juste après leur rencontre sur les quais de Boston. Elle retourna au début de son carnet et compara les deux. Le garçon hautain et indifférent qu'elle avait dessiné alors n'avait aucun rapport avec celui qu'elle avait appris à connaître.

Ehrlach l'avait déguisé avec des plumes, se dit Sophia, *et moi, je l'avais déguisé avec mon imagination.*

– C'est moi, ça ?

Sophia sursauta et tourna la tête. Theo se tenait derrière elle, à moitié caché dans la pénombre, des paquets plein les bras.

– Tu es revenu ! s'exclama-t-elle, tandis qu'une vague de soulagement la traversait. Tu m'as fait peur ! Je ne t'ai pas entendu monter.

Il éclata de rire et lâcha ses sacs sur la table.

– Je n'avais pas l'intention de t'effrayer, promis. Mais les gardes royaux auraient pu entrer ici au pas de charge que tu ne les aurais pas entendus non plus.

– Si tu savais à quel point je suis heureuse que tu sois enfin là !

– Désolé, ça m'a pris plus de temps que prévu, dit-il avec une sincérité visible. Mais regarde tout ce que j'ai rapporté…

Il fourragea dans l'un des paquets et en tira un lot de bougies blanches. Il en alluma une, fit couler un peu de cire sur la table et la planta dedans.

– Personne ne t'a vu ?

– Je n'ai croisé qu'un seul soldat, qui ne m'a pas remarqué, se rengorgea Theo. J'ai évité le centre-ville ; il y a plein de boutiques, autour. Regarde-moi ça ! reprit-il en exhibant un tissu vert cendré qui étincelait comme s'il avait été saupoudré d'or.

Sophia en poussa un cri d'admiration.

– C'est magnifique ! C'est quoi ?

– Une mantille. Un voile, quoi. Tu la porteras sur ta tête, je te montrerai comment. Personne ne pourra voir ton visage. Et je t'ai aussi déniché ça, continua-t-il en dépliant une robe vert d'eau dont les fines bretelles ressemblaient à des branches de lierre. Elle risque d'être un peu grande pour toi, alors tu pourras utiliser ce nécessaire pour ajuster le haut.

Il lui présenta un petit coffret orné d'incrustations et l'ouvrit. À l'intérieur se trouvaient un paquet d'épingles en os, une minuscule paire de ciseaux d'obsidienne et de bois, ainsi que quatre pelotes de fil.

– Theo, c'est superbe, fit Sophia en retenant son souffle. Mon argent t'a vraiment permis d'acheter tout ça ?

– Je ne m'en suis presque pas servi. De toute façon, on en a besoin pour acheter à manger.

Il fallut un long moment à Sophia pour comprendre.

– Tu as volé tout ça ? finit-elle par demander.

Theo lui rendit son regard, ses yeux affichant une expression grave dans la faible lumière de la bougie.

– Évidemment que j'ai volé tout ça. Je n'avais pas le choix. Pourquoi tu crois que j'ai préféré y aller sans toi ? Avec tes pièces, j'avais à peine de quoi acheter deux paires de chaussettes. Tu veux t'introduire au palais ou pas ?

– J'aurais dû m'en douter !

– Allez, tu savais très bien que je ferais ça. On n'aurait jamais pu passer les gardes habillés comme deux mendiants crasseux. Je n'avais pas le choix.

– Tu aurais pu au moins jouer franc-jeu avec moi ! cracha Sophia. Il suffisait de dire que je n'avais pas assez d'argent et que tu devais partir seul pour voler ce dont nous avions besoin.

– Eh bien, pour être honnête, je ne t'ai pas raconté de salades, répliqua Theo. Je n'ai jamais dit que tu avais assez d'argent, et toutes les raisons que je t'ai données étaient bonnes. Je ne t'ai pas menti.

– Mais si tu fais exprès d'oublier la vérité, ça revient au même.

– C'était juste plus facile de ne pas tout t'expliquer. Tu aurais argumenté avec moi pendant des heures, et il fallait que je nous trouve des déguisements avant la nuit. S'il te plaît, laisse-moi te montrer le reste. Tu vas voir, c'est génial ! déclara-t-il d'une voix péremptoire.

– D'accord, lâcha Sophia.

– Ça, c'est pour moi, reprit Theo en ouvrant un paquet compact dont il sortit un long manteau de velours noir. J'ai refait mes pansements. Et, même si je déteste les plumes, c'est à peu près tout ce qu'ils proposent pour les masques. J'ai aussi récupéré ces trucs assortis pour cacher ma main.

Il lui montra un loup au plumage bleu vif et une paire de gants.

– C'est l'idéal, admit Sophia, abattue. Tout ce que tu as trouvé est parfait.

Theo s'assit en face d'elle et la fixa avec sérieux.

– Allez, ne sois pas fâchée.

– Je ne comprends pas pourquoi tu dois toujours mentir sur tout.

– C'est juste… je ne sais pas. C'est tellement plus facile qu'avoir à expliquer tout et n'importe quoi.

Il fit tourner le masque dans ses mains.

– Mais tu mens même à propos de choses importantes. Comme ce qui est arrivé à tes parents.

– Ben ouais. Je n'aime pas être acculé.

– Acculé ?

– Tu ne vois pas ? Si tu dévoiles ta vie à quelqu'un, c'est comme si tu te mettais à sa merci. Tandis que si tu mens, tu te laisses des portes ouvertes ; personne n'a jamais de vision d'ensemble de toi.

Sophia secoua la tête.

– Donc, tu ne dis jamais la vérité ?

– Si, ça m'arrive. À toi, par exemple.

Elle leva les yeux au ciel.

– Oui, à l'occasion, quoi !

– Si, c'est vrai, insista Theo. En tout cas pour ce qui est important.

– Pourquoi ? Où est la différence ?

Il haussa les épaules.

– Aucune idée. Mais avec toi, ça ne me gêne pas.

Sophia détourna le regard pour fixer la chandelle vacillante.

– Par exemple, tu aurais pu m'expliquer pourquoi tu ne pouvais pas entrer dans Nochtland.

– Je sais, j'aurais dû t'en parler. Mais tu aurais pu me poser la question, ajouta-t-il avec une évidente mauvaise foi. Tu sais que tu peux tout me demander.

– Très bien. (Sophia sauta sur l'occasion.) Parle-moi de ta main. Comment as-tu découvert que tu portais la Marque du Fer ? Tu as raconté à Calixta que tu avais été blessé lors de l'effondrement de ta maison. J'imagine que c'était du flan…

Theo laissa son regard errer sur les habits entassés devant eux.

– D'accord, je vais te dire la vérité sur ce point, concéda-t-il. Mais d'abord, mangeons.

Il déposa sur la table une miche de pain, une bouteille de lait et un panier de figues.

– Et si tu veux le savoir, j'ai payé toute la nourriture !

Sophia sourit.

– Merci. Elle aura bien meilleur goût pour moi.

Il alluma une autre chandelle et repoussa la pile de vêtements. Sophia avait une fois de plus oublié combien de temps s'était écoulé depuis son dernier repas, et ils dévorèrent le pain et les fruits, avant de se désaltérer en buvant directement au goulot.

Theo s'essuya la bouche d'un revers de main pendant que Sophia se radossait à son fauteuil.

– OK. D'abord, tu dois bien comprendre qu'en dehors de l'Ère Triple, surtout dans les Terres rases du Nord, porter la Marque du Fer ne pose aucun souci. Il y a même des nomades qui en rajoutent dans l'exagération, tellement ils en sont fiers ! Bien sûr, parfois ça peut leur causer des problèmes. J'ai connu un pillard, un certain Ballast, qui prétendait que tous ses os étaient en métal. Eh bien, je peux t'assurer que quelques-uns de ses rivaux ont été plus qu'heureux de lui prouver que c'était faux, s'amusa-t-il. Mieux vaut ne pas se montrer vantard à ce sujet.

« À l'époque où j'étais encore avec le gang de Sue, on a fait halte dans une ville nommée Mercure, où presque chaque habitant portait la Marque. Je ne devais pas avoir plus de cinq ans. Or, le médecin en titre de l'endroit possédait un aimant aussi gros qu'une fenêtre, dont il se servait pour savoir qui avait du métal, et dans quelle partie de son corps. Ça lui permettait de déterminer ce qui était en fer et ce qui ne l'était pas avant de découper quelqu'un. Pour faire de la chirurgie, je précise.

Sophia se pencha en avant, fascinée.

– J'ai du mal à croire que ce soit si répandu dans cette région.

Theo hocha la tête.

– Oh si, ça l'est vraiment. Mais ce docteur était plutôt original. C'était un de nos clients, c'est comme ça que Sue avait entendu parler de lui. Elle lui a vendu le livre qui lui a donné l'idée de l'aimant.

– Elle avait des livres ?

Sophia avait quelques difficultés à faire correspondre cette pensée avec l'image de bandes organisées de pillards.

– C'était même notre fonds de commerce. Figure-toi qu'ici, ce n'est pas comme dans le Nouvel Occident, où tout est issu de votre époque ou plus ancien. Dans les Terres rases, il y a des ouvrages provenant de tous les Âges. De toutes les « ères », comme ils disaient avant le Grand Bouleversement. Et Sue était une marchande de livres. Nous en achetions dans une ville, les revendions dans la suivante, ce qui nous permettait de nous en procurer d'autres, et ainsi de suite.

Sophia se mordit la lèvre.

– Tu as dû voir des livres fabuleux.

– Ça, c'est sûr, et c'est même comme ça que j'ai appris à lire. Tu peux apprendre énormément de choses grâce aux livres. Comment crois-tu que j'aie découvert l'existence des cartes ? (Il haussa les sourcils.) Quoi qu'il en soit, le docteur nous a acheté un ouvrage datant de je ne sais quand, qui parlait d'os métalliques et d'aimants. Il devait une faveur ou deux à Sue.

Je suppose que celle-ci devait déjà avoir remarqué des trucs concernant ma main droite ; elle ne m'a jamais rien dit, mais peut-être qu'elle s'était aperçue qu'elle était plus forte que la gauche. Elle a donné au médecin un dollar entier pour qu'il me teste. Juste pour que je sache. Voilà à quel point elle a pris soin de moi. (Theo triturait une miette de pain.) C'est ce qu'il a fait, et il a constaté que les os de ma main étaient en métal.

– Rien d'autre ?

– Non, seulement la main droite. Sue m'a bien sermonné à ce propos. Elle m'a expliqué que je ne devais pas m'en vanter, car ça me vaudrait des ennuis, et que je devais bien choisir à qui j'en parlerais, parce que, en certains endroits, les gens verraient ça d'un mauvais œil. (Theo secoua la tête.) Et bien sûr, je n'ai pas mis longtemps à ignorer ses conseils. La Marque m'est montée à la tête et j'ai commencé à me servir de ma main pour faire des trucs dangereux, même si j'ai eu ma première cicatrice pour une bonne cause. (Il lui montra la tranche de sa paume.) Un des gamins était tombé dans une crevasse et je l'ai retenu par son lacet. Ça m'a entaillé la chair, mais je n'ai pas lâché. (Il éclata de rire.) Mais je dois bien admettre qu'après ça, mes raisons n'ont pas toujours été aussi altruistes.

– Et donc, l'histoire que tu as racontée à Calixta ne s'est jamais produite ?

– Bien sûr que non. Tu le sais déjà, je n'ai jamais connu mes parents. Mais je ne pouvais pas lui parler de la Marque, tu comprends ? Je n'avais aucun moyen de deviner sa réaction à ce sujet. C'est ce que je t'expliquais : mieux vaut ne pas se faire acculer en racontant la vérité.

– Je crois que je vois ce que tu veux dire, admit Sophia.

Effectivement, Theo n'avait pas eu l'intention de blesser quiconque avec ses innombrables petits mensonges. En certaines occasions, mentir pouvait d'ailleurs s'avérer utile, songea-t-elle, même si aucun exemple ne lui venait à l'esprit. Puis elle en trouva un.

Dans quelques heures, ce sera le cas, réfléchit-elle. *Dans quelques heures, nous allons nous introduire dans le palais, sous de fausses identités. Et ça ne me gêne pas.*

Sophia se retrouva à fixer son carnet, à l'autre bout de la table, ouvert à la page de Theo, à l'époque du cirque.

Comme s'il avait lu dans ses pensées, il reprit la parole.

– Au fait, tu ne m'as jamais dit : c'est moi, sur ce croquis ?

Sophia se sentit rougir et fut contente que la pénombre de la pièce le dissimule à son compagnon.

– Oui.

– Tu as une bonne mémoire, tu as restitué mon costume dans le moindre détail.

– Non, je l'ai fait le jour même. La première fois que je t'ai vu.

Theo écarquilla les yeux.

– Sérieux ?

Sophia hocha la tête.

– Tu te souviens de quand tu es venu chez nous pour demander son aide à Shadrack ? (Il acquiesça de nouveau.) Je n'étais pas à la maison, ce jour-là, parce que j'étais partie sur le quai. En fait, je te cherchais.

Theo afficha une expression mitigée.

– Qu'est-ce que tu veux dire par là ?

– Je t'avais remarqué, la fois précédente, dans ta cage. Alors j'étais retournée au cirque pour voir si je pouvais te libérer.

Je sais, c'est stupide. (Sophia dissimula son embarras derrière un petit rire.) J'avais l'intention de te secourir, quoi.

Il la scruta longuement. Puis un sourire se dessina lentement sur ses traits.

– Eh bien, merci.

– Mais je n'ai rien fait !

Theo, toujours rayonnant, s'empara du dernier morceau de pain.

– On ne devrait pas tarder à souffler les bougies, dit-il. Les gens des maisons voisines ne doivent pas deviner qu'il y a quelqu'un ici.

30
L'ÉCLIPSE

30 juin 1891, 16 h 50

Tout comme la diversité des systèmes de retranscription du temps dans l'Ère Triple a petit à petit laissé place à l'horloge à neuf graduations, la multitude de calendriers a été supplantée par le cycle lunaire. Des festivités sont organisées à chaque étape de son déroulement et, à l'heure actuelle, aucun festival n'est plus fastueux que celui consacré aux éclipses lunaires ou solaires. Celles-ci sont souvent ponctuées de bals masqués, durant lesquels les participants dissimulent leur visage de la même façon que ces astres « masquent » le leur.

Extrait de Géographie culturelle des Terres rases, *par Veressa Metl.*

SOPHIA ET THEO séjournèrent également le lendemain dans l'arbre-maison. Ils descendirent à deux reprises pour acheter à manger, mais en dehors de ces brèves expéditions, ils restèrent haut perchés dans les branches dénudées, scrutant l'immense cité du regard et se demandant ce que donnerait la nuit suivante. Peut-être était-ce le badinage naturel de Theo, à moins que Sophia n'ait senti qu'ils n'avaient plus le temps de paniquer, mais un calme rassurant s'était peu à peu emparé d'elle au fil des heures. Elle savait ce qu'ils devaient faire et elle n'avait pas peur. Quand le crépuscule tomba, ils commencèrent à préparer leurs déguisements.

Lorsqu'ils s'admirèrent, côte à côte, dans le grand miroir en pied craquelé, Sophia dut admettre qu'ils étaient quasi méconnaissables. Les talons hauts que Theo leur avait procurés leur faisaient gagner plusieurs centimètres. Le masque de plumes du garçon lui couvrait tout le visage et son manteau noir élargissait sa silhouette. Quant à sa main bandée, elle était invisible sous son gant. La robe de Sophia cascadait autour d'elle en un bouillonnement de soie décorée de feuilles de fougères. Heureusement, le bas de la robe était assez volumineuse pour camoufler la forme pansue de son sac, qu'elle s'était attaché sur les reins, sous ses vêtements, comme un bustier. Elle ne portait pas de masque, mais le voile vert cendré saupoudré d'or suffisait à brouiller ses traits. Quand elle se regarda dans le miroir, elle ne distingua que les contours de son visage.

– On a l'air carrément plus vieux, murmura-t-elle.

– C'est le but, répliqua Theo en refermant le manteau sur sa poitrine. Et du moment qu'on marche avec assurance, personne n'en saura rien. (Il se tourna vers elle.) Prête ?

– Je crois.

Sophia inspira à pleins poumons et se redressa de toute sa taille, bien plus grande que d'habitude. Puis elle ôta ses talons hauts.

– Ouille. Je les mettrai une fois qu'on sera devant le palais. Au revoir, arbre-maison, souffla-t-elle doucement avec un dernier regard sur la pièce condamnée. Merci de nous avoir protégés, ne serait-ce que pour un temps.

Une demi-heure plus tard, ils parvenaient en vue de la résidence impériale. L'air était saturé de mélodies et du brouhaha des invités qui affluaient. Sophia constata aussitôt que Theo avait bien choisi leurs déguisements, car personne ne leur prêtait la moindre attention. Néanmoins, la vue des gardes royaux fit battre son cœur à tout rompre. Theo lui agrippa le bras et le serra, avant de lui désigner un groupe imposant d'arrivants aux costumes extravagants qui se dirigeait avec force tumulte vers l'entrée. Ils se faufilèrent parmi eux.

Alors qu'ils patientaient dans la file, une des femmes se retourna et les scruta de bas en haut. Sophia cessa de respirer, persuadée que, d'un instant à l'autre, elle allait donner l'alerte. Puis l'inconnue se pencha vers elle.

– C'est une création de Lorca ?

– Oui, émit Sophia en tentant de cacher son étonnement.

– Bravo d'avoir réussi à obtenir ses services. Quand je lui ai demandé de faire ma robe, elle m'a répondu qu'elle n'acceptait plus de commandes !

Sans s'arrêter de marcher, la femme désigna sa tunique vert pomme qui semblait un peu défraîchie.

Sophia réfléchit à toute allure pour trouver une repartie adéquate.

– Il faut s'y prendre bien à l'avance, finit-elle par lâcher d'une voix qu'elle espérait hautaine.

L'inconnue hocha la tête avec résignation.

– Vous avez bien raison. Je n'y manquerai pas, la prochaine fois.

Elle se retourna pour rattraper ses compagnons, mais entre-temps, le porte-parole de leur groupe avait échangé quelques mots avec le garde en faction, et ils furent tous admis à l'intérieur sans autre formalité, y compris Theo et Sophia.

Celle-ci poussa un gros soupir de soulagement.

– Eh ben, voilà ! C'était facile, non ? se félicita Theo.

Alors qu'ils parvenaient dans les jardins, Sophia retint sa respiration. L'extérieur avait été transformé par un millier de lampions suspendus aux arbres et aux fontaines. L'eau du bassin de lis étincelait, illuminée de mille et un reflets. De petits groupes de convives erraient un peu partout, dans les haies, le long des sentiers, certains portant de longues perches auxquelles étaient accrochées des lanternes brillantes en forme de lune. Durant un instant, Sophia oublia le danger et se laissa emporter par la musique, l'ambiance et les lumières palpitantes des festivités de l'éclipse. Theo, quant à lui, se dirigea immédiatement vers le plan d'eau, tirant Sophia par le coude tandis qu'elle tentait d'admirer quelques secondes de plus les fragiles navires en papier qui flottaient dessus.

– Je vais te montrer par où je suis passé, la fois précédente, murmura-t-il.

Sophia ne répondit pas, captivée par les sons et les illuminations. Un petit garçon costumé en oiseau, les bras cachés dans des ailes aux longues rémiges, les dépassa en riant ; une fille un peu plus âgée le poursuivait, la jupe relevée dans les mains pour mieux courir. Sophia les regarda s'éloigner, un sourire aux lèvres. Puis son expression se figea et elle crispa les doigts sur le poignet de Theo.

– Qu'est-ce qu'il y a ? s'étonna-t-il. Les gardes ne peuvent pas nous reconnaît…

Les mots s'étouffèrent dans sa bouche quand il vit l'individu qui se trouvait à quelques mètres d'eux, en train de manger une grosse part de gâteau.

Montaigne.

Il n'avait pas remarqué le jeune homme masqué et sa compagne voilée. Il mordit de nouveau dans sa pâtisserie et s'éloigna le long du bassin avant de disparaître dans le jardin.

– Je n'arrive pas à croire qu'il ait retrouvé ta trace jusqu'ici ! murmura Theo.

– Il a dû suivre *Le Cygne*, ce qui veut dire qu'il a appris l'existence de Calixta et de Burr. Si on ne le perd pas de vue, on a des chances de découvrir où ils se trouvent, chuchota Sophia en réponse, en tirant Theo de l'avant.

Ils gardèrent les yeux rivés sur lui, sans raccourcir la distance qui les séparait, jusqu'à ce qu'il ait traversé le jardin. Il fit plusieurs haltes pour prendre une bouchée de gâteau et se rincer les doigts dans une fontaine. Il contourna ensuite une grande estrade en bois, pour le moment déserte et saupoudrée de sciure, encore en attente des danseurs qui viendraient plus tard tournoyer dessus lorsque la lune s'assombrirait. Puis il bifurqua à un angle pour arriver sur un carré de gazon bordé de citronniers, où un trio de musiciens se produisait. Il se posta au dernier rang de l'audience et s'assit sur l'un des sièges libres.

Sophia et Theo contemplèrent la scène depuis l'abri des arbres. La princesse Justa faisait partie de l'assistance, accompagnée d'une dizaine de ses courtisans, mais ils ne reconnurent personne d'autre. Veressa et Martin étaient invisibles. Sophia s'avança pour mieux voir Montaigne, avant de se figer. À sa droite se tenait une petite femme aux longs cheveux blonds tirés en arrière et dont un voile dissimulait les traits. Et à côté d'elle, à moitié dans l'ombre et affaissé sur lui-même, comme apathique, il y avait Shadrack.

En cet instant, Sophia comprit à quel point ne pas avoir d'horloge interne était un don précieux. Ce qui aurait pu, pour n'importe qui d'autre, sembler comme un millième de seconde, lui fit l'effet de plusieurs heures. Et durant cet instant d'éternité, elle eut tout le temps de réfléchir. Montaigne l'avait suivie et avait amené Shadrack avec lui. Peut-être même avait-il voyagé avec son oncle dès le début, sur toute la Ligne occidentale, que ce soit à La Nouvelle-Orléans, à Veracruz ou à Nochtland. Sophia imagina ce périple et tous les itinéraires qu'il aurait pu emprunter, toutes les difficultés auxquelles Shadrack pouvait s'être heurté. La façon dont il était parvenu à Nochtland n'avait aucune importance ; il était là, et elle aussi. Et comme il lui restait encore du temps pour réfléchir, Sophia chercha un moyen de le libérer.

Elle ne revint dans les jardins de Nochtland qu'une fois son plan au point.

– Il est ici ! Shadrack ! chuchota-t-elle d'un ton pressant à Theo.

– D'accord, répondit lentement celui-ci. Qu'est-ce que tu veux qu'on fasse ?

– J'ai besoin d'une diversion. L'estrade. Et les lanternes.

Theo comprit immédiatement son idée.

– Va le retrouver, je vous rejoins au plus vite.

Il sortit à découvert et se dirigea vers la piste déserte. Sophia resta en arrière, sans quitter son oncle des yeux.

Le son des flûtes emplissait l'air, surplombant l'audience et se mêlant aux arbres. Les rires tintaient comme autant de carillons cristallins. Sophia parvint à garder le fil du temps entre les chansons. Lorsque le trio entama un troisième morceau, un cri d'alerte brisa l'harmonie, suivi d'un second. Un instant plus tard, des hurlements terrifiés étouffaient la mélodie et forçaient les musiciens à s'interrompre.

– Au feu ! s'exclama quelqu'un. La piste de danse brûle !

Les spectateurs se levèrent, affolés. Les flammes se répandirent, illuminant les visages des gens, sur lesquels Sophia vit de la peur. Un craquement bruyant retentit derrière elle ; les lattes du plancher se retrouvèrent fondues dans le brasier et, soudain, la panique se généralisa. Les compagnons de la princesse Justa la saisirent par les bras et l'entraînèrent au loin. Les autres invités se ruèrent à travers la pelouse comme un troupeau effrayé, renversant les chaises et se bousculant mutuellement.

– De l'eau ! Apportez de l'eau !

Le bois brûlant grésilla lorsque des baquets furent versés dessus. Sophia n'avait pas quitté Shadrack des yeux. Il était resté à sa place tandis que les gens autour de lui fuyaient, en proie à la panique. Les hurlements, la lumière et la chaleur du brasier n'avaient déclenché en lui aucune réaction.

Dès que la foule fut partie, Sophia s'avança. Shadrack était seul, assis, immobile, au bout de l'allée. Elle ne distinguait toujours pas son visage, il semblait se contenter de regarder les arbres devant lui.

Qu'est-ce qui cloche ? Pourquoi ne bouge-t-il pas ?

Une vague de terreur submergea Sophia. Qu'était-il arrivé à Shadrack pour qu'il ne fuie même pas à la vue du feu ?

Elle se précipita vers lui, le cœur palpitant dans sa poitrine. Elle posa doucement une main sur son épaule voûtée.

– Sha… Shadrack ? balbutia-t-elle.

Au son de sa voix, Shadrack leva brusquement les yeux sur

elle et la fixa d'un air vide, sans comprendre. Il scrutait les profondeurs de son voile. Sophia le souleva, les doigts tremblants.

– C'est moi, Shadrack. Sophia.

Elle se courba pour le serrer contre elle.

– Sophia ? C'est… vraiment toi ? demanda-t-il d'un ton rauque, avant de lui rendre lentement son accolade.

– Il faut qu'on file avant qu'ils ne nous remarquent, le pressa-t-elle en s'arrachant à contrecœur à leur étreinte. Tu vas bien ? Tu peux marcher ?

Il fixa son visage comme s'il se réveillait d'un long sommeil.

– Je te croyais perdue. Quand nous sommes arrivés, ils m'ont dit que tu étais morte en tentant de t'échapper du palais.

– Oh, Shadrack, c'est faux ! s'écria-t-elle. Non, on a réussi à s'enfuir !

Elle l'entoura de nouveau de ses bras et Shadrack la serra contre lui jusqu'à l'en étouffer. Par-dessus son épaule, elle vit que les gardes continuaient à tenter de maîtriser les flammes. Theo courait vers elle, le visage toujours dissimulé derrière son masque.

– Je n'en crois pas mes yeux. Tu es là… tu es vivante ! souffla Shadrack avec incrédulité.

– C'est moi qui n'en reviens pas, Shadrack ! Que tu sois ici ! répliqua Sophia en reculant. Shadrack, voici Theo, reprit-elle quand il les rejoignit. Nous n'aurions jamais imaginé… Nous sommes venus secourir Veressa et les autres. Sais-tu ce qu'il leur est arrivé ? Où ils sont ?

Shadrack avait surmonté sa stupéfaction et, après avoir inspecté le tumulte autour d'eux, il se leva d'un bond.

– Suis-moi, dit-il en saisissant Sophia par la main. Je n'ai pas vu Veressa, mais j'ai une idée de l'endroit où elle se trouve.

Ils coururent en direction du château, dépassant les vestiges calcinés de la piste de danse. Les gardes royaux et les invités qui avaient éteint le brasier avec l'eau des fontaines toussaient à cause de la fumée âcre. Personne ne remarqua leur disparition.

Même de loin, ils pouvaient voir qu'une rangée de soldats protégeaient l'entrée principale du palais. Les portes du conservatoire étaient verrouillées, mais quand ils vérifièrent les fenêtres des appartements de Veressa et Martin, ils découvrirent que celle par laquelle Theo et Sophia avaient fui n'avait pas été refermée.

Ils restèrent quelques instants dans la chambre plongée dans le noir, guettant tout signe de poursuite dans les jardins ou la maison, mais n'entendirent rien. Sophia en profita pour ôter ses escarpins. Ils quittèrent ensuite la pièce pour traverser le hall central en direction de l'accès au corps principal du château.

– Ils ne devraient plus tarder à s'apercevoir de ta disparition, à présent, chuchota Sophia lorsque Shadrack entrouvrit le battant.

– Je sais, répondit-il laconiquement. Il faut qu'on se dépêche.

Shadrack semblait connaître le palais par cœur : il tourna sans la moindre hésitation à chaque angle, puis ils descendirent un long corridor jonché de feuilles d'eucalyptus. Quand ils les piétinèrent, leur odeur puissante les prit aux narines, ne s'estompant que lorsqu'ils atteignirent une volée de marches en pierre qui s'enfonçait dans les profondeurs du bâtiment.

– Cet escalier mène à l'étage des domestiques, expliqua un Shadrack pantelant. L'entrée des cachots doit être par là.

Les couloirs se firent plus étroits et leurs pas résonnèrent davantage ; à ce niveau, le dallage n'était pas recouvert de tapis ni de végétaux. Mais, par chance, l'endroit était également désert, les festivités réclamant la présence de tous les serviteurs. Les chambres, aussi exiguës et dépouillées que des cellules, étaient vides. Ils bifurquèrent à une intersection et se trouvèrent soudain face à un cul-de-sac. Shadrack pila net.

– Non, ce n'est pas là, marmonna-t-il. Ce doit être… (Il hésita un instant.) Ce doit être dans les quartiers des soldats.

Après avoir encore réfléchi quelques secondes, il les fit revenir sur leurs pas et à l'étage au-dessus. Ils foncèrent alors en direction des vastes salles sombres qui hébergeaient la garde impériale. Les lieux étaient également désertés, même si du matériel et des armes occupaient tout l'espace libre. Mais à l'autre extrémité de la pièce principale se trouvaient un passage voûté et éclairé ainsi qu'un escalier qui s'enfonçait dans les ténèbres.

– Le voilà, annonça Shadrack en jetant un coup d'œil dans son dos.

La volée de marches leur parut interminable. Une fois en bas, ils se retrouvèrent dans une sorte de tunnel obscur et humide dont les murs étaient dissimulés sous d'étonnantes branches de lierre pâle qui poussaient en spirales, s'entremêlant et se chevauchant en un réseau dense. Au passage, Sophia en effleura les feuilles fraîches du bout des doigts.

Soudain, le couloir déboucha dans une grande salle surmontée d'une voûte majestueuse. Les cloisons étaient elles aussi recouvertes de ces étranges végétaux grimpants. Un peu partout dans la pièce, de gros braseros d'argile apportaient une lumière ocre. Au centre se trouvait ce qui ressemblait à un bassin vide. Lorsque Sophia s'en rapprocha, le souffle court suite à sa fuite éperdue, elle comprit que c'était en fait un puits. Elle courut se pencher au-dessus et regarda à l'intérieur.

Le trou faisait plus de vingt mètres de profondeur et ses parois étaient parsemées d'aiguilles de verre dentelées. Au fond, recroquevillés devant un petit feu, quatre misérables prisonniers étaient assis : Veressa, Martin, Calixta et Burr.

Sophia les héla.

– C'est moi ! s'écria-t-elle, sa voix ricochant dans toute la salle.

À sa vue, les captifs bondirent sur leurs pieds.

– Sophia ! hurla Veressa. Sauve-toi tout de suite !

Shadrack et Theo la rejoignirent devant la margelle.

– On ne vous abandonnera pas, dit Shadrack. On a trouvé une échelle ; on va la descendre et vous pourrez sortir de ce trou.

– Où sont les gardes ? demanda Burr. Comment avez-vous fait pour passer ?

– Ils sont tous dans les jardins, expliqua Sophia. Tout le monde attend l'éclipse.

Shadrack et Theo firent basculer l'échelle de bois dans le puits et en stabilisèrent le haut tandis que Burr maintenait le bas. Un par un, ses trois compagnons remontèrent à la surface. Martin passa en premier, sa progression ralentie par sa jambe métallique. Quand il se retrouva dehors, il prit Sophia dans ses bras.

– Ma chérie, je ne sais pas s'il était très prudent de ta part de venir ici.

– On ne pouvait pas vous laisser là, Martin, protesta-t-elle en se blottissant contre lui.

Calixta parvint au sommet de l'échelle, aussitôt imitée par Veressa. Burr les rejoignit ensuite et sauta par-dessus le dernier barreau.

– Très bien. Et maintenant, comment file-t-on de ce trou à rats, Veressa ? s'enquit-il.

Celle-ci s'apprêtait à répondre quand un bruit l'interrompit. Le petit groupe fit demi-tour comme un seul homme. Dans le passage par où Shadrack, Sophia et Theo étaient venus se trouvait la compagne voilée de Montaigne, encadrée par plus d'une douzaine de gardes de Nochtland. Elle se dirigea vers les fugitifs d'un pas décidé tandis que des renforts émergeaient du tunnel derrière elle, aussi menaçants qu'une nuée de vautours. Ils brandissaient leurs lances devant eux, droit sur les prisonniers piégés entre le puits et leurs ennemis.

– Finalement, il s'avère que la princesse Justa avait raison, déclara la femme d'une voix douce et triste qui résonna dans la grande caverne. Elle m'avait juré que vous reviendriez chercher vos amis. (Son voile palpitait à chacun de ses mots.) Je t'aurais pensée plus futée que ça, confia-t-elle à Sophia en s'approchant d'elle. Mais pour une fois, je me réjouis de m'être trompée.

Shadrack entoura sa nièce d'un bras protecteur.

– Fichez-lui la paix, Blanca, gronda-t-il.

Blanca secoua la tête et ôta ses gants.

– Nous voici arrivés au moment que nous attendions tous, Shadrack. Vous avez simplement choisi de ne pas y croire. (Elle tendit une main nue vers Sophia.) Je voudrais que tu me donnes ton sac, s'il te plaît. (Sophia ne bougea pas.) Tu ne te soucies peut-être pas de ta propre sécurité, mais il doit bien y avoir des gens que tu n'aimerais pas voir finir au bout d'une lance, n'est-ce pas ?

À contrecœur, Sophia se détourna pour extirper son bagage de sous sa robe et, après s'être débattue quelques secondes avec les attaches, le décrocha. Elle le tendit à Blanca. Leurs mains se frôlèrent ; la peau de la femme était glacée.

– Merci, dit Blanca.

Sans perdre un instant, elle ouvrit le sac et en tira les quatre cartes. Elle les effleura d'un doigt tremblant, une caresse amoureuse et possessive. Puis elle leva la plaque de verre comme un trophée et plongea le regard dedans. Sophia contempla la caverne à travers le trésor qu'on venait de lui voler.

– Sophia, il faut que tu comprennes que ces objets m'appartiennent, murmura Blanca. J'ai vécu dans la même maison qu'eux pendant trois ans ; ils étaient presque miens. J'aurais pu les lire plus de mille fois… sauf que c'était impossible.

D'un geste vif, elle souleva son voile et, dans la lumière palpitante des braseros, Sophia vit que le visage de la femme n'avait pas de traits, pas de reliefs ; c'était juste une peau d'une lividité cadavérique, sillonnée de profondes cicatrices, comme si des dizaines de couteaux l'avaient gravée : comme si une main patiente l'avait entaillée, encore et encore.

QUATRIÈME PARTIE

La découverte

31
LES LIGNES DE LA MAIN

1er juillet 1891, 2 h 05

> *Les geôles sont issues d'une autre période, probablement l'une des plus anciennes de l'Ère Triple. Des échantillons de sol en provenance des caveaux inférieurs du palais impérial de Nochtland suggèrent que cette vaste architecture souterraine est antérieure de plusieurs centaines d'années à la couche supérieure sur laquelle le château est construit. En d'autres mots, la structure visible du bâtiment, en place depuis le Grand Bouleversement, appartient à un Âge différent de celui de ses fondations.*
>
> *Extrait de* Terres locales : leur importance en cartographie, *par Veressa Metl.*

BIEN AVANT D'AVOIR entendu parler de l'avancée des glaciers, Blanca avait cherché à développer sa compagnie ferroviaire en prolongeant la ligne Sud à travers les Territoires indiens du Nouvel Occident jusqu'à Nochtland. Très logiquement, la princesse Justa avait regardé d'un œil favorable l'investisseuse qui lui avait promis de relier sa capitale isolée aux riches cités septentrionales. Au fil du temps, Blanca s'était révélée une alliée de valeur pour la princesse et s'était sans mal assuré le monopole du chemin de fer. Il ne lui avait pas été difficile, ensuite, de persuader son interlocutrice qu'un simple mur de vent se dirigeait vers le nord.

Mais le phénomène naturel qui fonçait vers Nochtland sous la lumière presque inexistante de l'éclipse lunaire n'avait aucun rapport avec une tempête, fût-elle violente. Ce qui n'avait été qu'un imperceptible mouvement dans les contrées lointaines de la Tierra del Fuego avait accéléré, jour après jour, jusqu'à devenir une course effrénée et erratique qui ne laissait que peu de temps pour la fuite. Les glaciers avaient dépassé Xela et continuaient leur progression, détruisant tout sur leur passage.

Une frontière déchiquetée divisait les grandes plaines et les montagnes des Terres rases des Neiges du Sud étincelantes. À la rencontre entre ces deux Âges, une lumière éblouissante, aussi imprévisible et déchirante qu'un éclair, transperçait les ténèbres nocturnes. Tous ceux qui la voyaient se sauvaient, terrifiés, et seuls les plus distants, qui avaient aperçu les lueurs palpitantes à l'horizon, savaient ce que cela signifiait : qu'il était déjà trop tard pour ces malheureux.

Les prisonniers de Justa avaient été renvoyés dans le puits aux bords hérissés de tessons de verre dans les profondeurs du château impérial de Nochtland. À présent, Sophia, Theo et Shadrack leur tenaient compagnie. Blanca avait de nouveau berné la princesse avec une histoire de haute conspiration fomentée par la Marque du Fer, préparée dans les Caraïbes et exécutée grâce à l'aide d'habitants du palais. L'esprit soupçonneux de Justa avait accepté ce mensonge sans la moindre hésitation et elle avait placé les coupables sous la férule de sa fidèle alliée.

Tout d'abord, venant juste d'être réunis, les prisonniers

s'étaient plongés dans une discussion fébrile et n'avaient pas vraiment inspecté les murs qui les entouraient. Shadrack avait raconté son enlèvement, les projets de Blanca concernant la *carta mayor*, leur long périple vers le sud et sa tentative d'évasion ratée. Ensuite, Sophia lui décrivit tout ce qu'il s'était produit depuis qu'elle avait découvert sa disparition à Boston, et Veressa comment la jambe d'argent de Martin avait été détectée par le flair de l'un des chiens des gardes ; Burr avait impulsivement sorti son pistolet et ils avaient aussitôt été jetés dans un cachot. Mais lorsque Theo répéta une fois de plus les rumeurs qu'il avait entendues sur la migration vers le nord des lachrimas et une fois que Shadrack eut expliqué que leur progression était sans nul doute due au fait que la frontière des Neiges du Sud dévorait rapidement tout le reste, un silence abasourdi se fit dans le puits. Il leur semblait que rien ne pouvait empêcher l'Âge de Glace d'effacer inexorablement tout ce qui se trouvait sur son passage, créant et poussant devant lui, par la même occasion, une multitude de lachrimas.

Seule Sophia ne sombrait pas dans l'abattement général. Elle s'était appuyée contre l'épaule de Shadrack et n'avait pas bougé durant toute sa conversation avec Veressa, indifférente au sol dur et à la pénombre environnante. La joie d'être réunie avec son oncle, Theo et les autres la soutenait, et l'expression résignée de ses compagnons ne faisait qu'accroître sa détermination. Elle ne parvenait pas à s'imaginer qu'ils aient pu voyager si loin juste pour finir dévorés par les glaciers.

Les Parques nous ont beaucoup donné, songea-t-elle en attrapant sa montre et la pelote de fil dans sa poche. *À nous maintenant d'en tirer le meilleur parti.*

Son esprit se focalisa sur la menace qui pesait sur eux. Elle n'arrivait pas à visualiser l'avancée des Neiges du Sud, mais l'image d'une nuée de lachrimas fuyant le site de leur naissance était saisissante. Elle frissonna. Le visage mutilé de Blanca était bien assez horrible comme ça.

– Tu peux me réexpliquer ce qui lui est arrivé ? demanda-t-elle à Shadrack quand une pause se fit dans la conversation.

– Tu veux dire, pourquoi elle est couverte de cicatrices ? (Elle hocha la tête.) Veressa m'a dit qu'elle t'a raconté notre visite chez Talisman, il y a quelques années. Dès que je l'ai vue, j'ai compris que Blanca était le lachrima que Talis gardait prisonnier.

– Oui, mais pourquoi il lui a fait ça ?

Shadrack afficha une mine navrée.

– Il avait sombré dans la folie. Il croyait qu'en lui entaillant la peau, il parviendrait à retrouver les traits de son visage.

– Les pauvres… murmura Veressa. Aussi perdus l'un que l'autre.

Soudain, un trio de gardes apparut au bord du puits et fit descendre l'échelle à l'intérieur. Les prisonniers levèrent des regards méfiants.

– Juste la fille, énonça l'un des soldats tandis que ses compagnons brandissaient leur lance, comme pour renforcer l'ordre. Celle dénommée Sophia.

– Elle ne bouge pas d'ici sans moi, lança Shadrack.

– On a dit « juste la fille ».

– Tout va bien se passer, Shadrack, lui promit Sophia. De toute façon, on n'a pas vraiment le choix.

– Faites-la monter ! cria le garde.

– Ne t'inquiète pas, Shadrack, insista Veressa en lui prenant une main pour l'attirer à elle. Laisse-la faire.

Sophia grimpa prudemment à l'échelle, les yeux rivés sur les barreaux qu'elle agrippait de toutes ses forces, n'osant pas regarder les épines de verre aiguisées à quelques centimètres de sa peau. Quand elle parvint en haut, les soldats la tirèrent hors du puits par les bras. L'espace d'une seconde, elle aperçut le petit groupe désolé recroquevillé au fond du trou, et cette vision lui noua l'estomac.

Les gardes lui firent traverser l'immense caverne, puis les quartiers désertés des domestiques. Quand elle émergea dans une grande cour au sol pavé, l'attention de Sophia fut attirée par l'étrange luminosité du ciel. La face tavelée d'une lune pâle était presque cachée sous un voile noir. Sophia s'étonna d'entendre de la musique et des rires au loin ; les festivités de l'éclipse, qui lui avaient semblé se dérouler des jours plus tôt, se poursuivaient.

Elle éprouvait un profond sentiment d'irréalité, qui se renforça lorsqu'ils pénétrèrent dans une suite à l'arrière du palais, donnant sur les jardins. L'opulence luxueuse des lieux coupa le souffle à Sophia. La grande salle au sol jonché de pétales jaunes était éclairée par de majestueux chandeliers de verre qui projetaient un motif stupéfiant de lumière dorée et d'ombres noires. Des bouquets de fleurs blanches, sur les meubles, exsudaient un parfum entêtant, et de longs carillons cristallins pendaient à toutes les fenêtres ouvertes. Leur tintement doux lui rappela Mrs Clay.

Ce n'était pas sa gouvernante qui l'attendait, mais Blanca, debout devant l'une des baies vitrées, son voile bien en place.

– Laissez-moi seule avec elle, demanda-t-elle d'un ton courtois à l'un des soldats. Vous pouvez monter la garde dehors.

Les sentinelles relâchèrent Sophia à côté de deux fauteuils recouverts de brocart.

Blanca s'installa dans l'un d'eux et fit signe à Sophia de s'asseoir dans l'autre. La musique lointaine qui filtrait à travers la fenêtre fermée ne parvint pas à faire oublier à la jeune fille le visage mutilé qu'elle avait découvert dans les sous-sols du palais ; elle garda les yeux fixés sur le voile de tissu, incapable de penser à autre chose qu'à ce qui se dissimulait dessous.

Puis, d'un geste fluide, Blanca ôta son voile. Sophia fut de nouveau sous l'emprise horrifiée de sa figure, où les cicatrices étaient si nombreuses qu'elles formaient des amas de chair boursouflée.

– Vas-y, compte-les, souffla Blanca. Compte-les et imagine la douleur qu'elles m'ont infligée. Tu comprendras alors à quel point blesser d'autres personnes m'indiffère aujourd'hui. Il faut que tu aies conscience de ça, avant de décider de me résister avec ta conception puérile du bien et du mal.

Ces mots cruels furent prononcés d'une voix douce, presque comme si elle promettait une merveilleuse surprise à Sophia.

– Que sais-tu de la souffrance ? Rien.

La douleur que Blanca décrivait était aussi sincère qu'évidente, et elle avait manifestement traversé un véritable martyre, que Sophia ne pouvait même pas imaginer. Quand elle se força à contempler les marques, la jeune fille sentit sa terreur diminuer, remplacée par une bouffée de compassion à l'égard de la créature en face d'elle, d'abord dépouillée de ses précieux souvenirs, puis brisée par le poids d'une myriade d'autres, insoutenables.

– Vous avez raison, admit-elle en fixant, volontairement, l'endroit où les yeux de Blanca auraient dû se trouver. Je n'ai jamais connu de douleur comparable à la vôtre. Et j'espère que ce ne sera jamais le cas.

– Ton oncle t'a donc raconté comment j'ai acquis ces cicatrices ?

Sophia hocha la tête, fascinée par les lignes qui bougeaient et se transformaient sur le visage de Blanca à chacun de ses mots.

– Comment faites-vous pour parler et voir ? lâcha-t-elle brusquement.

Les traits de Blanca se figèrent, affichant une expression glaciale, et le cœur de Sophia manqua un battement. Elle n'avait pas réfléchi avant d'ouvrir la bouche, mais n'avait pas pu s'en empêcher : au fond d'elle, sa curiosité était aussi vive que sa compassion.

Puis, à sa grande surprise, Blanca éclata de rire.

– Je n'ai jamais rencontré quelqu'un comme toi, tu es bien la nièce de ton oncle ! Je dois admettre que tu ne t'effraies pas facilement. (Elle secoua la tête.) Pour répondre à ta question, reprit-elle d'une voix directe, sans la moindre trace de la douceur amicale dont elle avait fait preuve une seconde plus tôt, personne ne sait comment les lachrimas peuvent voir, parler et sentir malgré leur absence de visage.

Sophia réfléchit à ce fait quelques secondes.

– Je n'ai jamais rencontré d'autre lachrima, mais je ne les croyais pas capables de… de s'exprimer et de se comporter comme vous.

– D'habitude, ce n'est pas le cas. Mais comme tu peux le constater, je suis différente des autres. (Elle s'interrompit un instant.) Et comme je respecte ton intérêt, je vais t'en expliquer la raison. La plupart des gens sont horrifiés en découvrant mon visage, mais rares sont ceux qui désirent comprendre. (Le lachrima se renfonça dans son fauteuil, comme pour y chercher l'abri de l'ombre.) Il y a quelques jours, quand j'ai lu la carte que Shadrack a dessinée de cet endroit, de cet enfer où j'ai souffert pendant trois ans, j'ai été incapable de faire le lien, de saisir comment il pouvait le connaître. (Sa voix s'éteignit.) Je n'avais pas le moindre désir de m'en souvenir. Puis je me suis remémoré son visage. C'est ton oncle qui, au final, est venu m'ouvrir la porte de la liberté. (Sophia sentit son cœur se gonfler de fierté.) Mais il ne sait pas tout ce que j'ai subi dans cette maison. Regarde…

Elle tendit une de ses mains ; elle ne portait pas de gants. Une ligne grise très claire, en travers de sa paume, traçait une longue ride qui s'incurvait en direction du poignet.

– Qu'est-ce que c'est ?

– Mon visage était déjà détruit, et la folie de mon geôlier avait encore empiré. Il a gravé des milliers de cartes dans ma peau, tout cela en vain. Mais, qu'il l'ait fait exprès ou non, une de ses lignes, et une seule, s'est avérée juste. C'est celle-ci. À la seconde où il l'a tracée, à peine quelques semaines avant ma libération, je me suis remémoré l'intégralité de ma vie antérieure. Elle a surgi instantanément dans mon esprit et, quand j'ai touché le trait dans ma chair, de mon autre main, c'est comme si j'avais lu ma propre histoire.

– Votre passé entier ?

– Oui. Tous les souvenirs de mon ancienne vie. (Blanca soupira.) Je me suis rappelé mon foyer. Ce merveilleux Âge Glaciaire. (Sophia put entendre un sourire dans sa voix à ces mots.) Je me suis souvenue que je n'avais que quelques années de plus que toi quand le Grand Bouleversement s'est produit.

Ce magnifique et terrible Bouleversement, qui m'avait donné l'impression de tomber dans un profond puits de lumière éternelle.

Blanca se leva et se posta près de la fenêtre pour contempler les jardins. Au-dessus d'elle, les clochettes de verre tintaient doucement.

– C'était le jour de mes vingt ans. Je m'étais rendue dans notre Sanctuaire des Souvenirs pour y passer la journée au milieu de toutes ses fabuleuses cartes. Une grande salle emplie de cartes racontant l'histoire de notre cité, expliqua-t-elle en remarquant le regard inquisiteur de Sophia. L'Âge Glaciaire possédait beaucoup de lieux de ce genre. (Blanca fit une pause.) Tu en as vu un, en fait.

Surprise, Sophia cligna des yeux.

– Ah bon ?

– Les quatre cartes, énonça calmement Blanca. Les images qu'elles contiennent se déroulent dans un sanctuaire.

Sophia se souvint de la longue montée d'un escalier en spirale, de la foule autour d'elle et du lent effondrement du bâtiment.

– Mais cela signifie que le Bouleversement s'est produit dans votre Âge ?

– Je ne sais pas, souffla Blanca, si bas que Sophia faillit ne pas l'entendre. Je cherche encore à… (Sa voix se brisa soudain sous l'effet de la frustration.) J'essaie toujours de comprendre ces cartes. (Puis elle tourna le dos à Sophia et reprit d'un ton plus ferme.) Ce dont je suis sûre, c'est que la *carta mayor* élucidera tout.

Elle traversa la pièce et ouvrit un meuble près du sol. Puis elle revint, avec dans les bras un objet qu'elle tendit à Sophia. Son propre sac.

– Je crois qu'en plus des cartes, il y a là-dedans des choses auxquelles tu tiens.

Sophia récupéra son bagage sans mot dire et le serra contre sa poitrine.

– Je ne peux pas stopper l'avancée des glaciers, mais j'ai demandé à ton oncle de faire tout son possible non seulement pour mon Âge, mais aussi pour tous les autres ; pour la Terre tout entière. À présent, c'est à toi que je fais appel. Toi seule es capable de le convaincre.

La voix de Blanca, musicale et triste, emplit Sophia d'une nostalgie subite pour tout ce qu'elle ne verrait plus jamais une fois que les Neiges du Sud auraient tout englouti. Les Âges lointains qu'elle avait brûlé d'explorer ; Boston et sa maison d'East Ending Street ; et ses parents, qu'elle espérait toujours être en vie quelque part, attendant qu'elle les retrouve, seraient à jamais perdus, songea-t-elle avec horreur.

– Le Nouveau Monde touche à sa fin, reprit Blanca comme si elle avait lu dans les pensées de Sophia. Mais nous pouvons encore décider de ce qui le remplacera. Si ton oncle m'aide à trouver et à réécrire la *carta mayor*, nous pouvons nous assurer que celui qui émergera de la destruction sera complet, sain. Maintenant que j'ai étudié les quatre cartes, j'en suis plus convaincue que jamais. Shadrack est notre seul espoir.

– Il n'acceptera jamais, émit Sophia sans la moindre agressivité. Même s'il pouvait le faire. C'est ce qu'il m'a répété.

Le tintement des clochettes de verre se mêla au son lointain des rires et de la musique qui résonnaient dans les jardins.

– Peut-être ton oncle a-t-il négligé de te dire à quel point la *carta mayor* est complète, finit par déclarer Blanca. Elle montre tout ce qui s'est produit et tout ce qui se produira. Comprends-tu ce que cela implique ?

Sophia scruta les cicatrices sur le visage de Blanca, une esquisse d'idée surgissant brièvement dans son esprit.

– Je crois.

– Cela signifie que si Shadrack la lit, il pourra te raconter tout ce que tu souhaites apprendre. Tout ce que tu as jamais voulu découvrir sur le passé te serait révélé. Notamment ce qui est arrivé à Bronson et Minna Tims il y a tant d'années…

Sophia sentit ses yeux la brûler soudain.

– Oui, je suis au courant de leur disparition, déclara Blanca avec une certaine gentillesse. Je sais tant de choses à ton sujet, Sophia : l'histoire de ton illustre famille ; le fait que Shadrack et toi soyez inséparables ; et même que tu n'aies aucune notion du temps. Carlton Hopish avait énormément de souvenirs sur toi, et tous étaient très affectueux. (Elle s'interrompit.) Je ne peux pas te rendre tes parents, reprit-elle d'une voix triste, mais grâce à la *carta mayor*, je pourrais te révéler sans risque d'erreur ce qu'ils sont devenus.

Sophia baissa les yeux et s'efforça de retenir ses larmes.

Savoir ce qu'ils sont devenus, se répéta-t-elle sans vraiment comprendre.

Comme si elle avait senti sa confusion, Blanca se pencha vers elle.

– Réfléchis à ça.

Puis elle se leva et se dirigea lentement vers l'une des armoires adossées au mur.

– As-tu déjà contemplé une carte liquide ?

– Non, marmonna Sophia. J'avais à peine commencé à découvrir la cartographie.

– Cela t'intéresserait peut-être d'en voir une, alors, dit Blanca en revenant avec un bol blanc et une grande flasque de verre. Elles sont très rares et nécessitent un talent et une patience que peu de gens possèdent. Elles sont formées grâce à la condensation. Goutte à goutte, leur concepteur capture ses composants dans une eau transformée en vapeur, puis il rassemble la vapeur pour créer un ensemble. Cette carte provient d'une caverne loin au nord, dans les Neiges préhistoriques. Celui qui l'a faite, qui était également un explorateur, s'en est servi pour raconter son voyage.

Elle posa le bol sur la table entre elles, déboucha la flasque et versa son contenu dans le récipient. Aux yeux de Sophia, tout semblait parfaitement normal, bien que la surface du liquide fût d'une immobilité surnaturelle.

Blanca partit récupérer la carte de verre dans son armoire et la déposa au-dessus du bol.

– Vois-tu en quoi elle change l'apparence de l'eau ?

Le bol paraissait empli d'une lumière scintillante. Sophia hocha la tête.

Blanca ôta la plaque transparente et plaça sa main au-dessus de l'eau, à nouveau banale. Elle tenait une petite pierre blanche.

– Et maintenant, regarde.

Elle lâcha le caillou, qui tomba dans le liquide. Les vaguelettes qui naquirent à l'intérieur prirent des formes extraordinaires, s'élevant comme des collines, se creusant comme des vallées encaissées et s'incurvant en d'incroyables spirales bien au-dessus du rebord du vase. De délicates lignes colorées se formèrent, donnant aux reliefs texture et profondeur.

Sophia ne put réprimer un cri et se pencha pour mieux y voir.

– Comment on peut déchiffrer ça ?

– Cela demande des années d'étude. Je suis moi-même à peine capable d'en appréhender la signification. À ma connaissance, ton oncle est le seul à savoir à la fois les lire et les créer, ajouta-t-elle. Les deux sont difficiles, mais c'est possible. La carte traçante rend les choses plus aisées ; c'est un des instruments les plus puissants qui existent, et grâce à lui Shadrack pourrait certainement modifier la carte liquide que tu as sous les yeux.

Sophia était incapable de détacher son regard du terrain strié de couleurs.

– C'est magnifique, chuchota-t-elle.

– Imagine une carte comme celle-ci, mais aussi grande qu'un lac, contenant tous les mystères de l'Univers, murmura Blanca. Ne brûlerais-tu pas de la voir ? Ne désirerais-tu pas contempler le monde vivant à sa surface ? Lui poser tes questions et entendre ses secrets ?

Elle baissa avec douceur la plaque de verre et se rassit. Devant elle ne se trouvait plus qu'un bol ordinaire, avec une petite pierre au fond.

Sophia se rassit à son tour, avec un soupir. Elle écouta les rires venant des jardins et laissa ses yeux passer de la carte au visage de Blanca. La tristesse qu'elle avait ressentie en imaginant les Âges sur le point de se perdre sous les glaciers se transforma aussi soudainement et abruptement que la surface de l'eau. Ce qui lui avait jusqu'à présent alourdi le cœur la submergea d'un coup et prit forme. Elle vit ce qu'elle devait faire avec la même netteté que si cela avait été tracé sur une carte. Elle se leva.

– Laissez-moi le temps de parler en privé avec Shadrack, dit-elle à Blanca. Je le convaincrai.

32
Inondation express

1er juillet 1891, 2 h 21

Dis-moi si tu entends le lachrima,
Cette voix des Âges enfuis.
Autrefois, il a pleuré en moi,
À l'époque où j'ignorais son prix.
Toute ma vie, j'ai cherché à échapper
À la douleur qu'il a en moi déposée.
Aujourd'hui encore je l'entends, mais sa voix a changé
Et ne résonne qu'en échos légers.

La Complainte du lachrima, premier couplet.

MÊME CEUX QUI VIVAIENT bien au-delà de l'emprise des glaciers avaient commencé à constater les signes de leur avancée : des indices énigmatiques que nul n'avait vus depuis le Grand Bouleversement, qui témoignaient d'un Âge dont les frontières se désagrégeaient. Des ouragans rugissants s'étaient abattus sur les îles des Caraïbes unies ; des vagues colossales s'étaient écrasées sur leurs côtes ; des murs de vent de plusieurs kilomètres de long erraient comme des fantômes perdus dans les déserts des Terres rases du Sud ; jusque dans le Nouvel Akan, où les rues et les fermes étaient paralysées par une tempête de neige sans précédent.

Et les changements ne se produisaient pas qu'à la surface ; à travers tout le centre des Terres rases, les nappes phréatiques se gonflaient, poussées par une force puissante qui transformait roche et terre.

Theo fut le premier à le remarquer quand, peu après le départ de Sophia, son masque de plumes, qu'il avait abandonné dans un coin du puits, se mit à flotter dans sa direction. Il bondit sur ses pieds avec un cri.

Burr se précipita vers lui.

– Quoi ? Qu'est-ce qu'il y a ?

– De l'eau… Le niveau monte rapidement !

Theo désigna la petite mare qui se formait dans l'angle.

– À quelle vitesse ? demanda Veressa avec calme.

Martin plaqua son oreille contre le sol poussiéreux durant plusieurs secondes. Puis il se redressa, le visage maculé de crasse et les yeux écarquillés.

– On devrait appeler la garde.

Calixta poussa aussitôt un hurlement, et Burr l'imita en beuglant à l'autre bout de leur cachot, la tête renversée en arrière. Après quelques instants, Theo ajouta au vacarme en mettant deux doigts dans sa bouche pour siffler de toutes ses forces.

– Elle monte à quelle vitesse ? s'enquit Shadrack, la gorge nouée.

– D'après moi, ce sera comme un raz-de-marée souterrain, répondit Martin. Probablement dans quelques minutes. Puis l'eau refluera, mais pas avant d'avoir inondé le puits.

– Est-ce que les tessons de verre risquent de se décrocher ? demanda Veressa d'une voix tremblante en contemplant les parois parsemées d'aspérités.

– La couche extérieure ne fait que quelques centimètres. Tout dépend s'ils sont incrustés dans la zone friable ou dans la roche derrière.

– Tu veux dire qu'ils pourraient…

– Jaillir du mur au milieu d'un torrent, oui, conclut Martin d'un ton sinistre.

Soudain, un grondement résonna juste à côté d'eux et, avec un bref craquement, un amas de terre, de pierres et de pics effilés se désolidarisa du mur et tomba sur le sol. Après quoi l'eau se mit à bouillonner au fond du puits et, quelques secondes plus tard, les prisonniers se retrouvèrent jusqu'aux chevilles au milieu d'une mare. Durant un instant, tous cessèrent de crier et fixèrent avec une stupéfaction horrifiée le niveau qui montait autour d'eux. Puis Calixta reprit son souffle et lâcha un hurlement perçant auquel ses compagnons firent écho, redoublant d'efforts pour alerter les soldats.

Martin observa les parois avec appréhension.

– C'est plutôt positif, ça va diminuer la pression sur la roche. Avec un peu de chance, cela évitera que tout s'effondre sur nous. C'est bien ! lança-t-il à tue-tête pour surpasser les clameurs.

Les gardes demeuraient invisibles et l'eau atteignait les genoux des captifs. Shadrack fut terrifié de découvrir que les plus petites échardes de verre s'étaient libérées des murs et tourbillonnaient dans le flot tumultueux, sans toucher personne pour le moment. Sa gorge commençait à le brûler à force de crier.

– Comment peuvent-ils ne pas nous entendre ? haleta une Veressa exaspérée.

Theo, à bout de souffle, proposa une autre option.

– Et avec mes gantelets pour me protéger les mains, vous pensez que je pourrais me servir des tessons pour escalader le puits sans me blesser ?

Burr pivota vers lui.

– J'ai déjà envisagé cette idée. À mon avis, tu ne risques rien, mais le problème, c'est qu'aucun morceau de verre n'est assez épais pour supporter ton poids. Tu tomberais avant d'avoir parcouru un mètre.

– Et si tu grimpais sur les épaules de Shadrack, et moi sur les tiennes ? Après, je pourrais sauter…

– Impossible, répondit Shadrack. Visualise la manœuvre : d'après moi, tu aurais la tête au niveau du bord de la fosse. Et même en accomplissant un miracle d'équilibriste, tu devrais ensuite t'élancer dans le vide. Tu t'écraserais contre les pointes en cherchant à atteindre la margelle.

– Cessez de cogiter et criez, les gars ! aboya Calixta. Quand le niveau sera assez haut, ce qui ne devrait pas tarder, vu qu'il m'arrive déjà à la taille, on se mettra au milieu du trou, on s'agrippera les uns aux autres et on flottera jusqu'au sommet. Formation cercle anti-requins.

– Mais bien sûr ! s'exclama Burr, avant de remarquer le regard confus de Theo. C'est un truc qu'on a découvert après qu'un requin particulièrement agressif nous a bouffé un canot. On fait un rond en écartant les bras et en s'attrapant les uns les autres, puis on nage sur place.

– C'est notre meilleure chance, confirma Shadrack.

Ils continuèrent à hurler à pleins poumons, mais Theo savait qu'ils auraient la tête sous l'eau avant que quiconque arrive.

Quelques minutes plus tard, Veressa, Calixta et Theo n'avaient plus pied.

– OK, c'est le moment de commencer, annonça Burr en les tirant vers lui. Bras droit dessus, bras gauche dessous. (Il donna l'exemple en s'agrippant à Martin et à Veressa.) Aïe. Non, on fait une exception pour Veressa. Ces épines sont très jolies, mais sacrément pointues.

Il inversa sa position avec la cartographe pour que les piquants de la jeune femme soient au-dessus pendant que Calixta, Theo et Shadrack se rapprochaient pour former un cercle serré.

– Si on dérive vers un mur, Calixta et moi repousserons tout le monde dans la direction opposée.

Un par un, Martin, Burr et enfin Shadrack, le plus grand d'entre eux, commencèrent aussi à battre des pieds. Il n'y eut plus de cris. Les pirates parvenaient à se maintenir à flot sans peine, mais leurs compagnons, qui n'avaient pas passé des années en mer, se retrouvèrent très vite à bout de souffle comme de forces.

– Courage, matelots ! leur lança Burr en souriant. Ça pourrait être bien pire, il n'y a pas de requins, ici ! Bientôt, on sera sortis de ce maudit trou !

– Grâce à l'eau, ajouta Calixta avec entrain. Même si on l'avait voulu, on n'aurait pas pu trouver meilleur moyen de s'échapper.

Les autres tentèrent avec difficulté de faire bonne figure. Les minutes s'écoulèrent. Shadrack gardait en permanence les yeux rivés sur les murs et calculait la distance qui les séparait encore du haut du puits. L'eau était montée jusqu'à mi-hauteur quand, soudain, Martin baissa la tête.

– Je n'arrive plus à battre des pieds… haleta-t-il. Ma jambe d'argent… C'est comme si un boulet m'entraînait au fond.

– Pas de panique, le rassura Burr. Shadrack et moi allons te soutenir, fais une pause. Plie l'autre jambe et pose celle en métal dessus.

Martin s'exécuta et poussa un soupir de soulagement.

– Désolé, souffla-t-il.

Ses compagnons continuèrent à nager, économisant leurs forces.

– Tu ne veux pas nous chanter quelque chose, Calixta ? proposa Burr. Ça ferait passer le temps.

– Si tu avais crié autant que moi, tu n'aurais même pas assez de souffle pour réclamer une berceuse, rétorqua-t-elle.

Alors que Shadrack commençait à sentir ses pieds s'engourdir sous l'effet de l'eau froide et de la fatigue, il s'aperçut qu'ils n'étaient plus qu'à quelques dizaines de centimètres du sommet. Il leva les yeux.

– Ils sont là, haleta-t-il.

Au-dessus d'eux, trois hommes contemplaient l'intérieur du puits avec une expression stupéfaite.

– Ne restez pas à bayer aux corneilles, les tança Veressa. Aidez-nous à sortir !

– Je n'aurais jamais cru être un jour aussi content de voir la garde de Nochtland ! soupira Theo.

33
LE LIERRE NOCTURNE

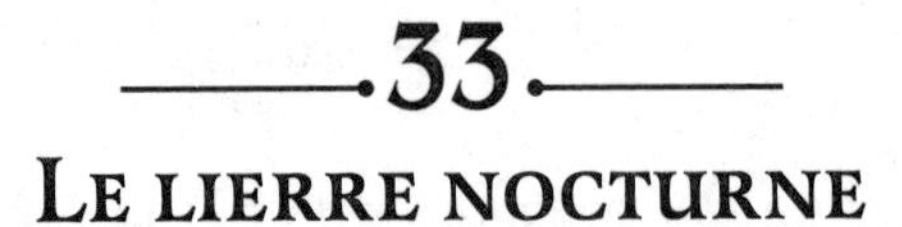

Les gémissements de douleur et les pleurs étouffés
M'ont laissé sans voix ni esprit, hébété.
Après tant d'années à entendre son chant,
Je me suis endurci ; je suis fort et engourdi.
Le son redouté et la souffrance que je fuyais
Ont effacé tout sens de ma vie.
Et aujourd'hui je brûle d'entendre sa lamentation
Pour me souvenir du temps
Où j'avais encore des sentiments.

La Complainte du lachrima, deuxième couplet.

QUAND LES SOLDATS ramenèrent Sophia au sous-sol, elle s'étonna de constater que les prisonniers ne se trouvaient plus au fond du puits. Ils étaient assis, blottis les uns contre les autres, autour d'un des braseros d'argile qui parsemaient la salle. Sans dire un mot, ses geôliers quittèrent la pièce et refermèrent la lourde porte derrière eux. Ce ne fut que lorsque Shadrack la serra dans ses bras que Sophia s'aperçut qu'ils étaient trempés jusqu'aux os. Veressa et Martin tremblaient de froid, Theo tentait de faire sécher sa cape près du feu et Calixta essayait en vain d'essorer ses cheveux.

– Tu vas bien ? lui demanda Shadrack avec inquiétude.

– Que s'est-il passé ? s'enquit-elle en guise de réponse.

– Le puits a été inondé. Les gardes ont mis un bon moment à nous entendre, raconta Shadrack d'une voix maussade. Mais ce n'est pas important. Toi, tu vas bien ? Pourquoi Blanca a-t-elle réclamé ta présence ?

Sophia parut ne même pas l'écouter.

– Et donc, ils vous ont laissés ici ? Nous sommes seuls ?

– Tu as rencontré Blanca ? insista son oncle. Que te voulait-elle ?

– Elle veut que je te persuade de modifier la *carta mayor*, expliqua-t-elle, préférant inspecter l'énorme caverne plutôt que de le regarder.

– Sophia ! lança Shadrack en la saisissant par les épaules. Qu'y a-t-il ? Tu as l'esprit ailleurs… que cherches-tu ?

– La sortie. Quand nous sommes arrivés dans cette salle, tout à l'heure, je l'ai vue ; il y avait une ouverture à l'autre bout. S'ils nous ont abandonnés ici…

– Ce n'est pas une issue, intervint Veressa d'une voix exténuée. Cela mène au labyrinthe, un dédale de galeries condamnées. Ils ne nous ont laissés hors du puits que parce qu'ils savent que nous n'y pénétrerons jamais. Père et moi en avons exploré l'entrée pour récupérer des échantillons de sol, mais personne n'est allé plus loin depuis que le dernier cartographe de la Cour s'est… (Elle s'interrompit pour donner plus d'impact à ses mots.)… s'est volatilisé en tentant de le cartographier.

– J'en étais sûre ! s'exclama Sophia à la surprise générale.

Elle courut jusqu'au mur le plus proche, où du lierre qui poussait dans le couloir et bordait le cachot brillait faiblement dans la lumière des flammes.

– C'est ici, Shadrack ! s'écria-t-elle, incapable de contenir son excitation. Je l'ai découverte à travers la plaque de verre, quand Blanca l'a levée en l'air ; enfin, la fois d'avant, quand elle l'a sortie de mon sac.

Shadrack secoua la tête. Il ne comprenait rien.

– Que crois-tu qu'il y ait, Sophia ? Que cherches-tu à nous dire ?

– Je les ai vues à travers la carte traçante, expliqua-t-elle avec impatience. Ces branches de lierre, ce ne sont pas juste des plantes. Elles forment une *carte* !

Ses mots incitèrent les prisonniers dégoulinants encore assis autour du feu à se mettre debout et à la rejoindre devant la paroi. Shadrack examina les filaments végétaux avec stupéfaction.

– Tu es certaine de ce que tu dis ? demanda-t-il avec calme.

– Certaine. Martin ? Savez-vous de quoi il s'agit ?

Le botaniste secoua la tête.

– Leur nom populaire est « lierre nocturne », mais je n'ai jamais réussi à identifier leur origine. Cette essence est particulièrement rare et ne pousse que sous terre.

À côté de Shadrack, Veressa examina les feuilles pâles d'un air sceptique.

– Elles ne comportent aucune inscription, aucune légende, ni quoi que ce soit. Ce pourrait être les bases d'une carte, pas encore parvenue à sa taille adulte.

– J'aurais tendance à être d'accord avec toi, confirma Shadrack. Si c'est bien une carte, je suis incapable de la déchiffrer.

Il laissa retomber la pousse qu'il tenait à la main et secoua la tête avec une grimace de déception.

– Je suis désolé, Sophia, je n'ai pas la moindre idée de comment…

– Mais la carte n'est pas sur les *feuilles* ! l'interrompit Sophia. C'est la plante *dans son ensemble*. Regardez, ici ! Vous voyez ce lierre qui sort du sol ? Eh bien, à cet endroit, sur la paroi opposée, il y en a une autre. Et là, près du passage, une troisième. Et elles sont toutes identiques.

– Et alors ? demanda Veressa en comparant les trois.

– Regardez le motif qu'elles dessinent. Elles se déploient exactement de la même façon, en dessinant les mêmes torsades, les mêmes courbes. Comme une carte ! conclut Sophia d'un air triomphant.

Ses compagnons en restèrent bouche bée. La plante grimpante, si pâle et délicate en apparence, et pourtant assez robuste pour pousser sur de la pierre humide, s'étendait sur toute la surface verticale en un réseau si dense de minces filaments qu'il était presque impossible de déterminer s'ils étaient vraiment similaires. Mais quiconque aurait retracé les volutes de l'un d'eux aurait constaté sans le moindre doute que tous étaient indentiques.

– C'est incroyable, comment as-tu fait pour remarquer ça ? s'exclama Veressa en caressant le mur d'une main admirative. Ce tracé est d'une complexité inimaginable !

Shadrack éclata d'un rire aussi étonné que fier.

– C'est ton œil d'artiste, Sophia, s'écria-t-il en lui tapotant les épaules avec fierté. Ton œil d'artiste !

Elle sourit lorsqu'il la relâcha, tandis que Theo lui adressait un clin d'œil approbateur avant de feindre de lui tirer dessus avec un pistolet imaginaire.

– Et tu penses qu'il s'agit d'une carte de cet endroit ? demanda Veressa à Sophia.

– Quoi d'autre ? Je ne sais ni comment ni pourquoi, mais je crois que le plan du labyrinthe pousse dans le labyrinthe lui-même.

– C'est fabuleux. Merveilleux, chuchota Martin, effleurant avec tendresse un filament tortueux.

– Mais où se trouve la sortie ? insista Veressa. Ce lierre ne mène nulle part, hormis à lui-même.

– Je n'en suis pas certaine, admit Sophia. Mais regardez ça, reprit-elle en désignant trois fleurs blanches aux pétales fragiles. Elles s'écartent du mur et se dressent en l'air. Est-ce que ça ne voudrait pas dire qu'il y a trois issues ?

Ses compagnons examinèrent la plante en silence.

– Impossible d'en être sûr à cent pour cent, déclara pensivement Shadrack en fourrageant dans ses cheveux.

Sophia récupéra en toute hâte son carnet.

– Si nous arrivons à la dessiner, nous aurons une carte du labyrinthe.

– C'est un risque énorme.

– Je suis bien d'accord, confirma Veressa, mais je ne vois pas d'autre solution. Nous n'avons aucun moyen de nous échapper et je doute qu'il nous reste beaucoup de temps, peut-être à peine une journée.

– Je préfère de loin tenter ma chance qu'attendre ici sans rien faire, intervint Burr, tandis que Calixta hochait la tête avec enthousiasme.

Shadrack inspira profondément.

– Alors nous devons nous dépêcher.

4 h 02 : le tracé du lierre nocturne

PRESQUE UNE HEURE plus tard, Sophia, Veressa et Shadrack terminaient enfin leurs dessins du lierre nocturne. Chacun d'eux en avait fait un pour limiter le risque d'erreur. Les yeux de Sophia la brûlaient tandis que, dans la faible lumière ambiante, elle traçait les dernières lignes de sa carte avant de la vérifier une dernière fois.

– Tu sais, tu peux être fier de moi, chuchota-t-elle à l'intention de Theo. J'ai menti à Blanca. Et ça n'a même pas été difficile.

Le garçon était allongé sur le ventre et se retourna pour la regarder en face.

– Qu'est-ce que je t'avais dit ? sourit-il. Ça peut s'avérer utile, pas vrai ?

– Je lui ai promis d'essayer de convaincre Shadrack de l'aider.

Il secoua la tête avec une grimace outrancière de consternation.

– Et bientôt, c'est à moi que tu raconteras des craques. J'ai intérêt à me méfier !

Sophia éclata de rire. Elle avait déjà vérifié sa carte à deux reprises ; Shadrack et Veressa n'avaient pas terminé. Elle déposa sa feuille sur son bagage, ferma les paupières et appuya son menton sur ses genoux. Elle portait de nouveau sa tenue familière et ses bottes confortables. Elle avait pu se changer grâce à Calixta, qui s'était servie de son manteau comme paravent. Theo l'avait imitée. Ils étaient les seuls à avoir des vêtements secs.

– Au fait ! Tu as toujours la boîte à couture ? lui lança soudain Theo en levant sa main bandée. Mon nouveau bandage tombe en ruine…

– Oui, je l'avais gardée, dit Sophia en ouvrant les yeux, mais elle n'est plus dans mon sac.

Quand elle avait inspecté ses affaires, elle avait retrouvé leurs habits, des pansements supplémentaires, l'atlas de Shadrack, ses crayons et son carnet, mais le petit coffret en bois avait disparu.

– C'est dommage, elle était si jolie, cette boîte, regretta-t-elle.

Sans elle, impossible de réparer le bandage de Theo. Puis une idée lui vint à l'esprit et elle fouilla sa poche en quête de la pelote de fil d'argent que Mrs Clay lui avait confiée, il y avait si longtemps.

– Parfait, déclara Theo quand il découvrit sa trouvaille.

Il tendit la main. Tandis que Sophia enroulait une longueur de fil métallique autour du tissu pour le maintenir en place, ses pensées partirent à l'aventure. Elle n'avait aucun moyen de savoir si elle reverrait un jour Mrs Clay, ni si, le jour où elle avait donné cette pelote à Sophia, elle se doutait à quoi elle servirait.

Est-ce dans ce but que je devais m'en servir ? demanda-t-elle aux Parques.

Personne ne pouvait deviner ce que ces déités imprévisibles tramaient ; le futur était totalement indiscernable. Nouer ce fil autour du poignet de Theo fit naître en elle une surprenante bouffée d'espoir.

Rien n'est gravé dans la pierre. Les glaciers ne sont pas encore sur nous.

Shadrack et Veressa avaient terminé leur tâche et, pendant qu'ils comparaient rapidement leurs dessins, Burr prépara deux torches à partir de lambeaux de sa chemise déchirée qu'il avait enroulés autour des plus longues pointes de verre issues du puits.

– Il faut se dépêcher avant que les soldats ne reviennent, répéta Martin d'une voix angoissée.

– On fait au plus vite, père ! (Veressa examinait le dessin que Sophia avait fait du lierre nocturne.) Mais on ne peut pas courir le risque de se perdre ; on doit être sûrs de nos cartes, avant de se mettre en route.

Burr tendit un flambeau à Calixta.

– C'est le mieux que je puisse faire. On devra peut-être brûler nos vêtements jusqu'au dernier pour atteindre la sortie.

– Brûle tes habits si tu veux, marmonna Calixta. Mais tu ne toucheras certainement pas aux miens.

4 h 17 : dans le labyrinthe

ILS TRAVERSÈRENT ENSEMBLE la chambre souterraine, leurs pas résonnant dans l'immense salle. Les brasiers jetaient des lueurs menaçantes, et leur fumée montait en tournoyant vers le plafond noirci. Quand ils arrivèrent au niveau de l'entrée, noyée dans les ténèbres, ils furent enveloppés dans la bouffée d'air glacial qui émanait du labyrinthe.

– Peut-être reverrons-nous bientôt la lumière du jour, dit Veressa en inspirant à pleins poumons.

Elle prit la tête du groupe avec Calixta, dont la torche éclairait la carte qu'elle tenait à la main. Derrière elles venaient Theo, Martin et Sophia ; Shadrack et Burr, munis d'un autre plan et d'un flambeau, formaient la queue du cortège. Le sol boueux les conduisit jusqu'à un long couloir rectiligne, taillé à même la roche. De toute évidence, personne ne l'avait emprunté depuis une éternité. Martin glissa à plusieurs reprises et, après quelques frayeurs, préféra s'agripper aux épaules de Theo pour garder son équilibre.

Ils atteignirent une volée de marches qui plongeait vers les profondeurs de la terre.

– Voici le premier tournant, annonça Veressa une fois en bas de l'escalier. Shadrack, tu confirmes qu'on prend à gauche ? Sophia ?

Ils avaient déterminé le chemin le plus simple pour traverser le labyrinthe et, si la théorie de Sophia était bonne, ils n'avaient qu'à suivre son tracé pour trouver la sortie. La galerie dans laquelle Veressa les mena était bien plus exiguë que la première et les grosses pierres des parois paraissaient froides sous leurs doigts. L'air était lourd d'une humidité glaciale, qui contrastait douloureusement avec l'atmosphère enfumée de la caverne qui leur avait servi de prison.

– Ici, c'est beaucoup plus étroit, commenta Sophia à l'intention de Martin.

– C'est ce qui rend cet endroit si perturbant, répondit-il, le souffle déjà court. Les quelques échantillons de terre que j'ai prélevés ici proviennent d'époques très différentes. Il y a plusieurs réseaux, certains délibérément créés par l'homme, d'autres qui semblent reliés uniquement par l'effet du hasard. Il s'agit d'un dédale entre plusieurs Âges.

– Combien ?

– Personne ne le sait. Il peut y en avoir quatre aussi bien que quatre cents. Pour ma part, je n'ai jamais dépassé l'entrée.

Pas à pas, tunnel après tunnel, ils se frayèrent un chemin à travers le labyrinthe ténébreux. Sophia ne parvenait pas à percevoir leur progression ; elle avait l'impression que le temps lui échappait, comme s'ils avaient fait du sur-place. Elle décida de compter ses pas pour en garder la trace, mais cela ne l'aida pas à mieux appréhender l'étendue de cet immense réseau souterrain. Alors qu'elle venait de dépasser le nombre de deux cent soixante-dix pas, l'air se réchauffa soudain et quelqu'un, en tête de colonne, poussa un cri de surprise.

– Qu'y a-t-il ? demanda Shadrack.

– On est dans une sorte de crypte, répondit Veressa en s'arrêtant pour que ses compagnons la rejoignent.

Ils pénétrèrent dans une chambre basse dont le sol de pierre était entièrement gravé d'inscriptions indéchiffrables. Dans les murs se trouvaient des niches ressemblant à des étagères, mais quand Burr et Calixta levèrent leurs torches, Sophia distingua des amoncellements de tissus décomposés.

– Burr ! Regarde ! s'exclama Calixta.

Une énorme épée reposait sur l'un des petits tas funèbres. La pirate s'en empara et porta une estocade dans le vide.

– Lourde, mais parfaitement efficace. Merci, mon ami, murmura-t-elle à l'intention du gisant.

Sophia mit une main dans sa poche pour toucher la pelote de fil, avec une pensée reconnaissante pour les Parques.

– Il doit y en avoir d'autres.

Torche brandie pour mieux voir, Burr inspecta les cavités voisines.

Pendant qu'ils fouillaient la crypte, Sophia crut percevoir un son léger, comme un bruit de pas lointain sur du gravier.

– Quelqu'un a entendu ça ?

– Ce sont peut-être des mouvements de terrain consécutifs à l'inondation, proposa Martin. Le sous-sol risque d'être instable un bon moment.

Pile au même instant, Burr trouva une seconde épée. Il se l'appropria aussitôt et ils quittèrent la pièce.

Ils pénétrèrent ensuite dans une salle circulaire ponctuée de quatre entrées voûtées. Veressa vérifia leur dessin et emprunta le deuxième tunnel sur la droite, qui menait à une galerie étroite dotée d'un plancher aux lattes vermoulues. Sophia se remit à compter ses foulées. Elle gardait les yeux rivés sur les pieds de Martin, devant elle. À peine avait-elle dépassé la centaine de pas qu'elle remarqua que le botaniste sortait furtivement sa main de sa poche et laissait tomber quelque chose.

– Martin ? Qu'est-ce que vous faites ? chuchota-t-elle.

– Juste une petite expérience, ma jolie. (Sans même voir son visage, elle comprit qu'il lui faisait un clin d'œil.) J'ai emporté des graines avec moi.

Elle s'interrogeait encore, avec une certaine excitation, sur ce que Martin avait en tête quand une exclamation subite de Veressa retentit. Ils étaient dans un cul-de-sac.

– J'ai dû me tromper à un tournant, s'inquiéta celle-ci en scrutant sa carte.

Shadrack se rapprocha d'elle pour qu'ils comparent leurs itinéraires.

– Je nous croyais ici. (Elle désigna un point sur sa feuille.) Sophia ?

La jeune fille les rejoignit et leva son plan vers la torche.

– On a dû quitter cette route par erreur, déclara Shadrack en suivant du doigt le tracé qui descendait.

– Alors demi-tour, trancha Veressa avec frustration. Il vaudrait peut-être mieux que tu nous guides pendant un moment.

– Pas de souci, acquiesça-t-il en tirant son propre dessin.

Ils revinrent sur leurs pas sur deux tunnels, puis Shadrack les fit passer dans une autre galerie assez basse dont le sol était incurvé comme l'intérieur d'un tuyau. Sophia avait repris son décompte. Ils s'enfonçaient de plus en plus profondément dans le labyrinthe. L'air autour d'eux changeait constamment : sec et chaud à certains endroits, froid et humide à d'autres, mais les ténèbres restaient absolues. Le lierre nocturne poussait en touffes parsemées sur les murs du dédale, s'agrippant avec acharnement sur les pierres brisées et se faufilant à travers de minces fissures. Bien que déformée et étiolée, la trame végétale ne s'interrompait jamais.

Les conversations se firent de plus en plus rares au fur et à mesure de la progression. Les fugitifs avançaient avec difficulté. Le bruit de leurs pas et de leurs respirations rauques se transformait au fil de l'écho, parfois amplifié dans les grandes cavernes, parfois étouffé dans les tunnels exigus. Ces derniers semblaient inlassablement tourner sur eux-mêmes, mais le labyrinthe les conduisait toujours plus loin dans les profondeurs de la terre. Ils firent plusieurs haltes pour que Shadrack puisse consulter sa carte et, à la cinquième, Sophia tendit l'oreille. Le son qui l'avait déjà intriguée un peu plus tôt venait de reprendre.

– Quelqu'un a entendu ça ? demanda-t-elle. On dirait… on dirait des gens qui courent.

– Oui, j'ai entendu, répondit Veressa derrière elle. Mais c'est juste de l'eau qui coule.

Sophia secoua la tête, sceptique, mais ne protesta pas. Les parois rocheuses se rétrécirent jusqu'à ne pas être beaucoup plus larges que les épaules de Burr. Soudain, à leur grande surprise, une faille dans le mur transforma la galerie. La pierre grêlée laissa place à des briques lisses d'une teinte gris-vert, et l'air s'allégea d'une partie de ses relents âcres.

– Encore un nouvel Âge, marmonna Martin.

Ils progressèrent sur deux cents pas dans le couloir et tournèrent à droite à chaque bifurcation.

Le son que Sophia avait entendu fut remplacé par celui, familier, d'un ruissellement.

Veressa avait donc raison, se dit Sophia. *C'était juste de l'eau.*

– Attention où vous mettez les pieds ! s'exclama Shadrack.

Sophia vit tous ceux qui la précédaient disparaître l'un après l'autre, brusquement, et comprit, lorsque Theo s'accroupit, qu'ils franchissaient une ouverture creusée dans le sol. Martin se faufila à son tour dans le trou et elle le suivit. Quand Sophia fut en bas, Calixta lui tendit sa torche avant de les rejoindre. La jeune fille regarda autour d'elle. Les murs étaient composés d'une curieuse pierre lisse et blanche, marbrée de vert. Les roches comportaient de petites cavités ornées d'étranges décorations : des statues calcifiées et érodées par leur séculaire réclusion souterraine. Shadrack, qui repartait déjà, gravit une courte volée de marches surplombée par une arche et disparut.

Sophia entendit des exclamations résonner à l'avant de leur groupe et attendit avec impatience. L'air autour d'eux changea une fois de plus, cette fois-ci chaud et humide, chargé d'une lourde odeur de terre. Puis Martin la précéda en trébuchant dans le passage et elle le suivit, pour se retrouver dans une immense caverne aussi grande que les geôles du palais. Mais celle-ci n'avait visiblement jamais servi de prison.

Burr avança d'un pas hésitant à l'intérieur, sa torche éclairant tour à tour des zones de la grotte. Les parois incurvées, où le lierre nocturne proliférait, étaient plus hautes qu'une maison de deux ou trois étages. Taillées dans une roche claire, des statues masculines et féminines se dressaient, leurs longs visages dissimulés dans l'ombre, dans des niches creusées à même les murs et à intervalles réguliers le long d'un escalier qui traversait la salle en diagonale. Un ruisseau d'eau vive coulait au pied des marches avant de disparaître dans un tunnel noir.

Sophia regarda autour d'elle avec une stupéfaction émerveillée. Il n'y avait aucun doute : ceci n'était absolument pas une pièce, c'était un jardin souterrain. Seul le lierre nocturne avait survécu, mais des allées pavées sillonnaient le sol tandis que des urnes pâles indiquaient les endroits où, autrefois, de multiples plantes avaient poussé. Martin, à côté d'elle, se pencha pour attraper une pincée de terre entre ses doigts.

– Je crois que nous nous trouvons dans les ruines d'un Âge disparu ! chuchota-t-il d'une voix révérencieuse.

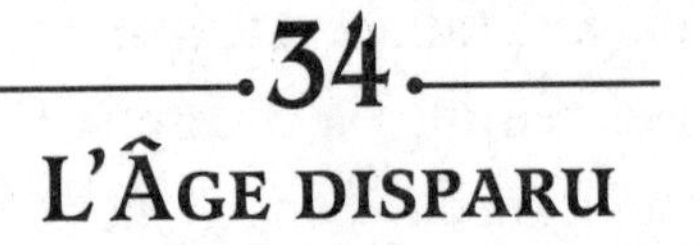

34
L'Âge disparu

1er juillet 1891, heure ?

> *Certains vestiges architecturaux sont particulièrement difficiles à dater, car dans leur ère d'origine, ils ont déjà été considérés comme des reliques du passé. Par exemple, les décombres d'un séisme peuvent subsister pendant cinq cents ans, de la même façon que, dans certains Âges, des monuments et habitations symboliques survivent durant des siècles. C'est pourquoi certaines ruines, bien qu'abandonnées, en partie effondrées et totalement désertes, semblent appartenir à une époque alors qu'elles correspondent à une autre, plus tardive.*
>
> *Extrait de* Géographie culturelle des Terres rases, *par Veressa Metl.*

PENDANT QUE SES COMPAGNONS se dispersaient pour observer les sculptures et la cascade, Sophia s'accroupit à côté de Martin.

– Qu'est-ce que vous entendez par « Âge disparu » ? demanda-t-elle.

– On dit « disparu » dans un sens bien précis, répondit celui-ci en se relevant. En cela que ce sont les vestiges d'une civilisation qui avait déjà disparu à son époque.

– C'est-à-dire ?

– Vois-tu, fit-il en se dirigeant d'un pas énergique vers l'escalier, toute fatigue oubliée, quand le Grand Bouleversement s'est produit, cet endroit était déjà en ruine. Si je devais faire une estimation, je dirais que ce jardin souterrain était abandonné depuis… (Il s'interrompit pour frotter le marbre clair.)… depuis au moins six cents ans.

– Six cents ans, répéta Sophia.

Puis elle leva les yeux sur la volée de marches et découvrit avec stupéfaction que Theo, de l'eau jusqu'aux genoux, était en train de monter l'escalier.

– Theo ?

Il se tourna et agita un bras vers elle. Il était à plus de six mètres de haut, près du passage voûté d'où jaillissait le torrent.

– Elle est super chaude ! lui lança-t-il. Et il y a quelque chose là-haut.

Lentement, les autres rejoignirent Sophia et Martin au pied de l'escalier pour regarder dans la direction qu'il indiquait.

– C'est vrai, la température est particulièrement élevée, confirma Veressa au contact de l'eau. Il doit y avoir une source chaude sous ces cavernes.

Theo parvint au sommet.

– Je n'y vois rien, fit-il d'une voix étouffée par le bruit de la cascade. Mais on dirait une grande grotte.

– Attends-nous, s'empressa de lui dire Burr.

Shadrack fronça les sourcils, l'air pensif, et consulta sa carte.

– Ça doit être ça. On est arrivés par la seule entrée qui n'est pas inondée. D'après mon plan, on bifurque ici. Veressa, Sophia, vous êtes d'accord ?

Sophia hocha la tête après avoir vérifié son dessin à la lumière de la torche de Calixta.

– Je crois bien.

– Essayons par là, acquiesça Veressa.

Un par un, ils gravirent les marches. L'eau chaude s'infiltra aussitôt à travers les bottes fines de Sophia et, plus d'une fois, elle faillit perdre l'équilibre.

Heureusement que Shadrack s'occupe de Martin, songea-t-elle.

Ses compagnons avaient atteint le palier et se tenaient de l'autre côté de la voûte, leurs flambeaux levés éclairant l'espace. Sophia regarda aux alentours. En fait, le torrent émergeait d'un petit aqueduc creusé dans la roche. Puis tous se tournèrent vers l'intérieur de la grande caverne, dont ils ne pouvaient que sentir la présence. Le murmure de l'eau émanait du cœur des ténèbres et résonnait à l'infini. Lever leurs torches ne leur permit pas d'y voir plus loin, seulement de ne plus distinguer leurs pieds. Le jardin derrière eux avait disparu dans l'obscurité, la même que celle dans laquelle l'aqueduc s'enfonçait devant eux.

Durant un moment, les explorateurs restèrent immobiles, apprivoisant la pénombre. Puis Martin fouilla dans sa poche et jeta quelque chose par terre.

– C'était quoi, ça ? demanda Veressa d'une voix méfiante.

– Rien du tout, répondit Martin. Juste une graine.

À ces mots, un étrange bruissement retentit, différent du ruissellement du torrent. Après une seconde d'hésitation, Burr haussa son flambeau et avança. Puis il s'arrêta, bouche bée. Un germe pâle avait émergé d'une fissure dans la pierre. Le pirate se pencha comme pour arracher la plante.

– Attends ! s'exclama Martin. Fiche-lui la paix !

Le lierre s'éleva en spirale dans l'air avant de se transformer en jeune pousse sous leurs yeux. Plus personne ne parlait.

– J'ai laissé tomber des graines sur mon passage, expliqua-t-il rapidement sans quitter le végétal du regard, dans l'espoir que ceci se produirait.

La tige s'épaissit et se divisa à son sommet, puis ses filaments se tendirent dans toutes les directions. Des racines métalliques perforèrent le sol de la caverne, ancrant fermement l'arbrisseau à l'intérieur. Les ramifications commencèrent alors à bourgeonner et de minuscules feuilles argentées s'épanouirent. La tige continua à s'élever tandis que les branches s'étiraient bien au-delà de la faible portée des torches. Enfin, à la stupéfaction générale, une lueur brillante et argentée, qui étincelait comme la lune dans les profondeurs sombres de la grotte, émana des extrémités de la plante.

Le rayonnement projeta juste assez de lumière pour que l'espace devant les explorateurs se déploie bien au-delà de tout ce qu'ils auraient imaginé. Une grande cité souterraine s'étendait à leurs pieds. Le petit aqueduc par lequel ils étaient passés y menait tout droit, à travers une arche métallique qui semblait délimiter l'entrée de la ville. En dehors de l'eau, tout était immobile, comme mort. Les hautes tours et les pignons se faisaient mutuellement de l'ombre, comme l'auraient fait les stèles et monuments d'un cimetière surpeuplé.

Abasourdis, les fugitifs restèrent figés, parcourant les ruines d'un regard admiratif. Au bout d'un moment, Shadrack prit la parole.

– As-tu jamais entendu parler de cet endroit, Veressa ? Ou lu quelque chose à son sujet ?

– Non. Absolument pas.

– Ce qui signifie que nous sommes les premiers à l'explorer.

La voix de Shadrack vibrait d'excitation.

Martin se remit à avancer en boitant, caressant au passage l'écorce argentée.

– Quels génies devaient être ces gens ! C'est pour ça que les racines sont en métal : pour pouvoir percer la pierre… ou même la glace !

– Père ? s'inquiéta Veressa en le suivant.

Martin fouilla dans sa poche et laissa tomber une nouvelle graine par terre.

– Merveilleux… dit-il avec un sourire, le visage illuminé d'un côté par la lueur claire de l'arbre et de l'autre par le flamboiement jaune de la torche de Burr. Vous imaginez ça ? Une avenue d'érables brillants menant aux portes de la cité.

Juste après, le germe qui avait roulé sur le sol s'ouvrit et enfonça de fines radicelles à l'intérieur. Une pousse jaillit, lançant des filaments dans l'air comme la fumée d'un feu à peine éteint. La tige s'épaissit, les branches s'étirèrent, et une multitude de minuscules bourgeons naquit avant d'éclore d'un seul coup en autant de feuilles délicates, identiques à celles d'un érable, mais étincelant d'une luminescence surnaturelle. Martin les scruta avec intensité, puis posa une main respectueuse sur le tronc.

– Magnifique, chuchota-t-il.

– Père, sois prudent. (Veressa le retint par le bras.) Nous ne savons pas ce que ces graines peuvent donner.

– Ce ne sont pas les graines, ma chérie, répondit Martin en tournant la tête vers elle. C'est le sol… la terre. Celle de cet Âge. Et dire que tout ceci est resté ici, oublié depuis si longtemps !

– Tu connais cet Âge ?

– Oui. Et non, réfléchit-il à voix haute. C'est le même Âge que celui que Burr a trouvé, là d'où vient cet échantillon qui m'a valu cette jambe d'argent. (Il se courba avec difficulté pour attraper une pincée de terre entre ses doigts.) Stupéfiant. Ce n'est pas le ruisseau qui est chaud. C'est la terre autour de l'eau qui réchauffe celle-ci. Elle a des propriétés calorifiques.

Les autres se penchèrent et posèrent les mains sur la surface pierreuse. Sophia réprima un cri de stupeur. On aurait cru que la poussière avait passé des heures au soleil.

– Regardez ici, s'exclama Martin en désignant l'aqueduc. Le sol au pied de cet édifice émet des reflets rouges, comme si c'était du feu, de la lave !

Veressa pivota vers Shadrack.

– Où est-on, d'après toi ? Tu penses qu'on se rapproche de la sortie ?

– On est environ à cinq kilomètres du palais de Nochtland, dit-il. Cinq kilomètres au sud-est. Tu confirmes, Sophia ?

Celle-ci hocha distraitement la tête.

– Cinq kilomètres, souffla-t-elle en contemplant la cité abandonnée.

Malgré la distance et la faible lueur des arbres, impossible de ne pas remarquer que les immenses bâtiments affichaient l'usure de siècles d'enfouissement sous la roche ; des zones de concrétions brillantes, comme de la sédimentation, parsemaient les murs, les toits et les grandes piques qui avaient autrefois dû être des lampadaires.

Depuis combien de temps personne n'a arpenté ces rues ? se demanda Sophia.

Elle fut brusquement envahie par les mêmes sentiments que ceux qu'elle avait entendus dans la voix de son oncle : l'excitation de la découverte et le désir d'explorer.

Peut-être l'histoire de Grand-mère Pearl était-elle véridique, finalement, songea-t-elle. *Peut-être que le garçon qui a détruit la ville habite dans ce lieu abandonné…*

Veressa scruta sa carte et fronça les sourcils en suivant du doigt la voie souterraine qui traversait la cité.

– On a parcouru cinq kilomètres en direction du sud-est. Mais comment allons-nous remonter à la surface ? Je ne vois aucune route, ici. Ce point, là… (Elle écarquilla soudain les yeux.) C'est le lac Cececpan ! (Elle leva le visage pour regarder ses compagnons.) Nous sommes presque dessous.

Tel un seul homme, ils renversèrent tous la tête en arrière pour fixer le plafond, comme s'ils s'attendaient à découvrir l'étendue d'eau suspendue au-dessus d'eux.

– Le lac Cececpan, marmonna Shadrack. Serait-il possible que…

– Si c'est une coïncidence, elle est de taille, le coupa Veressa en reposant son plan. Mais la localisation de la *carta mayor* ne nous intéresse pas. Nous cherchons la sortie de ce labyrinthe, reprit-elle d'une voix décidée, et je crois qu'elle se trouve à côté du lac. Si la théorie de Sophia à propos des fleurs est juste, l'issue devrait être quelque part par ici.

– Je suis d'accord. Cachée dans un des bâtiments de la ville.

– Dans une construction ? répéta Veressa d'un ton dubitatif. Il y a plus de chances qu'elle soit dans la paroi de la grotte, non ?

Sophia s'arracha à sa contemplation de la magnifique cité.

– Oui, c'est ce que je me dis, moi aussi. Dans le mur.

– Mais il est possible que le passage descende avant de remonter, insista pourtant Shadrack en se remettant en route.

La logique et son expérience lui soufflaient que Veressa et Sophia avaient raison, mais cet endroit abandonné représentait pour lui une tentation irrésistible. Ce lieu inconnu s'ouvrait devant lui comme un coquillage, intact, paisible et regorgeant de mystères, presque avide d'être exploré.

– Ça va prendre une éternité, protesta Veressa. On peut faire le tour de la caverne pendant que tu fouilleras la cité, pour gagner du temps.

Shadrack hésita.

– D'accord. On repérera nos positions respectives grâce aux torches.

– Et aux arbres ! rajouta Martin. Je peux en planter, pour illuminer notre itinéraire.

– Très bien, accepta Shadrack. Theo et Sophia m'accompagnent. Burr, Calixta, restez avec Veressa et Martin.

– Emporte quelques graines avec toi, Sophia, proposa Martin en lui en tendant une petite poignée.

Tandis que les pirates et les Metl père et fille s'éloignaient, Sophia commença à parcourir la cité avec Theo et Shadrack, laissant tomber des semences à intervalles réguliers. De grands arbres bourgeonnaient dans leur sillage, et elle vit qu'un autre alignement poussait sur le pourtour de la grotte. Très vite, les recoins les plus noirs furent faiblement éclairés par une lueur argentée, et Sophia pouvait enfin contempler avec admiration le haut plafond voûté. Soudain, elle cligna des paupières ; elle venait d'apercevoir une zone foncée presque au sommet de la paroi.

– Regarde ça, dit-elle à son oncle. Tu ne trouves pas que ça ressemble à un trou ou à un passage ?

– C'est possible, répondit-il distraitement après un bref coup d'œil en l'air. Si c'est le cas, Veressa le découvrira.

Sophia remarqua une ligne plus sombre qui s'éloignait en zigzaguant de la tache noire.

– Et ça, ça pourrait même être des escaliers qui y mènent.

Ils avaient atteint l'entrée de la ville et Shadrack s'arrêta quelques instants pour poser une main sur un des piliers de soutènement de la porte. Comme le reste de la cité, les piliers étaient drapés de concrétions minérales qui les faisaient scintiller dans la lumière argentée. Le treillis finement ouvragé de l'arcade au-dessus d'eux s'était brisé par endroits, rongé par le sel et le calcaire.

– C'est vraiment très ancien, observa Shadrack. Et pas issu de notre époque. Nous sommes en présence de quelque chose que je n'aurais jamais imaginé contempler un jour. Les ruines d'un Âge futur. C'est fascinant. Une opportunité unique dans une vie ! s'exclama-t-il en tirant Theo et Sophia de l'avant. Vous rendez-vous compte de notre chance ? Nous sommes des élus. Même si nous ne ressortons jamais de cet endroit, nous aurons eu le privilège de voir ça.

– Mais nous allons ressortir, hein ? s'inquiéta Sophia.

Shadrack ne parut pas l'entendre.

– Viens ! Explorons la cité.

Il était impossible de savoir ce à quoi les bâtiments avaient ressemblé dans leur jeunesse tant le temps les avait transformés. Les hautes tours, reliées entre elles par des ponts aériens, formaient un second réseau de circulation au-dessus des rues.

La plupart des entrées s'étaient calcifiées, leurs portes à jamais scellées. D'autres béaient comme des yeux aux paupières tristes et tombantes, leurs pièces vides regardant aveuglément le dehors. Sous les pieds des visiteurs, le sol était dur, mais les graines que Sophia jetait par intermittence germaient quand même, s'insinuant à travers la pierre et développant très vite des branches de lierre argentées qui s'agrippaient aux murs de calcaire avant de fleurir et d'embaumer l'air. Mais il n'y avait aucun signe de vie ; les bâtiments étaient dénués du moindre meuble et les traces les plus évidentes des gens qui avaient un jour vécu ici n'étaient que des sculptures trônant devant presque chaque construction. Taillées dans une roche vert pâle, comme celles du jardin enfoui, la calcite les avait tant ravagées que l'on devinait à peine leur forme. Si elles n'avaient pas été visiblement issues de la main de l'homme, on aurait presque pu s'imaginer que la cité tout entière n'était qu'une fantasmagorie naturelle, uniquement due au hasard.

Ils n'avaient rien remarqué à l'intérieur de la ville pouvant suggérer l'existence d'un passage ou d'un escalier menant à l'extérieur. Sophia avait perdu de vue leurs compagnons, qui faisaient le tour de la caverne, même si elle pensait parfois les entendre derrière le ruissellement permanent. Tout à coup, les voix dans la grotte résonnèrent plus fort ; basses et déformées par l'écho de la pièce où elle se trouvait, elles lui parurent appartenir à des inconnus. Sophia s'arrêta quelques instants, aux aguets, puis les sons décrurent, et le bouillonnement de l'eau qui traversait la ville un peu partout reprit le dessus et les étouffa. La jeune fille secoua la tête pour s'éclaircir les idées et se remit à marcher.

Elle s'apprêtait à reparler à Shadrack de l'ouverture creusée en haut du mur quand quelque chose attira son attention. Elle pila net. Une odeur étrange flottait dans l'air. Non. Pas un parfum, mais un changement de température. Soudain, il faisait un froid polaire. Theo et Shadrack avaient eux aussi fait halte et ils se consultèrent mutuellement du regard.

– Je rêve ou on se les gèle ? demanda Theo.

La buée blanche qui se forma devant sa bouche répondit à sa question.

Sophia devina ce qui se passait, mais elle n'éprouvait aucune peur, juste de la stupéfaction. Il était trop tard ; le drame s'était produit. Les glaciers étaient arrivés au-dessus de leurs têtes. Un grondement subit, comme le rugissement d'une tempête, explosa tout autour d'eux. Le sol se mit à trembler, comme s'il frissonnait sous un poids inimaginable. Les bâtiments oscillèrent. Puis les murs de terre émirent un grognement de douleur, et Sophia crut, l'espace d'un instant, qu'ils allaient céder et s'écrouler devant eux. Finalement, le phénomène s'arrêta aussi brusquement qu'il avait commencé. Le silence musela à nouveau la ville. Sophia regarda autour d'elle, abasourdie.

Ça y est ? se dit-elle. *Et on est encore en vie ?*

Elle s'était laissée tomber par terre et resta prudemment à quatre pattes. Sous ses doigts, la poussière était toujours d'une chaleur rassurante. Elle jeta un coup d'œil à Shadrack et à Theo, qui affichaient la même expression stupéfaite que celle qu'elle devait avoir.

Puis un autre son lui parvint, celui-ci totalement inattendu : un coup de feu.

Les pirates n'ont plus leurs armes, pourtant !

La pensée lui traversa l'esprit comme un éclair. L'instant suivant, une nouvelle détonation retentit au-dessus de sa tête et un éclat de roche calcifiée s'écrasa près d'elle. Elle fit demi-tour et se figea, incapable d'en croire ses yeux : accroupi à côté de l'une des tours, un homme de sable braquait un pistolet sur elle. Trois autres, debout autour de lui, la visaient également.

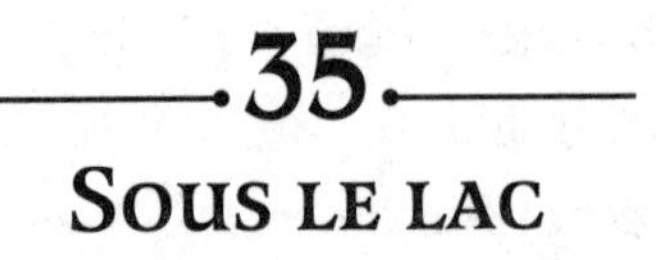

35
Sous le lac

1er juillet 1891, heure ?

> *Dans certaines régions de l'Ère Triple, les Chroniques d'Amitto font l'objet d'une immense vénération. À Xela, les fidèles célèbrent le « dernier jour du monde » à venir, qui sonnera le glas de notre société. Ils prétendent notamment que le Grand Bouleversement n'a été que le premier d'une longue série et que le Bouleversement final aura pour résultat de provoquer la fin du monde.*
>
> *Extrait de* Géographie culturelle des Terres rases, *par Veressa Metl.*

TRÈS LOIN AU-DESSUS de leurs têtes, soutenus par plusieurs centaines de mètres de roche, les glaciers encerclaient le lac Cececpan de leur étreinte polaire, faisant fuir au nord-ouest, en direction des remparts rassurants de Nochtland, les quelques familles qui vivaient sur ses berges. Les réfugiés venus en masse du Sud avaient déjà dépassé la capitale, persuadés que même ses hauts murs de pierre ne les abriteraient pas. Même si les Neiges du Sud n'étaient pas encore visibles depuis Nochtland, plus personne ne niait leur inexorable avancée. Une colonne de boldevelas s'agglutinait aux alentours des portes de la ville, accompagnée d'une file encore plus longue de voyageurs divers et variés. L'exode avait commencé.

Pour le moment, les falaises de glace avaient fait halte au bord du lac Cececpan, l'ensevelissant sous une chape immaculée. On aurait dit qu'un énorme iceberg en forme de pyramide l'avait avalé. La banquise s'étirait le plus loin possible sur les zones chaudes qui protégeaient le lac. Pour l'instant, la grande cité souterraine demeurait à l'abri de la baisse de température, mais dessous, là où les galeries et cavernes étaient creusées dans un sol ordinaire, la nappe phréatique avait gelé et marbrait la roche de veines blanches, délogeant une multitude de pierres. Leur chute provoquait des éboulements dont les grondements résonnaient au loin. Puis les trépidations se calmèrent et une bouffée d'air froid envahit le dédale.

Au cœur de la ville engloutie, Sophia courait de toutes ses forces. Ses bottes humides collaient à la poussière boueuse. Elle et Theo s'efforçaient de suivre Shadrack, qui traversait avenues désertes et rues abandonnées à toute vitesse dans l'espoir d'échapper aux pistolets des hommes de sable et aux avalanches de cailloux causées par leurs tirs.

Sophia tenta de parler à son oncle, mais elle était hors d'haleine et ne put émettre le moindre son. Ils avaient atteint une venelle étroite et, quand Shadrack ralentit pour repérer la bifurcation la plus proche, Sophia parvint à articuler une phrase.

– Shadrack ? Là-haut, regarde !

Elle désigna l'extrémité de la caverne, convaincue d'avoir aperçu l'escalier et l'ouverture qui s'y trouvaient. Au même instant, une balle toucha le mur sur lequel elle s'appuyait et un éclat de calcaire blanc se décrocha au-dessus de sa tête.

– Vas-y vite, alors, la pressa Shadrack. Fonce !

Sophia s'élança. Petit à petit, sa respiration se fit laborieuse. Ses poumons se mirent à la brûler. Elle tourna à un angle, glissa sur le sol humide et franchit en trombe une grande arche qui menait à l'aqueduc.

Ça doit être ça, songea-t-elle en longeant la construction.

Elle passa ainsi sous deux ponts gracieux.

Soudain, elle se retrouva devant une porte identique à celle par laquelle ils étaient arrivés, à quelques mètres de la paroi extérieure de la grotte. Elle avait raison : l'escalier était là. Taillées dans l'épaisseur de la roche, les marches montaient en zigzag vers l'ouverture située presque au sommet.

– Je l'ai trouvée ! s'écria-t-elle en cherchant ses compagnons du regard.

Mais ils avaient disparu.

Elle était seule.

Incrédule, elle resta paralysée quelques secondes, à fixer l'alignement de bâtiments blancs. Des tirs et des bruits de course résonnaient, mais elle n'aurait su dire s'ils étaient loin d'elle ou non. Elle s'apprêtait à faire demi-tour pour rejoindre son oncle ou Theo quand une pluie de débris s'abattit sur elle, causée par l'effritement d'une pierre. Un de leurs poursuivants l'avait repérée. D'abord dissimulé derrière un immeuble, il s'avançait à présent vers elle d'un pas déterminé. Il tenait son arme de la main droite et, de la gauche, déroulait la corde de son grappin. Sophia n'avait que deux solutions : longer le bord de la caverne ou tenter de gagner la sortie. Incapable de choisir, elle resta immobile durant ce qui lui parut une éternité, tandis que l'inconnu se rapprochait implacablement. Puis elle fit volte-face et se rua vers l'escalier.

Les marches ne faisaient qu'un mètre de large et ne comportaient aucune protection. Sophia sentait son regard attiré par le vide sous ses pieds et se força à garder les yeux rivés devant elle.

Il ne va pas monter, se rassura-t-elle en silence. *Il préférera tirer...*

Lorsqu'elle entendit le mur voler en éclats derrière elle, elle sut qu'elle ne s'était pas trompée.

Je dois laisser des indices pour les autres.

Sans faire de pause, elle fouilla dans la poche de sa jupe et fit tomber une graine au hasard. Ses jambes commençaient à faiblir et ses genoux tremblaient. Elle ralentissait. Soudain, le sol s'effondra sous ses pieds. Paniquée, elle baissa la tête. Le grappin d'un homme de sable avait planté ses griffes dedans et désagrégeait la roche.

Continue, ne t'arrête pas, se morigéna-t-elle en serrant les dents avant d'accélérer.

Elle bifurqua de nouveau et jeta une deuxième graine. Puis elle tourna encore, monta vingt marches, lâcha une graine, tourna encore...

Quand est-ce que ça s'arrête? se demanda-t-elle sans oser quitter son chemin des yeux.

Elle gravit une volée supplémentaire avant d'en entamer une autre, puis encore une. Et enfin, au sommet de la suivante, elle atteignit le passage creusé dans la paroi.

La proximité du but la galvanisa et, quelques secondes plus tard, elle entra en trombe dans l'ouverture. Ce n'est qu'à ce moment-là qu'elle cessa de courir pour reprendre haleine et regarder autour d'elle. La vue lui coupa le souffle. Elle fut saisie de vertige. Elle était tout en haut de l'immense caverne et la ville qu'elle venait d'explorer lui sembla soudain aussi minuscule qu'une maquette. Loin au-dessous d'elle, des détonations sporadiques résonnaient encore. L'homme qui lui avait tiré dessus avait disparu. Les graines qu'elle avait jetées durant sa fuite avaient germé et poussé ; un alignement d'érables rayonnants s'agrippait à présent à la paroi crayeuse, projetant une belle lumière blanche dans la grotte.

S'ils lèvent les yeux, ils sauront où je suis allée, se dit Sophia, les poumons en feu. *Impossible de rater ce passage ; ils ne vont pas tarder, c'est sûr.*

Anxieuse, elle fouilla du regard la cité qui s'étalait à ses pieds et finit par remarquer une lueur vive en provenance d'un des bâtiments, comme un éclair bref.

Ce n'était ni une torche ni l'éclat d'une épée ; cela lui évoquait autre chose.

Un reflet dans un miroir, le clair de lune sur une vitre, quoi d'autre… qu'est-ce que ça peut être ?

Lorsque cela recommença, elle comprit : c'était la main de Theo, enveloppée dans le fil d'argent.

– Theo ! l'appela-t-elle après avoir repris son souffle.

Une petite cascade de cailloux jaillit du mur près de sa jambe. Son poursuivant était toujours à plusieurs mètres au-dessous et dans un recoin ne lui permettant pas de bien viser, mais il n'allait pas s'arrêter en si bon chemin et atteindrait tôt ou tard le passage.

Terrifiée, Sophia fit demi-tour ; elle devait continuer à fuir. Quand elle pénétra dans la galerie, elle se retrouva plongée dans le noir total. Elle jeta une graine et attendit avec impatience que le lierre grimpe le long des parois avant de bourgeonner et de s'illuminer. L'air s'emplit d'une odeur suave ; la myriade de boutons de chèvrefeuille luisait comme autant de minuscules étoiles et, lorsqu'ils eurent éclos, Sophia vit que le long tunnel s'orientait vers le haut, grâce à une succession de grandes marches de pierre.

– Encore un escalier? s'exclama-t-elle à voix haute, désespérée.

Elle s'efforçait de marcher à un rythme régulier pour ne pas s'épuiser trop vite et semait une nouvelle plante dès qu'elle quittait la lumière de la précédente, pour que les fleurs parfumées éclairent sa route. Au bout d'un moment, l'écho des coups de feu s'atténua, et seuls ses pas et sa respiration haletante résonnèrent à ses oreilles. Même si elle n'entendait plus son poursuivant, elle préféra ne pas s'imaginer l'avoir distancé.

La montée semblait se prolonger sans fin. Dans ses bottes trempées, ses pieds lui faisaient l'effet de deux blocs de bois. Elle savait qu'elle devait continuer à avancer, mais l'idée d'avoir abandonné ses compagnons la taraudait.

Ils vont voir les plantes, essaya-t-elle de se convaincre. *Et ils pourront me suivre à la trace.*

Elle tenta de garder le fil des minutes en se remettant à compter.

Un pas par seconde. Une graine tous les cinquante pas.

Au bout de cinq cents marches, ses jambes se mirent à trembler. À huit cents, elle était persuadée de devoir s'arrêter. Sauf que si elle le faisait, elle risquait de perdre son emprise sur le temps. Si elle se reposait durant ce qui lui paraîtrait quelques instants, une heure entière pourrait tout aussi bien s'écouler et son poursuivant la rattraperait.

Je dois faire une pause, finit-elle par admettre, *ne serait-ce que quelques secondes.*

Ses pieds semblèrent prendre la décision pour elle et

s'immobilisèrent. Sophia s'affaissa contre le mur et, bien que cela ne servit à rien dans une telle obscurité, ferma les paupières. Ses genoux tremblaient violemment, et elle s'effondra au sol dans un sanglot, avant de se recroqueviller en boule. Elle se força à recommencer son décompte : *un, deux, trois, quatre, cinq, six…*

Les secondes fuirent au rythme des nombres. Au bout d'un moment, Sophia comprit qu'elle se retrouvait dans la situation qu'elle redoutait depuis une éternité : elle était seule, dans un endroit où rien ne marquait le passage du temps et où des jours, des mois, voire des années pouvaient filer en un clin d'œil.

C'est ça qui me fait peur. C'est ça qui m'a toujours effrayée.

Mais cette fois-ci, cela ne la terrorisa pas. Au contraire, elle eut l'impression de regagner un peu de lucidité.

Qu'est-ce qui me raccroche au présent, ici ? Rien. Je pourrais aussi bien me réveiller dans le futur. Au lieu des souvenirs d'une vie entière, je n'aurais…

Elle ouvrit les paupières et scruta les ténèbres. Elle avait oublié de compter. Autour d'elle, le silence était absolu. Plusieurs pensées explosèrent en même temps dans sa tête. Elle écarquilla les yeux.

Elle se remémora alors cette soirée, sur le pont du *Cygne*, avec grand-mère Pearl. Et sa voix douce résonna de nouveau dans l'obscurité : « Qu'y a-t-il que les gens ne remarquent pas, parce qu'ils ne se préoccupent que du temps ? »

– Je ne suis pas prisonnière du temps, chuchota Sophia dans le noir. Futur, passé ou présent, ça ne change rien pour moi. Je les perçois sans qu'ils me piègent.

Elle se leva, les jambes tremblantes. Dans son esprit, la main de Theo, enveloppée de fil d'argent et luisant au cœur de la cité engloutie, étincelait comme le fanal d'un phare.

C'est Theo, comprit-elle, *c'est Theo qui court vers moi lorsque la tour s'effondre.*

Elle se remémora cette soirée où, à bord du *Seaboard Limited*, elle avait découvert le contenu de la carte de verre au clair de lune ; cette nuit-là, elle était assise en face de Theo. Puis elle l'avait étudiée à maintes et maintes reprises, et chaque fois, la même silhouette, à présent bien connue et douloureusement chère, était apparue à la fin. Ces souvenirs lui paraissaient si vivants, si familiers, si réels.

– Je les perçois sans qu'ils me piègent, murmura Sophia.

Elle se redressa et se remit en route, sans plus ressentir le besoin de compter les secondes. Malgré son épuisement et les ténèbres qui l'enveloppaient, ses jambes semblaient bouger sans le moindre effort.

Quand elle fouilla dans sa poche en quête d'une nouvelle graine, elle remarqua avec surprise que ce n'était plus nécessaire : elle voyait les marches sous ses pieds. Depuis le sommet de l'escalier, une lueur claire s'étirait vers elle. Elle continua à monter sans faire de pause pour regarder. Soudain, une bouffée d'air froid lui effleura le front et elle leva la tête. À moins d'un mètre au-dessus d'elle, une ouverture créait un puits de lumière. Sophia la franchit. La stupéfaction lui fit lâcher la graine qu'elle tenait entre ses doigts.

Elle se trouvait sur la rive d'un lac, à l'intérieur d'une immense pyramide de verre qui englobait totalement le plan d'eau gelé. De l'autre côté des vitres embuées, la neige tombait en silence , tandis qu'à l'horizon, des éclairs déchiraient la grisaille du ciel. C'était la vision exacte qu'elle avait si souvent contemplée à la surface des quatre cartes.

Nous pensions tous que les images qu'elles contenaient montraient le passé, songea-t-elle, *mais elles provenaient du futur. Ce sont mes souvenirs, ceux du jour où j'ai détruit cet endroit.*

36
La carte du monde

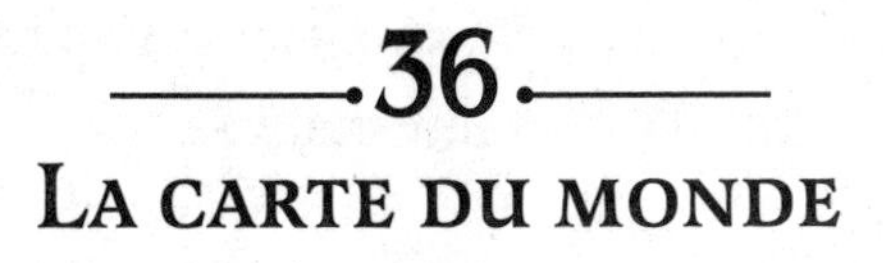

Cartographites : outils du cartographe. Dans les régions où l'on pense les cartographes dotés du pouvoir de divination, on les considère comme des instruments très puissants. Il faut néanmoins admettre que la croyance populaire possède bel et bien un certain fondement puisque le matériel du cartographe provient très souvent d'autres Âges.

Extrait de Glossaire des Terres rases, *par Veressa Metl.*

À CÔTÉ DU LAC dont elle frôlait le bord, une corniche courait le long des murs de la pyramide pour monter en spirale jusqu'à son sommet. La surface de la plateforme n'était pas totalement opaque et, à travers l'épaisseur de verre marbré de givre blanc, Sophia pouvait distinguer l'eau fabuleuse au-dessous. Elle n'eut pas besoin de sortir la carte traçante pour comprendre qu'il s'agissait d'une carte, la plus grande qu'elle eût jamais vue. La *carta mayor*.

Depuis son poste sur la berge, elle apercevait de petites taches de couleur au centre du lac, qui tourbillonnaient comme autant de minuscules poissons piégés sous la glace. Durant quelques secondes, Sophia s'égara dans les méandres du temps et se demanda comment ces visions qu'elle n'avait pas encore créées avaient réussi à apparaître sur les quatre cartes. Dans sa tête, des heures de réflexion s'étirèrent au cours d'une brève seconde jusqu'à ce qu'une réponse surgisse en un éclair.

J'avais oublié la véritable nature d'une carte, songea Sophia. *C'est un guide du chemin à suivre. Le verre ne contient pas de souvenirs ; il fournit des informations, destinées à moi seule. Depuis le début, il me disait ce que je devais faire.*

Elle fit quelques pas, pour mieux voir la *carta mayor,* avant de s'agenouiller et de plaquer une paume sur la surface gelée de la corniche. Le froid brûlant la traversa, des bras jusqu'à la racine des cheveux. Elle resta immobile un long moment, bercée par les mouvements apaisants et hypnotiques de l'onde. Lorsqu'elle retira sa main, elle était d'un calme total. La glace avait dissipé le feu dans ses poumons et soulagé ses jambes douloureuses ; son esprit était vivifié. Elle inspira à fond, comme délestée d'un poids, et pivota vers la rampe incurvée, essayant de se motiver pour une nouvelle ascension.

Je vais y arriver, s'encouragea-t-elle. *Jusqu'au sommet ! Et une fois que j'y serai, je pousserai la pierre qui fera s'effondrer la tour. C'est ce que la carte me dit de faire.*

Mais à ce moment-là, un événement inattendu se produisit. Sophia monta sur la corniche, s'appuya à la paroi transparente pour reprendre son équilibre et, soudain, se retrouva submergée par un flot de souvenirs. Elle recula et inspecta le mur de plus près. Glissant et légèrement humide, le verre était vivant, empreint d'une multitude de scènes finement gravées. Lorsqu'elle leva les yeux sur le chemin qu'elle avait à parcourir, elle vit que chaque bloc de la pyramide était en fait une carte placée à cet endroit dans un but bien précis : chacun d'eux était détenteur d'un fragment du passé des Neiges du Sud.

Il lui était impossible de résister à la tentation de marcher lentement le long de la surface lisse et de poser les doigts ici et là pour laisser les visions la traverser.

Elle se rappela des jours sombres, dénués du moindre rayon de soleil, et de longues saisons d'un froid mordant qui la glaçait jusqu'aux os. Elle se remémora avoir vécu dans des cavernes et essayé avec l'énergie du désespoir de se réchauffer aux flammes d'un maigre feu qu'elle alimentait avec des os d'animaux. Puis les images changèrent et elle commença à comprendre comment les gens avaient appris à tirer leur subsistance de ce qui aurait dû les tuer. Leur univers n'était qu'une vaste étendue morne et inhospitalière. La neige recouvrait tout, omniprésente, uniquement interrompue par une mer aux eaux polaires. Il n'y avait ni terre ni vie végétale, et à peine quelques heures d'une faible lumière. Les habitants de ce lieu désolé taillaient leurs maisons dans la banquise et pêchaient leur nourriture dans l'océan. Durant une éternité, ils avaient survécu sans rien de plus.

Puis Sophia revit l'un d'eux en train de déchiffrer une carte dont elle ignorait tout, hormis que c'était une peau de phoque et qu'elle décrivait un itinéraire, au cœur même des glaciers, jusqu'à des grottes souterraines. Des abris chauds et secs, bien que plongés dans les ténèbres. Ils en avaient fait leur foyer et avaient creusé un réseau de cavernes de plus en plus vaste au fur et à mesure que leurs cités enfouies se développaient. Ils n'avaient jamais totalement abandonné le monde du dessus, d'où ils étaient originaires, mais au fil du temps, ils étaient de moins en moins souvent remontés à la surface.

Sophia s'arrêta un peu plus longtemps devant le pavé de verre qui lui montra leurs premières expériences avec la terre. Lorsqu'elle reprit sa progression, ses doigts effleurant la surface translucide, elle fut stupéfaite de l'étendue de leurs progrès. Sans en comprendre vraiment la portée, elle ne pouvait que constater la difficulté que représentait la quête de sols rares et la tâche encore plus ardue de transformer, transmuter et, au final, inventer de nouveaux supports pour faire croître la vie.

Sophia était à peu près au tiers de la pyramide. Elle marchait lentement, sans même regarder l'escalier vide qu'elle gravissait : des foules innombrables peuplaient son champ visuel au fil des souvenirs.

La création de terres fertiles menait à celle de végétaux ; certaines essences se développaient dans de petites cavités souterraines, sans avoir besoin de soleil, d'autres étaient capables de grandir à partir d'un peu d'humus éparpillé sur la banquise. Au fil des ajustements, leurs racines avaient gagné en complexité ; elles contenaient des métaux issus de leur sol d'origine pour leur permettre de se frayer un passage à travers la roche et la glace stériles et d'en tirer leur subsistance. Les plantes étaient omniprésentes : elles illuminaient les cavernes enfouies, fournissaient de la nourriture là où aucune récolte n'aurait dû germer, emplissaient les tunnels de voix cristallines pour empêcher les voyageurs de s'égarer.

Au fur et à mesure que cette société évoluait, son peuple s'enhardissait. Ses membres les plus téméraires avaient décidé de revenir au monde du dehors. Aucun climat, aussi polaire fût-il, n'était trop rude pour leur terre miraculeuse ; ils ne connaissaient donc plus de limites. Ils avaient construit de magnifiques cités sur les glaciers, s'étaient répandus sur tous les continents et, au fil du temps, les jours anciens de ce froid insurmontable et mortel leur évoquaient juste un cauchemar lointain. Ils avaient alors commencé à explorer, repoussant sans cesse leurs frontières. Dans leur intrépide expansion à travers le globe, ils avaient appris à créer des cartes mémorielles. L'Âge de Glace était au faîte de sa gloire.

Sophia s'arrêta. Elle ôta ses mains du mur, et son esprit des souvenirs qui l'avaient absorbé. Quelque chose l'avait interrompue, mais elle ne savait pas quoi. Avait-elle entendu un bruit venant de l'extérieur de la pyramide ? Non. Ce n'était pas un son, mais quelque chose d'autre. Elle rapprocha son visage de la paroi transparente et regarda à travers. Le monde du dehors lui apparut. L'étrange tempête de neige et d'éclairs n'avait pas cessé, mais de là où elle se trouvait, elle s'aperçut pour la première fois que l'immense construction translucide était au beau milieu d'une ville. Presque invisibles contre le glacier, les bâtiments blancs s'étiraient le long de grandes avenues. Elle remarqua aussi ce qui l'avait distraite des cartes : dans les allées, tout en bas, il y avait des gens.

Depuis une telle hauteur, elle ne pouvait pas les reconnaître. Peut-être Shadrack et Theo se trouvaient-ils parmi eux, s'ils avaient réussi à sortir des tunnels, mais elle n'avait aucun moyen de s'en assurer. Ce pouvait également être les habitants des Neiges du Sud qui erraient dans ces rues fantomatiques, sans avoir conscience qu'une personne issue d'un autre Âge escaladait leur pyramide afin de la détruire.

L'idée retourna l'estomac de Sophia et elle préféra reprendre son ascension. Elle savait qu'elle avait perdu le fil du temps. Le ciel était toujours de la même couleur, mais l'étrange tempête électrique qui se déchaînait à l'horizon l'empêchait de distinguer le jour de la nuit, l'aube du crépuscule. Des heures innombrables avaient tout aussi bien pu passer sans qu'elle s'en rende compte.

De temps en temps, alors qu'elle montait marche après marche, elle tentait d'apercevoir les gens qu'elle avait vus quelques instants auparavant. Mais plus elle grimpait, plus c'était difficile. À présent, ils se réduisaient à de petits points qui grouillaient au sol. Et plus elle se rapprochait du sommet, plus les éclairs crépitaient et brillaient. Soudain, au-dessus de sa tête, une terrasse ronde émergea de la paroi, juste sous la pointe de la pyramide.

Une fois en haut, Sophia découvrit le paysage de l'autre côté des vitres translucides, à trois cent soixante degrés. Au sud, le visage anguleux du glacier s'étirait à l'horizon. Au nord s'étendaient les plaines désertes des Terres rases et les contours gris de Nochtland. À une telle distance, la capitale semblait minuscule, à peine un caillou sur le chemin des neiges éternelles.

Au centre de la terrasse se trouvait une pierre ronde presque aussi haute que Sophia, sur laquelle était posée une reproduction en miniature de la pyramide elle-même. Les yeux de la jeune fille parcoururent toute la longueur du mur, les milliers de cartes qui descendaient en spirale jusqu'au sol et qui narraient sans interruption la longue histoire de cet Âge.

Je parie que cette petite construction en verre est la dernière carte, se dit Sophia. *Les ultimes souvenirs nécessaires à la conception de la vraie pyramide.*

Avant de s'en approcher, elle préféra d'abord se rendre au bord du balcon. La vue lui donna le tournis. Elle recula en vacillant, puis se pencha de nouveau, cette fois avec plus de prudence. Le lac gelé était entièrement visible. La carte du monde était devant elle, sous ses pieds, créée par une main anonyme avec un instrument mystérieux, prisonnière de la banquise. Elle n'était pas statique. Une lumière mouvante semblait la traverser, altérant les couleurs et les motifs à l'intérieur. Sophia était aussi fascinée que perdue. Quel univers reflétait-elle ? Quels passés et futurs potentiels étaient piégés dans ses profondeurs ?

Elle s'arracha à la rambarde, en proie à une tristesse dévorante.

Comment pourrais-je détruire tout ça ? se demanda-t-elle.

Elle ne doutait pas que les visions des quatre cartes lui étaient destinées, mais elle ne pouvait se résoudre à accomplir le geste qui les ferait naître. Il y avait là tant de connaissances, de souvenirs, de vérités. Elle imagina le fin courant d'eau dans lequel coulait l'histoire de ses parents, de ce jour où ils avaient quitté le Nouvel Occident pour ne jamais revenir. Cette image se trouvait quelque part sous la glace, ainsi que celle qui racontait ce qu'il était advenu d'eux, ce mystère que Sophia espérait percer depuis si longtemps. Le désir de savoir, une bonne fois pour toutes, la submergea, si fort qu'elle dut s'appuyer à la rambarde, les jambes coupées.

Elle se plia en deux, penchée au-dessus du vide. Une seconde plus tard, un bruit inattendu la fit sursauter. Un pas. Quelqu'un l'avait suivie. Quelqu'un avait gravi l'escalier derrière elle, jusqu'au sommet de la pyramide, sans qu'elle l'ait remarqué. D'un instant à l'autre, il déboucherait sur la terrasse. Sophia était persuadée que c'était l'homme de sable qui la traquait depuis la caverne souterraine. Elle n'avait pas peur ; elle se raidit comme pour se préparer à un combat.

Mais la personne qu'elle découvrit n'était pas son poursuivant. Lorsque l'autre la rejoignit, Sophia ne put réprimer un mouvement de recul. Le voile qui dissimulait d'habitude son visage avait disparu, révélant une peau blafarde et des traits balafrés. Ses cheveux étaient dénoués, emmêlés et humides de la neige.

Blanca l'avait retrouvée.

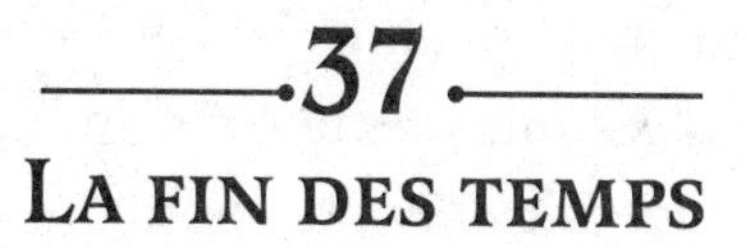

37
LA FIN DES TEMPS

? juillet 1891, heure ?

> *Dernier jour : terme utilisé par les fidèles des Chroniques du Grand Bouleversement pour désigner le jour où un Âge donné touche à sa fin. Le mot est ambigu, car on ne sait pas s'il sert à marquer la conclusion d'un Âge du calendrier ou plutôt sa destruction avant l'avènement du suivant.*
>
> *Extrait de* Glossaire des Terres rases, *par Veressa Metl.*

MÉFIANTE, SOPHIA RESTA campée devant le piédestal pendant que Blanca la rejoignait sur la terrasse. Durant un moment, aucune des deux n'ouvrit la bouche. Blanca semblait ne même pas l'avoir remarquée ; elle dépassa Sophia et s'appuya à la rambarde pour contempler le lac.

Au bout d'un moment, elle prit néanmoins la parole.

– Quand j'ai compris que les cartes décrivaient cet instant, ici et maintenant, tu t'étais déjà évadée. (Elle pivota, tournant son visage couvert de cicatrices vers Sophia.) Ce n'est pas le Grand Bouleversement lui-même, à peine son écho lointain, commenta-t-elle avec un rire bas et amer. Mais toi, tu l'avais deviné. Finalement, tu t'avères meilleure cartographe que moi.

Peut-être parce que tu n'as aucun sens du temps et que ton esprit en est détaché, réfléchit-elle à voix haute. Tu vois les choses telles qu'elles sont, sans te soucier du moment où elles se produisent.

Sophia ne répondit pas. La robe de Blanca et son manteau étaient déchirés, ses mains égratignées. Le lachrima semblait s'être battu avec les éléments, ou avec d'autres personnes. Durant un instant, Sophia eut le cœur serré à l'idée de ce qu'avaient pu devenir ses adversaires.

– Que vous est-il arrivé ? finit-elle par demander.

Blanca reprit comme si elle n'avait pas entendu sa question.

– Quand je me suis aperçue que mon interprétation était erronée, je me suis précipitée aux cachots. C'est là que les sentinelles m'ont appris votre évasion. Lorsqu'elles m'ont dit que vous vous étiez enfoncés dans les tunnels, j'ai immédiatement fait le lien. L'as-tu deviné ou as-tu lu la vérité sur les parois ?

– Deviné quoi ?

– Que ces Neiges du Sud qui avancent sur nous et mon foyer, mon Âge Glaciaire, ne font qu'un.

Sophia esquissa un signe négatif.

– Je n'avais pas non plus compris la signification des quatre cartes. Je l'ai découverte ici, en déchiffrant les plaques de verre qui forment les murs de cette pyramide. (Elle réfléchit quelques secondes.) C'est à ce moment-là que j'ai compris qu'elles évoquaient cet endroit et que mon rôle était de le détruire. (Sophia baissa la tête.) Je suis venue pour ça, mais je n'arrive pas à m'y résoudre.

Blanca poussa un soupir et se détourna pour parcourir des yeux le lac gelé.

– Pauvre enfant. Tu n'as vraiment aucune horloge interne. Sais-tu depuis combien de temps tu as quitté les tunnels ?

– Non, répondit Sophia, l'estomac noué par la peur.

– Plus de neuf heures, selon les Terres rases. Vingt-cinq heures pour le Nouvel Occident. Deux jours ont passé.

Sophia plaqua une main sur sa bouche pour s'empêcher de crier.

– Livrée à toi-même, tu errerais probablement en ces lieux à tout jamais, commenta Blanca, l'air songeur.

– Plus d'un jour entier, chuchota Sophia d'une voix étranglée. J'étais persuadée que cela ne faisait qu'une heure ou deux…

– Et pendant ce temps, mon unique chance de sauver l'Âge Glaciaire a disparu, reprit Blanca en se tournant de nouveau vers Sophia. Les glaciers ont progressé trop vite et se sont déjà emparés de la *carta mayor*. Il est trop tard.

– Je ne comprends pas, n'est-ce pas ce que vous vouliez ? Que l'Âge Glaciaire recouvre le monde ? Il suffisait d'attendre que les Neiges du Sud continuent leur avancée. Alors pourquoi chercher à tout prix la *carta mayor* ?

– Tu n'as pas encore visité le sanctuaire, répondit Blanca en désignant l'intérieur de la pyramide d'un geste las. Tu n'as pas vu l'Âge Glaciaire tel qu'il est à présent. (Elle soupira, comme sous le poids d'un nombre incalculable d'années d'épuisement.) Dès que j'ai recouvré la mémoire, à l'instant où ton oncle m'a libérée, je n'ai eu qu'un seul et unique but : revenir dans mon époque d'origine. Au bout d'une éternité, j'ai finalement trouvé le chemin de la Tierra del Fuego, où j'ai découvert un fragment intact de l'Âge Glaciaire. Peux-tu imaginer ma joie à l'idée que j'avais une chance de retourner dans mon Âge ? D'être chez moi ?

D'entendre ma langue natale, ne serait-ce que mon véritable nom…

Elle émit un son qui, sans ressembler vraiment à un langage, évoquait une gaieté légère et vive, étincelante de jeunesse.

– Je pense que tu peux comprendre ; tu viens à peine de quitter le Nouvel Occident, mais je suis sûre que tu brûles déjà de le retrouver.

Sophia avait beau savoir que ce n'était pas comparable, se remémorer sa maison d'East Ending Street la fit s'identifier un peu à Blanca.

– Je crois que oui, finit-elle par admettre.

– Alors, dit Blanca d'une voix ardente, demande-toi ce que tu éprouverais si tu revenais à Boston et que ta ville était abandonnée, déserte. Sans âme qui vive. Juste emplie d'ombres et de vestiges qui s'écroulent peu à peu.

Sophia ne put s'empêcher de jeter un coup d'œil à travers les parois de verre de la pyramide, sur la ville blanche qui s'étendait sous leurs pieds.

– Votre Âge était… désert ?

Blanca émit un rire amer.

– Oui. L'Âge Glaciaire n'était plus qu'une coquille vide, dépourvue de toute vie. Ses habitants étaient tous morts depuis une éternité, ses cités tombaient en ruine. Il ne restait plus que de la glace et de la pierre. Le monde dont je me souvenais n'était plus. Il avait disparu.

– Mais je ne comprends pas ! (Sophia recula encore, jusqu'à ce que son dos touche le mur derrière elle.) Cet endroit, ici, sous nos pieds, n'est-ce pas votre ère d'origine ? Il est peuplé, pourtant, en ce moment même !

– Apparemment, personne ne peut retourner dans son propre passé. (Blanca la rejoignit près de la paroi transparente.) Eh oui, il s'agit bien de ma patrie. Mais j'avais vingt ans à l'époque du Grand Bouleversement, et quand je suis revenue, plus de quatre-vingts ans s'étaient écoulés. L'Âge Glaciaire que je connaissais avait été détruit. Le froid avait triomphé, annihilant toute vie. Aujourd'hui, seuls les glaciers y vivent.

– Mais j'ai vu des gens qui marchaient dans les rues, protesta Sophia.

– Ce ne sont que des lachrimas, issus de la nouvelle frontière, répondit Blanca d'une voix morne. Ils se comptent par centaines. Seules ces misérables créatures errantes hantent encore mon Âge d'origine.

« Lorsque j'ai mesuré l'ampleur du désastre, j'ai renoncé. Mais un jour, j'ai entendu parler du mythe nihilismien et je me suis dit qu'il pouvait contenir une part de vérité ; et j'ai recommencé à espérer. Si je parvenais à trouver la *carta mayor*, je pourrais réécrire l'histoire, empêcher la destruction de mon monde. Je serais en mesure de restaurer l'Âge Glaciaire, de le ressusciter. (Le regard de Blanca se perdit sur la plaine désolée de l'autre côté des parois.) Un jour, en cherchant cette carte légendaire, j'ai appris que les Neiges du Sud avançaient vers le nord. Comme un cercueil ambulant, en perpétuelle expansion, les glaciers dévoraient tout sur leur passage, et mon merveilleux Âge tant aimé disparaîtrait à jamais. (Elle plaqua une paume sur le mur de la pyramide.) Je suis arrivée trop tard. Tout est fini.

Sophia scrutait la cité vide, stupéfaite. Au sud s'étalait cette grande étendue blanche, parsemée de villes gelées qui s'effondraient lentement, de dédales souterrains qui se désintégraient.

Le froid s'emparait de tout. Sophia leva le visage vers Blanca, certaine de lire de la tristesse sur ses traits balafrés.

Que peut-il y avoir de pire que de perdre non seulement sa famille, ses amis et son foyer, mais également son monde tout entier ? se demanda-t-elle.

Après un instant d'hésitation, Sophia prit la main de Blanca dans la sienne.

– Je suis désolée, chuchota-t-elle.

Blanca serra les doigts de la jeune fille. Sous leurs yeux, la tornade au-dessus de leurs têtes fila au nord, sur les traces des glaciers. Blanca se détourna et s'écarta de Sophia.

– La tempête avance rapidement, marmonna-t-elle, comme si elle réfléchissait à voix haute. Il ne nous reste pas beaucoup de temps.

Elle fouilla dans son manteau et en tira les quatre cartes, qu'elle donna à Sophia. Surprise, celle-ci demeura figée quelques secondes avant de les ranger dans son sac. Puis Blanca ôta de son cou le grand foulard de soie qui lui avait autrefois servi de voile et en recouvrit la minuscule pyramide posée sur la pierre ronde.

– Prends-la, dit-elle. Elle contient certaines des réponses que tu cherches.

Sophia saisit la petite reproduction enveloppée de tissu.

– Que comptez-vous faire ?

– Nous devons disperser le liquide de la *carta mayor*.

– Mais pourquoi ?

– J'imagine que c'est difficile à accepter sans explication, mon enfant, mais les glaciers cesseront leur progression si nous dévions la *carta mayor* de leur trajectoire. Nous devons les empêcher de fusionner.

– Je ne comprends pas, se plaignit Sophia.

– C'est la carte vivante du monde. Si elle gèle, la Terre tout entière en fait autant. Ça te semble plus clair ? (Sophia hésita avant de hocher la tête.) Alors il faut que nous nous débrouillions pour que son liquide se déverse dans le sol chaud qui se trouve sous la pyramide, et ainsi, les Neiges du Sud s'arrêteront. (Blanca fit une pause.) Tu sais ce que nous devons faire, tu l'as vu. (La voix de Blanca était si douce, si rassurante.) Nous allons faire rouler cette pierre dans le lac. Quand elle y tombera, elle brisera son lit et il inondera les tunnels souterrains. À ce moment-là, certes, plus personne ne pourra déchiffrer la carte, néanmoins elle sera protégée.

– Mais le sanctuaire s'écroulera ! Et toutes les cartes qu'il contient… et le lac dessous… Shadrack ne pourra jamais les lire ! Et je ne découvrirai jamais…

Blanca la scrutait en silence, sourcils froncés, une expression de pitié sur le visage.

– Je sais, mon enfant. J'ai bien conscience que je te demande un immense sacrifice. Mais il faut que tu comprennes : la *carta mayor* est une carte liquide ; à chaque seconde, elle gèle davantage. Bientôt, ce ne sera plus qu'un gigantesque bloc de glace. Il est trop tard pour que je réécrive l'histoire de mon Âge ou pour que tu apprennes ce qui est arrivé à ta famille. Mais si nous protégeons la carte, même si c'est à ton détriment, il est possible qu'un jour, dans le futur, quelqu'un parvienne à la reconstituer et déchiffre à nouveau le monde. As-tu envie d'anéantir un tel espoir ?

Sophia eut l'impression que chaque abandon, chaque disparition qu'elle avait subie, au fil des ans, était comme une goutte qui, en coulant avec les autres, avait fini par former une mer aussi profonde que le lac, au-dessus de laquelle elle était suspendue. Tôt ou tard, elle tomberait dedans et s'y noierait. Elle n'avait pas d'autre choix.

– Non, chuchota-t-elle.

– Je savais que tu comprendrais, répondit Blanca avec douceur. Alors aide-moi.

Sur ces mots, elle se jeta sur l'énorme rocher. Elle appuya dessus de toutes ses forces, grimaçant de façon horrible sous l'effort, mais en vain. Sophia ne bougeait pas, paralysée d'incertitude. Puis elle posa son sac et courut ajouter ses forces à celles du lachrima. Une seconde après, la pierre se délogeait de son socle.

– Vite ! s'écria Blanca. Recule !

Sous l'effet de sa poussée, le rocher accéléra son mouvement, roulant jusqu'au bord du balcon avant de le percuter. Il fracassa la rambarde à grand bruit, puis plongea dans le vide. Sa chute en direction du lac gelé, loin au-dessous, se fit dans un silence presque surnaturel.

Le temps se figea ; le bloc de roche semblait suspendu en l'air. C'était comme si Sophia se tenait derrière une vitre, à travers laquelle elle contemplait la disparition de toutes les vérités qu'elle avait désiré découvrir un jour, de tous les mystères qui ne seraient jamais résolus. Une seconde plus tard, à sa grande surprise, un visage lui apparut : le sien ; les traits désemparés et perdus d'une enfant qui avait attendu à la fenêtre poussiéreuse de son imagination. Sauf que cette fillette ne paraissait pas effrayée à l'idée que le verre soit brisé ; au contraire, elle affichait une expression soulagée, presque heureuse. Après tout, la fenêtre ne lui avait jamais offert la vision qu'elle espérait tant ; elle l'avait juste enfermée, séparée du monde.

Puis le temps s'accéléra. Un craquement brutal retentit lorsque la pierre heurta la glace et la fracassa. Autour de Sophia et de Blanca, les parois ondulèrent et vibrèrent en écho. Une explosion soudaine, assourdie par la masse d'eau, ébranla le sanctuaire translucide avec violence. Le lit du lac avait cédé.

Sophia ne put réprimer un cri.

– Tu dois partir ! lui hurla Blanca. Vite !

Sophia récupéra son sac à la hâte et fourra la carte pyramidale des Neiges du Sud à côté des autres.

– Vous ne venez pas ?

Blanca ne bougea pas. Elle était figée, comme sous le choc, au milieu de la terrasse qui tremblait au rythme des trépidations qui secouaient les murs reposant sur la banquise morcelée.

– Je n'ai aucune raison de le faire, dit-elle. Fuis.

– Restez avec moi, je vous en prie.

– Où irais-je ? Je suis une paria, dans tous les sens du terme. Mon visage me prive d'être humaine, mais mes souvenirs m'empêchent d'être un lachrima. Je n'appartiens à aucun Âge vivant, car celui dont je faisais partie est mort. Je n'ai pas de foyer ; je n'ai personne ; je ne suis rien.

Sophia sentit ses larmes déborder de ses yeux et tendit de nouveau la main en direction de Blanca. Mais peut-être ses pleurs avaient-ils rappelé à cette dernière sa véritable nature, car un hurlement horrible s'échappa de ses lèvres ; une plainte à briser le cœur, un gémissement démentiel. Elle tomba à genoux et cacha sa tête au creux de ses paumes. Son cri continua à résonner bien après qu'elle eut refermé la bouche, ricochant sur les parois qui se fissuraient, emplissant le sanctuaire des échos d'une douleur inimaginable.

Sophia ne put le supporter.

– Adieu, chuchota-t-elle.

Elle se précipita vers l'escalier par lequel elle était arrivée. Autour d'elle, les cloisons s'effondraient, et elle n'osa pas baisser le regard, de crainte de voir la glace se désagréger sous ses pieds. Elle accéléra, jetant toutes ses forces dans sa fuite. Soudain, alors qu'elle s'appuyait d'une main au mur de verre pour recouvrer son équilibre, le contenu des quatre cartes s'imposa à elle. Les images gravées dans celles-ci semblaient plus vivantes que des souvenirs ; Sophia sentit une foule, dans ce même couloir qu'elle dévalait, qui lui parlait et la pressait de se sauver. Les cartes avaient envoyé leurs créateurs disparus dans le monde réel pour une ultime vision.

Au même instant, le hurlement de Blanca retentit une fois de plus, se réverbérant à l'infini dans le bâtiment, et Sophia s'aperçut avec stupeur qu'elle-même n'avait pas cessé de pleurer. Elle sanglotait sans pouvoir s'en empêcher ; une plainte désespérée et terrorisée lui brûlait la gorge. D'un coup, l'escalier se déroba sous ses pieds et elle trébucha. Le sommet de la pyramide s'était brisé et effondré dans le lac, dont le niveau baissait petit à petit. À présent, le sanctuaire était à ciel ouvert et la tempête de neige s'engouffrait à l'intérieur.

– Non ! Pas maintenant ! s'exclama Sophia en se remettant à courir plus vite.

Elle perdit encore l'équilibre et glissa sur plusieurs marches. Les angles vifs heurtèrent douloureusement ses jambes et son dos, mais elle s'agrippa à son sac et tendit les pieds, avant de réussir à s'arrêter. Avec un gémissement, elle se redressa et reprit sa descente.

Alors qu'elle s'engageait dans la dernière bifurcation, elle remarqua que la cloison intérieure, inclinée au-dessus d'elle, se recourbait comme une feuille de papier sous l'effet de son propre poids. Ce n'est qu'à ce moment-là qu'elle s'aperçut qu'elle ignorait comment sortir de la pyramide. Elle y était entrée par les tunnels et n'avait vu aucune issue au niveau du sol. Toujours appuyée à la paroi, elle tenta de se rassurer en écoutant les gens qui l'entouraient. Ce n'étaient que de simples souvenirs, mais autrefois, ils avaient été vivants, ils avaient fréquenté ce bâtiment. N'étaient-ce pas leurs cris qui résonnaient dans sa tête ? Ne lui indiquaient-ils pas avec insistance un point, dans le mur d'en face ? Soudain, Sophia entendit deux voix émerger du tumulte : un timbre masculin et un timbre féminin, aux intonations confiantes, qui l'appelaient. Elle crut même reconnaître un encouragement affectueux.

Vole, Sophia ! Vole !

Elle leva les yeux et découvrit avec stupéfaction une ouverture triangulaire intacte. Ce n'était qu'une fissure dans une plaque de verre. Mais c'était la sortie.

Malgré tout, elle n'était pas toute proche. Quand Sophia atteignit la base de l'escalier, elle s'aperçut avec horreur que le sol s'était désintégré. Elle se trouvait sur un fragment de banquise qui dérivait sur l'eau. Elle le traversa en toute hâte et s'empressa de sauter sur un autre bloc qui flottait devant l'entrée. Elle y était presque. Plus que quelques pas. Elle progressa avec prudence sur la glace et, une fois assez près, bondit à travers l'issue. La seconde d'après, la croûte blanche se désagrégea, ne laissant dans son sillage qu'une vaste étendue liquide parsemée de débris.

Sophia atterrit dans la neige. Elle se remit aussitôt à courir tout en scrutant la plaine immaculée devant elle. Puis un son retentit dans son dos : celui de toutes les cartes qui se fracassaient en même temps. Elle se retourna et le sanctuaire s'écroula sous ses yeux. Les grands pans translucides qui composaient la pyramide se désintégraient ; les plaques de verre s'écrasaient les unes sur les autres en une multitude d'échardes minuscules. Une explosion de neige et de glace jaillit vers le ciel tandis que le bâtiment s'effondrait sur lui-même. Tout n'était que décombres : des cartes réduites en miettes dans un lac fissuré et vide, dont les eaux s'infiltraient à présent dans les profondeurs du sol chaud qu'elles surplombaient auparavant. C'était dans ce désastre que Blanca avait trouvé sa fin.

L'air se figea.

Puis, emplie à la fois d'espoir et de peur, Sophia se détourna lentement des ruines. Que verrait-elle ? Serait-il au rendez-vous ? Elle regarda au nord, en direction de Nochtland, les paupières plissées. La tempête avait disparu, emportant ses nuages avec elle. Le soleil faisait étinceler l'immense étendue. Et là, au loin, près du glacier…

Le cœur de Sophia battait à tout rompre. Un éclair soudain venait d'apparaître sur la surface blanche, un reflet. Un objet minuscule, mais brillant, comme la première étoile dans le ciel nocturne.

38

Bon vent, bonne main

2 juillet 1891, 10 h ?

Lachrima : issu du mot latin pour « larme ». Le terme est utilisé dans les Terres rases et partout ailleurs pour décrire les créatures sans visage qui sont plus souvent entendues que vues. Leur plainte est légendaire et l'on prétend que le gémissement du lachrima fait ressentir la détresse humaine dans toute son horreur.

Extrait de Glossaire des Terres rases,
par Veressa Metl.

LORSQUE LE SANCTUAIRE des Souvenirs s'effondra, la lumière éblouissante qui avait nimbé le front du glacier se dissipa et sa lente progression cessa. La muraille blanche s'immobilisa dans la plaine de Nochtland et un nouveau changement débuta. Les premiers rayons du soleil commencèrent à faire fondre la glace, libérant une multitude de petits torrents qui dévalèrent ses flancs abrupts jusqu'au sol. D'abord, ce mouvement fut imperceptible, mais au fur et à mesure que le jour se levait, il devint impossible de l'ignorer. Petit à petit, le niveau de l'eau monta, en silence, telle une paisible inondation.

Il faut reconnaître que certaines personnes avaient prévu cette éventualité. Près de l'immense falaise étincelante, une magnifique boldevela aux voiles vert vif fendait les flots à une vitesse époustouflante. Elle contourna le glacier, poursuivit son chemin vers le lac qui venait de naître et franchit son rivage, s'enfonçant dedans jusqu'à se mettre à flotter. Le navire continua alors à la voile, ses roues transformées en rames et le vent gonflant ses feuilles. Burton Morris en tenait la barre et, toujours fidèle à sa réputation de politesse, hurlait des ordres à son équipage.

– J'ai dit AVIRON ! Pas *savon* ! beugla Burr à l'intention de Peaches, qui se précipitait vers lui, armé d'un seau et d'une brosse.

Les pirates du *Cygne* avaient, pour une fois, mérité leur titre. Lorsque la rumeur de l'étrange mur de vent qui se dirigeait vers le nord leur était parvenue, ils s'étaient décidés à voyager sur le plancher des vaches, en direction de Veracruz. Puis ils s'étaient rendus à Nochtland, après avoir « réquisitionné » la plus belle boldevela qu'ils avaient pu trouver en chemin. La capitale des Terres rases était en proie à la panique la plus totale. Pure chance ou pressentiment, grand-mère Pearl avait insisté pour qu'ils empruntent la route au sud-est, qui passait au plus près des redoutables glaciers. L'aïeule leur avait imposé une halte aussi soudaine qu'imprévue dans les contreforts rocheux qui ceinturaient la cité, près du lac Cececpan. Une fois le navire à l'arrêt, elle avait levé la tête, comme aux aguets, et tendu l'oreille.

« Mais comment pouvez-vous entendre quoi que ce soit avec cette tempête ? » avait protesté Peaches.

« Tais-toi, Peaches, avait-elle répondu à l'intéressé, avant de se tourner vers lui, l'air inquisiteur. Y a-t-il une caverne dans les environs ? »

C'est ainsi qu'ils avaient navigué droit sur la gueule sombre de la grotte qu'ils avaient aperçue dans les collines. Ils étaient arrivés juste à temps pour voir Burr, Calixta et quatre autres spéléologues crasseux émerger des tunnels. À présent, ils filaient aussi vite que le vent en direction de la pyramide, qui s'effondrait devant eux dans une gerbe à la blancheur éblouissante.

Sophia se précipita en direction du faible reflet qui se dirigeait vers elle. Le froid était tel que ses pieds s'étaient presque transformés en deux énormes glaçons bien déterminés à rester collés au sol. Mais elle avait l'impression que la silhouette en face d'elle grandissait. Elle s'arrêta le temps de donner des coups de pied pour chasser la neige qui s'amoncelait sur ses bottes. Ses poumons la brûlaient, mais elle se força à se pencher en avant et à reprendre sa course.

Au bout de ce qui lui sembla des heures, elle put enfin le distinguer clairement : Theo lui faisait signe de sa main bandée de fil d'argent.

Maintenant, je comprends ce que vous aviez prévu, dames Parques, songea Sophia, à bout de souffle. *Je vois à quel point vous aviez tout planifié.*

Theo et elle entrèrent en collision. Le garçon la souleva dans ses bras en riant, pile au moment où Sophia trébuchait une fois de plus.

– Tu l'as eue ! hurla-t-il.

Sophia secoua la tête, sa respiration saccadée se condensant en grandes bouffées blanches dans l'air froid.

– Non, je n'ai rien fait.

– Comment ça, tu n'as rien fait ? Regarde ! Elle s'est effondrée !

Sophia fit volte-face et considéra la scène. La neige commençait à retomber sur les vestiges du sanctuaire.

– Ce n'est pas moi ! C'est Blanca. Enfin… c'est nous deux ; nous l'avons détruite.

– Blanca ? (Theo cligna des yeux.) Elle est où ?

Sophia esquissa un signe négatif.

– Elle n'a pas…

Elle crispa les doigts sur les sangles de son sac et se détourna des décombres.

– Elle est partie.

Theo inspecta les ruines quelques secondes de plus avant de pivoter sur sa gauche.

– Alors fichons le camp de cette glace, je suis congelé.

Il la fixa un instant et sourit de toutes ses dents.

– Les pirates ont trouvé un nouveau navire !

Ils se remirent en route, au petit trot, en longeant la ligne déchiquetée de banquise qui formait la frontière de l'Âge Glaciaire, les paupières plissées pour ne pas être éblouis par le soleil.

– Comment vont les autres ? demanda Sophia, hors d'haleine, mais trop inquiète pour ne pas poser la question.

– Tout le monde est à bord.

– Comment avez-vous fait pour sortir des tunnels ?

– C'est grâce à Shadrack. On aurait dit qu'il avait une carte de la ville dans la tête. Il a réussi à semer les hommes de sable, et pendant ce temps-là, Calixta et Burr les affrontaient. Ils ont même récupéré deux pistolets. Mais il nous a quand même fallu des heures pour trouver une sortie.

Une vague de soulagement traversa Sophia. Shadrack était en sécurité.

Quand ils atteignirent la côte au pied du glacier, ils ralentirent le rythme. Ils commencèrent à grimper la crête sans se presser, essayant au maximum de ne pas trébucher sur les reliefs tranchants. Ils perdirent l'équilibre à plusieurs reprises ; la chaleur du soleil rendit très vite la surface bosselée très glissante. À force de se hisser, Sophia sentit bientôt ses mains s'engourdir. Theo passa en tête et, quelques instants plus tard, poussa un cri de joie.

– Regarde, on est au sommet ! lança-t-il en pointant un doigt. Tout est en train de fondre !

Sous leurs pieds se déployait une scène que la jeune fille n'aurait jamais pu imaginer et qui resterait à jamais gravée dans sa mémoire. Même si Nochtland n'était toujours qu'un point gris à l'horizon, tout autour se trouvaient des milliers et des milliers de gens, comme un semis de sable noir et de pierre claire. Sophia n'aurait jamais deviné qu'il s'agissait de personnes si la foule ne s'était pas étendue de la cité jusqu'au bord de l'eau, qui continuait à monter. Devant l'avancée des Neiges du Sud, ils avaient fui, qui à pied, qui à cheval, en un immense exode vers le nord. Certains avaient voyagé en chariot, d'autres en boldevela. Quelques-uns avaient visiblement tenté d'emporter avec eux autant d'affaires que possible. D'autres étaient partis les mains vides. L'inondation n'avait cessé de pousser les réfugiés de plus en plus au nord et, à la lisière de l'Âge destructeur, des lambeaux de vêtements, une roue cassée de boldevela et bien d'autres débris flottaient négligemment. Theo agita la main, et les rayons de soleil se reflétèrent sur le fil d'argent qui maintenait son bandage en place.

– Ils sont là !

Il désigna un point en direction de Nochtland. Une énorme boldevela se frayait un chemin dans la mer de décombres, mettant le cap droit sur eux.

Lorsqu'elle fut un peu plus près, Sophia reconnut Burr, perché dans le poste de vigie. Le navire ralentit et le pirate leur fit de grands signes.

– Holà, les naufragés ! Ici ! hurla-t-il avant de leur lancer un cordage. Prenez garde à bien l'attacher !

Un grappin à quatre branches s'agrippa à la glace et Theo l'enfonça encore davantage à coups de pied. Sophia resserra les sangles de son sac sur sa poitrine.

– Toi d'abord, lui dit son compagnon.

Sophia eut du mal à se suspendre dans le vide, mais une fois les chevilles croisées autour du filin, elle parvint à se laisser glisser vers le vaisseau. Burr l'attrapa par la taille et la déposa d'un geste souple sur une petite plateforme fixée dans les plus hautes vergues.

– Tu pourras descendre toute seule ? lui demanda-t-il.

Elle fit signe que oui, mais jeta un dernier regard à Theo avant de passer dans les haubans. Celui-ci venait de s'accrocher à la corde avec beaucoup plus d'aisance qu'elle, et fila très vite en direction du navire. Sophia s'écarta pour lui faire un peu de place et se mit à descendre comme elle l'aurait fait d'un arbre. Quelques instants plus tard, elle leva la tête. Burr transférait Theo sur le poste de vigie. Une fois qu'ils furent tous deux installés en sécurité dans le gréement, Burr coupa la corde.

– On repart ! lança-t-il.

Dès que Sophia arriva sur le pont, une véritable foule se bouscula autour d'elle.

Veressa la serra dans ses bras.

– On était si inquiets pour toi !

Sophia sourit, mais ses yeux cherchaient la seule personne qui manquait à l'appel.

– Où est Shadrack ?

– Je vais t'emmener le voir, ma chérie, proposa Calixta en la prenant par la main. Il se repose dans sa cabine.

– Nous sommes vraiment soulagés de t'avoir retrouvée, Sophia, dit Martin en lui pressant brièvement l'épaule.

La luxueuse boldevela comportait un escalier en spirale qui menait à un couloir dans les profondeurs de sa coque. Les murs couverts de lierre étaient parsemés de fleurs pâles. Sophia suivit Calixta jusqu'à une grande chambre. Les hublots laissaient filtrer une lumière vive et des boutons-d'or s'insinuaient dans les fentes entre les lattes du plancher. Grand-mère Pearl était au chevet de Shadrack, installée dans un fauteuil brodé. Quant à lui, il était alité, le dos calé contre des coussins. Dès que les visiteuses entrèrent, il se redressa en s'appuyant sur ses coudes.

– Sophia ! s'écria-t-il.

– Shadrack !

Une seconde plus tard, elle était blottie contre lui.

– Tu vas bien ?

Elle recula pour le considérer d'un air critique. Pourquoi était-il couché ?

Il esquissa un sourire et lui dégagea le visage en repoussant ses cheveux derrière ses oreilles.

– Et toi, tu vas bien ?

– Oui. Mais tu ne croiras jamais tout ce qu'il s'est produit.

Il éclata de rire.

– C’est parfait. Tu peux t’asseoir à côté de grand-mère Pearl et tout me raconter ; je risque de ne pas pouvoir quitter ma chambre pendant quelque temps.

Il replia sa couverture. Sa jambe droite disparaissait sous un pansement.

– Que s’est-il passé ?

– J’ai bien peur d’avoir été touché par une de ces maudites balles quand nous étions sous terre. Je commence à comprendre pourquoi les habitants de Nochtland détestent autant le métal.

– C’est grave ? demanda Sophia en examinant les bandages.

– Pas vraiment. (Il remonta ses draps.) J’ai appris que grand-mère Pearl est un très bon médecin, en plus d’être voyante, conteuse, liseuse de temps et Dieu sait quoi d’autre.

L’aïeule lui adressa un sourire.

– Il a les os solides et le cœur costaud. Maintenant que tu es revenue, il a tout ce qu’il lui faut pour se remettre.

Sophia la serra dans ses bras avec gratitude.

– Je suis tellement heureuse que vous soyez là, vous aussi, dit-elle.

– C’est merveilleux d’entendre à nouveau ta voix, ma chérie, répondit la vieille femme. Et si j’ai bien compris, tu as été une demoiselle très occupée. Tu as besoin de manger et de boire. Et de te reposer.

– Je crois que Sophia a stoppé les glaciers à elle toute seule, intervint Calixta.

– Non, c’est faux.

– Que tu aies été aidée ou pas, l’air se réchauffe et les Neiges du Sud fondent, reprit l’aïeule. La tempête a cessé et les vents nous sont favorables. Tu le sens ?

Sophia se rapprocha du hublot ouvert. Quand elle se pencha, elle découvrit les eaux gelées dessous, la cité de Nochtland devant et le ciel bleu au-dessus. Les voiles de la boldevela, ces feuilles vivantes, claquaient dans la brise, tandis que Burr et ses pirates parlaient sur le pont. Mais, au loin, un bruit inattendu lui serra le cœur : un murmure constant, comme la plainte perçante d'un millier de sirènes.

Sophia rentra la tête dans la cabine.

– On dirait bien, en effet. Mais ce son… c'est quoi ?

– Ce sont les lachrimas, ma chérie. Je crains qu'il n'y en ait bien plus dans le monde aujourd'hui qu'auparavant.

39
LA CITÉ ABANDONNÉE

2 juillet 1891, 12 h 31

Lunexpressif (être) : issu de « luna », la lune. Dissimuler ses pensées ou sentiments à autrui en affichant une mine vide d'émotion. La croyance populaire fait le rapprochement entre la lune, au visage dénué d'expression, et les gens qui présentent un air aimable ou lumineux, mais camouflent leur véritable opinion.

Extrait de Glossaire des Terres rases,
par Veressa Metl.

LES GLACIERS RECULÈRENT jusqu'aux rives du lac Cececpan avant de s'arrêter, posant leurs pieds gelés dans le sol et tournant leurs épaules froides vers le soleil. L'Âge Glaciaire affermit son emprise à cet endroit ; il ne battrait pas en retraite plus loin et les nouvelles frontières devinrent définitives. Les façades lisses et dures des falaises étincelantes se trouvaient à présent à moins de cinq kilomètres de Nochtland.

L'immense Âge Glaciaire désert s'étendait de la bordure sud de Nochtland jusqu'à la pointe du continent. La Patagonie tardive avait disparu, ainsi que la majeure partie des Terres rases du Sud. Là où les Âges se rencontraient, trois agglomérations avaient été abandonnées, leurs rues vidées par la fuite et la catastrophe. Au-dessous, la cité enfouie continuait à se calcifier en silence, ses hautes tours brillant dans la lumière des arbres du botaniste. Sur la banquise, dans la ville la plus septentrionale de l'Âge Glaciaire, les bâtiments désaffectés entouraient les ruines de la pyramide de verre comme autant de pleureuses muettes. Et dans Nochtland, un calme étrange s'était emparé des avenues autrefois bourdonnantes d'activité.

Des milliers et des milliers de gens étaient partis devant l'avancée du froid. Durant des semaines, ils avaient marché et chevauché jusqu'à ce que la rumeur de la fin du cataclysme leur parvienne. Certains s'étaient alors arrêtés sur place ; ils avaient posé leurs affaires, dessellé leurs montures, et s'étaient installés pour souffler. Tout au long de la grande ligne qui s'étirait vers le nord, de nouvelles bourgades avaient poussé comme autant de champignons.

Mais tous n'avaient pas donné foi aux bruits prétendant que les Neiges du Sud avaient vraiment cessé leur progression, et ceux-là avaient continué à fuir toujours plus loin, jusqu'à se retrouver dans les Terres rases du Nord. Là, au milieu de peuplades aux coutumes étranges qui n'avaient jamais entendu parler des glaciers, ils avaient soulagé leurs épaules de leurs paquetages et tenté d'oublier la catastrophe qui les avait chassés de leurs foyers anéantis.

D'autres encore avaient perdu plus que leurs maisons. La nature même du lachrima l'incite à rechercher la solitude, et c'est certainement pour cette raison que les milliers de ces créatures qui avaient émergé de l'Âge Glaciaire avaient disparu l'instant d'après. Mais elles ne s'étaient pas évanouies. Bon nombre d'anciens habitants de Xela ou des hautes cités de la Patagonie tardive erraient à présent dans ces nouvelles régions sous l'apparence de fantômes sans visage. Ils évitaient tout contact humain et hantaient la périphérie de chaque ville entre les Terres rases et le Nouvel Occident.

Tandis que la boldevela arrivait à proximité de Nochtland, plusieurs de ses passagers ne cessaient de se remémorer le destin des lachrimas. Après avoir scrupuleusement mangé et bu tout ce que Grand-mère Pearl lui avait apporté, Sophia avait écouté les plaintes sinistres qui résonnaient au loin et repensé à Blanca. Elle avait retrouvé Shadrack, Nochtland était intacte et elle pouvait rentrer chez elle. Malgré tout, et sans pouvoir se l'expliquer, elle était emplie d'une douloureuse tristesse. Le hurlement de Blanca l'avait peut-être sauvée en la poussant à fuir le Sanctuaire *in extremis,* mais cela lui avait néanmoins brisé le cœur. Elle n'avait plus le moindre désir de contempler la carte qu'elle avait emportée, l'unique fragment restant de la pyramide. Elle l'avait donnée à Shadrack et s'était assise à son chevet en triturant du bout des doigts le foulard de soie dont Blanca s'était autrefois servi comme voile pour dissimuler sa figure balafrée. En fait, Sophia s'était aperçue que plus elle avait observé le visage massacré du lachrima, moins il l'avait terrifiée. Ses cicatrices bougeaient lorsqu'elle parlait ; elles reflétaient ses pensées et ses émotions au même titre qu'une bouche, un nez et des yeux. Il y avait même une certaine beauté dans la façon dont ces marques témoignaient de la détermination calculée et de la dignité qu'elles masquaient.

– Sophia, lui dit Shadrack, il faudrait que tu dormes un peu.

– Je n'ai pas sommeil. Je préfère rester avec toi.

– Pourquoi ne demanderais-tu pas à Peaches de t'indiquer ta chambre pour t'allonger juste un moment ? Si tu t'inquiètes pour moi, tu peux proposer à Veressa de me tenir compagnie, je suis sûr qu'elle a hâte de déchiffrer cette carte.

Il était plus facile d'accepter. Sophia découvrit les Metl en train de contempler les flots glacés par-dessus le bastingage de la boldevela.

– Veressa ? Shadrack voudrait te montrer la carte que j'ai rapportée de la pyramide.

La cartographe la fixa d'un air pensif.

– Tu n'as pas envie de la lire ? Tu en as assez pour aujourd'hui ?

– Je crois que oui.

– C'est tout à fait normal. (Veressa effleura l'épaule de Sophia.) J'y vais tout de suite.

Dès qu'elle fut partie, Martin prit le relais.

– Sophia ? Viens voir ça.

Elle le rejoignit et constata que les roues de la boldevela étaient de nouveau visibles. Les eaux avaient encore décru. Le vaisseau cahota lorsqu'il toucha le fond et Burr hurla des ordres pour que ses pirates ajustent les voiles.

– Nous sommes presque aux portes de Nochtland, s'étonna Sophia en contemplant les hauts remparts.

– Oui, on y est presque, confirma Martin.

– Pourquoi doit-on retourner à Nochtland ? Comment allez-vous faire, Theo et vous ?

Elle jeta un coup d'œil méfiant aux énormes battants entrebâillés, que l'absence de sentinelles ne rendait pas moins menaçants.

– Tout va bien se passer. À l'heure actuelle, les gens ont d'autres soucis en tête que quelques os métalliques.

– Burr voulait s'assurer qu'il n'était rien arrivé à Mazapán, expliqua Theo en les rejoignant. Tout le monde pense qu'il s'est enfui, mais il est persuadé que non.

La boldevela entra dans la ville et le silence se fit à bord. Nochtland était déserte. Les fontaines et les canaux coulaient toujours, les jardins s'étiraient au soleil, mais la population était invisible.

– Il n'y a plus personne, constata Sophia.

– Oh, je suis sûr que les habitants ne tarderont pas à revenir, dès qu'ils auront appris la nouvelle, déclara Martin.

Sophia eut du mal à le croire en contemplant la capitale abandonnée.

– Regardez ! Quelqu'un ! s'écria Theo en désignant une femme qui les observait depuis sa fenêtre.

Elle leur fit signe.

– La tempête est passée ?

– Oui ! hurla Martin en réponse. Tout va bien, maintenant. (Il se tourna vers Sophia.) Tu vois, il reste encore des gens.

La boldevela se fraya lentement un chemin dans le dédale de rues jusqu'à l'artère principale du centre-ville et s'arrêta devant les portes du palais. À la grande surprise de Sophia, celles-ci étaient ouvertes et aucun soldat ne montait la garde.

– On est à la maison ! s'exclama Martin.

Tandis que Burr et Theo partaient à la recherche de Mazapán, Calixta accompagna Martin et Veressa dans le palais. Sophia ne quitta pas le pont du navire. D'une oreille distraite, elle écoutait les pirates qui se reposaient ou discutaient, mais son esprit était à des kilomètres de là. Elle se remémorait le visage de Blanca lorsque celle-ci avait fait basculer la roche ronde par-dessus la rambarde de la pyramide. Les souvenirs étaient aussi clairs que s'ils s'étaient trouvés sur une carte.

– Sophia ?

Elle sursauta. Grand-mère Pearl l'avait rejointe.

– Comment vas-tu, ma chérie ?

– C'est étrange, répondit-elle avec lenteur.

– Quoi donc ?

– Je n'arrive pas à me sortir tout ça de la tête.

– Tu as vu et entendu des choses terribles, commenta la vieille femme. Qui seront sans nul doute difficiles à oublier. D'ailleurs, peut-être ne devraient-elles pas l'être. Sois patiente avec toi-même.

– On aurait pu tous être transformés en lachrimas. Et si c'était le cas, à l'heure actuelle, on errerait je ne sais où, perdus à jamais.

Elle fit un geste vague de la main pour englober la capitale tout entière dans son image.

– Ce n'était pas notre destin. Quant au tien, c'est une autre histoire, reprit grand-mère Pearl d'une voix douce.

Sophia réfléchit quelques instants.

– Oui, une autre histoire. Celle que vous m'avez racontée, sur le garçon défiguré et la ville enfouie. C'est comme si j'avais vu ce conte se produire. Ce n'était pas exactement la même chose, mais ça s'en approchait beaucoup.

– Bien sûr, je comprends, fit la vieille dame. C'est presque toujours comme ça, avec les légendes. Elles contiennent une grande part de vérité, même si les événements et les personnages sont différents.

Sophia baissa les yeux sur ses bottes usées et couvertes de sel.

– La cité souterraine était un sanctuaire empli de cartes, issu d'un Âge disparu, et le héros au visage balafré était une femme. Mais tout s'est déroulé comme dans votre fable. (Elle hésita.) Du moins, presque tout. Je ne crois pas que les cicatrices aient été effacées de la même façon. Quoi qu'il en soit, les deux histoires sont aussi tristes l'une que l'autre.

Grand-mère Pearl passa son bras sous celui de Sophia.

– Tu as peut-être raison, mais tu ne le sauras jamais. En revanche, il est possible que tu assistes un jour à un futur doté d'une fin plus heureuse.

13 h 40 : dans le palais de Nochtland

VERESSA ET MARTIN revinrent à la boldevela un peu plus tard, en compagnie de Calixta, et leur apprirent que le palais avait été entièrement déserté. Peu de temps après, Theo et Burr arrivèrent en triomphe avec Mazapán, sa femme Olina et de grands plateaux de bois débordants de nourriture et de vaisselle en chocolat. Dans la lumière déclinante de l'après-midi, ils préparèrent un banquet à bord du vaisseau.

Burr et Peaches durent porter Shadrack dans l'escalier en spirale pour l'amener sur le pont, ainsi que tous les fauteuils que contenaient les cabines. Cette nuit, c'était la fête. Le repas fut délicieux, la vaisselle merveilleuse, tant pour le service que pour le palais, et il y en eut plus qu'assez pour tout le monde. Quelqu'un avait oublié une harpe dans les jardins de Nochtland, et Peaches se l'était appropriée. Durant plusieurs heures, sa douce mélodie emplit l'air.

Quand l'heure fut venue d'aller se coucher, même Sophia avait cessé de ruminer. La plupart des pirates retournèrent au palais avec Martin et Veressa, où ils s'emparèrent sans tergiverser des suites impériales. Theo et Sophia restèrent à bord de la boldevela avec Shadrack. La jeune fille s'endormit presque immédiatement.

Mais elle se réveilla en plein milieu de la nuit, couverte d'une sueur glacée, paniquée par un cauchemar dont elle ne se souvenait plus. Elle s'assit, étira ses jambes encore courbaturées, et scruta la lune qu'elle voyait depuis le hublot de sa cabine. Son cœur mit un moment à s'apaiser. Une fois calmée, elle sortit du lit et monta sur le pont.

Ses compagnons avaient décidé de reporter au lendemain la corvée de ranger les reliefs de la fête et Sophia dut se frayer un chemin à travers assiettes et tasses pour aller s'appuyer au bastingage verni.

C'était la pleine lune. L'astre pâle surplombait le palais de Nochtland et ses jardins comme le visage étonné d'une horloge sans aiguilles. Les fontaines de la résidence impériale continuaient à émettre leur gargouillis.

Dans son dos, un pas la fit se retourner. Theo s'accouda à la rambarde.

– Tu as fait un cauchemar ?

– Je n'arrive même pas à m'en souvenir.

– Peut-être que ceci pourrait t'aider ? proposa-t-il en lui tendant une cuillère en chocolat.

Sophia ne put réprimer un sourire. Elle en croqua un morceau qu'elle laissa fondre sur sa langue.

– Tu entends ça ? demanda-t-elle.

Theo pencha la tête sur le côté.

– Quoi donc, les jets d'eau ?

– Non, derrière, plus bas… (Elle hésita.) Des pleurs ?

L'espace d'une seconde, Theo afficha un air que Sophia aurait pu qualifier d'inquiet, si elle n'avait pas mieux connu son ami.

– Je n'entends rien, finit-il par chuchoter.

– Il doit y avoir encore des lachrimas en ville. Qui sait combien…

– Plus tu t'éloigneras des Terres rases, moins il y en aura, la rassura-t-il.

Sophia ne répondit pas tout de suite.

– J'imagine que nos routes à tous vont se séparer, maintenant, dit-elle en prenant une autre bouchée de chocolat.

– Veressa et Martin ont décidé de se réinstaller dans leurs appartements au palais jusqu'au retour de Justa.

– Tu crois qu'elle reviendra à Nochtland ?

Theo haussa les épaules.

– Avec ce glacier à seulement quelques kilomètres des portes ? J'en doute.

Sophia scruta le visage inexpressif de la lune.

– Et toi ? demanda-t-elle. Tu comptes vivre avec eux ?

– Non. C'est sûr, le palais est plutôt sympa, mais qui aurait envie de passer ses journées à regarder pousser des fleurs ? Je veux partir, accomplir des choses, découvrir des endroits inconnus.

L'esprit de Sophia revint aux pirates et à la rapidité avec laquelle Theo s'était adapté à la vie à bord du *Cygne*.

– Je suis persuadée que Calixta et Burr seraient ravis que tu restes avec eux.

– Je ne sais pas, émit Theo d'un ton dubitatif. Je préférerais devenir explorateur. (Il hésita quelques instants.) Tu crois que si j'arrivais à me dégoter des papiers pour le Nouvel Occident, Shadrack pourrait m'aider à me lancer ?

Sophia fut submergée d'une vague d'allégresse qui emporta toute sa tristesse dans son sillage. Soudain, toutes les contraintes de son futur, faire les démarches pour rentrer chez elle, accepter la fermeture des frontières du 4 juillet et attendre la décision du Parlement fin août, lui semblaient bassement triviales.

– Je suis sûre qu'il sera d'accord, acquiesça-t-elle. Shadrack peut te procurer tout ce qu'il faut, il l'a bien fait pour Mrs Clay. Et il n'y a pas meilleur que lui en ce qui concerne l'exploration, ajouta-t-elle avec fierté. Peut-être que tu pourras parler avec Miles à son retour ? Si je ne devais pas reprendre l'école, je t'accompagnerais volontiers.

Theo sourit.

– Et pendant les vacances ? On pourrait être des aventuriers tous les étés.

Sophia éclata de rire.

Puis il tendit sa main bandée vers elle.

– Tu t'es barbouillé le menton de chocolat, lui dit-il en lui essuyant du pouce les contours de la bouche.

Sa paume se posa légèrement sur sa joue avant de glisser sur ses épaules. Sophia s'appuya confortablement contre lui et leva les yeux. Soudain, le ciel nocturne lui sembla étonnamment brillant. Le visage vide de la lune les scruta longuement et tenta de se rapprocher d'eux un peu plus.

6 juillet 1891 : quitter Nochtland

LE MYSTÈRE DE L'ÉMERGENCE de l'Âge Glaciaire hanterait les

savants du Nouvel Occident, des Terres rases et des Caraïbes unies pendant bon nombre d'années. Mais comment auraient-ils pu élucider cette énigme alors qu'ils ignoraient ce qui s'était vraiment passé ? Martin avait une théorie, à ce sujet, avec laquelle ses compagnons tombèrent d'accord. D'après lui, leur présence dans la cité souterraine les avait sauvés. Ils étaient déjà dans une poche isolée et enfouie de l'Âge Glaciaire quand celui-ci, à la surface, avait déferlé sur le monde ; de ce fait, les frontières qui auraient dû les transformer en lachrimas ne les avaient pas touchés. Mais personne ne comprenait comment le glacier s'était mis en mouvement ni pourquoi la dispersion de la *carta mayor* l'avait stoppé.

La carte pyramidale de Sophia avait fourni plus de questions que de réponses. Elle décrivait une étrange histoire, qui commençait avec des tragédies lointaines, des rumeurs de maladies et d'épidémies à travers tout le continent, répandant peur et panique dans leur sillage. Rien, dans tout l'Âge Glaciaire, n'en avait réchappé. Les oiseaux plongeaient pour capturer un ver de terre ou une graine et tombaient raides morts ; les humains trépassaient ; les grandes cités comme les petites bourgades s'étaient peu à peu vidées de leur population. C'était comme si cet Âge tout entier avait succombé à un poison invisible. Les chercheurs n'étaient parvenus à aucune explication et avaient juste pu constater la désintégration progressive de leur époque. Les mémoires contenues dans la carte se dissipaient petit à petit, au fur et à mesure que les habitants de ce qui avait autrefois été une métropole florissante périssaient, avant de s'éteindre jusqu'au dernier.

Après une longue discussion avec Shadrack, obnubilé par

les quatre cartes et la découverte stupéfiante de la *carta mayor*, Veressa avait décidé qu'il valait mieux pour Martin et elle de rester dans leur foyer. Rien n'indiquait pour le moment que Justa ait l'intention de revenir à Nochtland et la rumeur prétendait même qu'elle était en route pour le Nord, dans l'espoir de rejoindre son père, absent depuis plusieurs décennies. De plus, tenter de persuader Martin de quitter la ville était mission impossible. Il brûlait d'étudier les sols de l'Âge Glaciaire, qui se trouvaient à présent à moins de cinq kilomètres de son laboratoire.

Sophia avait confié la minuscule pyramide et l'énigme qu'elle renfermait à Veressa, et lui avait rendu les cartes qu'elle avait conservées à l'abri durant tant d'années. La quatrième retournerait à Boston.

Ils s'attardèrent quelques jours de plus à Nochtland, mais bientôt, l'heure du départ sonna. Ils devaient rentrer chez eux.

– Ces ouvrages sont pour toi, Sophia, dit Veressa, qui se tenait avec eux une dernière fois devant les serres du palais. J'en ai écrit certains, qui traitent des Terres rases, et pourraient t'intéresser. Et celui-ci est d'un auteur anonyme auquel je ne comprends rien. Peut-être y parviendras-tu mieux que moi.

Sophia récupéra la pile de livres en s'efforçant de ne pas les faire tomber et remarqua le titre étrange de celui auquel Veressa venait de faire allusion : *Guide des absents, perdus et d'ailleurs.*

– Merci, répondit-elle.

– Il contient d'anciennes cartes absolument fabuleuses. Tu es meilleure que moi pour résoudre ce genre d'énigmes, peut-être réussiras-tu là où j'ai échoué.

Elle serra Sophia dans ses bras.

– Reviens vite, s'il te plaît, lui dit Martin en l'étreignant à son tour. Il y a plein de choses à explorer dans ces cavernes. Et j'ai besoin d'une cartographe.

– Mais vous avez Veressa, non ? s'amusa la jeune fille.

Martin fit une grimace moqueuse.

– Comme si une seule suffisait pour une tâche d'une telle ampleur !

La boldevela piratée les ramena à Veracruz, où ils embarquèrent à bord du *Cygne*, toujours fidèle au poste, qui mit les voiles en direction de La Nouvelle-Orléans. La traversée ne fut pas agréable ; Sophia continuait à se remémorer ses derniers instants avec Blanca et, même si Nochtland et Veracruz étaient à présent loin d'eux, le murmure distant des lachrimas résonnait encore dans ses oreilles, la poussant souvent à se raidir dans son lit, aux aguets. De plus, elle était de nouveau en proie au mal de mer. Et de surcroît, elle savait que, quand ils arriveraient à bon port, elle devrait également faire ses adieux à Calixta et à Burr. Avec sagacité, Theo la laissa se morfondre sans la déranger. Seuls Shadrack et grand-mère Pearl osèrent l'approcher, le premier pour lui parler de ses grands projets d'explorations et la seconde pour lui offrir tendresse et réconfort.

– Alors, Sophia, lui dit Shadrack un jour qu'ils étaient assis côte à côte sur le pont. Je suis bien content à l'idée de rentrer à la maison et de retrouver notre petite vie, pas toi ? Bien entendu, la situation aura changé, mais je suis plutôt confiant. Je suis ravi que Theo ait décidé de rester avec nous, et pas juste parce qu'il connaît mieux les Terres rases que moi ; il a du cran, ce garçon. Il faudra que je lui procure des papiers, mais ça ne devrait pas poser de problème. Et pendant ce temps, reprit-il en se redressant d'un geste brusque qui lui arracha une grimace, tu vas pouvoir te replonger dans tes études de cartographie. Tu as encore tant à apprendre ! Même si je pense qu'il y a aussi des choses que tu pourrais m'enseigner, maintenant, ajouta-t-il avec un sourire. Pas vrai ?

Sophia appuya sa tête sur son épaule.

– Oui, je suppose.

– Tu... supposes ? Tu étais aux premières loges d'une grande découverte, Sophia !

Mais la jeune fille ne parvenait pas à faire preuve de l'enthousiasme qu'elle aurait dû ressentir. Tout ce qu'elle éprouvait était un profond malaise.

Quand ils arrivèrent à La Nouvelle-Orléans, ils firent leurs adieux aux pirates, lesquels se montrèrent particulièrement joyeux et confiants en l'avenir.

– Je suis sûr que nous nous reverrons avant la fin du mois ! proclama un Burr rayonnant qui refusait de lâcher la main de Sophia.

– Sans le moindre doute ! confirma Calixta. Ils ne nous laisseront peut-être pas entrer dans le port, mais ils ne peuvent pas se passer de notre rhum.

– C'est aussi triste que vrai, confirma son frère.

– J'ai bien peur qu'ils n'aient raison, ma chérie, intervint grand-mère Pearl en riant et en prenant Sophia dans ses bras.

– Au revoir, dit celle-ci en pressant sa joue contre celle, douce et ridée, de la vieille femme. Même si on se revoit vite, ça me semblera toujours trop long.

– Alors, abrège cette attente, répondit l'aïeule. Fais-toi obéir du temps.

Épilogue : À chacun son Âge

18 décembre 1891, 12 h 40

> *Quand on perd une bille, un livre favori ou une clé, que deviennent-ils ? Ils ne vont nulle part. Ils vont partout. Certains objets, comme certaines personnes, disparaissent, ailleurs, pour revenir très vite. D'autres sont égarés et semblent vouloir le rester. En d'autres cas encore, la seule solution, pour les gens très déterminés, est de partir à leur recherche, ce qui signifie les retrouver dans cet endroit mystérieux où ils ont échoué, puis les rapporter avec soi.*
>
> *Extrait de* Guide des absents, perdus et d'ailleurs, *auteur anonyme.*

À BOSTON, L'HIVER battait son plein et le premier semestre scolaire s'achevait. Sophia rentrait chez elle et, en chemin, regardait la neige s'accumuler sur le bord de la route. Demain, si le mauvais temps continuait, les tramways seraient bloqués. Auquel cas l'école serait fermée et elle aurait sa journée entière de libre.

Elle s'engagea sur East Ending Street et fit volte-face pour marcher à reculons, afin de pouvoir voir ses empreintes disparaître petit à petit. L'air était gris et un peu plus chaud, comme toujours lorsqu'il neigeait. Au moment où elle aperçut sa maison, elle éprouva l'envie subite de courir et traversa le manteau blanc en sautillant sur tout le reste du trajet, sa besace se balançant à son côté et les cheveux dans les yeux. Elle grimpa quatre à quatre l'escalier menant au perron et ouvrit la porte à la volée. Elle posa son sac par terre et s'assit pour délacer ses bottes.

– Ferme vite, ma chérie ! lui lança Mrs Clay en se précipitant dans le vestibule pour le faire elle-même.

– Mais il ne fait pas froid, dehors ! s'exclama Sophia en relevant la tête.

– C'est déjà bien suffisant pour moi.

Mrs Clay sourit et débarrassa Sophia de son chapeau de laine recouvert de flocons pour le secouer et le suspendre à un portemanteau.

– Est-ce qu'un lait chaud ou un café te tenterait ? J'étais sur le point d'en faire un.

– Oui, je vais prendre un café, merci, répondit Sophia en la suivant, en chaussettes, dans la cuisine.

Une fois le café mis à chauffer, Mrs Clay sortit deux bols d'un placard.

– Pourquoi n'en profites-tu pas pour récupérer un peu de neige sur le sapin ?

Enchantée, Sophia s'empara des bols.

– Pour vous aussi ?

– Non, ma chérie, je te remercie. Mais je suis sûre que Theo en voudra.

Sophia ouvrit la fenêtre, se pencha à travers et fit tomber une poignée de la poudre blanche qui alourdissait les branches de l'épicéa dans le premier mug, puis dans l'autre. Mrs Clay versa d'onctueuses spirales de sirop d'érable dessus avant de terminer en ajoutant deux cuillères.

– Ton oncle est en bas avec Miles. D'après ce que j'ai entendu, ils se disputent.

Sophia leva les yeux au ciel.

– Encore à propos des élections ?

Le Nouvel Occident était sur le point de nommer son nouveau Premier ministre, et les candidats en lice étaient au centre de nombreux débats virulents dans la maison de Shadrack. L'amendement Wharton, qui aurait dû clore les frontières pour les citoyens à la fin du mois d'août, avait été rejeté, ce qui offrait aux explorateurs du 34 East Ending Street un délai supplémentaire pour préparer leur expédition. Shadrack espérait que la défaite du programme extrémiste de Wharton laissait présager le succès d'un homme politique plus modéré, tandis que Miles, plus pessimiste que jamais, lui faisait remarquer que leur pays s'accoutumait bien trop facilement à l'absence des immigrés et s'enfonçait de jour en jour un peu plus dans l'intolérance.

– Cette fois-ci, reprit la gouvernante, ils se querellent à propos d'un courrier qu'un voyageur de Veracruz leur a transmis.

– C'est Veressa ! Que dit-elle ?

– Il y a également une lettre pour toi, éluda Mrs Clay avant de fouiller dans son tablier.

Sophia s'était attendue à une lettre de Dorothy, mais l'écriture manuscrite lui était totalement inconnue.

– C'est bizarre, commenta-t-elle en avalant une gorgée de son breuvage avant de fourrer l'enveloppe, encore intacte, dans sa poche. Veressa a-t-elle envoyé de nouvelles cartes du glacier ?

– Je n'en ai aucune idée. La conversation s'est envenimée très vite et j'ai préféré retourner dans mes appartements. Je ne suis descendue que le temps de faire du café.

Sophia saisit sa tasse d'une main et son bol de l'autre pour sortir prudemment de la cuisine.

– Merci, Mrs Clay.

– Sois gentille : quand tu le verras, tu pourras rappeler à Theo de ne pas oublier son goûter ?

Sophia prit le chemin du sous-sol, en essayant de se dépêcher sans pour autant renverser son bol. Elle traversa le bureau de Shadrack, puis entra dans la bibliothèque qui menait à la salle des cartes. À peine était-elle arrivée dans l'escalier qu'elle entendit des éclats de voix. En bas, la dispute n'avait pas cessé.

– Et moi, je te dis que la neige n'est pas la même, là-bas ! martelait Shadrack. Sa texture est différente. Tout comme l'eau. Et si l'eau n'est pas comme chez nous, c'est parce que la terre ne l'est pas non plus. Ça ne va pas chercher plus loin.

– Et comment suis-je censé te croire sans jamais l'avoir vu de mes propres yeux ? beugla à son tour Miles. Tu n'as même pas daigné me rapporter un échantillon. Je suis censé te croire sur parole ?

– Alors explique-moi comment j'aurais pu te rapporter de la NEIGE ! Je te rappelle qu'on était au mois de juillet et que même les rails de chemin de fer menaçaient de fondre tant il faisait chaud !

Une voix plus jeune interrompit l'échange d'un ton quelque peu amusé.

– À mon avis, ce n'est pas en discutant de ce problème dans une cave qu'on le résoudra.

Sophia les rejoignit.

– Veressa nous a envoyé du neuf ? demanda-t-elle.

Shadrack avait remis sa pièce secrète dans son état d'origine dès leur retour. Aujourd'hui, la salle des cartes avait retrouvé sa gloire d'antan. Les étagères croulaient sous le poids des livres, les vitrines étincelaient de propreté et des cartes étaient de nouveau éparpillées un peu partout, sur les tables comme aux murs. Seules les longues cicatrices qui traversaient le plan de travail en cuir témoignaient du vandalisme des nihilismiens. Shadrack et Miles étaient face à face, penchés au-dessus du bureau ; Theo était un peu à l'écart, vautré sur un siège, les jambes sur l'accoudoir. Il écarquilla les yeux en découvrant le bol de Sophia.

– Mrs Clay t'a préparé un goûter, l'informa-t-elle en protégeant le sien d'une main, juste au cas où.

Theo bondit sur ses pieds et grimpa les marches en trombe.

– Bonjour, Miles, reprit Sophia.

– Ravi de te voir, ma jolie, répondit-il, les joues encore empourprées de l'excitation de la dispute.

Sophia se tourna vers son oncle.

– Mrs Clay m'a dit que tu avais reçu une lettre de Veressa ?

– C'est vrai, reconnut-il en se détournant de la table pour s'avachir dans un fauteuil. Et Miles refuse d'en croire le moindre mot.

– Tu déformes mes propos, grommela ce dernier.

– Est-ce qu'ils ont analysé d'autres parties du glacier ? insista Sophia.

– Veressa m'a surtout parlé de la toute nouvelle Académie de cartographie, soupira Shadrack. Ils ont enregistré plus d'une centaine d'inscriptions en début d'année.

– Tant que ça ? s'étonna Sophia.

– Ils ont le palais tout entier pour l'accueillir. C'est bien la première fois qu'il sert à quelque chose, à mon avis. Par contre, en dehors de quelques brèves expéditions pour recueillir des échantillons, ils n'ont rien exploré de plus. Martin approfondit sa théorie selon laquelle leur sol artificiel est devenu trop toxique pour que l'Âge Glaciaire survive. Il a fait de nombreux tests sur la glace, mais pour le moment, il n'a rien trouvé, raison pour laquelle Miles rejette d'emblée cette hypothèse. Quant à moi, reprit Shadrack en se levant, je faisais juste remarquer que ce n'est pas parce que Martin ne peut pas prouver comment l'eau est devenue empoisonnée qu'elle ne l'est pas.

Miles eut l'air exaspéré.

– Au nom des Parques, Shadrack ! Tu ne veux même pas envisager l'idée que la terre de l'Âge Glaciaire ait pu être toxique seulement de façon temporaire ? C'est tout ce que je te demande. De considérer ça comme une possibilité parmi d'autres.

Sophia secoua la tête en voyant que son oncle s'apprêtait à riposter. Heureusement, Theo revint à ce moment-là et se rassit dans son fauteuil, la bouche pleine. Sophia vint s'installer à côté de lui.

– J'imagine qu'ils sont bien obligés de s'occuper en priorité de l'Académie, maintenant, admit-elle à contrecœur, mais Veressa m'avait promis qu'elle continuerait à cartographier le glacier.

– Qui t'a écrit ? préféra l'interroger Theo, après un coup d'œil à l'enveloppe qui dépassait de la poche de Sophia.

– Aucune idée.

Elle la sortit et l'examina, sans reconnaître la plume qui avait rédigé son adresse.

– Je te le dirai quand je l'aurai lue. Je monte regarder la neige à l'étage.

Elle se leva et s'apprêtait à partir quand Theo attrapa sa main au vol.

– Il y en a quelle épaisseur ?

Avec un sourire timide, Sophia serra sa paume balafrée dans ses doigts.

– Au moins dix centimètres. Peut-être vingt d'ici demain.

– Tout le monde va vouloir en profiter, dans la rue. On devrait faire pareil.

– Eh bien… viens avec moi ! (Elle esquissa une grimace d'autodérision.) Sinon je risque de perdre la notion du temps.

– C'est pas faux, répondit son ami avec un clin d'œil.

Une fois dans sa chambre, elle posa son bol à moitié vide sur son bureau et s'assit. Elle récupéra son coupe-papier, bien rangé à côté de l'écharpe en soie de Blanca, dans un tiroir, puis s'interrompit pour admirer les délicates stalactites accrochées à la toiture, devant sa fenêtre. Sans réfléchir, elle glissa la main dans sa poche et referma les doigts sur la pelote d'argent qui ne la quittait jamais, ce présent de Mrs Clay et des Parques qui l'avait aidée à traverser saine et sauve les glaces d'un autre Âge.

Dehors, l'air semblait presque scintiller et contrastait avec la lumière douce de la pièce, dont elle n'avait pas allumé les lampes. Elle soupira de satisfaction. Il n'existait rien de plus beau que la sérénité tranquille qui accompagnait la neige. Elle resta assise encore un moment, savourant le silence qui l'englobait, un léger sourire aux lèvres.

Puis elle reporta son attention sur son bureau. Le courrier était épais et ne précisait pas d'expéditeur. À l'intérieur se trouvait une enveloppe très abîmée indiquant juste son nom et sa ville, « Boston ». Un employé des postes avait marqué, sur le bord, « À transmettre ». Sophia ouvrit cette seconde lettre et en découvrit une autre, jaunie par le temps. En revanche, celle-ci affichait ses coordonnées complètes, d'une grande écriture dont les arabesques lui donnèrent des palpitations. Cette fois, la missive n'était pas cachetée. Elle plongea les doigts dedans et en tira une feuille qui n'avait visiblement pas vu le jour depuis une éternité.

Le message était bref :

15 mars 1881

Ma bien-aimée Sophia,
Ta mère et moi pensons à toi à chaque seconde de notre voyage. Aujourd'hui, alors que nous touchons à ce qui pourrait être la fin de notre périple, tu es au centre de nos préoccupations.
Ce message va mettre une éternité à te parvenir et, si la chance est avec nous, nous t'aurons retrouvée bien avant lui. Mais si cette lettre arrive et que nous ne sommes pas revenus, il faut que tu saches que nous suivons les signes perdus en Ausentinia.
Surtout, ne te lance pas à notre recherche, ma chérie ; Shadrack fera le nécessaire. Cette route est parsemée de nombreux périls. Nous n'avions pas le moindre désir de nous rendre en Ausentinia.
C'est l'Ausentinia qui nous a trouvés.

Avec toute mon affection,
Ton père, Bronson

Remerciements

TOUTE MA RECONNAISSANCE à feu Sheila Meyer pour le soutien qu'elle m'a apporté, si tôt dans l'aventure, il y a tant d'années, quand je m'échinais maladroitement à écrire pour les jeunes lecteurs. Ses encouragements m'ont accompagnée durant d'autres quêtes ; je me souviendrai toujours de sa gentillesse lors de ces premiers pas hésitants.

Je souhaiterais mentionner Dorian Karchmar, non seulement pour avoir trouvé un foyer aussi merveilleux pour ce roman, mais également pour avoir accepté un projet bien différent de celui qui était prévu et travaillé avec moi au fil de ces innombrables versions, dont Matt Hudson a commenté la plupart avec talent.

La fabuleuse maison d'édition Viking ne m'aurait pas accueillie sans Sharyn November, dont le soutien indéfectible, passionné et attentif à mon égard m'a appris l'humilité. Son enthousiasme permanent, depuis la réception des premières pages, m'a littéralement portée. Je remercie Janet Pascal pour son œil de lynx, Jim Hoover et Eilee Savage pour leurs contributions inspirées, et Dave A. Stevenson pour ses créations cartographiques qui correspondent si bien à Shadrack.

Un grand merci à tous les amis qui ont lu ce livre à ses divers stades. Parmi eux, Benny, Naomi et Adam m'ont fourni des conseils primordiaux sur le premier jet de la première partie, que Lisa et Richie ont également eu la gentillesse de critiquer. Je tiens en particulier à citer Sean, Moneeka, Paul Alejandra et Heather, dont l'enthousiasme, les avis détaillés, vérifications et excellentes idées ont rendu l'univers du Grand Bouleversement plus cohérent et ludique. Pablo m'a proposé de nombreuses choses, aussi utiles qu'amusantes.

Un grand merci à ma mère, pour son indéfectible foi en Sophia, et à mon père, pour avoir fouillé avec autant de bonne volonté (et à plusieurs reprises) dans les entrailles de ce monde. Un des principaux plaisirs de son invention est d'avoir pu en discuter avec vous tous. Merci à mon frère pour son soutien absolu en ce projet à chacune de ses étapes. Enfin, je souhaite remercier A.F. d'avoir pris à cœur tous les éléments de cette création : son fonctionnement, ses personnages, sa métaphysique… et son auteure.

Table des matières

S.E. Grove est historienne et globe-trotter. *La Sentence de verre* est son premier roman.

Pour plus d'informations, rendez-vous sur son site (en anglais) :

www.segrovebooks.com

Extrait de Les Cartographes
Livre II

Le passage d'or

Prologue

4 septembre 1891

Cher Shadrack,

TU MENTIONNAIS LES ÉERIES ; hélas, tout ce que je peux te dire est que je n'ai aucune nouvelle récente à te fournir à leur sujet. Dans tous les Territoires indiens, personne n'en a vu depuis plus de cinq ans.

Mais les rumeurs ne mentaient pas : je suis bel et bien parti à leur recherche il y a trois ans, après avoir eu besoin d'un guérisseur. Tout a commencé lorsqu'un jeune garçon s'est perdu dans les entrailles d'une mine. Pendant des jours, ses cris ont résonné dans les tunnels, terrifiant quiconque s'en approchait. Ses hurlements atroces faisaient sombrer tous ceux qui les entendaient dans des abîmes de désespoir. Toutes les équipes de secours avaient échoué. Au final, les villageois ont fait appel à moi et j'ai monté une expédition de quatre hommes au cœur endurci pour tenter de sauver cet enfant égaré. C'est au plus profond des galeries que nous l'avons retrouvé, dans une obscurité totale. Il nous a suivis de son plein gré, sans pour autant cesser de gémir. Ce n'est que lorsque nous avons émergé à l'air libre que nous avons découvert que ses doigts étaient en sang à force de se les être écorchés sur les parois et que son visage avait disparu.

Les créatures appelées « hurleurs » ici et « lachrimas » dans les Terres rases ne font que de rares apparitions dans les Territoires indiens. Avant de voir ce malheureux de mes propres yeux, je n'avais d'ailleurs qu'à moitié cru en leur existence. Aujourd'hui, mes doutes se sont évanouis. Si le devoir m'avait imposé de me porter au secours de ce gamin, la compassion m'a poussé à tenter de le soigner. J'ai confié Salt Lick à mes adjoints et pris la direction de la mer Éerie avec ce hurleur, au nord, car c'est là que vivent le peuple du même nom et ses légendaires guérisseurs.

Ce périple a duré bien plus longtemps que prévu, et la présence du garçon, malgré la pitié qu'il m'inspirait, me désespérait et me submergeait de pensées morbides. Nous avions presque atteint la côte lorsque le hasard – ou la chance – nous a fait croiser la route d'une Éerie qui allait vers l'est. Elle a aussitôt compris mes intentions. « A-t-il beaucoup voyagé depuis qu'il a perdu son visage ? » m'a-t-elle demandé. Devant mon silence, elle a saisi ses mains et les a examinées, comme pour y lire la réponse à sa question. « On peut toujours essayer », a-t-elle conclu. Sans plus discuter, elle a accepté de nous conduire chez le Passeur le plus proche, puisque c'est ainsi que les Éeries appellent leurs meilleurs guérisseurs.

Nous avons cheminé une dizaine de jours, jusqu'à parvenir à notre but, cet endroit que je tente depuis de retrouver, en vain pour le moment.

Nous avons découvert une clairière au milieu des arbres ; un lieu étrange où les vents glaciaux de la mer Éerie émettaient de sinistres lamentations. Le Passeur vivait dans un chalet aux murs protégés par des talus de terre, sous une toiture végétale. Nous sommes arrivés au crépuscule ; à notre approche, une foule d'animaux – daims, écureuils et lapins – se sont enfuis dans les bois, s'éparpillant sur le tapis d'aiguilles de pin ou entre les branches, ne laissant dans leur sillage qu'un silence figé.

Le guérisseur était presque un enfant. Aujourd'hui encore, j'ignore son nom. On aurait dit que quelqu'un lui avait annoncé notre venue tant il semblait avoir anticipé notre arrivée. Sans même me jeter un regard, il a pris le petit hurleur par la main et l'a fait asseoir sur une souche usée. Il a posé ses paumes sur son visage effacé, comme pour le protéger du froid. Puis il a fermé les yeux. J'ai eu l'impression de voir ses pensées, ses intentions le traverser pour pénétrer dans le garçon. Celui-ci s'est penché en avant, la tête toujours enfouie entre ses doigts, de la même façon que quelqu'un qui reçoit la bénédiction. J'ai perçu le changement avant qu'il ne devienne visible. Autour de nous, tout s'est figé. Chaque arbre, chaque pierre, chaque nuage a semblé retenir son souffle. La forêt avait pris conscience de l'événement et le contemplait. La lumière du crépuscule est passée d'un gris ténébreux à un argent pur et clair. Les particules de poussière en suspension dans l'air se sont immobilisées comme une constellation d'étoiles. Les aiguilles des pins les plus proches ont pris le brillant étincelant de lames d'épées. Les troncs se sont transformés en labyrinthes complexes d'écorce, de courbes et de trous. Autour de moi, tout était devenu d'une précision, d'une acuité plus vivante et cristalline. Le désespoir morbide qui m'étouffait depuis ma rencontre avec le hurleur et auquel je m'étais accoutumé s'allégea et se dissipa. Soudain, l'air pur de la forêt inonda mes poumons et traversa chaque partie de mon corps, m'emplissant d'une sorte de joie débordante. Je ne m'étais jamais senti aussi vivant.

Je n'avais pas fermé les yeux, mais mon attention avait dérivé sur ce monde qui me semblait totalement neuf. Quand j'ai reporté mon regard sur le Passeur, il s'était écarté de son patient. Celui-ci se tenait devant lui, à nouveau intact et entier, une expression émerveillée sur ses traits régénérés.

Depuis, je me suis souvent interrogé sur ce qu'il s'est passé dans ces bois et je suis parvenu à la conclusion que cette clarté qui m'a été octroyée à ce moment-là n'était pas très éloignée de ce qui a transformé ce jeune hurleur. Nos sens comme notre expérience du monde à tous sont, à un degré ou à un autre, réprimés, voire supprimés par des épaisseurs, des strates de souffrance. Même si mes traits intacts ne reflètent pas l'asphyxie progressive de ces facultés qui devraient animer un être humain, à un certain niveau, nous sommes tous privés de visage.

C'est pourquoi, quand tu me demandes si je connais les Éeries, je réponds : presque pas. Le garçon et moi avons quitté la pinède après avoir échangé moins de vingt mots avec notre guide, et encore moins avec le Passeur.

Tu voudrais savoir si je suis en mesure de retourner là-bas… J'en suis incapable. Comme je te l'ai dit, j'ai cherché à retrouver cette forêt et, je ne sais comment, elle semble avoir disparu.

Tu me demandes si les pouvoirs curatifs des Éeries sont véridiques. C'est incontestablement le cas. Quelqu'un capable de guérir un lachrima peut sans nul doute guérir toute autre maladie contre laquelle nos remèdes ne sont que palliatifs.

Bien à toi,
Adler Fox,
shérif de Salt Lick City, Territoires indiens

1
Une conversion

31 mai 1892, 9 h 07

La plupart des habitants du Nouvel Occident vénèrent les Parques, des divinités toutes-puissantes qui auraient le pouvoir de tisser le futur et le passé de chaque être vivant dans leur grande tapisserie temporelle. On peut également y trouver quelques fidèles de la Vraie Croix, bien plus suivie dans les Terres rases. Les autres adhèrent à d'obscures sectes, parmi lesquelles le nihilismianisme prédomine.

Extrait de Histoire du Nouvel Occident,
par Shadrack Elli.

CE MATIN DU 31 MAI, Sophia Tims se tenait sur Beacon Street à fixer, à travers un trou dans un grillage, le monument gigantesque qui se trouvait de l'autre côté. De hauts genévriers longeaient l'allée tortueuse menant jusqu'à l'entrée du manoir. Aucun souffle de vent n'agitait leurs branches. De loin, les murs de pierre et les fenêtres aux rideaux tirés du bâtiment lui conféraient un air rébarbatif et menaçant. Sophia inspira à fond pour se donner un peu de courage et inspecta de nouveau la plaque à côté du portail.

À SUIVRE…

www.ada-inc.com

info@ada-inc.com

www.facebook.com/editionsada

www.twitter.com/aditionsada

PREMIÈRE PARTIE

Les indices